『シュルレアリスム宣言』100年

シュルレアリスムと日本

The 100th Anniversary of "Manifeste du surréalisme"
Surrealism and Japan

速水豊
弘中智子
清水智世
編著

青幻舎

はじめに

今から百年前の一九二四年、アンドレ・ブルトンが「シュルレアリスム宣言」を発表し、二〇世紀の文化に最も幅広く影響を及ぼした芸術運動、シュルレアリスムが創始された。第一次世界大戦という未曽有の近代戦争に直面し、科学や理性を否定するダダの反芸術運動に関わったフランスの詩人たちは、これまで未開拓であった人間の無意識の領域を拠りどころに、新たな芸術の実験に着手した。まもなくこの運動は美術の領域にも拡がり一九三〇年代には国際的に多くの共鳴者を生むことになる。

運動の指針となったのは「理性によって行使されるどんな統制もなく、美学上ないし道徳上のどんな気づかいからもはなれた思考の書きとり」と定義されたオートマティスム（自動現象）であったが、美術ではジュアン・ミロやアンドレ・マッソンがこの指針に即した絵を描き、マックス・エルンストもコラージュ（貼り付け）の技法を用いて「互いにかけはなれた二つの実在の偶然の出会い」の効果、デペイズマンによる驚異の美を生み出した。ジョルジョ・デ・キリコやサルバドール・ダリが描く潜在意識を可視化した白昼夢のような光景も独特な絵画表現を切り拓いた。

一九二〇年代後半、シュルレアリスムは日本にも知られ始める。これに刺激を受けた若い詩人たちが翻訳や詩の実践を行い、次に、絵画の領域で古賀春江（こがはるえ）、福沢一郎（ふくざわいちろう）といった画家が不可思議な超現実的イメージを日本の画壇に導入して注目された。一九三二—三三年の「巴里（パリ）新興美術展」、三七年の「海外超現実主義作品展」などで紹介されたシュルレアリスムの美術表現は三〇年代を通して拡がり、詩人・評論家の瀧口修造（たきぐちしゅうぞう）は、その思想を理論的に擁護した。波及を加速させたのは、前衛グループを結成して街の画廊で発表した美術学校の学生たちであった。また、東京のみならず京都、名古屋、福岡などでそれぞれ集団的活動があったことも見逃せない。

本来的に人間精神の解放と自由を求めたシュルレアリスムは、やがて第二次世界大戦という破壊的な災厄に直面する。フランスで活動する詩人や画家たちもナチス・ドイツが猛威を振るう欧州からアメリカへ亡命するなど苦難を経験した。日本の軍国主義は表現の自由を許さず、前衛は検閲、弾圧の対象となる。シュルレアリスムの共産主義との関係を根拠に、一九四一年には福沢一郎と瀧口修造が検挙、拘留され、画家の表現は自粛を迫られた。日中戦争時からすでに画家たちは戦地に駆り出されていたが、第二次大戦の激化する戦況のなかで多くが若い命を落とした。

最盛期を迎えようとする矢先に終息させられた短命な日本のシュルレアリスム運動は、戦火をのがれて作品が残った主要な美術家を除けば、戦後、ほぼ忘れられた。それでも関係者や少数の研究者による作品の保存や研究が続けられ、とくに八〇年代以降、多くの画家の事績と作品・資料を美術館学芸員らが発掘、公開し、次第に全体像が明らかになってきた。

本書では戦前におけるシュルレアリスム運動を、絵画を中心に概観してみたい。現存作品がない、あるいはここに挙げる一、二点しか確認できない画家も少なくないが、なるべく多くの画家の作品をとりあげることに努めた。運動の端緒である詩の動向と、独特な展開を見せた写真についても簡潔に紹介し、また、地方都市での運動にも目を配った。そして、戦前に受けたシュルレアリスムの感化を戦中戦後へと持続し結実させた五〇年代の作品を最後にとりあげている。というのも、シュルレアリスムは終わらなかったからである。精神の自由と解放をめざすこの運動は、戦後の日本において、その名を冠せずとも、文学、美術のみならず、映画や演劇、舞踏、デザイン、漫画など多領域に受け継がれ、現代文化に浸潤している。

In due course, Surrealism, which originally sought liberation and freedom of the human spirit, was confronted with the devastating calamity of World War II. Poets and painters who had been working in France experienced hardships including having to flee from Nazi-occupied Europe to the United States. Japanese militarism did not allow freedom of expression, and the avant-garde was subject to censorship and oppression. In 1941, Fukuzawa Ichirō and Takiguchi Shūzō were arrested and detained on account of the relationship between Surrealism and Communism, and painters were compelled to exercise self-restraint on their expressions. Painters had already been recruited to the front from during the Sino-Japanese War. Amid the worsening of the situation in World War II, many young lives were lost.

The short-lived Surrealist movement in Japan was brought to an end just as it was about to reach the height of prosperity. With the exception of major artists whose works remained having escaped destruction in the war, this movement was more or less forgotten in Japan after World War II. Nevertheless, those concerned and a few researchers continued to preserve and study prewar Surrealist works, and particularly from the 1980s onward, the achievements and works of many artists together with related documents were discovered and publicized by museum curators and others. Thus, the overall picture gradually became clear.

This catalogue surveys the Surrealist movement before World War II with focus on paintings. There are not a few cases in which works by a certain artist no longer remain or there are only the one or two works referred to here, but we did our best to include works by as many artists as possible. The trend of poetry, from which the movement began, and photography, which developed in a way of its own, are introduced briefly. Movements in provincial cities are also observed. The book ends with studies on works dating from the 1950s, in which the prewar influence of Surrealism continued during and after the war and bore fruit in the postwar era. Having said that this book examines prewar Surrealism, this movement did not come to an end. Aiming at freedom and liberation of spirit, in postwar Japan, although it may not have been designated as Surrealism, this movement has been handed down not only in literature and fine art but in diverse domains such as cinema, drama, dance, design, and manga. Hence, contemporary culture is imbued with Surrealism.

Preface

One hundred years ago, in 1924, André Breton published his *Manifesto of Surrealism*, and Surrealism, an art movement which had the most widespread influence on twentieth-century culture, was launched. There were French poets who, having confronted World War I, an unprecedented modern war, and been involved in Dada, an anti-art movement which negated science and reason, began experimenting with a new art based on the human unconsciousness, a realm that had not been explored until then. This movement soon spread to the domain of fine art, and by the 1930s, many sympathizers emerged internationally.

The guiding principle of this movement was Automatism, which was defined as "thought dictated, in the absence of any control exercised by reason, exempt from any aesthetic or moral concern." In fine art, Joan Miró and André Masson painted pictures conforming to this principle, and Max Ernst produced amazing beauty employing the collage technique and the effect of dépaysement, "the chance meeting of two distant realities". The daydream-like scenes by Giorgio de Chirico and Salvador Dalí visualizing the subconscious also opened up unique painterly expressions.

In the latter half of the 1920s, Surrealism began to get known in Japan, too. Young poets stimulated by Surrealism translated and composed poetry. Then, in the field of painting, artists such as Koga Harue and Fukuzawa Ichirō attracted attention by introducing enigmatic, surreal images into the Japanese art circles. Surrealist art introduced through exhibitions such as *Pari shinkō bijutsu ten* (Exhibition of new art in Paris) in 1932–33 and *Kaigai chōgenjitsu shugi sakuhin ten* (Exhibition of foreign surrealist works) in 1937 spread throughout the 1930s, and the poet and critic Takiguchi Shūzō provided theoretical support of Surrealist thought. It was art school students who formed avant-garde groups and presented their works at local art galleries that accelerated the influence of Surrealism. The point that group activities were undertaken not only in Tokyo but also in Kyoto, Nagoya, Fukuoka, etc. should not be overlooked.

目次

凡例

- 本書は「『シュルレアリスム宣言』一〇〇年　シュルレアリスムと日本」展（京都府京都文化博物館 二〇二三年一二月一六日―二〇二四年二月四日／板橋区立美術館 二〇二四年三月二日―四月一四日／三重県立美術館 二〇二四年四月二七日―六月三〇日）の図録兼書籍として刊行された。
- 作品図版のキャプションは、以下の順に記載し、制作年及び出品歴不詳のものは省略した。作品番号、作家名、作品名、制作年、所蔵、展覧会（初出品）等。材質・技法、サイズについては巻末の作品リストを参照のこと。
- 本書の作品図版は［000］、資料類は［D00］と表記した。挿図［図］は参考であり、本展覧会には出品されていない。
- 本書と実際の展示における順番は異なる。また、会場および会期により出品されない作品がある。
- 「はじめに」は速水豊が執筆した。各解説の執筆者は、文末にイニシャルで明記した。
  HY（速水豊　三重県立美術館）
  HS（弘中智子　板橋区立美術館）
  ST（清水智世　京都府京都文化博物館）
- 右記、各解説における註と挿図の出典については、番号（★）を付し巻末にまとめた。
- 文中、美術作品名は《　》、書名は『　』、記事名、引用は「　」で示した。引用文中、原則として、旧かなづかいはそのままとし、漢字は新漢字に改めた。また、本書掲載の作品名に今日の社会的見地からみると不適切な用語があるが、当時の時代的背景を鑑み原題のママとした。

序章　シュルレアリスムの導入

Introduction:
The Importation of
Surrealism

序

シュルレアリスムは、フランスの詩人たちが創始し主導した運動であり、日本においてもその最初の反応、影響は詩の領域に現れた。

アンドレ・ブルトンとフィリップ・スーポーの自動記述による作品の発表は一九一九年にさかのぼるとはいえ、運動としての本格的な始動は『シュルレアリスム宣言・溶ける魚』[D1]が発刊され、機関誌『シュルレアリスム革命』[D2]が創刊された一九二四年と見なせよう。こうした書籍を通して運動はまもなく日本人の知るところとなる。

この頃までヨーロッパに滞在し、この動向に触れた詩人、西脇順三郎は一九二五年一一月に帰国、彼の周囲に集う学生を中心とするサークルが日本におけるシュルレアリスムのひとつの発端となった。のちに指導的存在となる瀧口修造は彼ら学生のひとりであった。

一方、詩誌『文芸耽美』でフランスのシュルレアリストの作品を紹介し始めていた橋本健吉(のちの北園克衛)らは、『薔薇・魔術・学説』[D5–6]を創刊、日本人最初のシュルレアリスム宣言と見なしうるテキストを発表する。まもなく彼らは西脇門下のグループと合流した。

こうした詩誌のほとんどは短命に終わったが、一九二八年に春山行夫が主宰した季刊誌『詩と詩論』(のちに『文学』)[D10–11]には、彼ら詩人の多くが寄稿し、前衛詩の進展に影響力を持った。同誌には、ブルトン「シュルレアリスム宣言」の北川冬彦による抄訳をはじめ、シュルレアリスム関連のテキストがいちはやく翻訳掲載されている。

一九二九年、シュルレアリスムの名を冠した最初の書、西脇順三郎『超現実主義詩論』[D14]が刊行されたが、これに付録の論文を寄せた瀧口修造は、翌年、ブルトン著『超現実主義と絵画』を翻訳刊行する[D15]。シュルレアリスムの美術に関しては、一九二八年頃から美術雑誌などで少しずつ紹介されてはいたが、五〇点の図版を掲載した本書は、シュルレアリスム絵画を日本において広く知らしめる源となった。(HY)

Surrealism was a movement initiated and led by French poets, and in Japan, too, the initial reaction and influence arose in the domain of poetry.

While the presentation of works by André Breton and Philippe Soupault employing the automatic writing method can be traced back to 1919, the full-scale start of Surrealism can be regarded as 1924, the year *Manifesto of Surrealism* [D1] was published and the first issue of the journal *The Surrealist Revolution* [D2] was issued. Through these publications, the movement soon became known to the Japanese.

The poet Nishiwaki Junzaburō, who was in Europe around that time and came into direct contact with this trend, returned to Japan in November 1925. A circle of mainly students who gathered around Nishiwaki was one of the origins of Surrealism in Japan. Takiguchi Shūzō, who was later to become a leading presence in the movement, was one such student.

Meanwhile, Hashimoto Kenkichi (later known as Kitasono Katue) and others began to introduce works by French Surrealists in the poetry magazine *Bungei tanbi*. They then started *Shōbi, majutsu, gakusetsu* [D5-6], in which they published a text which could be regarded the first manifesto of Surrealism to be launched by Japanese people. This group soon merged with the group consisting of Nishiwaki's pupils.

Although most of the poetry magazines of this type were short-lived, the quarterly magazine *Shi to shiron* (later *Bungaku*) [D10-11] run by Haruyama Yukio from 1928 included contributions from many of the above-mentioned poets and was influential in the development of avant-garde poetry. An abridged translation of Breton's "Manifesto of Surrealism" by Kitagawa Fuyuhiko was presented in this magazine. Likewise, translations of Surrealism-related texts appeared promptly in this magazine.

In 1929, the first book including the term Surrealism, *Chōgenjitsu shugi shiron* (Criticism of surrealist poetry) [D14] by Nishiwaki Junzaburō, was published. Takiguchi Shūzō contributed a supplementary essay to this book, and, in the following year, he published a translation of Breton's *Surrealism and Painting* [D15]. While Surrealist art had been introduced little by little in art magazines etc. from around 1928, Takiguchi's book including fifty illustrations became the source for Surrealist painting to become widely known in Japan. (HY)

シュルレアリスム。男性名詞。心の純粋な自動現象（オートマティスム）であり、それにもとづいて口述、記述、その他あらゆる方法を用いつつ、思考の実際上の働きを表現しようとくわだてる。理性によって行使されるどんな統制もなく、美学上ないし道徳上のどんな気づかいからもはなれた思考の書きとり。

百科事典。（哲）。シュルレアリスムは、それまでおろそかにされてきたある種の連想形式のすぐれた現実性や、夢の全能や、思考の無私無欲な活動などへの信頼に基礎をおく。他のあらゆる心のメカニズムを決定的に破産させ、人生の主要な諸問題の解決においてそれらにとってかわることをめざす。

アンドレ・ブルトン「シュルレアリスム宣言」より（巖谷國士訳）

D1
アンドレ・ブルトン
『シュルレアリスム宣言・溶ける魚』
Sagittaire、1924 年、岡崎市美術博物館
（André Breton, *Manifeste du surréalisme: Poisson soluble*）

D2
『シュルレアリスム革命』
7号、1926年6月、個人
（*La Révolution surréaliste*）

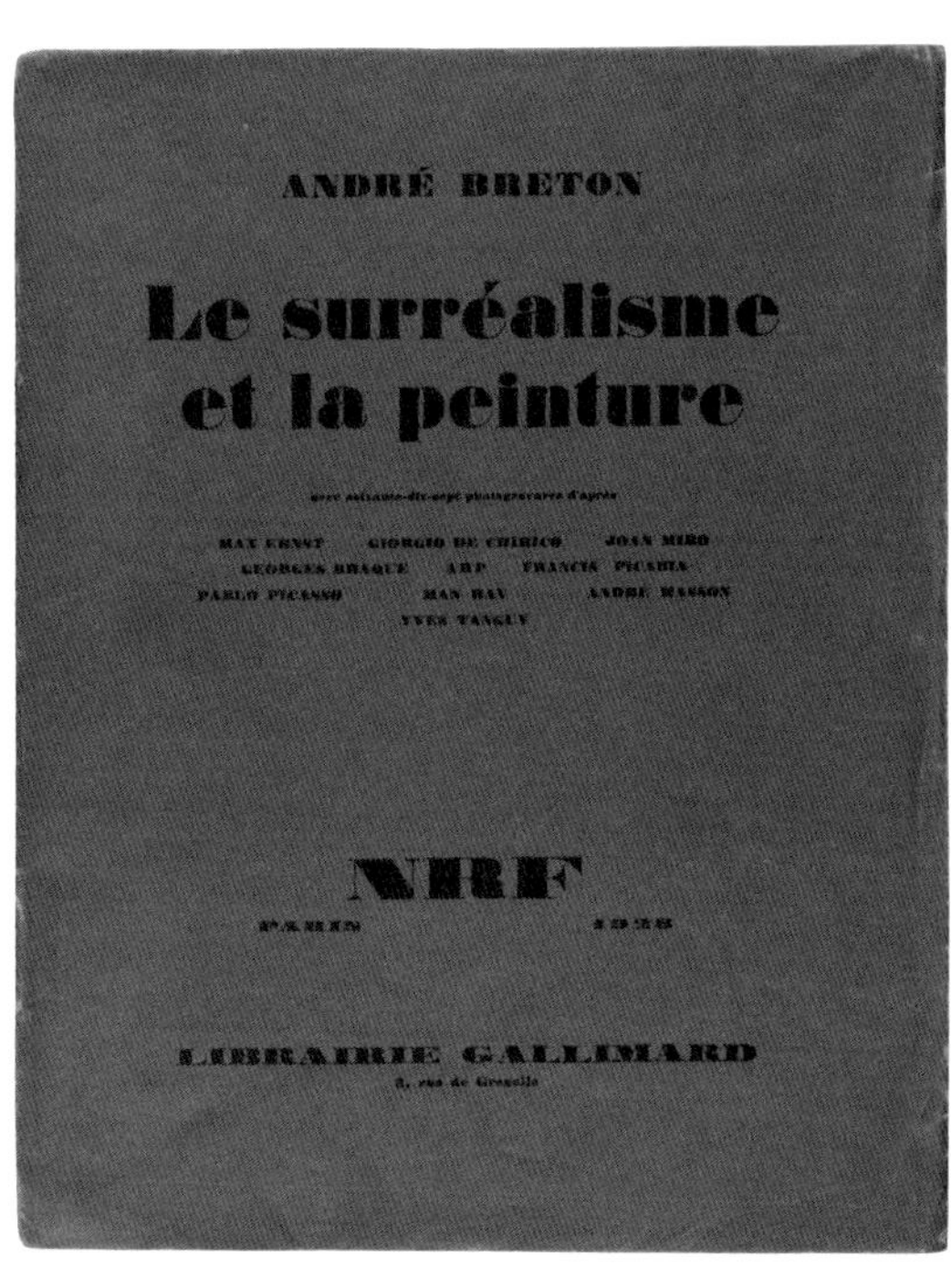

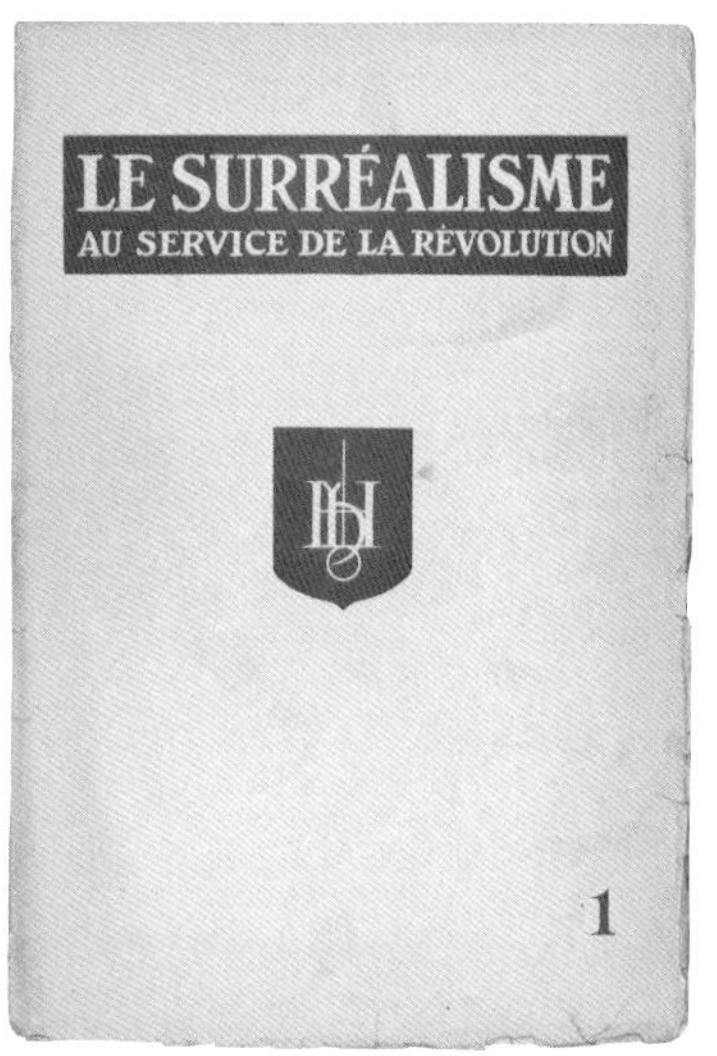

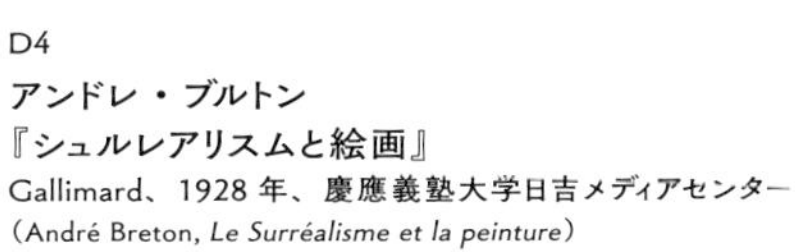

D4
アンドレ・ブルトン
『シュルレアリスムと絵画』
Gallimard、1928年、慶應義塾大学日吉メディアセンター
（André Breton, *Le Surréalisme et la peinture*）

D3
『革命に奉仕するシュルレアリスム』
1号、1930年7月、個人
（*Le Surréalisme au Service de la Révolution*）

図1
『文芸耽美』
2年4号、1927年5月★4

図2
『LE SURRÉALISME INTERNATIONAL』
1号、1930年1月★5

詩壇におけるシュルレアリスム導入

欧州から帰国した西脇順三郎は一九二七年、若き詩人たちと詩集『馥郁タル火夫ヨ』〔D7〕を刊行する。表紙には「Collection Surréaliste」と記され、序文には「現実の世界は脳髄にすぎない。この脳髄を破ることは超現実芸術の目的である。崇高なる芸術の形態はすべて超現実主義である」とあり、これは日本の詩人によるシュルレアリスムへの最初の応答と見なしうる。西脇はついで『超現実主義詩論』〔D14〕、『シュルレアリスム文学論』を著し、詩論、詩作ともにシュルレアリスムを自身の主義とはしなかったものの、その受容において重要な役割を果たした。[★1]

同じ一九二七年、詩誌『文芸耽美』〔図1〕でエリュアールやアラゴンを紹介し始めていた上田敏雄、上田保、橋本健吉（北園克衛）の三人は、冨士原清一らとともに雑誌『薔薇・魔術・学説』〔D5–6〕を創刊、翌一月の第三号に挟み込んだ紙片「A NOTE」はこの三人が署名した宣言であった。「吾吾はSurréalismeに於ての芸術欲望の発達あるひは知覚能力の発達を謳歌した　吾吾に洗礼が来た」と始まり、「吾吾はSurréalismeを継続する　吾吾は飽和の徳を讃美する」と終わるこの宣言は、フランスのシュルレアリストにも送られた。[★2]

彼らは西脇のグループと合流し、一九二八年一一月『衣裳の太陽』〔D8–9〕を発刊。表紙には「L'EVOLUTION SURREALISTE」（五、六号は「超現実主義機関雑誌」）と副題が付された。同年に創刊され、幅広い影響を及ぼした『詩と詩論』〔D10〕も含め、これらの詩誌において瀧口修造は代表作「地球創造説」をはじめとする超現実主義詩を発表し、また、現在ではシュルレアリスムよりフォルマリスト的特徴が指摘される。[★3] 北園克衛（『白のアルバム』）、上田敏雄（『仮説の運動』）、春山行夫（『植物の断面』いずれも一九二九年）らの詩集も編まれた。

『衣裳の太陽』は一九二九年に終刊となり、彼らは翌年『LE SURRÉALISME INTERNATIONAL』〔図2〕一冊を出すが、詩人たちのシュルレアリスムを掲げたグループとしての活動はここで終息に向かう。（HY）

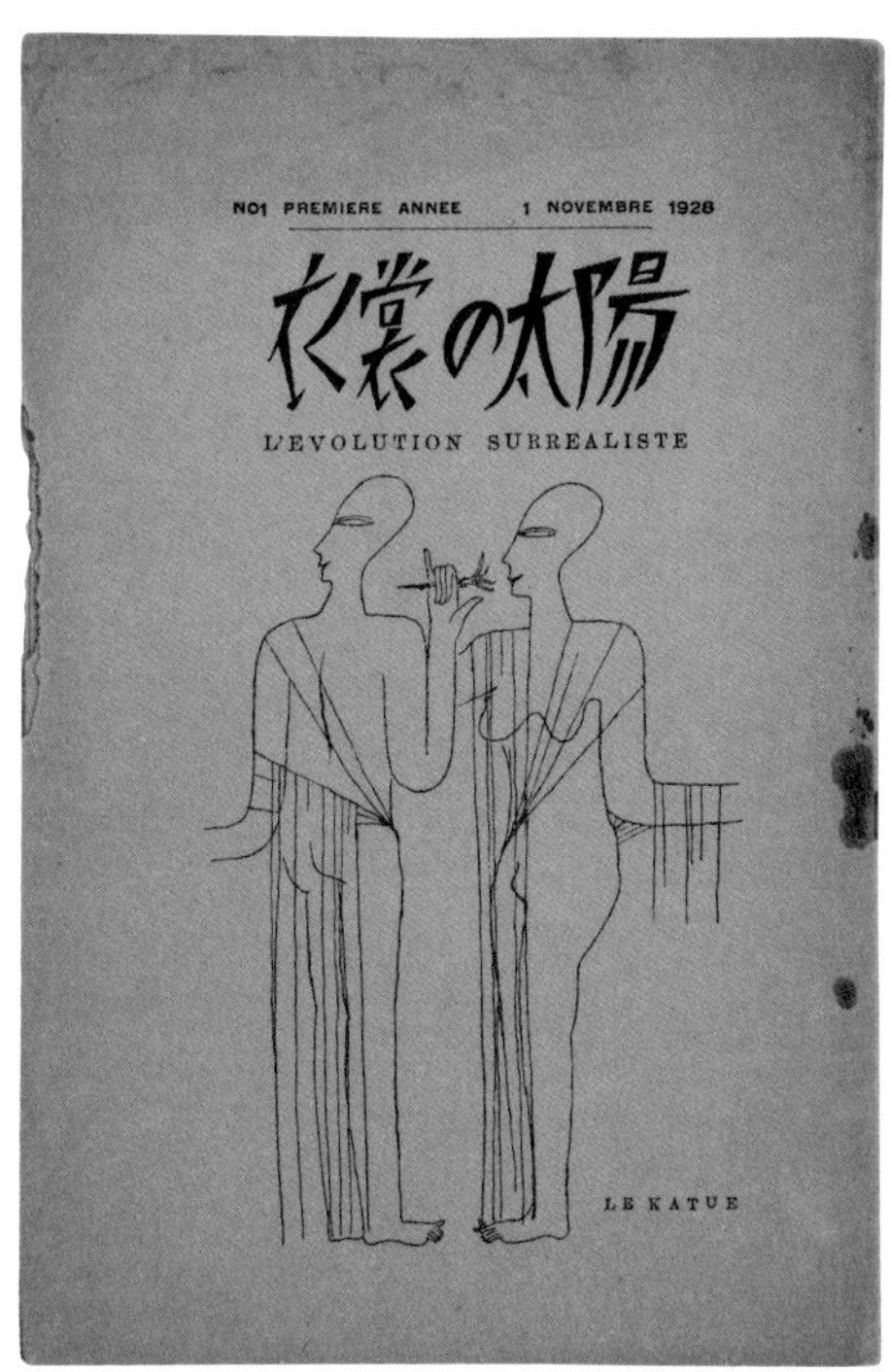

D8
『衣裳の太陽』
1年1号、1928年11月、多摩美術大学アートアーカイヴセンター

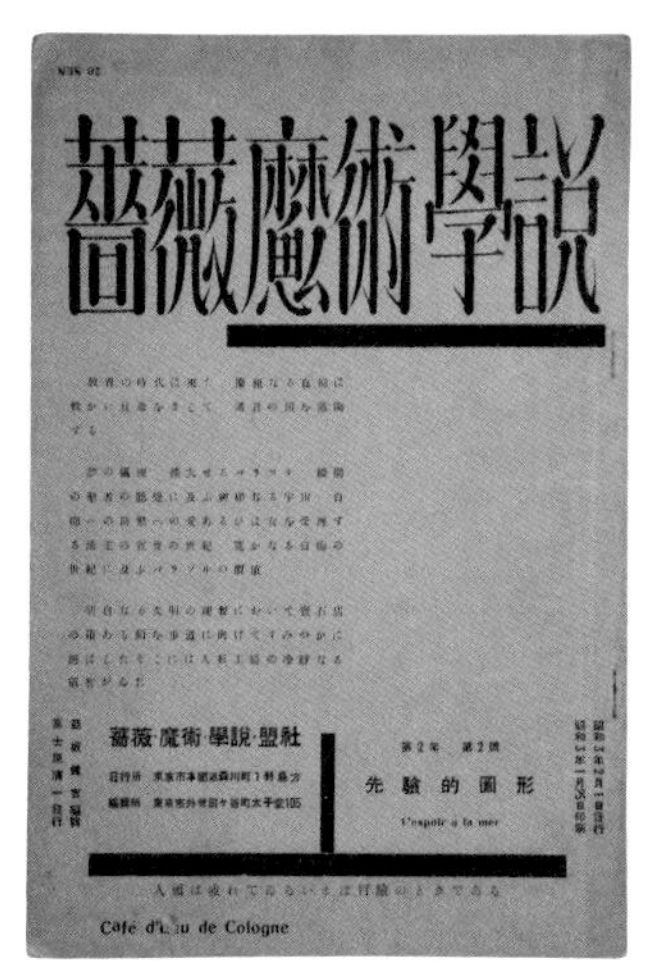

D6
『薔薇・魔術・学説』
2年2号、1928年2月
多摩美術大学アートアーカイヴセンター

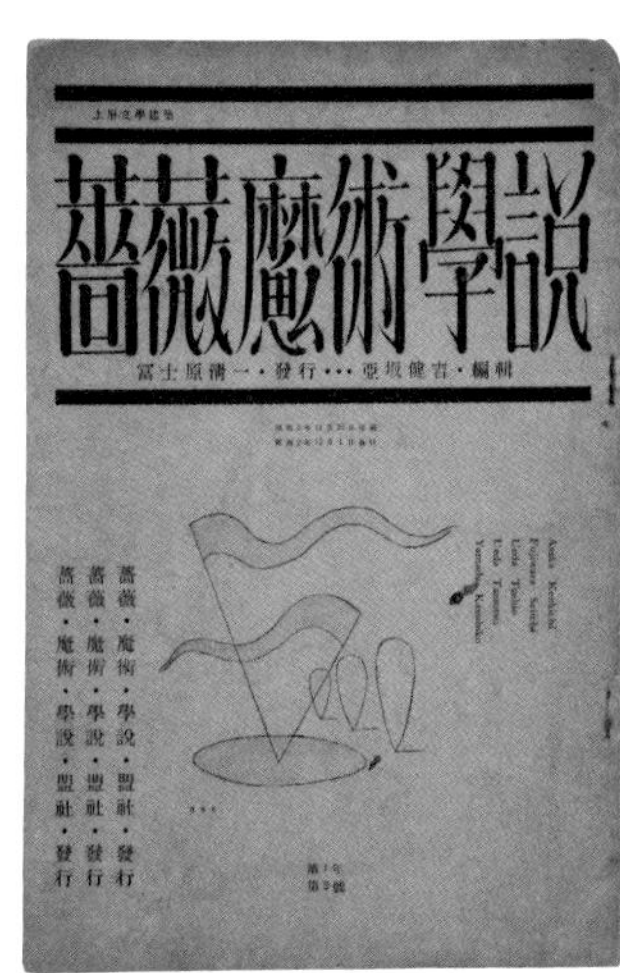

D5
『薔薇・魔術・学説』
1年2号、1927年12月
多摩美術大学アートアーカイヴセンター

D9
『衣裳の太陽』
2年3号、1929年1月、多摩美術大学アートアーカイヴセンター

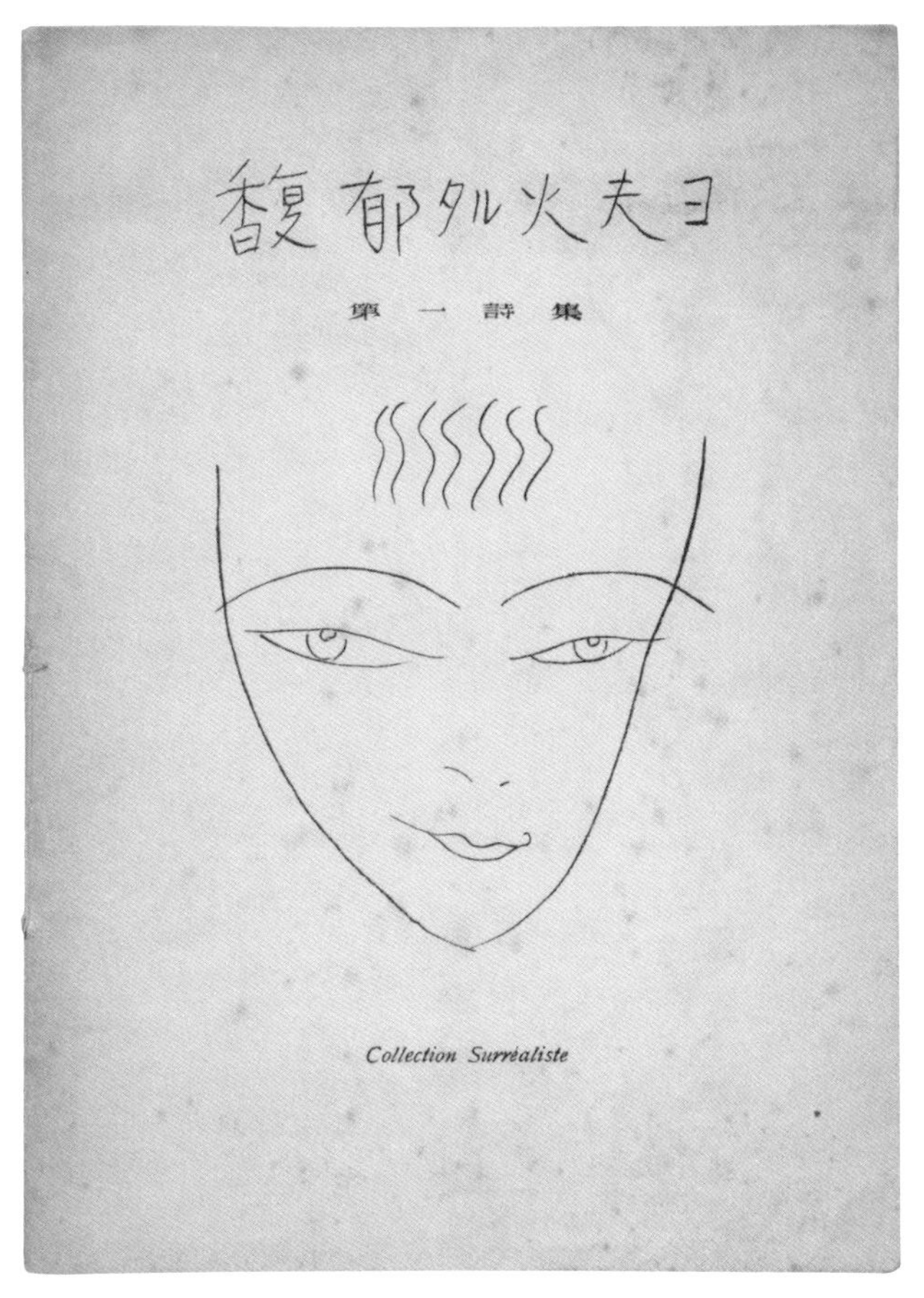

D7
『馥郁タル火夫ヨ』
大岡山書店、1927年12月、慶應義塾大学アート・センター

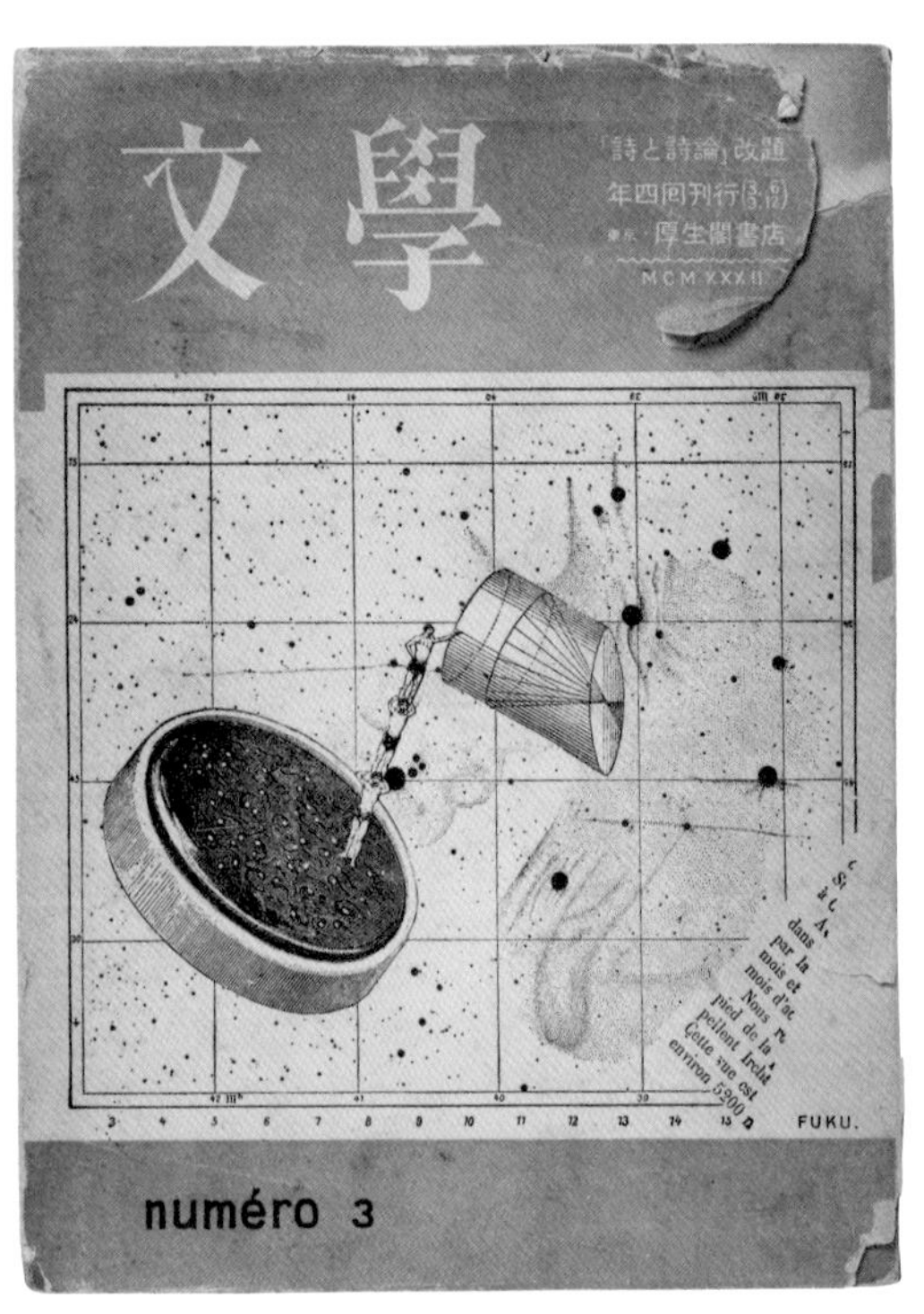

D11
『文学』
3 号、1932 年 9 月、個人
表紙：福沢一郎

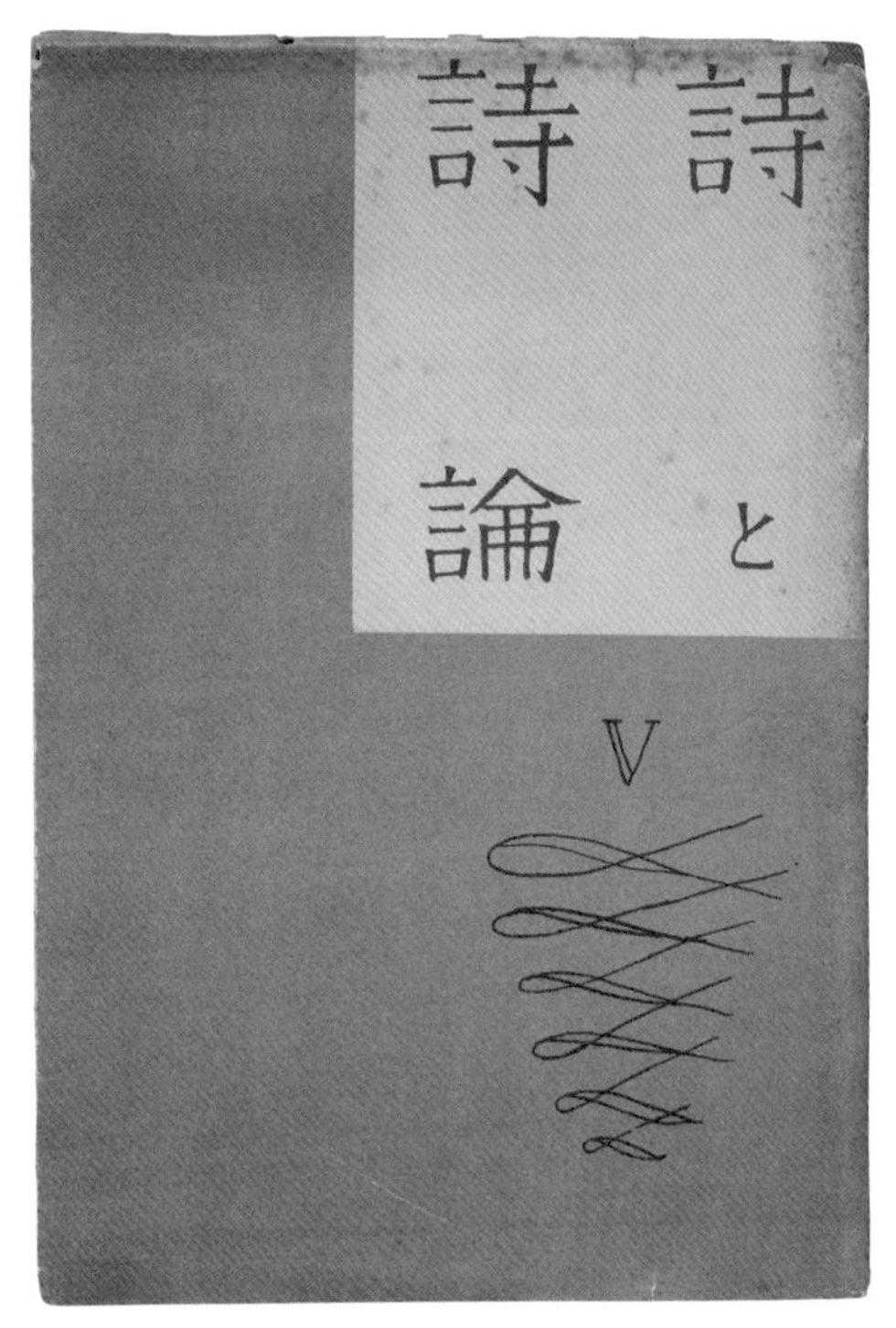

D10
『詩と詩論』
5 号、1929 年 9 月、個人

前衛モダニズムの組織者　北園克衛（きたぞのかつえ）

北園克衛（本名・橋本健吉）は、大正末期から戦後にいたるまで前衛詩の運動を牽引し、創作とともに運動の組織者としても多面的で国際的な活動を展開した。★1

大正期の先鋭的な芸術誌『ゲエ・ギムギガム・プルルル・ギムゲム』（一九二四―二六年）に参加し、編集を担ったのが前衛運動への最初の関与であろう。一九二七年、新興美術の団体「単位三科」の展覧会には絵画を出品、三〇年代前半まで油彩制作も行い二科展にも出品している［019］。早くからシュルレアリスムの詩作品を紹介した『文芸耽美』に参加した後、これに関心を持つ同人とともに『薔薇・魔術・学説』［D5–6］を創刊（筆名・亞坂健吉）、さらにシュルレアリスムを標榜した最初の詩誌『衣裳の太陽』［D8–9］にも中心的に関わった。詩作を発表するとともにいずれの雑誌においてもカットや表紙絵を担当して運動の視覚イメージに貢献し、これが後年まで才能を発揮したグラフィックの仕事の端緒となった。

一九二九年、初の詩集『白のアルバム』を刊行する。その詩はフランスのシュルレアリスムに従うものではなく、フォルマリスム的な実験性に富むものとされる。★2 若い詩人を集めてアルクイユ・クラブを結成して一九三二年より『MADAME BLANCHE』［図1］を創刊、さらに一九三五年に結成したVOUクラブと、自身が編集と斬新なレイアウトを手がけたその機関誌『VOU』［D12–13］は、戦期の中断を挟んで七〇年代まで継続され、北園の生涯にわたる多彩な活動の拠点となった。ジャンルを超えた交流をめざしたこのクラブには画家や音楽家も加わり、中原實（なかはらみのる）や浅原清隆（あさはらきよたか）らの参加が注目される。また、この頃から北園は詩人エズラ・パウンドと文通を始め、彼らの詩が欧米で紹介されるきっかけとなった。

一九五〇年代にはVOU音楽会や造形作品を展示するVOU形象展などを継続して開催し、グループの活動の幅を広げ、自らも写真による詩作品「プラスティック・ポエム」や実験映画を制作した。（HY）

図1
『MADAME BLANCHE』
1号、1932年5月★3

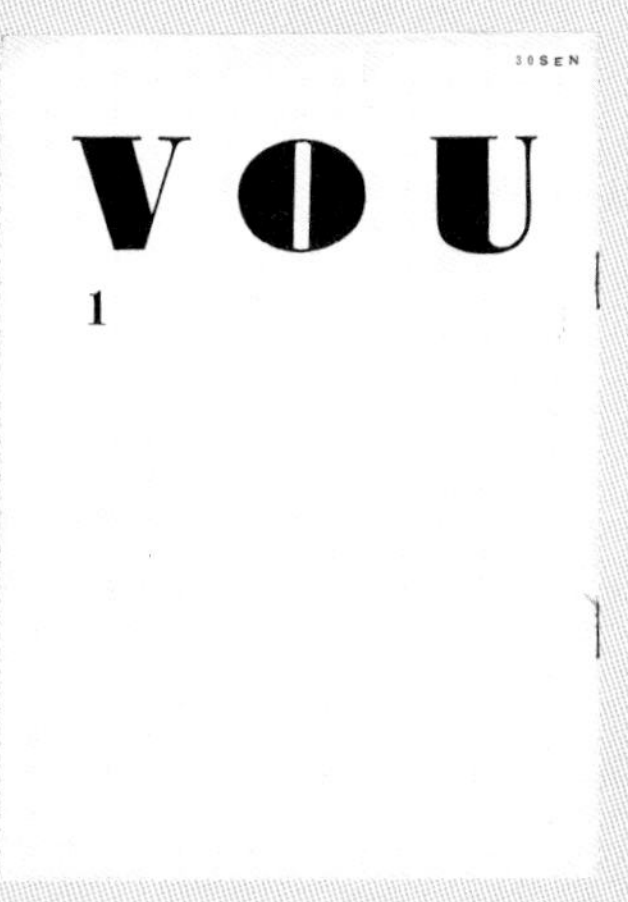

D12
『VOU』
1号、1935年7月、板橋区立美術館

D13
『VOU』
26号、1939年4月、三重県立美術館

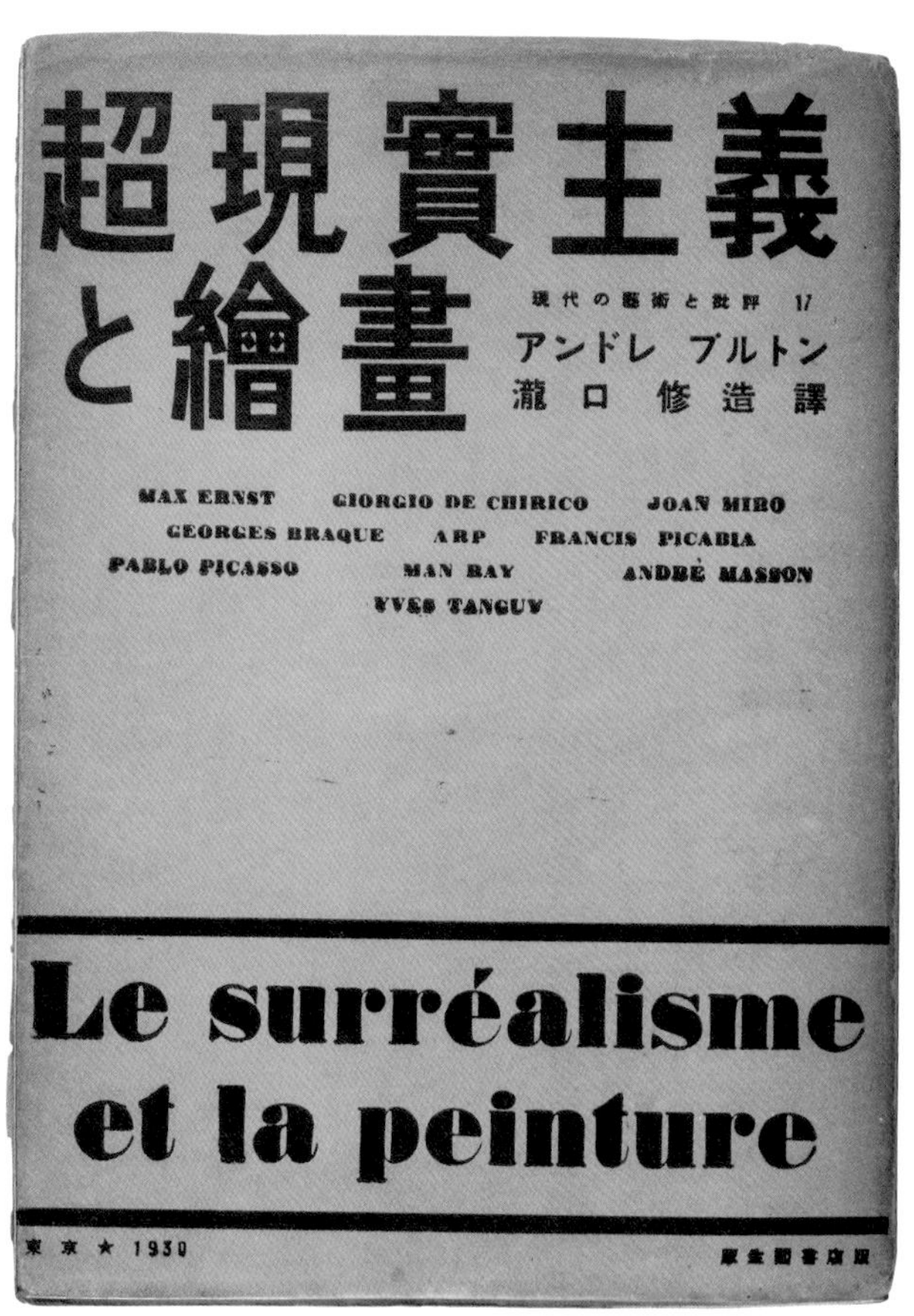

D15
アンドレ・ブルトン、瀧口修造訳
『超現実主義と絵画』
現代の芸術と批評叢書 17
厚生閣書店、1930 年、個人

D14
西脇順三郎
『超現実主義詩論』
現代の芸術と批評叢書 14
厚生閣書店、1929 年、個人

何が「日本の」シュルレアリスムか

永井敦子

「日本のシュルレアリスム」はあるか

北園克衛研究で知られるジョン・ソルトは二〇一一年に吉増剛造（よしますごうぞう）との対談のなかで、「日本のシュルレアリスム」の認知度の低さを嘆いている[1]。ただ、そもそも何が「日本の」「シュルレアリスム」なのか。たとえば、一般に「シュルレアリスム的」といわれるコラージュやデカルコマニーなど造形上の「技法」や、鳥や窓や鏡といった「モチーフ」、あるいは作品が鑑賞者にもたらすデペイズマンや驚異などの感覚的、心理的「効果」や、非合理や偶然といった「コンセプト」を日本人の前衛的な絵画や詩に見出し、それらを「ダリ風」「ミロ風」などと形容したところで、そこからは、ヨーロッパのシュルレアリスムの「模倣」や「亜流」という評価以外のものは引き出しづらい。また、そこに何らかの「日本的」要素を見出したとしても、それがエグゾチスムの自己演出でないかがすぐに問われるだろう。

そこでここでは少し見方を変えて、第二次世界大戦前後の日本における「シュルレアリスム」のありようを、おもに詩の分野において探ってみたい。

焦点の不在

一九二〇年代後半、大正期のモダニズムとは時代を画する昭和の「新精神」が求められるなか、ヨーロッパの前衛芸術運動としては後進のシュルレアリスムへの関心が高まり、その取りこみが進んだ。その現場では瀧口修造や山中散生（やまなかちるう）ら詩人、評論家による美術分野への貢献も大きく、逆に画家たちも詩集や文芸誌に口絵を提供するなど、ジャンル融合的な相互協力も活発になされた。ただ日本には運動の中核となるような組織はなく、アンドレ・ブルトンのような運動メンバーの離合集散に強く影響した人もいなかった。組織の代わりに詩人や評論家の交流拠点としての役割を持ったのは、文芸誌、詩誌だった。シュルレアリスムの紹介においては、春山行夫編集の『詩と詩論』（一九二八―三一年［D10］）が中心的な位置にあったが、シュルレアリスムに関心を持つ詩人たちは『椎の木』『蝋人形』など同時に他のモダニズム誌にも参加した。左川ちか、江間章子など複数の雑誌で存在感を放つ女性詩人もいたが、総じて彼女らの創作姿勢も周囲の扱いもひとりの「詩人」としてのそれであり、女性であることをことさらに意識したものではなかった。詩人たちの活動拠点は東京の、とくに関東大震災後に多くの芸術家が集った「池袋モンパルナス」の後背地としての落合、上高田あたりに多いが、同時に神戸の『神戸詩人』や、日本支配下にあった大連で発行されていた『亜』など、首都以外で発行された複数の媒体が、地域を超えた存在感を示していた。

　このように概略をなぞっただけでも、当時シュルレアリスムに関心を持った芸術家たちの活動の域と様態が、整然とした位階や「近代的な」構造や焦点を持たない、多極的な様相を呈していたことがわかる。そしてこうした多極的な存在のしかた自体が、「日本のシュルレアリスム」をある意味自由で、縛りや境界のみならず、原理や実体自体も曖昧なものにしていた一因であるといえよう。

　加えて運動の発端にあった「フランスのシュルレアリスム」自体も、日本への導入の段階からすでに相対化されていたといえる。

　フランスでは、自動書記の初の試みといわれるブルトンとフィリップ・スーポーによる『磁場』が一九一九年に発表された。他方日本でシュルレアリスムの紹介が活発化したのは一九二〇年代後半以降で、その後はフランスのシュルレアリストたちの著作が同時進行的に紹介されていった。つまり日本では、ブルトンが一九三四年にそれまでのシュルレアリスム運動は「純粋に直観的な時期」と「理性的な時期」に二分されるといった[2]、その両方の時代、つまり自動書記や夢の記述に対する期待と、当事者たち自身がやがて表明したそれらの限界の認識、さらに一九二〇年代後半から高まった政治意識や社会に対する危機感、三〇年代の共産主義への接近などが、短期間のうちにほぼまとめて紹介されたのだ。そのため詩人たちそれぞれの志向や関心によって、彼らが受け取る「シュルレアリスム」の中身も多様でありえた。また運動の導入期が一九二五年に制定された治安維持法の本格発動とその拡張期に重なっていたため、出口をふさがれた芸術家たちが、フランスでの運動萌芽期にあった「戦後」の解放感を共有することは不可能だっただろうし、世相に対する彼らの不安や怒りが内に秘められることによって、フランスの抵抗詩とはかなり異質な社会性を生んだ面もあった。

　また当時シュルレアリスムに関心を持った文化人には西脇順三郎をはじめ、とくにイギリスの文化事情やイギリス文学に通じた者も少なくなく、彼らの関心はハーバート・リードなどイギリス発のシュルレアリスム論や、T・S・エリオットやジェイムズ・ジョイスなど英語圏のモダニズム文学にも並行して向けられていた。こうしたハイブリッドで焦点の定まらない受容環境は『詩と詩論』にも顕著で、それがこの雑誌がフランスとブルトンを中心に据えた、整理されたシュルレアリスム史観の踏襲にならずにすんだ理由のひとつだろう。

このことは、それぞれの文学史的な立ち位置からは理解しづらい、ポール・ヴァレリーの「主知主義」やアンドレ・マルローの「行動主義」とシュルレアリスムとの接続にもあらわれている。作家で英文学者の阿部知二の『主知的文学論』（一九三〇年）などにも触発された春山行夫がヴァレリーにもシュルレアリスムにも見た「主知的態度」とは、創作において「方法」や「様式」を重んじる態度であるが、これは形式の尊重というよりも、現実を新しい見方で見て表現することにより、「文学が表現するリアリテの領域を拡大する」態度として考えられていた。また小松清が一九三一年のフランスからの帰国時に持ち帰った「行動主義」に、同年やはりフランスから帰国した画家の福沢一郎らが強い共感を表した背景には、官憲による追及やイデオロギー的な論争から逃れつつ、社会的現実と芸術創作との接続を図ろうとした意志が感じられるし、そこでめざされた創作態度は、ここでいう「主知的態度」と大きな隔たりはなかった。[3]

否定による存在確認のなかで

それでも春山らが重視した「方法」「様式」や「主知的態度」は、「形式主義」という否定的な理解に落としこまれがちだった。また春山や北園などの実験的作品に指摘された現実感の希薄さへの反感も相まって、北川冬彦らは一九三〇年に『詩と詩論』から離れ、『詩・現実』を創刊した。そしてこうした内側からの批判が、第二次世界大戦後の詩壇のシュルレアリスム批判にも広く、長く継承されてゆくこととなる。たとえばシュルレアリスム批判を展開した詩人の代表たる大岡信は、一九五三年に『詩と詩論』を中心とする運動について、「大正末期の無意味と化した詩への反逆という点で正しかったし、言葉の中に遊戯的要素をみいだしたことで言葉の範囲をひろげた（略）のだが、同時に彼ら自身の詩が遊戯的なものになり終り」[4]、自分の肉声を伝えるという社会的責任を果たそうとしていないという主旨のことを書いているが、当時の彼のこうした批判が、その後も日本のモダニズム詩史において大なり小なり継承されてきたことに異論はないだろう。第二次世界大戦前の「日本のシュルレアリスム」の存在を認知する人がいても、多くは批判と克服の対象としての認知であったといえよう。

しかしここで、先の大岡のシュルレアリスム批判と同時期に発表された、上田敏雄のシュルレアリスム論を紹介したい。上田は一九二七年にシュルレアリスムに関するマニフェストを起草し、『詩と詩論』にも活発に参加した。その彼が一九五二年に笹沢美明と北川冬彦とともに出版した『現代詩の歩み』［図1］では、まず笹沢が「象徴主義」、次に上田が「超現実主義」、最後に北川が「現実主義」の章を担当し、上田敏から戦後までの日本のモダニズム詩の流れがたどられ、「超現実主義」が「現実主義」によって乗り越えられたと読める構成をとっている。ただ上田は、個々の詩人を無理にそうした流れに押しこめてはおらず、そうした自由な書きかたが、このシュルレアリスム論の興味深いところでもある。たとえば瀧口修造について、上田は次のように書いている。

> 滝口の作品のリアリティはそれと現実世界の関係が、《雪のごとく消えている》関係に存在するように観察される。
> 　この雪のごとく消えている関係を通して、世界はいきずき、われわれはいきをふきかえすものとすれば、この非連続の連続の床をかきわけて、シュルレアリテとレアリテとの間に、相互の婚姻の欲望がとげられるとすれば、夢が自らの往還性を具備するとすれば――夢が自らの環を完結するメカニズムであるならば、滝口は、夢の手段によって世界への交りを回復する体系シュルレアリスムの系統をひく異例の詩人としてスタートしている。
> 　局外者の詩壇人の中には、シュルレアリスム美学はすでに底を割ったのではないかと懸念しているむきもあるが、滝口の近作の発表をまって筆者はこの体系を再検討したい。(5)

図1
『現代詩の歩み』表紙：寺田政明

上田のコメントは、大岡のそれのような当時の詩壇のシュルレアリスム批判を意識したうえで、それに反証を加えているように見える。

また北園の詩については、上田はそれが「装置詩」といわれていることに言及している。この「装置詩」の意味を要約すれば、詩人の主観性や書かれた対象の現実性を排し、書かれる語を自働的な美的動力を有するシンボルとして操作することで、美的空間たる詩に客観的な意味を持たせようとした詩といえよう。ここで上田は北園について、次のように書く。

> ［前略］、この自動的にうごくシンボルを製造する技工北園が最前線のアーティストであり、ばりばりの現役である事実は、北園のファンの諸氏とともに認めます。そしてこの種の詩もいつの時代にも決して無用にならぬこと芸術家の永久回帰の

ジャングルであることを太鼓判をおして保証します。
蓋し北園の人間の条件は、彼個人の条件ではあるが、同時にまた、人類の普遍的な条件をつらぬいているからです。[6]

　このように上田は、詩人や社会とのつながりを喪失し、技巧の追求に堕したという当時のシュルレアリスム詩批判を受け止めたうえで、そこに世界との交わりの回復への希望や、人類の普遍的な条件とのつながりを見出すことで、ユーモアを交えつつ、その批判への反証可能性を開いている。

　確かに、「日本における戦後のシュルレアリスムは、ほとんど瀧口修造とともにあった」[7]という鶴岡善久の言葉が示すように、シュルレアリスムは例外的に瀧口の周囲で生き延びたという見方もある。また北園克衛の詩と造形への関心は、二一世紀になっても衰えていない。その意味では、当時のシュルレアリスム批判に収まらない価値を瀧口と北園の作品に指摘した上田が、炯眼の持ち主だったともいえる。しかし同時に指摘したいのは、「日本のシュルレアリスム」自体が、大岡的な批判の根拠と、それに反証するための根拠の両方を含み持っており、そうした併存が可能になった背景には、ここで述べてきたような「日本のシュルレアリスム」の多極的で縛りが緩く、焦点を結ばない存在様態と、それゆえの実体の曖昧さがあったということだ。まただからこそ、発祥地フランスのシュルレアリスム運動のありようを中心に据えたシュルレアリスム観だけでは説明しづらい傾向や、それぞれの作家の個性を触媒とした、多様な作品が生まれえたということだ。

　したがって「日本のシュルレアリスム」に出会えた私たちには、「この国の超現実主義」について、「イズムとしては消えても、『精神の状態』の使徒となり、凝固しようとする物質の血液を甦らせつづけるにちがいない」、「運動としてではなく個別的に咲き継ぐことであろう」[8]と書いた米倉壽仁の言葉に導かれて、個々の作家の作品の諸価値を引き出しつつ、同時にのちの人々も「日本のシュルレアリスム」をありのまま、漏れなく享受できるよう、その曖昧な総体に恣意的な取消し線を施すことは控え、作品の散逸や破壊を食い止めることが、ひとつのミッションとして託されていよう。

（ながい・あつこ／上智大学教授）

(1) 吉増剛造、ジョン・ソルト「火の痕跡、星の死の揺らぎ」『現代詩手帖』思潮社、二〇一一年六月、二一頁。

(2) アンドレ・ブルトン「シュルレアリスムとは何か」生田耕作訳『アンドレ・ブルトン集成』五巻、人文書院、一九七〇年、二八五頁。

(3) この問題については、以下で論じた。永井敦子「アンドレ・マルローと小松清——行動主義をめぐって」永井敦子、畑亜弥子、吉澤英樹、吉村和明『アンドレ・マルローと現代——ポストヒューマニズム時代の〈希望〉の再生』上智大学出版、二〇二一年、二八七—三一〇頁。

(4) 大岡信「現代詩試論」『現代詩試論／詩人の設計図』講談社文芸文庫、二〇一七年、二四—二五頁。

(5) 上田敏雄「超現実主義」笹沢美明、上田敏雄、北川冬彦『現代詩の歩み』宝文館、一九五二年、八二頁。

(6) 同前、九二頁。

(7) 鶴岡善久『シュルレアリスムの発見』湯川書房、一九七九年、七八頁。

(8) 米倉壽仁「超現実主義はなぜ消えたか——日本におけるその実体——」(『本の手帖』三の三、一九六三年)、山梨県立美術館『米倉壽仁』一九七九年、頁なし。

第一章　先駆者たち

Chapter 1.
The Precursors

1

1

日本の美術界にシュルレアリスム的表現が現われたのは、一九二九年の二科展に出品された東郷青児、阿部金剛、古賀春江らの絵画[001–003]が最初とされる。詩人たちが始めたシュルレアリスムが美術の運動としても日本で認識されるのは、ブルトンの『シュルレアリスムと絵画』が刊行された一九二八年頃からとすれば、これはきわめて早い影響の現れと見なせよう。

この新たな絵画表現の出現は、主張を掲げた運動としての体をなしたものではなく、また、作品の内容にもシュルレアリスム的な表現と他の要素が混じり合っていた。だが、発表された作品は注目を集め、雑誌『アトリヱ』はまもなく超現実主義研究号[016]を刊行、二科展では同種の前衛的な表現が次第に拡がった。

より本格的なシュルレアリスムの導入と見なされるのは、福沢一郎が一九三一年、滞在中のフランスから第一回独立展に出品した三七点の作品である[010]。マックス・エルンストのコラージュに触発されて描かれたとみられる絵画群は、衝撃をもって受け止められ、当時の若い画家にも大きな感化を及ぼす。同年に帰国した福沢は、著述などでもシュルレアリスムの紹介者としての役割を果たし、また独立展を中心に台頭した前衛画家たちを主導する存在となっていった。

この動きと並行して、一九二〇年代後半、関西で版画家としての活動を始めた前田藤四郎は、エルンストがコラージュに用いたような西洋の印刷物の挿絵を引用して組み合わせた幻想的で奇怪なイメージを展開し、これもシュルレアリスム的表現の早い実践として注目される[005–009]。

また、ヨーロッパで前衛諸流派のスタイルを吸収し、一九二三年に帰国した中原實は二〇年代半ばから非現実的光景や空想科学的なイメージによる多様な作品を手がけ、その一部は独自にシュルレアリスム的表現に接近していた[011]。(HY)

The paintings submitted to the Nika Art Exhibition by Tōgō Seiji, Abe Kongō, Koga Harue, etc. [001-003] in 1929 are considered to be the first emergence of Surrealist expressions in the Japanese art world. Assuming it was from around 1928, when Breton's *Surrealism and Painting* was published, that the Surrealism initiated by poets was recognized as an art movement in Japan, the influence spread extremely rapidly.

The emergence of this new expression in painting did not take the form of a movement parading a slogan. From the point of view of content, too, Surrealist expressions and other elements were mixed. However, the works presented attracted attention, and the magazine *Atorie* soon published a special issue focused on studies of Surrealism [D16]. Similar avant-garde expressions gradually expanded at the Nika Art Exhibitions.

The thirty-seven works Fukuzawa Ichirō, who was then in France, submitted to the first Dokuritsu Exhibition in 1931 [010] are regarded a more full-scale introduction of Surrealism. This group of paintings seemingly inspired by Max Ernst's collages had a huge impact on the Japanese audience, and young painters of the time were significantly influenced. Fukuzawa returned to Japan later that year and played the role of introducing Surrealism in writing too. He also became a leader of the avant-garde artists who appeared on the scene mainly at the Dokuritsu Exhibition.

In parallel with the above-mentioned movement, in the latter half of the 1920s, Maeda Tōshirō, who began working as a print artist in the Kansai region, developed visionary, mysterious images combining illustrations quoted from Western printed matter in a manner similar to Ernst's collages. These works are also noteworthy as early examples of Surrealist expressions in Japan [005-009].

From the mid-1920s, Nakahara Minoru, who returned to Japan in 1923 having absorbed various avant-garde styles in Europe, produced diverse works depicting unreal views and science-fiction images. Some of them were uniquely close to Surrealist expressions [011]. (HY)

001
東郷青児
超現実派の散歩
1929年
SOMPO美術館
第16回二科展

Tōgō Seiji
Surrealistic Stroll
1929
Sompo Museum of Art

二科展（にかてん）に出現したシュルレアリスム

一九二九年九月、第一六回二科展に出品された東郷青児、阿部金剛、古賀春江らの作品が、シュルレアリスムの出現として注目を集める［図1-2］。絵画表現自体とともに、とくにシュルレアリスムという言葉が話題となったのは、東郷青児の作品［001］が《Déclaration（超現実派風の散歩）》（発表時のタイトル）と題されていたことにもよるであろう。ちなみに東郷は「超現実派（風）の散歩」のシリーズをその後も毎年一点ずつ、計四点出品している。

滞仏時から交流があった東郷と阿部は、この年の一月に紀伊國屋で二人展を開いており、また古賀とも親交があったことから、この二科展での作品は彼らが互いに刺激を与えあいながら制作されたものと思われる。だが、東郷は、超現実派と見なされることを当初から拒否し、「若し僕等の仕事を超現実派と称呼するのなら、少なくとも僕は閉口する」[★1]と述べた。

作品の内容からも、これらをシュルレアリスムの理念や表現の直接的な導入と捉えることは難しい。むしろシュルレアリスムの思想とは本来、逆行するモダニズム的な形態やモチーフ、あるいは近代文明を背景にした機械主義と呼ばれる当時の動向に沿う特徴も指摘できる。[★2]

翌年に刊行された、阿部金剛の著書『シュールレアリズム絵画論』［D17］も、彼らに貼られたレッテルとその内実の相違を示す。書名とは異なり、これはピュリスム（純粋主義）の画家アメデ・オザンファンの著作『芸術』の抄訳であり、シュルレアリスムはその一部で扱われているにすぎなかった。[★3]

彼らと詩人との興味深い交流についても触れておきたい。竹中久七（たけなかきゅうしち）らが一九二九年三月に創刊した詩誌『リアン』は、シュルレアリスムとマルクス主義との統合を意図した運動を起こしたが、この誌名は、一月の東郷・阿部二人展の作品に共鳴した竹中が、阿部の絵のタイトルから採ったものである。[★4] 竹中は阿部や古賀と親交を結び、その作品を賞賛、擁護した。（HY）

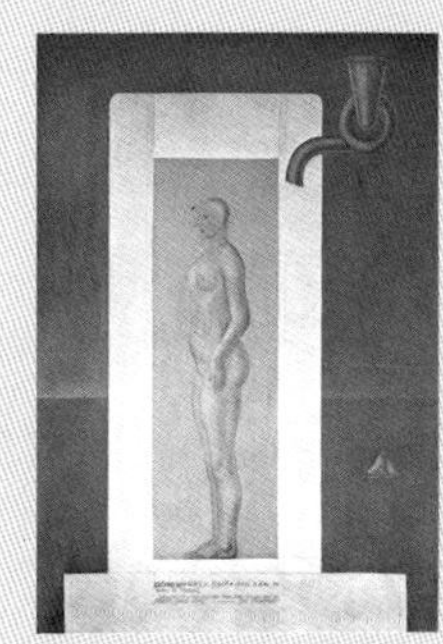

図1
阿部金剛《Girleen》
1929年、第16回二科展 ★5

図2
古賀春江《海》
1929年、東京国立近代美術館、第16回二科展 ★6

002
阿部金剛
Rien No.1
1929 年
福岡県立美術館
第 16 回二科展

Abe Kongō
Rien No. 1
1929
Fukuoka Prefectural Museum of Art

D16
『アトリヱ　超現実主義研究号』
7 巻 1 号、1930 年 1 月、個人

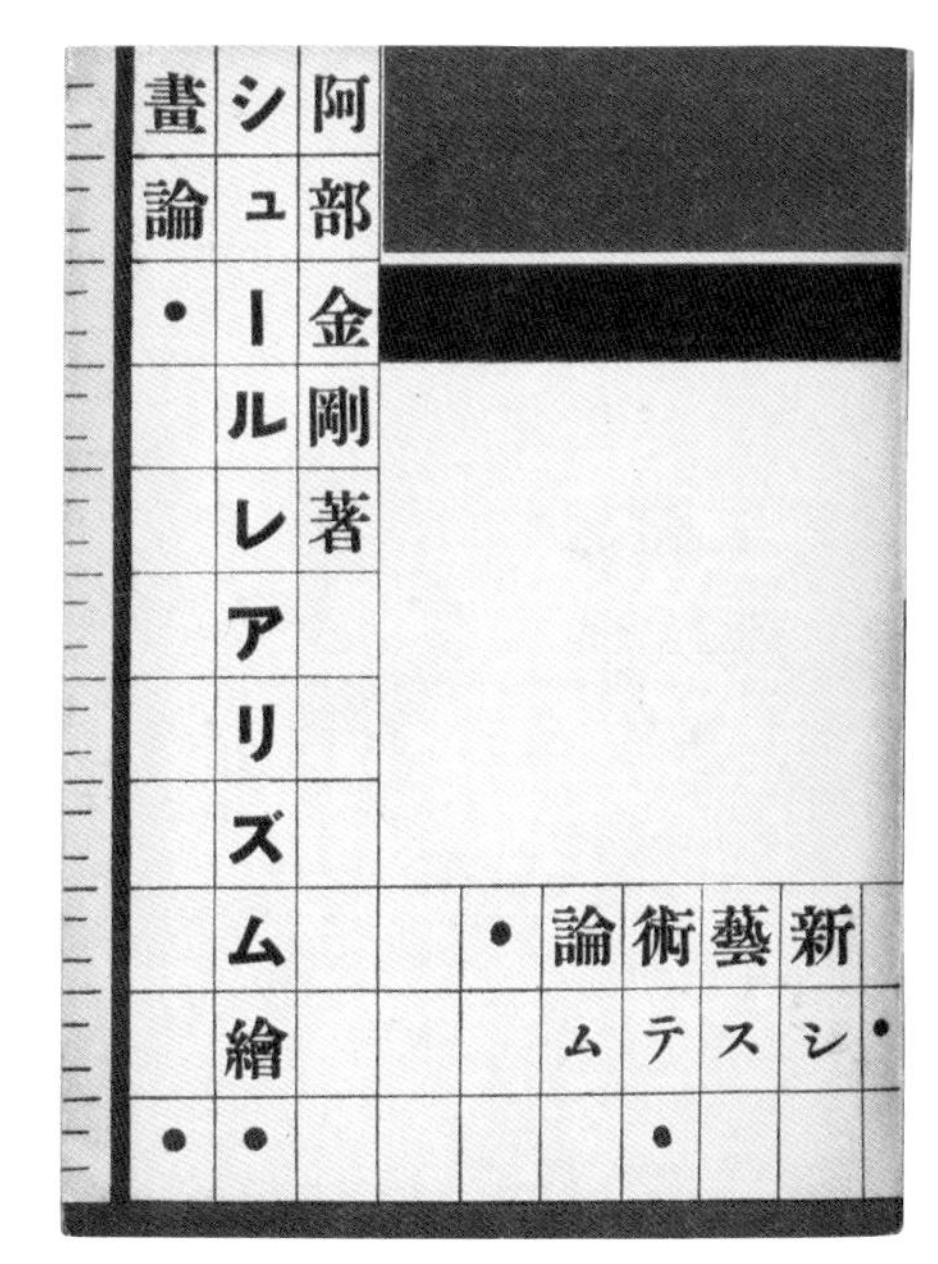

D17
阿部金剛
『シュールレアリズム絵画論』
天人社、1930 年、個人

D20
古賀春江
『古賀春江画集』
第一書房、1931 年、個人

D19
阿部金剛
『阿部金剛画集』
第一書房、1931 年、個人

D18
東郷青児
『東郷青児画集』
第一書房、1931 年、個人

図1
「高架式最新設備の大荷物駅竣工」挿図
『科学画報』、1928年5月号

図2
古賀春江《感傷の生理に就いて》
1931年、絵葉書

図3
古賀春江《現実線を切る主智的表情》
1931年、西日本新聞社 ★5

古賀春江(こがはるえ)のシュルレアル・モダニズム

長くはない画歴のなかで作風を変転させた画家、古賀春江の一九二九年以降の制作は、シュルレアリスム風の時代と位置づけられている。機械やビルディングなど近代的なモチーフを含むさまざまな画像を組み合わせ、モンタージュしたかのような絵がこの時期に描かれた。実際、これらの絵画には、グラフ雑誌や一般向けの科学雑誌から多様なイメージが引用された。たとえば《鳥籠》[003]という作品では、左下隅の滑り台のようなかたちや機械的形態の一部を、雑誌『科学画報』の挿絵をもとに描いている[★1][図1]。

古賀はシュルレアリスムに影響を受けただけでなく、それに反するモダニズム的動向にも関心を寄せていた。残されたスケッチには、ジュアン・ミロの模写とともにキュビスムの系統にある幾何学的、構成主義的な絵画の模写、板垣鷹穂(いたがきたかお)の著書『芸術と機械との交流』（一九二九年）に掲載されたモダニズム建造物を写した素描もある。[★2] 一方で、ドイツの医師ハンス・プリンツホルンの著書に掲載された精神病者の絵をもとに油彩《涯しなき逃避》（一九三〇年、石橋財団アーティゾン美術館）を描いたことは、直接の影響だけではないフランスのシュルレアリストとの関心の共有を物語る。

西洋のシュルレアリスムとは異なる独特な芸術観を古賀は「超現実主義私感」という文章において表明した。[★3] そこでは超現実主義芸術は、功利性を排した純粋芸術と規定され、現実を常に超越し続ける運動性のなかに捉えられる。さらに超現実主義は、夢や空想を否定する主智主義であり、経験的な価値や個人の自我をも消滅させる理知的な機構であると述べられた。

当時の古賀は前衛詩論や社会科学などの書籍を多く読み、自ら詩作も行っていた。絵に描かれた飛行船やロボットという最先端の近代文明のイメージを画家自身はどのように捉えていたか、また、多くの作品に見られる女性の表象が持ちえた意味についても興味がもたれる[★4][図2–3]。（HY）

003
古賀春江
鳥籠
1929年
石橋財団アーティゾン美術館
第16回二科展

Koga Harue
Birdcage
1929
Artizon Museum, Ishibashi
Foundation, Tokyo

005

004

005
前田藤四郎
空中曲技
1930年頃
大阪中之島美術館
第2回三紅会展か

Maeda Tōshirō
Acrobat
c.1930
Nakanoshima Museum of Art, Osaka

004
古賀春江
音楽
1931年
一般財団法人
古賀政男音楽文化振興財団

Koga Harue
Music
1931
Koga Masao Music Foundation

007

006

009

008

007
前田藤四郎
TORSE になりたや
1930 年頃
大阪中之島美術館
第 2 回三紅会展か

Maeda Tōshirō
I Want to Be a Torso
c.1930
Nakanoshima Museum of Art, Osaka

006
前田藤四郎
標本採集
1930 年
大阪中之島美術館
第 2 回三紅会展か

Maeda Tōshirō
Specimen Collecting
1930
Nakanoshima Museum of Art, Osaka

009
前田藤四郎
銅版画小品構成（2）
1930 年
大阪中之島美術館
第 3 回三紅会展か
第 7 回艸園会展か

Maeda Tōshirō
Composition of Small Copper Prints (2)
1930
Nakanoshima Museum of Art, Osaka

008
前田藤四郎
銅版画小品構成（1）
1930 年
大阪中之島美術館
第 3 回三紅会展か
第 7 回艸園会展か

Maeda Tōshirō
Composition of Small Copper Prints (1)
1930
Nakanoshima Museum of Art, Osaka

010
福沢一郎
他人の恋
1930 年
群馬県立近代美術館
第 1 回独立展

Fukuzawa Ichirō
The Love of the Others
1930
The Museum of Modern Art, Gunma

福沢一郎のコラージュ絵画

一九三一年一月、結成されてまもない独立美術協会の第一回展に、福沢一郎がフランスから出品した三七点の絵画は美術界に衝撃を与えた。意味ありげなポーズをとる西洋の人物や道具などのイメージを組み合わせた不可解な画面の数々は、日本にシュルレアリスムの絵画表現を初めて本格的に導入したものとされる［図1］。

福沢は一九二四年からフランスに滞在し、翌年にパリのピエール画廊で開催された最初のシュルレアリスム絵画展を見たようだが、すぐ制作にその影響が表れたわけではなかった。発表された一九三〇年制作の作品群に強い影響を与えたのは、その前年一二月に刊行されたマックス・エルンストのコラージュ小説『百頭女』［D21］であろう。福沢はエルンストのコラージュと類似した手法を用いており、絵画のさまざまなイメージは、科学の知識などを紹介する書籍や雑誌から描き写し組み合わせたものであった★1。たとえば《他人の恋》［010］の手前の紳士はフィギエ著『科学の驚異』の挿絵から引用されたイメージである★2［図2］。

風景や人物、静物といった自然主義的なモチーフの描写が優勢であった日本の洋画壇に、福沢は異質な要素をもたらした。まもなく帰国した彼の文章で、このコラージュ的な手法の新しさを、ジェイムズ・ジョイスの小説やエイゼンシュタインの映画理論と関係づけて論じていることも興味深い★3。福沢の影響は若い画家たちの間に広がり、シュルレアリスム的表現が日本において広がるきっかけとなった。

コラージュ的方法を日本的なモチーフに応用した制作を一時試みた後、福沢自身の作風は次第に大きく変貌する。シュルレアリスムを紹介する執筆も多く手がけた福沢だが、当初から自分はシュルレアリストではないと述べ、その姿勢は一貫して変わらなかった。それでも若い前衛画家たちの表現を擁護、支援し、福沢は日本のシュルレアリスムのリーダーと見なされるようになる。（HY）

D21
マックス・エルンスト
『百頭女』より
Éditions du Carrefour、1929年、個人
（Max Ernst, *La femme 100 têtes*）

図2
ルイ・フィギエ
『科学の驚異』
第1巻597頁挿図

図1
福沢一郎《よき料理人》
1930年、神奈川県立近代美術館
第1回独立展 ★4

011

中原實
心の噴火口
1933年
東京都現代美術館
第1回第一美術協会展

Nakahara Minoru
The Crater in the Heart
1933
Museum of Contemporary Art Tokyo

第二章　衝撃から展開へ

Chapter 2.
From Impact to
Development

2

2

一九三二年、巴里・東京新興美術展覧会に出品された「フランス現代美術」を代表する画家の実作は、書籍や雑誌に掲載された図版を通してシュルレアリスム絵画を見知っていたはずの人々に、驚きと衝撃をもたらす。巴里新興美術展覧会と名称を変更し、大阪、京都、福岡、熊本、大連、金沢、名古屋を巡回した展覧会は、開催各地に同時代の国際的な動向を伝えると同時に、画家をめざす若者や画学生にも広く影響を及ぼした[D22–24]。一九三〇年代、私立の美術学校や在野の画塾が複数設立された東京や関西では、画家を志す若者の数が増加していた。

一九三四年の第二一回二科展で鮮烈なデビューを飾ったのは、大阪や兵庫を拠点に洋画への憧憬を募らせていた吉原治良である。西宮の今津漁港で求められたモチーフを描く初期作品からは、デ・キリコやエルンストからの強い影響が漂う[012]。

独立美術協会でもまた、福沢一郎を中心に、シュルレアリスム的表現を試みる画家がその数を増していた。独立美術協会を拠点に、早い時期からシュルレアリスム的表現を試みたのは三岸好太郎である。一九三三年頃からその画風を幻想的なものへと変化させた三岸は、長くない画業の最後に蝶や貝殻、裸婦という異質なモチーフを地平線のある風景に接合し、後進の画家に強い影響を残した[021]。

飯田操朗もまた、独立美術協会で頭角を現したひとりである。幻想的な画風に頼りなさを感じていたという飯田は、シュルレアリスムを批判的に内在化することで堅牢な独自の絵画を創造した[023]。

独立美術協会内におけるシュルレアリスムの勢いはやがて、独立美術研究所の画家による「飾画」[D25]と、独立美術協会から分離した画家による「新造型美術協会」[D28–31]という、最初期のシュルレアリスム的絵画グループを生み出す。「明日の絵画」の創出をめざす彼らの作品と実験的な試みは、それを見た画家たちへと、さらなる影響を及ぼしていく。(ST)

Works by leading artists of "contemporary French art" were exhibited at the *Pari, Tokyo shinkō bijutsu tenrankai* (Exhibition of new art in Paris and Tokyo) held in 1932. Although people were probably aware of Surrealist painting through illustrations in books and magazines, the opportunity to see the actual works was received with amazement and had a huge impact on them. The exhibition was renamed *Pari shinkō bijutsu tenrankai* (Exhibition of new art in Paris) and toured Osaka, Kyoto, Fukuoka, Kumamoto, Dalian, Kanazawa, and Nagoya. Not only did it convey the international trend of the time to the people in each city, but it had a widespread influence on young people aspiring to become artists and art students [D22–24]. During the 1930s, the number of young people aiming to become artists increased in Tokyo and the Kansai region, where numerous private art colleges and non-governmental private art schools were established.

At the 21st Nika Art Exhibition held in 1934, Yoshihara Jirō, who, based in Osaka and Hyogo, had a growing yearning for Western-style painting, made a stunning debut. His early works depicting motifs obtained at Imazu Fishing Port in Nishinomiya reflect a marked influence of Giorgio de Chirico and Max Ernst [012].

At the Dokuritsu Art Association, too, with Fukuzawa Ichirō as the central figure, artists attempting Surrealist expressions increased. Based at the Dokuritsu Art Association, Migishi Kōtarō was one who attempted Surrealist expressions from an early stage. His artistic style became phantasmal from around 1933, and at the end of his not-so-long artistic career, he blended heterogeneous motifs such as butterflies, seashells, or nude women with landscapes depicting the horizon. This had considerable influence on artists of the next generation [021].

Iida Misao was another artist who stood out at the Dokuritsu Art Association. Finding the phantasmal style flimsy, by critically internalizing Surrealism, he created sturdy paintings of his own [023].

The momentum Surrealism gained at the Dokuritsu Art Association eventually led to artists at Dokuritsu Bijutsu Kenkyūjo (Dokuritsu Art Research Institute) founding a group called Kazari-e [D25] and others who had seceded from the Dokuritsu Art Association forming a new group of artists aiming at Surrealist-style painting called Shinzōkei Bijutsu Kyōkai [D28–31]. These were the earliest examples, and their works and experimental attempts with an eye on creating "tomorrow's painting" were to have further influence on artists who witnessed them. (ST)

巴里新興美術展覧会

輸入された書籍の複製図版などによって、ヨーロッパのシュルレアリスム絵画は一九二〇年代末頃から日本で知られ始めたが、初期の受容において最も強い影響を及ぼしたのは巴里新興美術展であろう。この展覧会においてシュルレアリスム絵画の実物が初めてまとめて公開されたのである。

企画の発端は、一九二九年に渡仏した画家、峰岸義一が批評家アンドレ・サルモンに開催を打診したことである。サルモンを通じてパリの主だった画家たちの賛同を得て、紆余曲折の後、パリ側、日本側双方の批評家、画家をメンバーとする「巴里・東京新興美術同盟」を結成、この組織が展覧会を主催した。★1

同展は一九三二年一二月六日から二〇日まで東京府美術館（現・東京都美術館）で開催され、翌年六月までに、大阪、京都、福岡、熊本、大連、金沢、名古屋の七カ所を巡回した。東京展のみ「巴里・東京新興美術展覧会」と題され、日本人の作品が展示に加えられた。フランスからの作品は、五五作家の一一六点。当時の現代美術を「立体派」「新自然派」「超現実派」「新野獣派」など七つの分類のもとに展示した。

シュルレアリスム絵画が多く展示されたのは、フランス側の組織者のひとりがアンドレ・ブルトンだったからであろう。エルンスト二点、タンギー三点、マン・レイ二点、デ・キリコ一点、ミロ二点、マッソン四点、ピカビア二点、ピエール・ロア二点、アルプ一点などが出品され、油彩の本格的な作品が多く含まれていた★2［図1-3］。

瀧口修造はのちに、本展が日本の若い画家たちに決定的な影響を与えたとし、「陳列日の館内を暗くなるまで彷徨つて歩いた興奮を私は忘れない」★3と回想する。山中散生がフランスのシュルレアリストと文通を始め、その芸術に深く関わるきっかけとなったのもこの展覧会であった。三岸好太郎が本展の前後に作風を一変させたのをはじめ美術家たちへの影響はむろん、東京のみならず開催各地域での反応も見逃せない。（HY）

図1
ジョルジョ・デ・キリコ《戦勝標》
1926年 ★4

図2
マックス・エルンスト《花》
1926年頃 ★5

図3
ジュアン・ミロ《焼ける森の中に於ける人物の構成》
1931年、ジュアン・ミロ財団、バルセロナ ★6

D23
巴里新興美術展覧会目録
石川県商品陳列館、1933 年 5 月、個人

D22
巴里新興美術展覧会目録
名古屋市美術館、1933 年 6 月、個人

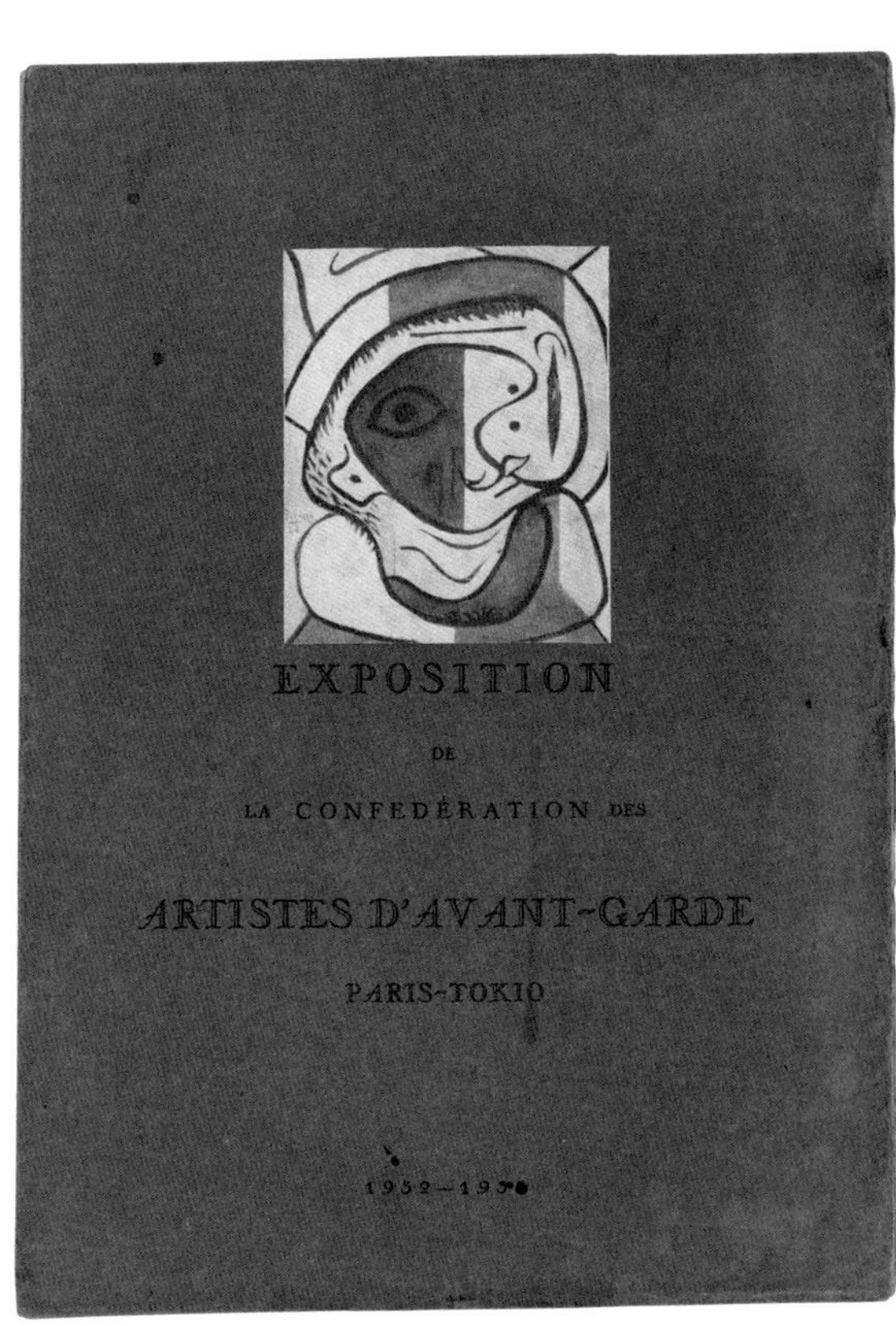

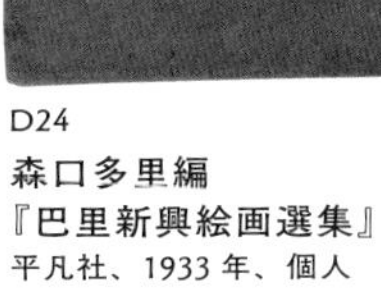

D24
森口多里編
『巴里新興絵画選集』
平凡社、1933 年、個人

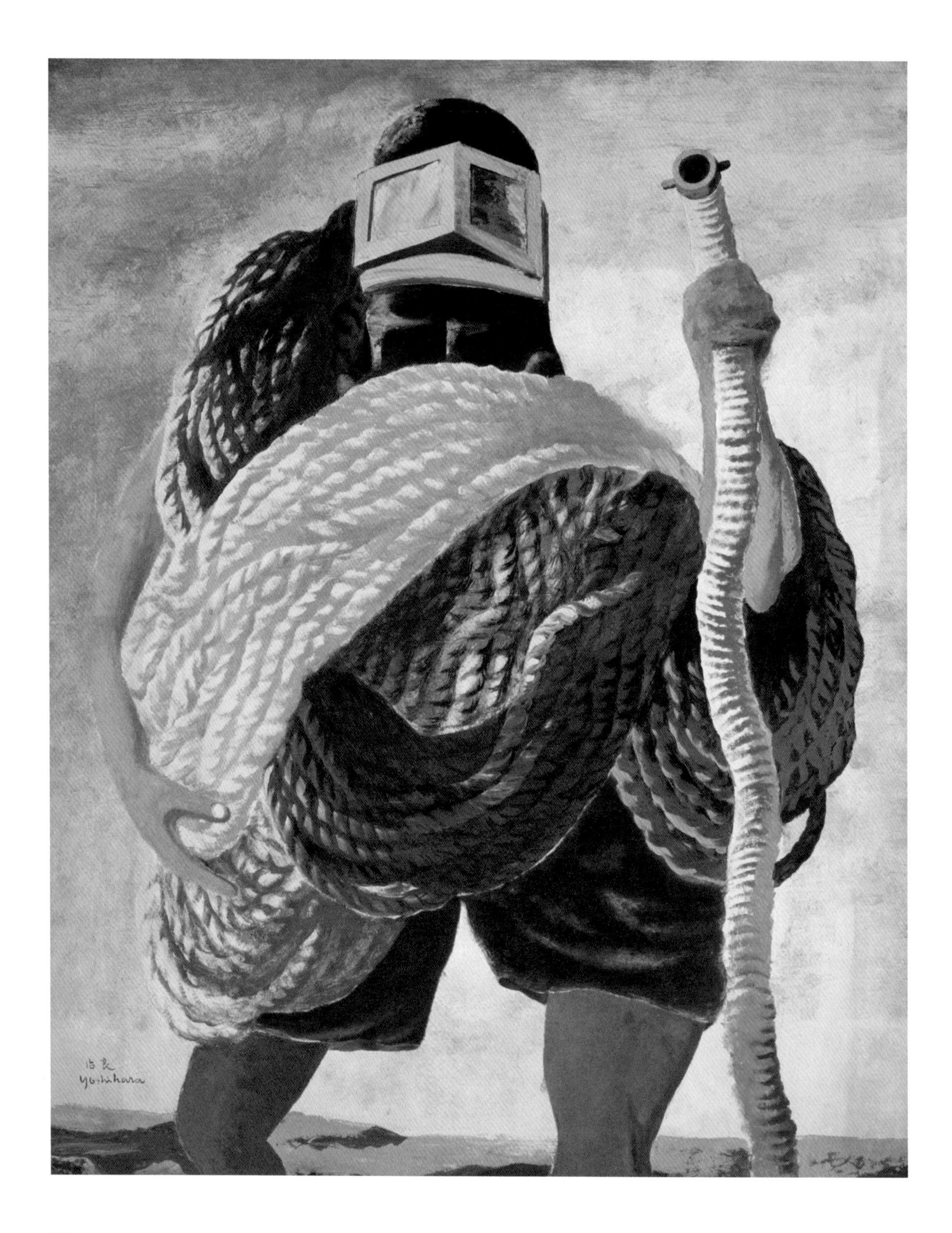

012
吉原治良
縄をまとう男
1931–33 年頃
大阪中之島美術館
個展（1934 年）

Yoshihara Jirō
Man Wrapped in Rope
c.1931–33
Nakanoshima Museum of Art, Osaka

関西の前衛——石丸一と吉原治良

大阪の信濃橋洋画研究所（のちの中之島洋画研究所）や大阪美術学校、赤松洋画研究所（以前の赤松洋画塾）、兵庫のアシヤ洋画研究所、そして京都の津田青楓洋画塾や独立美術京都研究所など、一九二〇年代半ば以降の関西には複数の民間の洋画研究所が開設されていた。それらは急速な人口流入によって都市化が進んだ大阪と神戸、独自の近代化を遂げる京都を包含する関西の風土のなかで、前衛画家を育むための重要な母体となっていく。[★1]

信濃橋洋画研究所に学んだひとりに、徳島に生まれ京都帝国大学で医学を修めた石丸一がいる。一九三一年、第五回全関西洋画展や第一八回二科展にキュビスムの影響を感じさせる作品を出展した石丸は、同年一〇月、藤田金之助［図1］や川口四郎吉ら信濃橋洋画研究所の出身者とともに「ロボット洋画協会」を結成した。平井章一は「当時の大阪で唯一、前衛的な表現を打ち出した」グループとしてロボット洋画協会を、そして当時の「大阪におけるもっとも前衛的な画家」として石丸の名を挙げる。[★2] 複数の表現様式を試みていた石丸は、《卓上風景》［017］では、風景と室内が奇妙に接合された、抒情性の漂う独特のシュルレアリスム的画風を展開した。

一九三四年の第二一回二科展で全五作品が初出品初入選の快挙をなしたのは、洋画研究所から全関西洋画展へと至る関西洋画壇のルートをたどらなかった異色の画家、吉原治良である。水平線のある風景に西宮の今津漁港で求めたモチーフを配した《縄をまとう男》［012］は、デ・キリコやエルンストの作品を彷彿とさせる。その後シュルレアリスムと抽象が両極でせめぎ合う矛盾のなかで模索を続けた吉原は、阪神間の画家グループ「艸園会」や関西学院絵画部「弦月会」でともに学んだ同世代の画家たち、前田藤四郎やモダニズム詩人の竹中郁、自由美術家協会の長谷川三郎や中村真、大阪朝日会館支配人となる十河巌との交流、石丸や藤田、川口も参加した九室会大阪支部の活動を通して、関西の前衛美術を牽引する存在となっていく。[★3]（ST）

図1
藤田金之助《二重像》
1935年、第22回二科展
絵葉書

017
石丸一
卓上風景
1931年
大阪中之島美術館

Ishimaru Hajime
View on a Table
1931
Nakanoshima Museum of Art, Osaka

018
高井貞二
煙
1933年
和歌山県立近代美術館
第1回新油絵展

Takai Teiji
Smoke
1933
The Museum of Modern Art, Wakayama

図1
福沢一郎
『シュールレアリズム(普及版)』
アトリヱ社、1938年

図2
北脇昇「浦島物語—集団制作—」
『みづゑ』394号、1937年11月

妙屍体(優美な死骸)

複数名によって一句ないしはひとつのデッサンを成立させる遊戯で、フランスのシュルレアリストたちによって考案された。「甘美な死骸」や「優美な死骸」ともいわれる。『シュルレアリスム簡約辞典』[D39]によれば、この遊戯において「ひとりひとりの人間は、まえのもの、あるいはまえのものたちの協力を、念頭におくことができない」という。[★1] 他者の行為がわからない状態で文字や線を書き(描き)、予想外の文章や絵画へと導かれる。奇妙な名前の由来となったのは、最初の遊戯によって誕生した「妙屍体は新しい葡萄酒を飲むだろう(Le cadavre exquis boira le vin nouveau)」というフレーズであった。

福沢一郎は一九三七年の著書『シュールレアリズム』[D26]に、ブルトンやトリスタン・ツァラによる妙屍体の絵画の実験を挿画として差し込み、その由来となったフレーズを「言葉のコラージュ」として紹介している。翌年に刊行された普及版の表紙に採用されたのもまた、妙屍体であった[★2][図1]。

日本の画家の間でも妙屍体の遊戯が試みられていた証しとして、吉原治良が所蔵していた不思議なデッサン[013–016]がある。吉原のほか十河巌や井上覚造らが実験に参加した。[★3] 四つに折られた紙の上に各々が人体や動物の一部を描き、突飛なものの姿を現出させる。そこには、即興が導く自由な発想の展開と、別々の線と発想がひとつに重なったときの衝撃と笑いがある。意識から解き放たれて現出した形は、発想が展開する喜びと驚きを彼らにもたらしたことだろう。

詩やデッサンではなく油彩画で妙屍体の実験を試みたのが、京都の画家一四名による集団制作《浦島物語》(一九三七年、京都市美術館)である[図2]。プランを構想したのは北脇昇で、妙屍体を発想源に俳諧の連句の方法が用いられた。[★4] 北脇の作成した設計書をもとに、描く時間や場所、キャンバスを共有せずに、各々が与えられた命題を描く。[★5]『日本書紀』や『丹後風土記』『万葉集』にまでさかのぼるよく知られた物語は、その筋を示す紙芝居や絵巻物ではなく、個性と集団性の矛盾を孕む別の何ものかへと変容した。(ST)

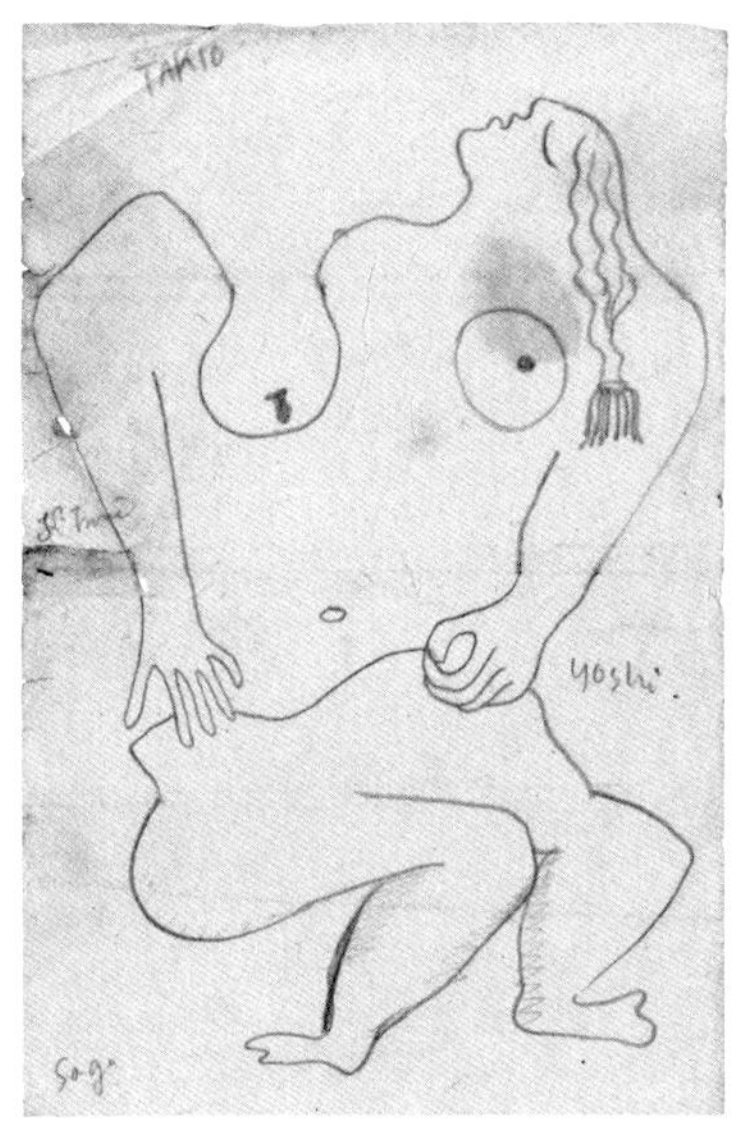

016

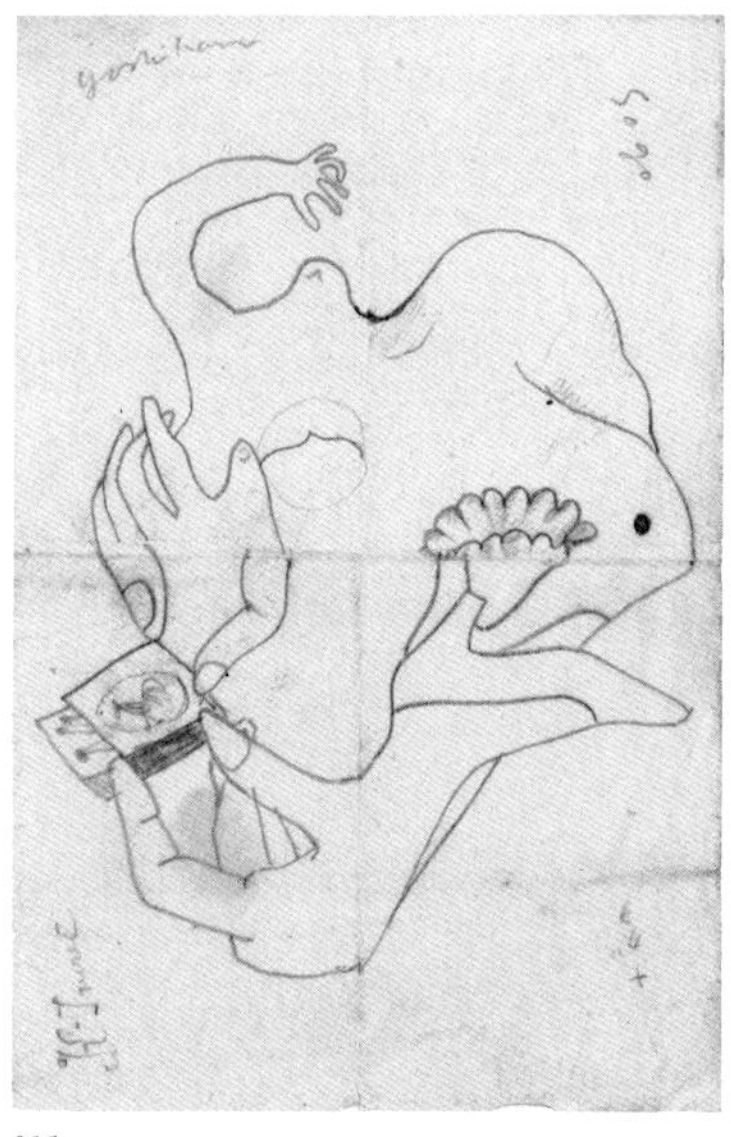

015

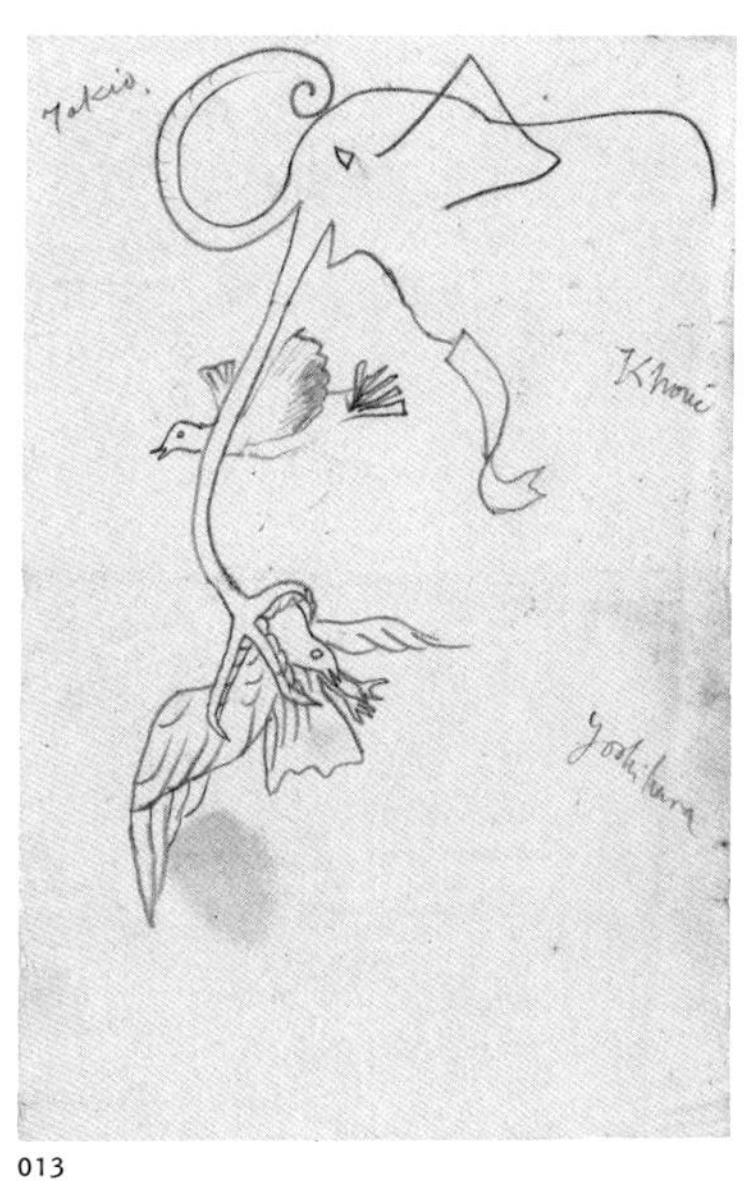

013

014

014–16
吉原治良、十河巌、
井上覚造　他１名
妙屍体（優美な死骸）
大阪中之島美術館

Yoshihara Jirō, Sogō Gan,
Inoue Kakuzō, etc.
Cadavre exquis
(Exquisite Corpse)
Nakanoshima Museum of Art, Osaka

013
吉原治良、井上覚造
他１名
妙屍体（優美な死骸）
大阪中之島美術館

Yoshihara Jirō,
Inoue Kakuzō, etc.
Cadavre exquis
(Exquisite Corpse)
Nakanoshima Museum of Art, Osaka

019
北園克衛
海の背景 B
1933 年頃
個人

Kitasono Katue
Background Sea B
c.1933
Private collection

020
諸町新
ある季節
1933年
板橋区立美術館
第4回NOVA展

Moromachi Shin
A Certain Season
1933
Itabashi Art Museum

三岸好太郎（みぎしこうたろう）《海と射光》

三一歳で世を去った洋画家、三岸好太郎が生前最後に独立展に出品したのは蝶と貝殻をモチーフにした作品群である。前年の同展で周囲を驚かす作風の変転を遂げた三岸はその後、キュビスムや構成主義あるいはコラージュなどの前衛的表現を試みた後、平明な、しかし幻想味を帯びた具象描写に戻った。出品作中最大の作品《海と射光》[021]は、画家の代表作であるとともに、三〇年代前半における日本のシュルレアリスム絵画の重要作と見なされる。

三岸は、蝶と貝殻を扱った一連の絵画を「視覚詩」と呼び、「蝶ト貝殻（視覚詩）」という詩を同時期に発表した。そのなかには本作と関連するような次の一節もある。「海洋ノ微風／射光ハ桃色ダッタ／バタ色ノ肉体／赤イ乳首ハザクロノ実ノ如クニハレテイル／角貝、平貝、のんびり貝／虚無ヨリ生活ヲ始メタ／生活トハ／イタリアネルノ白キ感触ト同様ニ／嫉妬デアル」[★1]。

平地と海と空からなる簡素な背景に貝と裸婦だけが置かれた情景には、デ・キリコの影響が指摘されるが、顔を布で覆った人物や簡明なイメージの扱いには、当時日本で知られ始めたルネ・マグリットからの刺激もあるかもしれない[★2][図1]。

ある手紙で三岸はこの時の出品作を西洋と東洋の要素をあわせ持つものと述べた。「私の今度の制作はそのマチエールを極端に迄メカニツクな取扱ひ方をして西欧の精神を生かし同時に東洋精神の未来に迄延長し得るところの虚無的な精神を呼吸しようとしたところに手前味噌がある」[★3]。確かに画面から仮に人物と貝殻を取り去れば、ほぼ直線で区切られた色面構成が残り、自身がデザインした金属製の額縁とともに西洋モダニズム的な要素がある[★4][図2]。当時、西洋と東洋の弁証法的な進展を論じていた三岸は、こうした西洋的要素と、彼が言うところの「古池や蛙……の俳句に見る精神」との合一、止揚をめざし、この稀有なイメージに到達したのであろうか[★5]。（HY）

図1
『ヴァリエテ』
1巻9号、1929年1月
（表紙：ルネ・マグリット）

図2
「《海と射光》から
裸婦と貝殻を消してみる」
（山田諭「「視覚詩」の世界──《海と射光》」
『日本の近代美術10』大月書店、1992年より）

021
三岸好太郎
海と射光
1934年
福岡市美術館
第4回独立展

Migishi Kōtarō
Sea and Sunshine
1934
Fukuoka Art Museum

図1
井上長三郎《森ト煙突》
1933年 ★4

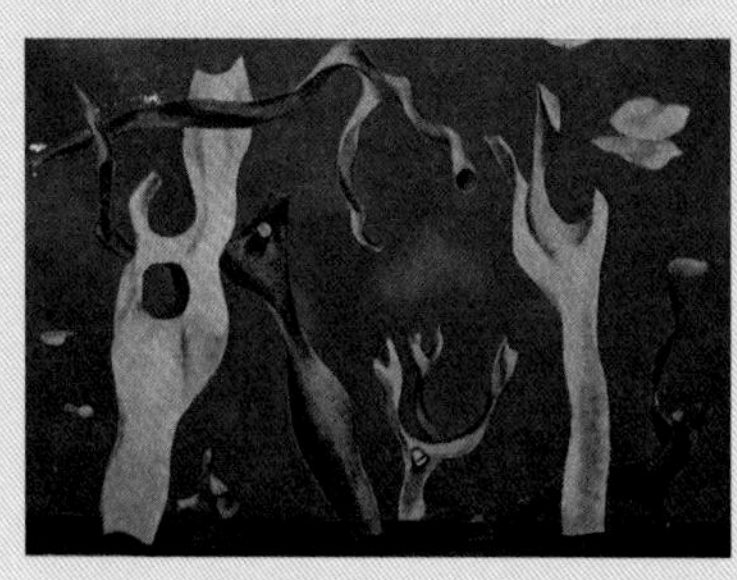

図2
井上長三郎《開墾地》
1935年、絵葉書

図3
井上長三郎《屠殺場》
1936年 ★5

井上長三郎の軌跡

井上長三郎のシュルレアリスムへの関心は一九三二年一二月に行われた巴里・東京新興美術展を機に高まり、彼の作品は大きく変化した。井上が同展で紹介されたエルンストの《森と太陽》に着想を得て、翌年の独立展で生い茂る木立の間から筒が突き出た様子を描いた《森ト煙突》［図1］を発表したことはすでに指摘されているとおりである。[★1] この作品が興味深いのは煙突とされる筒が銃口を手前へ向けた大砲に見える点である。一九三一年に起きた満洲事変は大連育ちの井上に身近であった。一時はプロレタリア美術に関心を寄せたという井上は、福沢一郎が展開した社会風刺の色合いの強い作品に共感し、煙突という名を隠れ蓑にしながら、大砲が指し示す戦争が間近に迫ってきた危機感を表したのではないだろうか。

その後の《開墾地》［図2］では、強調された地平線の上に流木のような有機的な形が描かれた点においてタンギーの作品を連想させる。この頃の井上は《肉と青年》《静物（骨と布）》［022］など偶然生まれた抽象的な形を対比させた作品を集中的に描いている。肉や骨といった死を連想させるものは常に隣り合わせであることを暗示しているようだ。

二・二六事件に着想を得たという《屠殺場》［図3］では、解体された牛と地面に転がる二頭の動物、跳び上がる白い馬が狭い部屋に閉じ込められている。牛はレンブラント《皮を剥がれた牛》（一六五五年、ルーヴル美術館）、跳び上がる馬はドラクロワ《馬小屋で争う二頭のアラブ馬》（一八六〇年、ルーヴル美術館）から引用したむしろ古典的なモチーフで、事件の当事者や現場などは直接描かれていない。[★2] しかし、この作品は内務省より撮影と印刷が禁じられ、森山啓は「今日の社会」を感じたという。[★3] 不安を煽る力を作品にもたらすことができたのは、井上がシュルレアリスムのコラージュの技法を効果的に使い、福沢の諧謔的な絵画精神に学んだところが大きい。（HS）

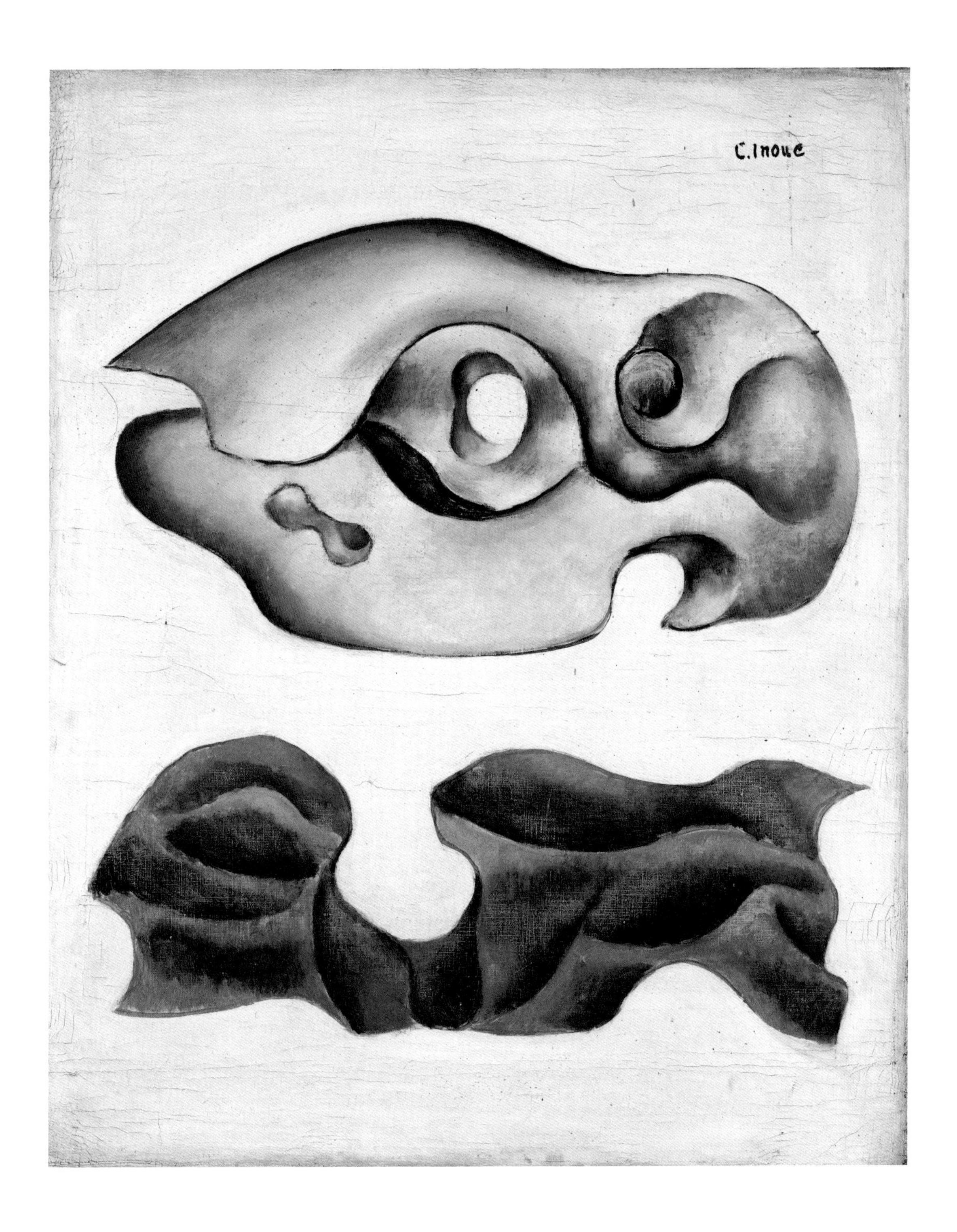

022

井上長三郎
静物（骨と布）
1935年
板橋区立美術館
第5回独立秋季展

Inoue Chōzaburō
Still Life (Bone and Cloth)
1935
Itabashi Art Museum

飯田操朗（いいだみさお）《婦人の愛》

飯田操朗は、日本に知られ始めたシュルレアリスム的表現を、最初期に導入し探求した若い世代のひとりである。一九三一年、第一回独立展に二二歳でデビューした頃の作品は、骨太の線を特徴としたフォーヴィスム風絵画であったが、三三年の三回展から幻想的なモチーフが画面に現れ始める。画家に影響を与えたのは三つの要素、事実上の師であった福沢一郎、巴里新興美術展、そして日本に到来したシュルレアリスム美術の複製図版が挙げられよう。

《婦人の愛》[023]は第五回独立展に出品され、飯田はこの年、独立賞を受けた。夜を表す月や星が見える黒い背景に強烈な赤が対比され、青から紫にかけての中間的なトーンと果実や人体を思わせる曲線のフォルムは題名と呼応して官能的な雰囲気を醸す。瀧口修造はこの時期の飯田の作品に「雲の晴れ間のやうなエロテイシスム」を感じると述べたが[★1]、この絵は日本のシュルレアリスム絵画には数少ない、性の主題を扱ったものとされる[★2]。

飯田が残したデッサンには、マックス・エルンストの一九二七年の絵画《接吻》（ペギー・グッゲンハイム・コレクション）の模写[図1]があり、オートマティックな方法で作られた曲線が人物や生物を連想させる表現に飯田が関心を寄せていたことをうかがわせる[★3]。同じ独立展には《朝》[図2]という、ほぼ同サイズの絵が出品され、二点は「朝」と「夜」を表す対作品と考えられる。また、《朝》に雄鶏が描かれていることから「男性」と「女性」という対比、さらには、もう一点の出品作《風景》（東京国立近代美術館）も加えて、「朝」「昼」「夜」というセットと捉える見方もある[★4]。

出品の翌年、飯田は病のため二八歳で亡くなる。才能ある後輩の死を悼んだ福沢一郎の編集により三七年に遺作画集が出版、その次の年には素描集も刊行され、現存作品は多くはないものの、戦後にも回顧展が開かれている[★5]。（HY）

図1
飯田操朗《デッサン》
（『飯田操朗素描集』驢馬社、1938年より）

図2
飯田操朗《朝》
1935年、兵庫県立美術館 ★6

023
飯田操朗
婦人の愛
1935 年
東京国立近代美術館
第 5 回独立展

Iida Misao
Love of Woman
1935
The National Museum of
Modern Art, Tokyo

024
六條篤
らんぷの中の家族
1933 年
奈良県立美術館
第 3 回独立展

Rokujō Atsushi
Family in a Lamp
1933
Nara Prefectural Museum of Art

025
斎藤長三
わが旅への誘い
1935 年
練馬区立美術館
第 5 回独立展

Saitō Chōzō
Invitation to Travel with Us
1935
Nerima Art Museum

LES ILLUMINATIONS

飾畫

1937 AUT.

D25
『Les Illuminations　飾画』
1937年秋、個人

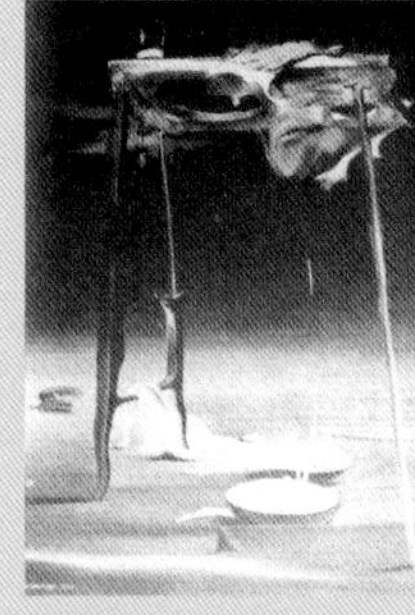

図2
土屋幸夫
《傷ましき家具の露営》★6

図1
糸園和三郎《林檎少女》★5

飾画——最初期のシュルレアリスム的絵画グループ

一九三四年七月、山本正の呼びかけにより、かつて独立美術研究所で学んだ糸園和三郎、塚原清一、高松甚二郎、斎藤長三が集まり、「飾画」が結成された。★1 その名は斎藤の発案でランボオの詩に由来する。彼らは絵画のみならず、海外の象徴派や日本の丸山薫、三好達治などの文学作品にも関心を持って制作をしていた。

戦災などにより失われた作品は多いが、福沢一郎が展覧会評で「『飾画』の諸君は、超現実的手法を借りて、新しいレアルに徹（ママ）すべく種々試みてゐる」★2 と述べるように、特定の画家の影響だけを受けているわけではなかった。斎藤の回想によると椅子やテーブル、食器といった日常的なモチーフを「画想の発端」にしていたという。★3 糸園和三郎《林檎少女》[図1]や高松甚二郎《少年》[026]、その後に加入する土屋幸夫《傷ましき家具の露営》[図2]などはまさにその一例である。また、糸園は第一回展で「きり紙」、第四回展では写真を使ったコラージュ作品を発表するなど、実験的な試みも行っていたようだ。

一九三五年の第二回展では独立賞を受賞したばかりの飯田操朗が新加入するが、直後に病気で亡くなったため三回展では遺作の特別展示が行われた。また、最後となる第四回展には土屋、米倉壽仁、阿部芳文（展也）が参加した。第四回展にあわせて発行された目録の中では、シュルレアリスムの言葉はないものの「すでにして絵画の時流は混乱をきはめ、われわれもまたその渦中に立たざるをえないが、反省を伴ふ誠実の一路は明日の絵画の開花期に通ずる大道であるはずである」[D25]と新たな絵画の創出を謳っている。

シュルレアリスムの影響がみられる作品を画廊で発表したグループの先駆けとなり、展覧会には京都から北脇昇、小牧源太郎が訪れ、帝国美術学校（現・武蔵野美術大学）の学生らも熱心に見に来ていたという。★4 しかし、飾画は一九三八年四月に解散し、同月に結成された創紀美術協会に合流した。（HS）

026
高松甚二郎　Takamatsu Jinjirō
少年　*Boy*
1936年　1936
板橋区立美術館　Itabashi Art Museum
第3回飾画展

027
山本正
青年
1935 年
板橋区立美術館
第 6 回独立展

Yamamoto Sei
Young Man
1935
Itabashi Art Museum

028

山本敬輔	Yamamoto Keisuke
風景	*Landscape*
1936 年	1936
姫路市立美術館	Himeji City Museum of Art
第 23 回二科展	

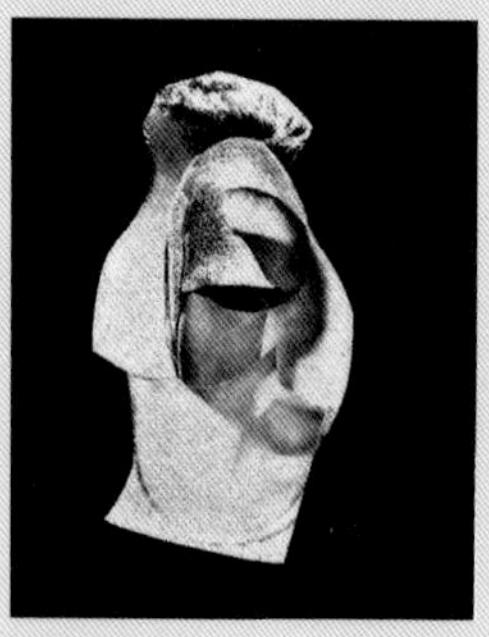

図2
瑛九《レアル》
1937年
東京国立近代美術館 ★8

図1
『みづゑ』373号（1936年3月）に4頁のグラビア版として掲載された瑛九のフォト・デッサン ★7

フォト・デッサン集『眠りの理由』

一九三六年四月、新時代洋画展の同人であった瑛九（本名・杉田秀夫）は、銀座の紀伊國屋画廊で初の個展「瑛九フォト・デッサン個展」を開催する。展示が閉幕した四月一〇日、芸術学研究会から限定四〇部で刊行されたのが、フォト・デッサン集『眠りの理由』[029]である。日本エスペラント学会の活動を通して久保貞次郎を知り、長谷川三郎や外山卯三郎の賞賛を得た杉田秀夫は、『みづゑ』への作品図版掲載[★1][図1]や個展の開催、そして『眠りの理由』の刊行をもって「瑛九」としての活動を開始した[★2]。

『眠りの理由』には、厚紙のアルバムに瑛九によるオリジナルのフォト・デッサンの複写（猪野喜三郎の印画）全一〇点と、外山の文章が収められた。印画紙の上に物体を置き直接感光することでイメージを定着させるフォト・デッサンは、マン・レイのレイヨグラフやモホイ＝ナジのフォトグラムの技法的影響を受けている[★3]。ただし瑛九は、自ら切り抜いた紙やセロファン、曲げた針金を用いて、紙に鉛筆で描写するように印画紙と対峙した。それは技法への挑戦であると同時に、光と影、相反するものの生み出す根源的な美の探求であり、憧憬でもあるだろう。曖昧な光の輪郭で縁取られた人体や有機的な形が、歪み彷徨いながら闇の中に浮遊する。本作を「恐ろしく深みのある調子」[★4]と表現したのは、矢橋六郎であった。

翌一九三七年、自由美術家協会の創立に参加した瑛九は、第一回展にフォト・コラージュの連作《レアル》[図2]を発表した。大谷省吾は、前年に評価を得たフォト・デッサンではなく、人体を切り刻み再構築したフォト・コラージュを出品したことの重要性について論じている[★5]。山田光春によれば、瑛九は「作品がシュールレアリズムであるとか、アブストラクトであるとかきめつけられることに対しては不満[★6]」だったというが、瑛九にとっての「眠り」と「レアル」、そして写真と絵画もまた、光と影のように安易に切断されるべきものではなかったのだろう。（ST）

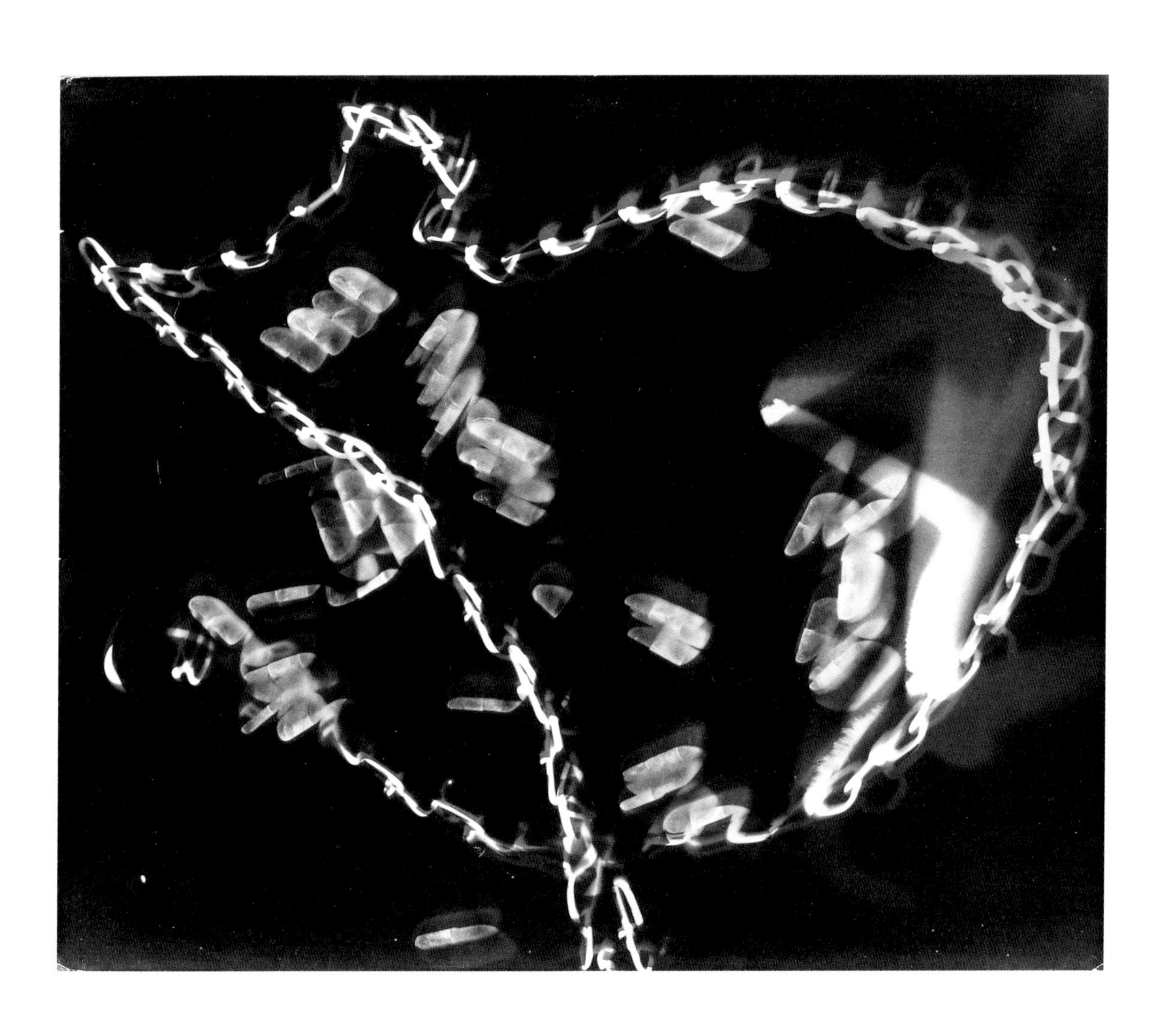

029
瑛九
眠りの理由
1936 年
府中市美術館

Ei-Q
Reason for Sleeping
1936
Fuchu Art Museum

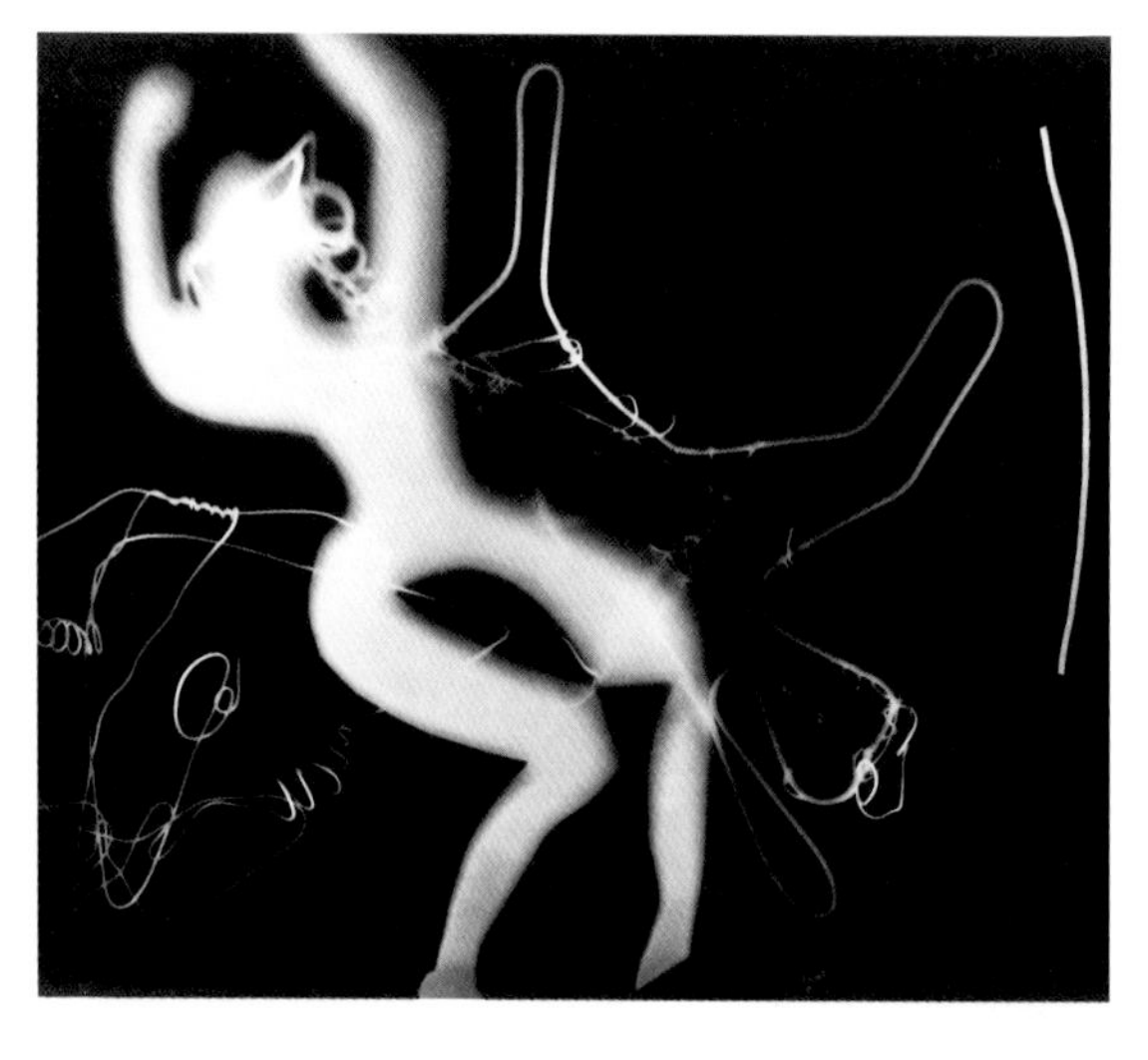

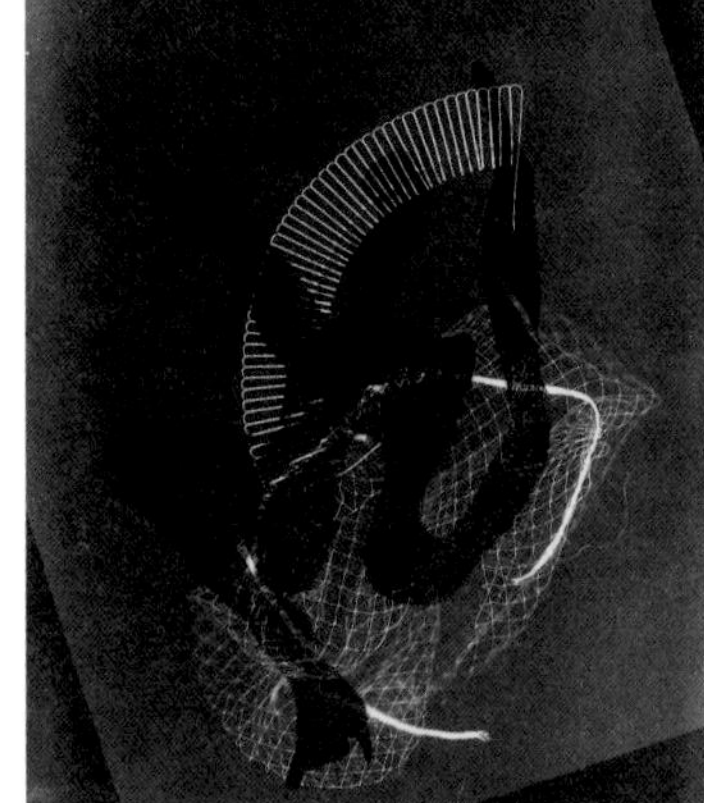
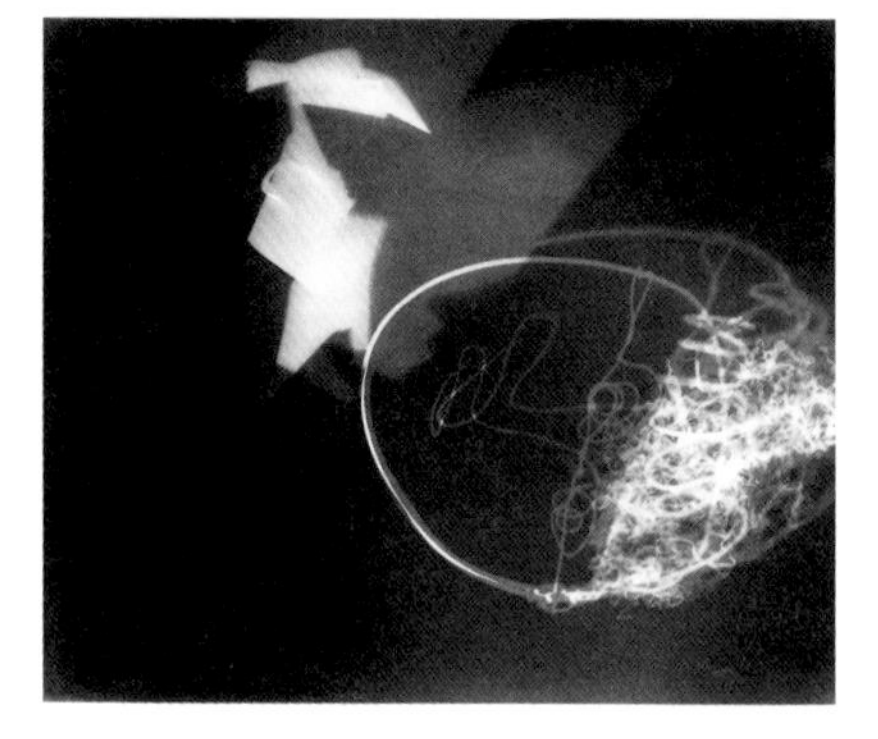
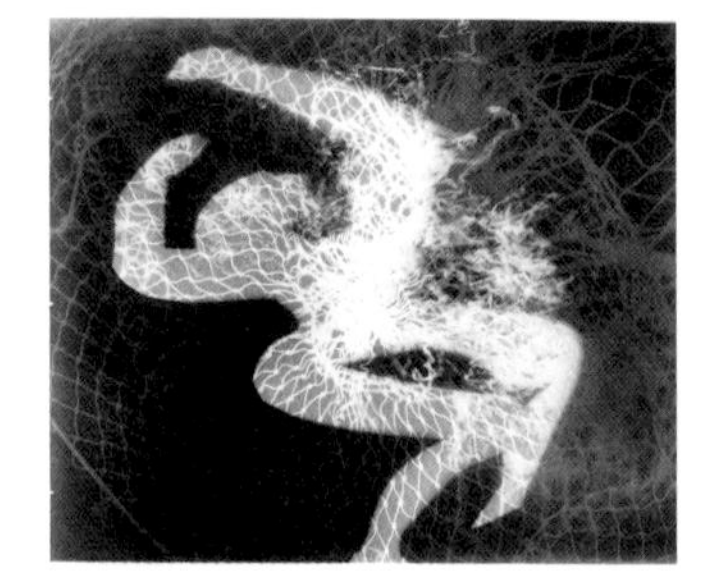

029 続き
眠りの理由　*Reason for Sleeping*

第三章　拡張するシュルレアリスム

Chapter 3.
The Spread of
Surrealism

3

一九三〇年代半ば以降、帝国美術学校（現・武蔵野美術大学）や東京美術学校（現・東京藝術大学）の学生たちによってJAN（ジャン）[D44]やアニマ[D45–46]、表現[D47–51]、動向[D54–56]、デ・ザミ[D57]、貌（ぼう）[D59–61]など複数の絵画グループが結成される。シュルレアリスムに関心を抱く若い画学生たちが共鳴していたのは、フランスから「行動主義」もしくは「行動的ヒューマニズム」を導入したことで知られる小松清の思想であった。絵画にとどまらない実験的な制作や執筆活動、他分野との交流を活発化させる彼らの存在は、既成の公募団体の枠には収まらない、小グループの屹立する時代の訪れを予感させた。

小グループの活動を積極的に支援していたひとりに、瀧口修造がいる。瀧口は、新造型美術協会[D28–31]やアヴァン・ガルド芸術家クラブの活動にも参加していた。その瀧口とともに、「日本のシュルレアリスム運動の推進者」として『シュルレアリスム簡約辞典』[D39]にその名を記されたのが、山中散生である。瀧口と山中という二人の詩人、美術批評家の存在によって、日本のシュルレアリスムをめぐる状況は、受容から交流へと位相を変えていく。

福沢一郎がアトリヱ社から『シュールレアリズム』[D26]を刊行した一九三七年、長谷川三郎は『アブストラクト・アート』を刊行し、雑誌『アトリヱ』では特集「前衛絵画の研究と批判」が組まれた[D40]。「前衛芸術」をめぐる動きが盛り上がりをみせたその年、山中と瀧口の協働で海外超現実主義作品展の開催が実現する[D34–37]。海外委員にはポール・エリュアール、ジョルジュ・ユニエ、ローランド・ペンローズが就き、東京のほか京都、大阪、名古屋、福井に巡回した。資料展としての側面が強い展覧会だったものの、海外から直接送られて来た作品や資料は、展覧会を観覧した巡回各地の画家たちを鼓舞し、自らが国際的な潮流にあることへの意識を促した。（ST）

From the mid-1930s onward, students at Teikoku Bijutsu Gakko (Imperial Art School, the present Musashino Art University) and Tokyo Fine Arts School (the present Tokyo University of the Arts) formed painters' groups such as JAN [D44], Anima [D45–46], Hyōgen [D47–51], Dōkō [D54–56], Des Amis [D57], and Bō [D59–61]. What the young art students interested in Surrealism empathized with was the thought of Komatsu Kiyoshi, who is known for having introduced "behaviorism" or "behaviorist humanism" from France. By creating experimental artworks unrestricted to painting and also writing, they activated exchanges with other fields. Consequently, their presence did not fit into the conventional framework of art groups which invited entries from the public, and heralded the arrival of a period during which small groups soared.

One of the people who positively supported the activities undertaken by such small groups was Takiguchi Shūzō. Takiguchi also took part in Shinzōkei Bijutsu Kyōkai [D28–31] and the Avant-Garde Artists' Club. Along with Takiguchi, another person who was listed in *Abridged Dictionary of Surrealism* [D39] as "a promoter of the Japanese Surrealist movement" was Yamanaka Chirū. It was through the presence of these two poets and art critics, Takiguchi and Yamanaka, that the phase of Japanese Surrealism shifted from reception to exchange.

In 1937, Fukuzawa Ichirō published *Surrealism* [D26] from Atoriesha, Hasegawa Saburō published *Abstract Art*, and the magazine *Atorie* ran a feature entitled "Studies and Criticism of Avant-Garde Painting." Amid an upsurge of movements related to "avant-garde art," Yamanaka and Takiguchi worked together and organized *Kaigai chōgenjitsu shugi sakuhin ten* (Exhibition of foreign surrealist works) [D34–37]. Paul Éluard, Georges Hugnet, and Roland Penrose were appointed as foreign committee members, and in addition to Tokyo, the exhibition toured Kyoto, Osaka, Nagoya, and Fukui. While it was more an exhibition of documents than paintings, the works sent directly from abroad inspired the artists who viewed the exhibition at each location and encouraged them to realize that they themselves were partaking in an international trend. (ST)

福沢一郎のその後――『シュールレアリズム』『エルンスト』

帰国直後の福沢はコラージュの手法を用いて《慰問袋に美人画を入れよ》[図1] のように社会問題をテーマにユーモアを込めて描いた作品を発表していた。その後、彼が共鳴したのは小松清の提唱する行動主義である。以後、福沢は絵画を通じて積極的に社会に関わることを試みた。

一九三五年の満洲旅行の後に描かれた《牛》（東京国立近代美術館）や《人》[030] は、行動主義に触発された作品だと考えられている。《牛》に描かれた二頭の巨大な牛の体は崩れかけ、ハリボテのようである。《人》の二人の顔や足、胴体もほころんでおり、後ろには曲がった飛行機が描かれている。福沢は《人》について「破壊的な構図によつて、のつぴきならぬ感覚を出すべく試みた」と述べた。★1

一九三七年に佐波甫（さわはじめ）は福沢を「氏は単に作家として許りではなく、ペンを執つて美術評論家としても辛辣警抜な批評活動を行ひ、革新画壇のためモラルが常に働いてゐる」と評したように福沢は論客としても活躍した。★2 初の単著となる『シュールレアリズム』[D26] はブルトンにはじまり、エルンスト、ダリなどの画家、シュルレアリスムの先駆者としてアルチンボルドやボスなども紹介された。それらはブルトンの『シュルレアリスムとは何か？』や三六年にニューヨーク近代美術館で行われた「ファンタスティック・アート、ダダ、シュルレアリスム」展のカタログ [D38] がもとになっている。★3 最終章では「超現実主義の偏差や歪曲は、吾々の手によって修正さるべき将来の問題である」と述べたように、シュルレアリスムの将来をともに考えるべき課題と読者に投げかけた。★4

また、福沢は一九三九年には『エルンスト』[D27] をアトリヱ社の西洋美術文庫の二三巻として刊行した。三章からなる同書は、一部カラーのグラビア入りで、エルンストの画業、代表作の紹介に続き、最終章ではフロイトなどを引き合いに出しながら福沢がエルンストについて自由に論じている。（HS）

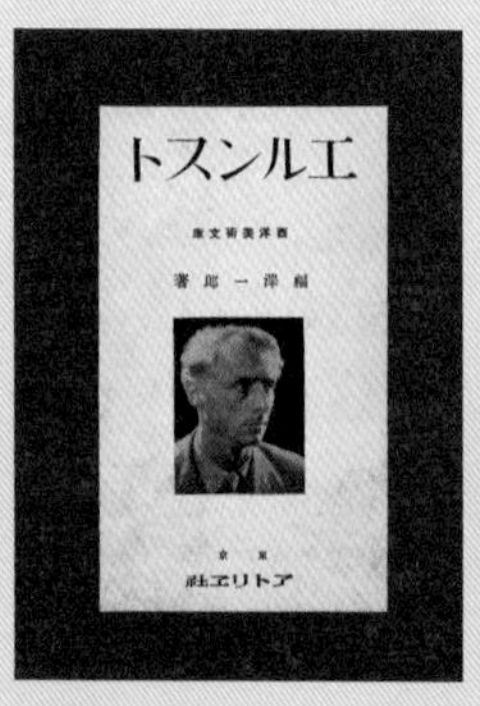

D27
福沢一郎
『エルンスト』
西洋美術文庫第 23 巻
アトリヱ社、1939 年
板橋区立美術館

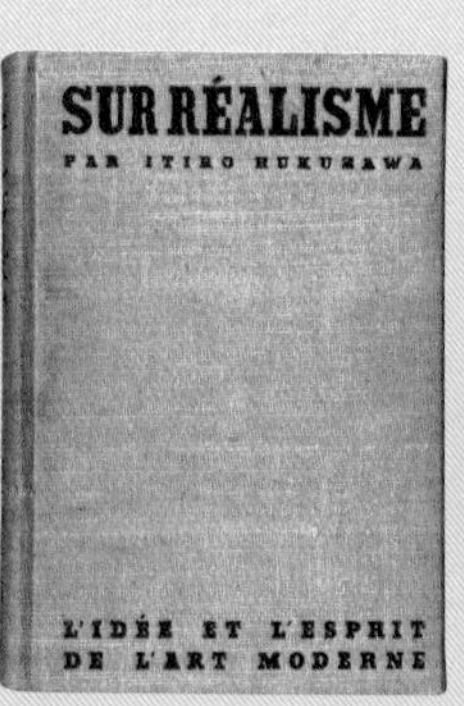

D26
福沢一郎
『シュールレアリズム』
近代美術思潮講座第 4 巻、アトリヱ社、1937 年、個人

図 1
福沢一郎《慰問袋に美人画を入れよ》
1932 年、第 2 回独立展 ★5

030
福沢一郎
人
1936年
東京国立近代美術館
第7回独立展

Fukuzawa Ichirō
Persons
1936
The National Museum of
Modern Art, Tokyo

031
米倉壽仁
ヨーロッパの危機
（世界の危機）
1936 年
山梨県立美術館
個展（1936 年）

Yonekura Hisahito
The Crisis of Europe
(The Crisis of the World)
1936
Yamanashi Prefectural Museum of Art

032
伊藤久三郎
振子
1937 年
板橋区立美術館
第 24 回二科展

Itō Kyūzaburō
Pendulum
1937
Itabashi Art Museum

図1
新造型美術協会誕生祝賀会(新宿白十字)、
1934年4月16日夜、個人

図2
中野政行《野に展る鉄骨》
1936年

新造型美術協会

独立美術協会内のシュルレアリスム派に対して行われた抑圧に抵抗するようなかたちで独立不出品同盟が結ばれ、そこに参加した画家たちを中心に一九三四年に結成されたのが新造型美術協会である[図1]。シュルレアリスムに関心を持つ彼らは展覧会を開催し、エッセイや海外文献の翻訳を掲載した機関誌『新造型』[D29–31]を発行した。

同誌二号では、瀧口修造、山中散生らによる「超現実」に関する論考が掲載された。会員たちは彼らを理論的指導者として迎え、シュルレアリスムに関する情報をいち早く仕入れた。山中に原稿依頼をしたのは、途中参加の下郷羊雄であった。[★1]下郷の尽力により同会は名古屋でも展覧会を開くことが可能になり、活動は名古屋でも知られるようになった。

一九三六年一月の二回展[D28]では、日本で初めてダリの実作品が展示された。山中の翻訳書の挿絵としてダリから贈られたデッサンを見た会員たちはあっけに取られたという。[★2]影響は作品に顕著に現れ、島津純一の《作品》[038–039]、中野政行《野に展る鉄骨》[図2]は奥行きが強調され、事物は溶けるように描かれており、ダリの作品を彷彿とさせる。さらに三七年三月の五回展では、下郷の《伊豆の海》[040]に加え、山中と下郷によるフォト・モンタージュ、瀧口修造・綾子夫妻や今井滋らによるデカルコマニーなど、実験的な作品も発表された。

新造型に参加した下郷、今井滋、瀧口綾子の作品は一九三八年に刊行されたブルトンとエリュアールの共著による『シュルレアリスム簡約辞典』[D39]に掲載された。山中を通じて『新造型』はブルトンに届けられ、五回展ではピエール・コル画廊で行われたシュルレアリスムのオブジェ展の作品写真の展示を行うなど同会は海外と交流した。[★3]海外超現実主義作品展を共同開催する案は叶わなかったが、座談会を主催し、シュルレアリスム運動を積極的に推進した。しかし、下郷宛の手紙によると資金難などで存続が難しくなり、解散したようだ。(HS)

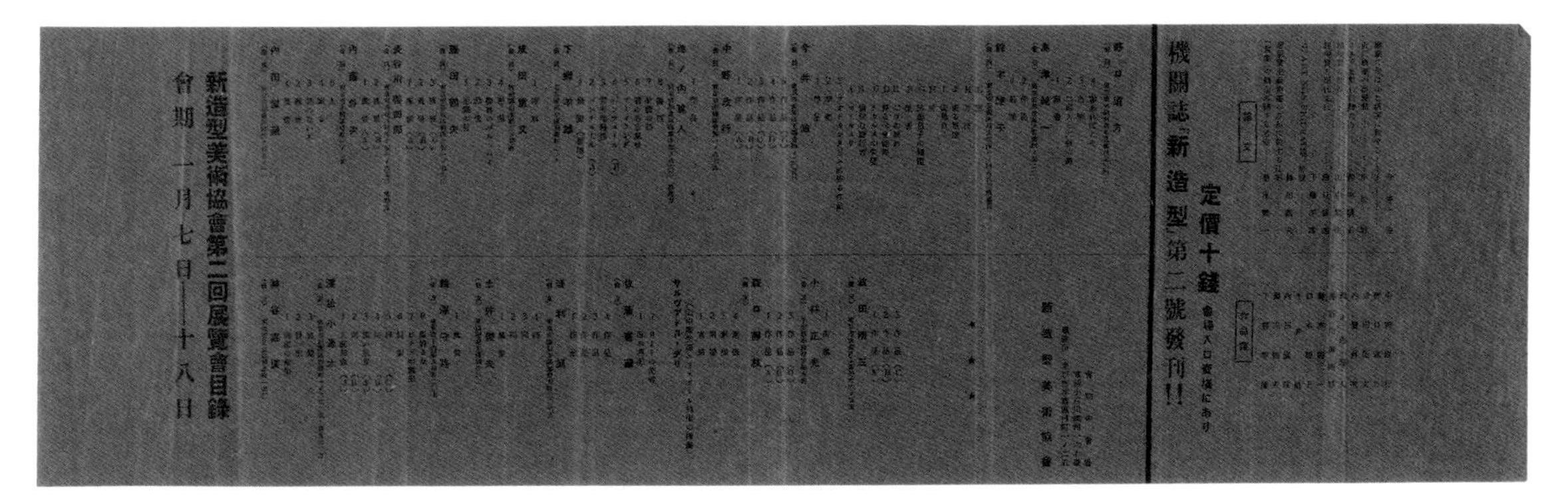
新造型美術協會第二回展覧會目録
會期 一月七日―十八日

新造型美術協會

機關誌「新造型」第二號發刊!!
定價十錢

D28
新造型美術協会第 2 回展覧会目録
1936 年 1 月、個人

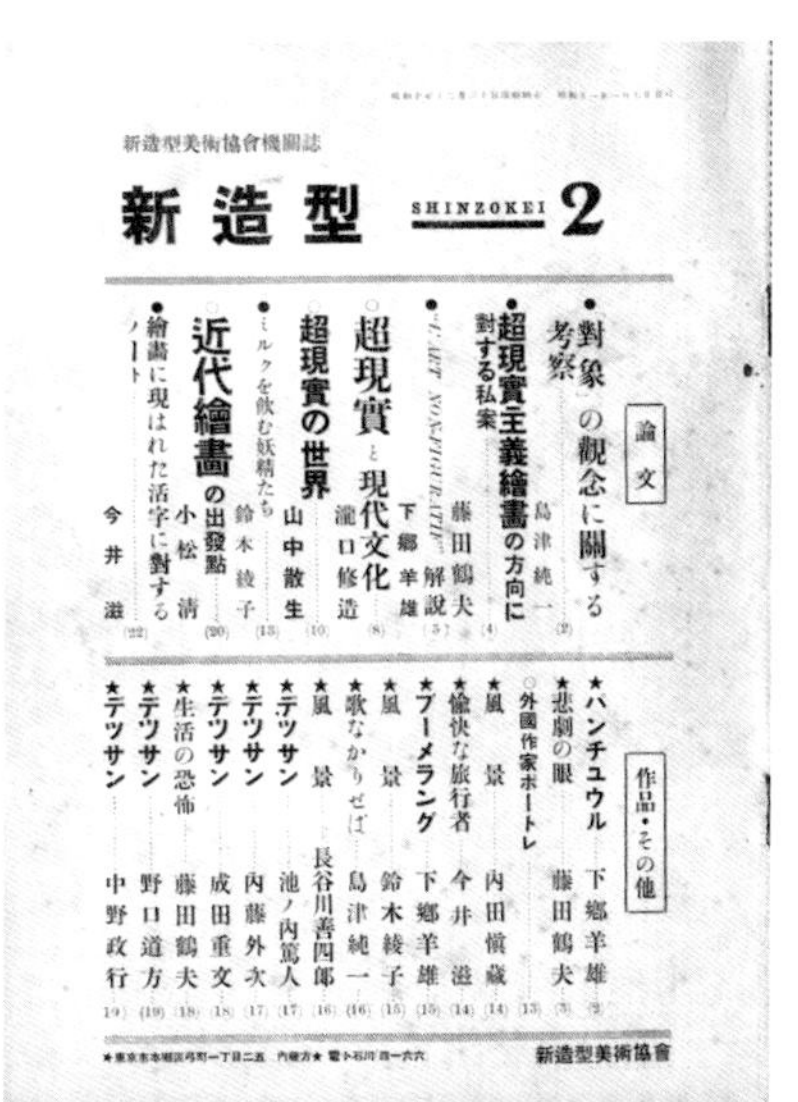
新造型美術協會機關誌

新造型 SHINZOKEI 2

論文

- ●「對象」の觀念に關する考察……島津純一 (2)
- ●超現實主義繪畫の方向に對する私案……藤田鶴夫 (4)
- ●"L'ART NONFIGURATIF" 解說……下郷羊雄 (5)
- ○超現實と現代文化……瀧口修造 (8)
- ○超現實の世界……山中散生 (10)
- ●ミルクを飲む妖精たち……鈴木綾子 (13)
- ○近代繪畫の出發點……小松清 (20)
- ●繪畫に現はれた活字に對するノート……今井滋 (22)

作品・その他

- ★ハンチユウル……下郷羊雄 (2)
- ★悲劇の眼……藤田鶴夫 (3)
- ○外國作家ポートレ……(13)
- ★風景……内田愼藏 (14)
- ★愉快な旅行者……今井滋 (14)
- ★ブーメラング……下郷羊雄 (15)
- ★風景……鈴木綾子 (15)
- ★歌なかりせば……島津純一 (16)
- ★風景……長谷川善四郎 (16)
- ★テツサン……池ノ内篤人 (17)
- ★テツサン……内藤外次 (17)
- ★テツサン……成田重文 (18)
- ★生活の恐怖……藤田鶴夫 (18)
- ★テツサン……野口道方 (19)
- ★テツサン……中野政行 (19)

新造型美術協會

D29
新造型美術協会機関誌
『新造型』2 号
1936 年 1 月
板橋区立美術館

D31
新造型美術協会機関誌
『新造型』4 号
1937 年 3 月
板橋区立美術館

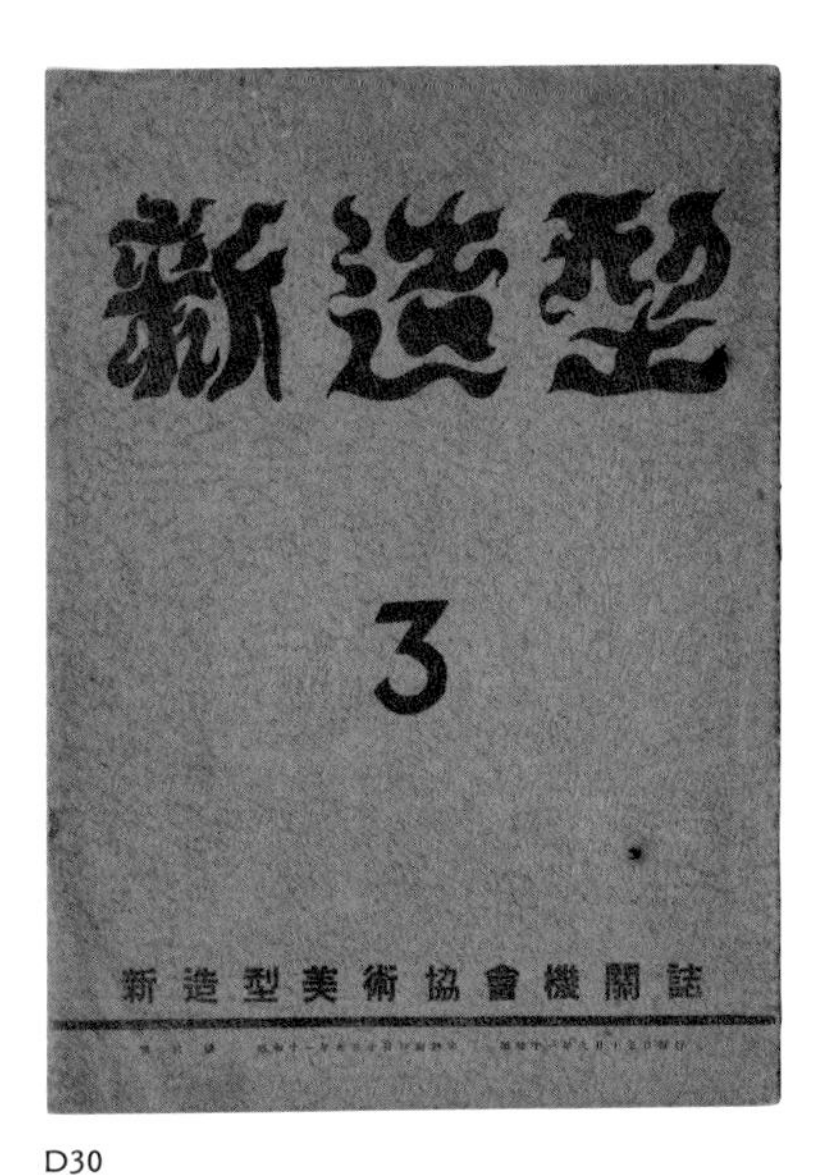

D30
新造型美術協会機関誌
『新造型』3 号
1936 年 9 月、個人

033

036

035

034

034
藤田鶴夫
生活の恐怖
1935 年
板橋区立美術館
『新造型』2 号掲載

Fujita Tsuruo
Fear of Life
1935
Itabashi Art Museum

033
藤田鶴夫
悲劇の眼（凝視）
1936 年
板橋区立美術館
第 2 回新造型展

Fujita Tsuruo
Tragic Eye (Stare)
1936
Itabashi Art Museum

036
藤田鶴夫
夏日の黙視
1937 年
板橋区立美術館
『新造型』4 号掲載

Fujita Tsuruo
Silent Gaze on a Summer Day
1937
Itabashi Art Museum

035
藤田鶴夫
生活の叫び
1935 年
板橋区立美術館

Fujita Tsuruo
Scream of Life
1935
Itabashi Art Museum

038

037

039

038
島津純一
作品 1
1937 年頃
板橋区立美術館

Shimazu Jun-ichi
Work 1
c.1937
Itabashi Art Museum

037
島津純一
女性的パラノイヤ
1937 年
板橋区立美術館
『新造型』4 号掲載

Shimazu Jun-ichi
Feminine Paranoia
1937
Itabashi Art Museum

039
島津純一
作品 2
1937 年頃
板橋区立美術館

Shimazu Jun-ichi
Work 2
c.1937
Itabashi Art Museum

040
下郷羊雄
伊豆の海
1937 年
名古屋市美術館
第 5 回新造型展

Shimozato Yoshio
The Sea of Izu
1937
Nagoya City Art Museum

D32
瀧口修造
『近代芸術』
三笠全書、三笠書房
1938年、個人

図2
サルバドール・ダリ
訳：瀧口修造
「ナルシスの変貌」
（『みづゑ』400号、1938年6月）

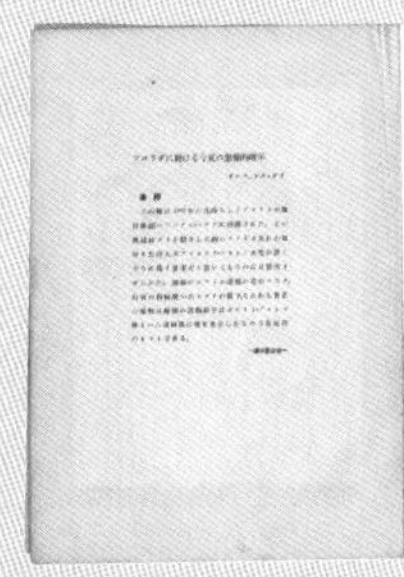

図1
瀧口修造「超現実造型論」に挿入されたダリ
《フロリダに於ける今夏の想像的暗示》のカラー図版
（『みづゑ』379号、1936年9月）

瀧口修造——思想と実践

母の死後、医学部進学の道を放棄した瀧口修造は、放浪生活を経て慶應義塾大学文学部に入学する。鬱屈した精神とともにある瀧口の転機となったのは、一九二六年、同人雑誌『山繭』への参加と、イギリス留学から帰国した詩人、西脇順三郎との出会いであった。多くのシュルレアリスム資料を持ち帰った西脇によって「詩的思考の形成（或は非形成）に決定的な衝動を与へ」★1られたという瀧口は、佐藤朔や上田敏雄、上田保らとともに『馥郁タル火夫ヨ』[D7]や『衣裳の太陽』[D8-9]を発刊、『詩と詩論』[D10]に参加するほか、西脇の『超現実主義詩論』[D14]の付録として「ダダよりシュルレアリスムへ」を執筆、ブルトン『超現実主義と絵画』[D15]を翻訳刊行するなど、「未然のシグナル」★2であったシュルレアリスムへと急速に近接する。瀧口の軌跡は、シュルレアリスムとの距離を保ちながら独自の詩論と詩作を展開する西脇とは異なる弧を描き、それは日本におけるシュルレアリスム受容の次なる展開の始まりを意味していた。

瀧口が本格的な美術批評を開始したのは、P・C・L（後の東宝映画）を退社する一九三〇年代半ば頃のことである。美術雑誌を通してダリをはじめ海外の同時代的な動向を積極的に紹介すると同時に、詩、絵画、映像、写真などの領域を横断した批評を展開した[図1-2]。一九三七年、山中散生とともに企画、開催した海外超現実主義作品展は、シュルレアリスムの受容から交流へと位相を変え日本各地を巡回した。

一九三〇年代半ば以降、画学生たちが結成した複数の絵画グループについて「その動機が矛盾相克を原則とする意識下の世界にもとめられたことにただならぬものが感じられた」★3と述べる瀧口は、不安な若者の活動を積極的に支援した。新造型美術協会に参加ののち、四宮潤一らとアヴァン・ガルド芸術家クラブを提唱、創紀美術協会や美術文化協会の指導的役割を果たす瀧口の存在は、著書『近代芸術』[D32]や『ダリ』[D72]、『ミロ』★4とともに、数多の芸術家に過少ならざる影響を及ぼしていく。（ST）

図1
『妖精の距離』表紙 ★7

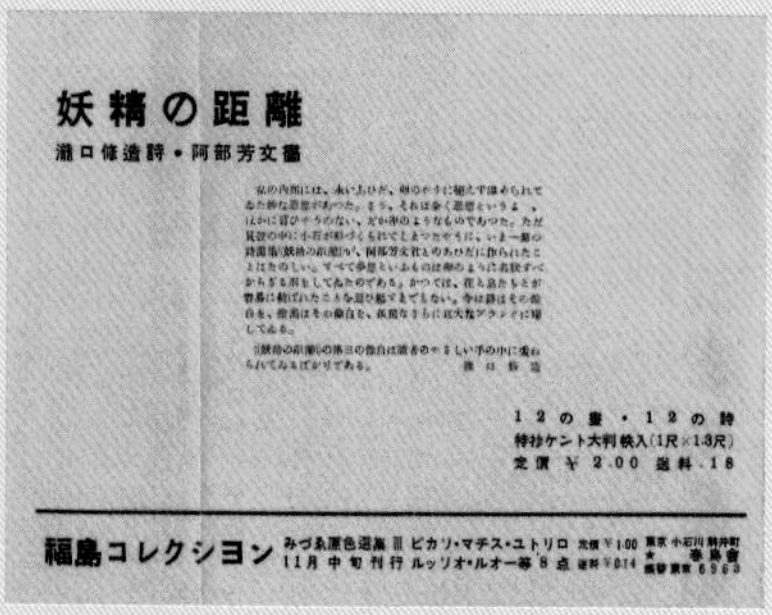

妖精の距離
瀧口修造詩・阿部芳文畫

12の畫・12の詩
特抄ケント大判帙入(1尺×1.3尺)
定價 ¥2.00 送料.18

福島コレクシヨン みづゑ原色選集Ⅲ ピカソ・マチス・ユトリロ ルッソオ・ルオー等8点 11月中旬刊行

図2
『妖精の距離』広告（文：瀧口修造）★8

詩画集『妖精の距離』

『妖精の距離』は瀧口修造の詩と阿部芳文（展也）の画から成る一二枚組の詩画集である［図1-2］。一九三七年一〇月に春鳥会から限定百部で刊行された、戦前期日本における唯一の「シュルレアリスム詩画集」として知られる。詩は活版印刷、画はコロタイプ印刷で刷られた。

「蝸牛の劇場」「レダ」「魚の慾望」「瞬間撮影」「遮られない休息」「木魂の薔薇」「反応」「睡魔」「影の通路」「妖精の距離」「風の受胎」「夜曲」と題された一二の詩が刻まれた紙面の左側に、鉛筆の線が導く有機的な形体が浮かぶ。変形の途上ともいえる不思議な形体に触発されるように、紡がれた言葉もまた意外な方向へと導かれ広がっていく。変容を掴もうとする画家と、「有機的なコスモロジイ」★1に導かれた詩人による詩画集は、テキストが意味するところを絵画が説明する従来の詩と画の関係性とは異なる位相にある。「画家は、詩人がタブロオの前に立つと同じやうに、詩の前に立つ。彼等は言葉と同じやうに彫像をつくる」★2という言葉を紹介していた瀧口は、「卵のやうに絶えず温められてゐた妙な思想」を形にしたという本作に対して、「詩はその余白を、絵画はその余白を、孤独なさらに巨大なブランクに曝してゐる」★3と述べる。

瀧口の詩を「言葉と言葉が激しい火花に依つて消化せしめられ、言葉の一般的な意味を完全に追放する」と評した山中散生は、阿部の画について「タンギイの虚無的な笑ひもなく、アルプの偶発的な遊びもなく、又ダリの激しい欲望もなく、然も我々に迫つてくる精神こそは、今日のアブストラクションの別な段階を示すものと云へよう」★4と述べている。福沢一郎もまた「此画集は従つてまた現下の抽象芸術の最高標準を示すもの」★5と述べ、互いにそれを「シュルレアリスム」ではなく「アブストラクト」の側面から評価する。「彼の方法には強烈な抽象のプロセスがある」★6と述べたのは、他ならぬ瀧口であった。

ともにアヴァン・ガルド芸術家クラブに参加した瀧口との共作は、独学で画家を志していた阿部が美術界で注目を集めるための重要な契機となった。（ST）

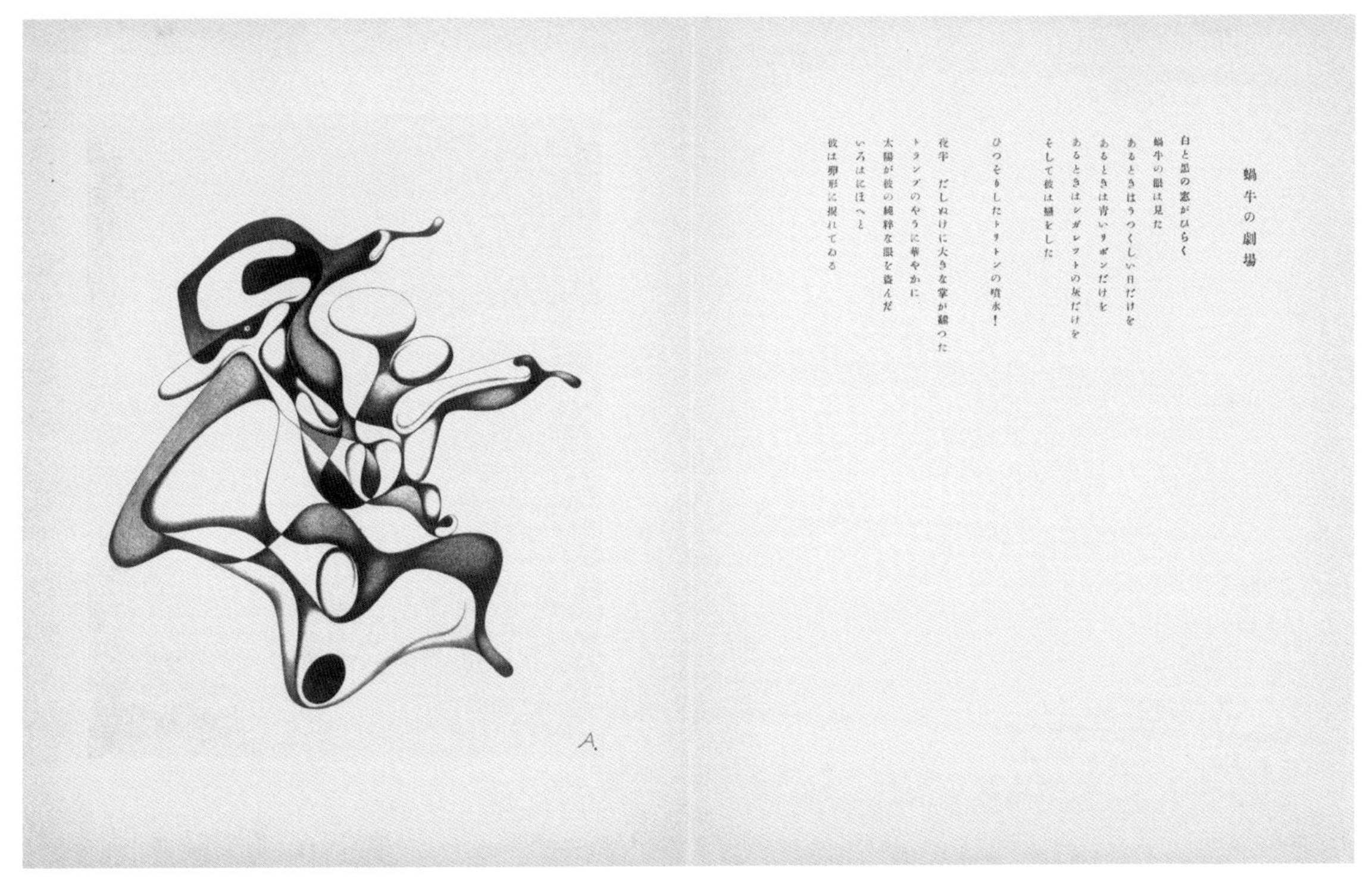

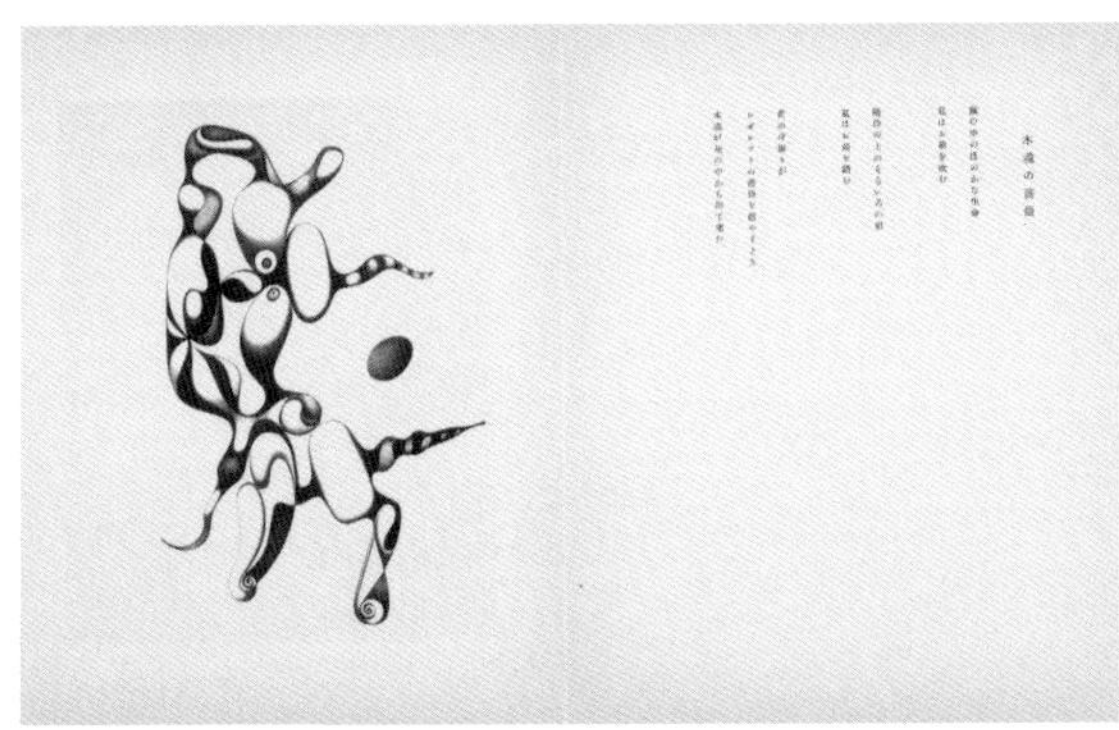

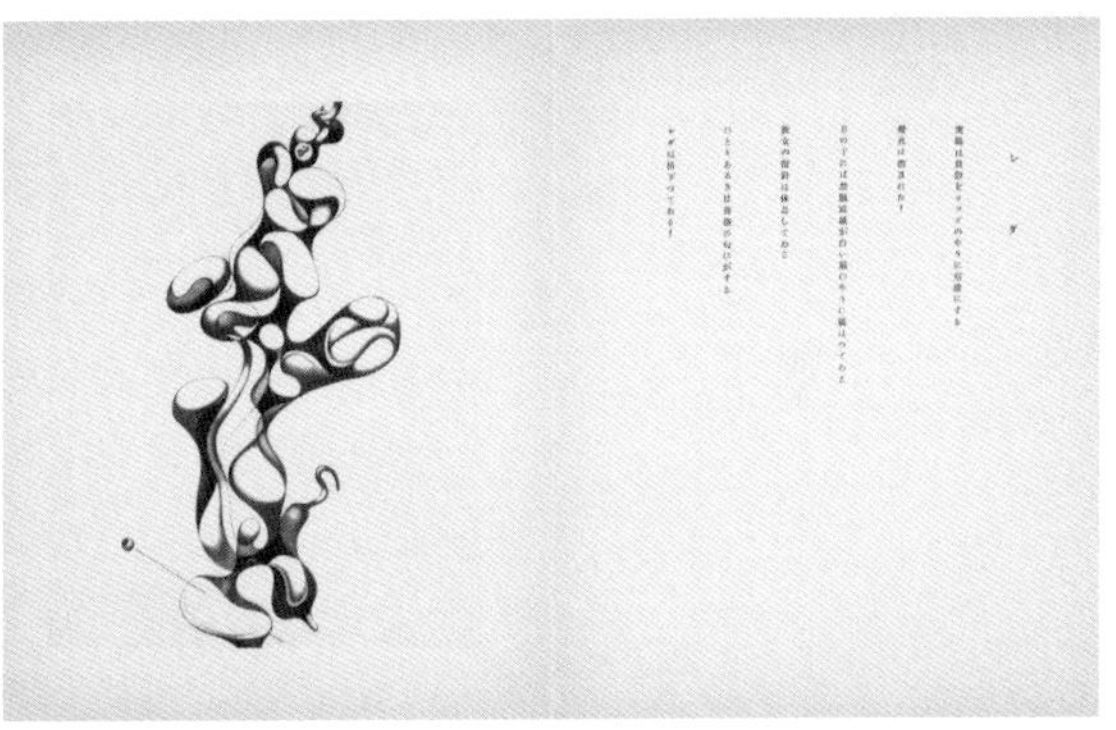

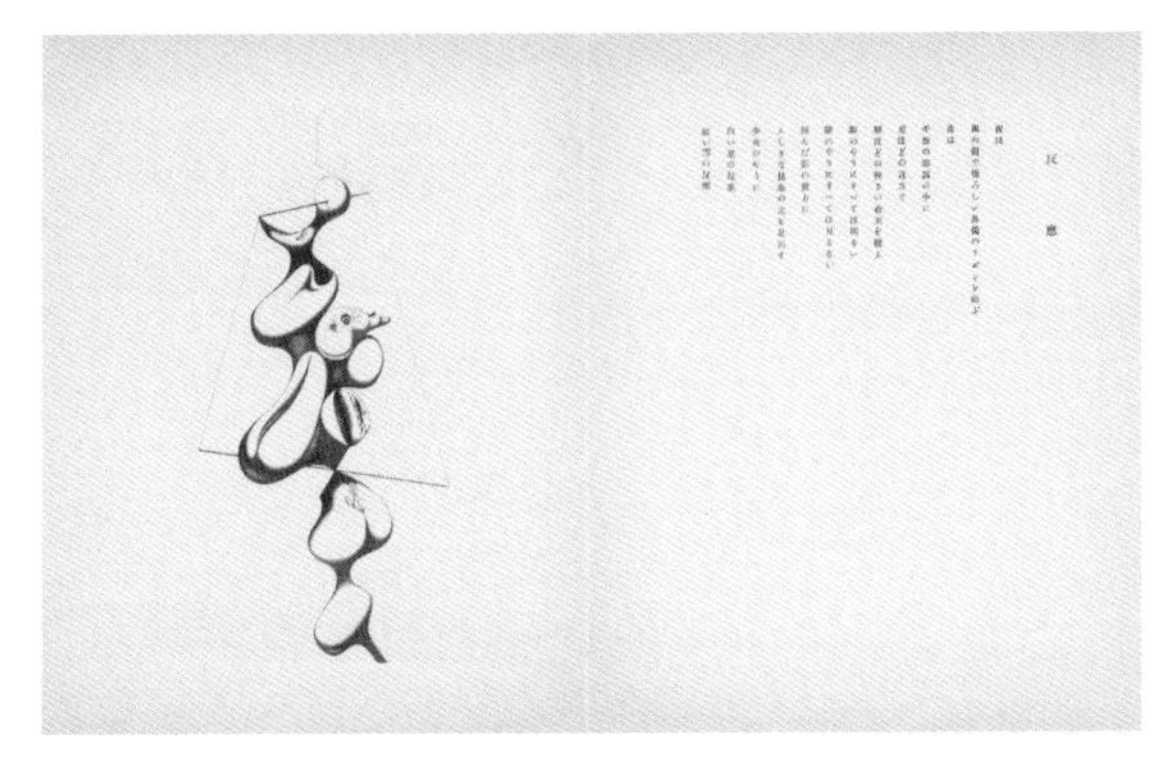

041
阿部展也（芳文）／
瀧口修造
詩画集『妖精の距離』
1937年
国立国際美術館

Abe Nobuya (Yoshibumi),
Takiguchi Shūzō
Illustrated Book “Fairy’s Distance”
1937
The National Museum of Art, Osaka

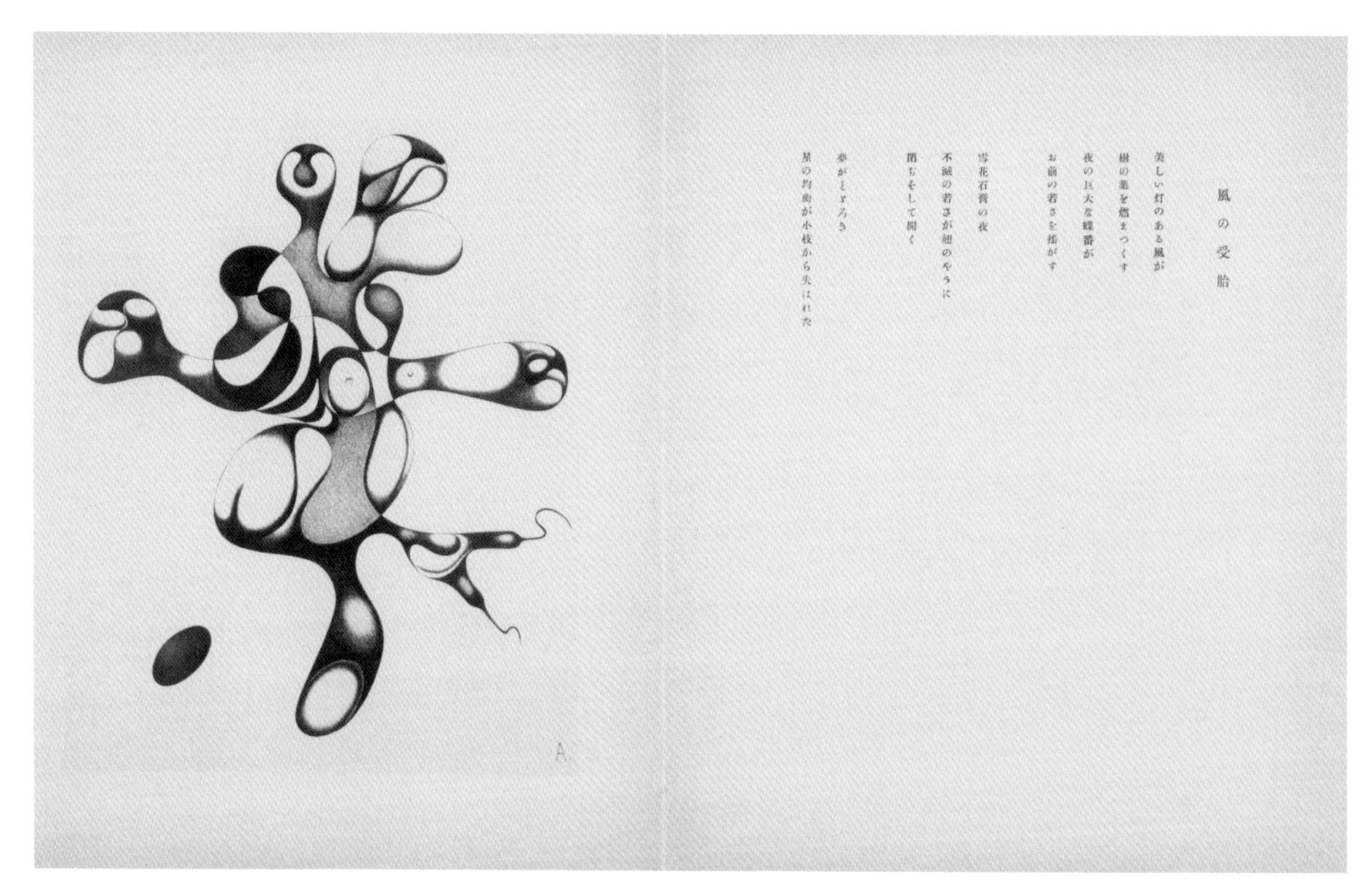

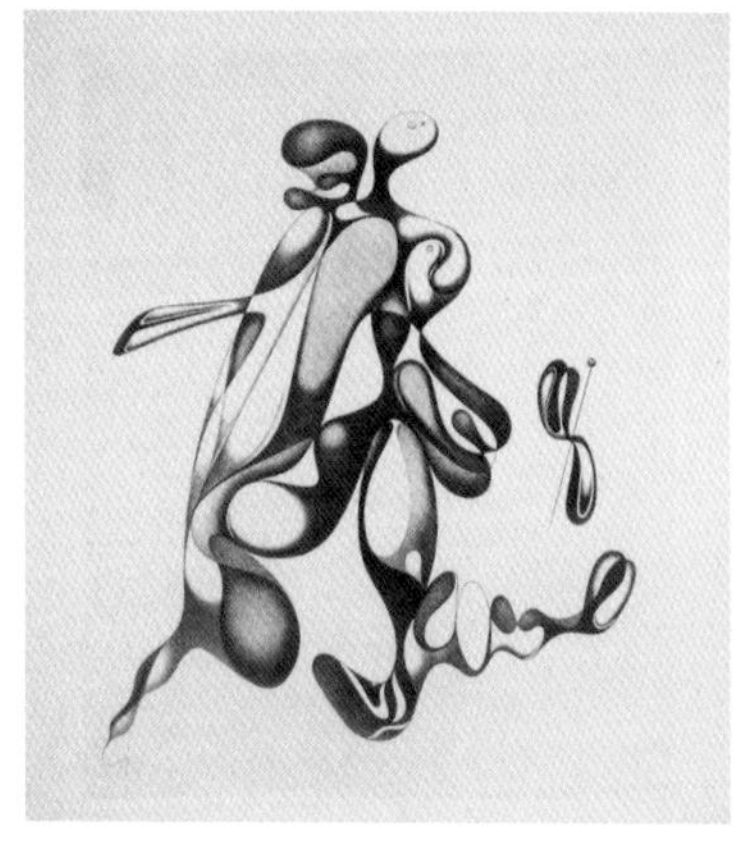

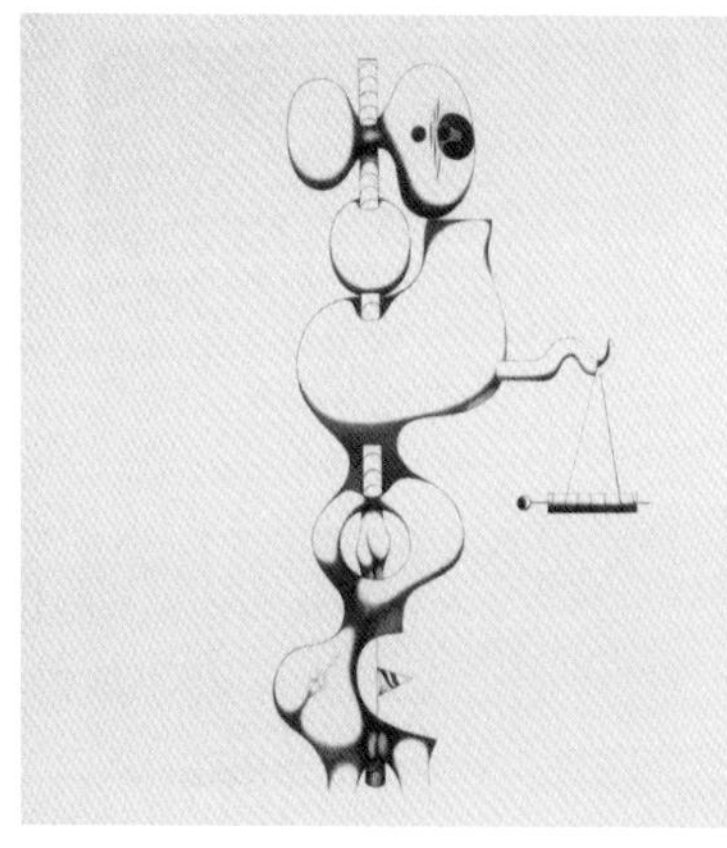

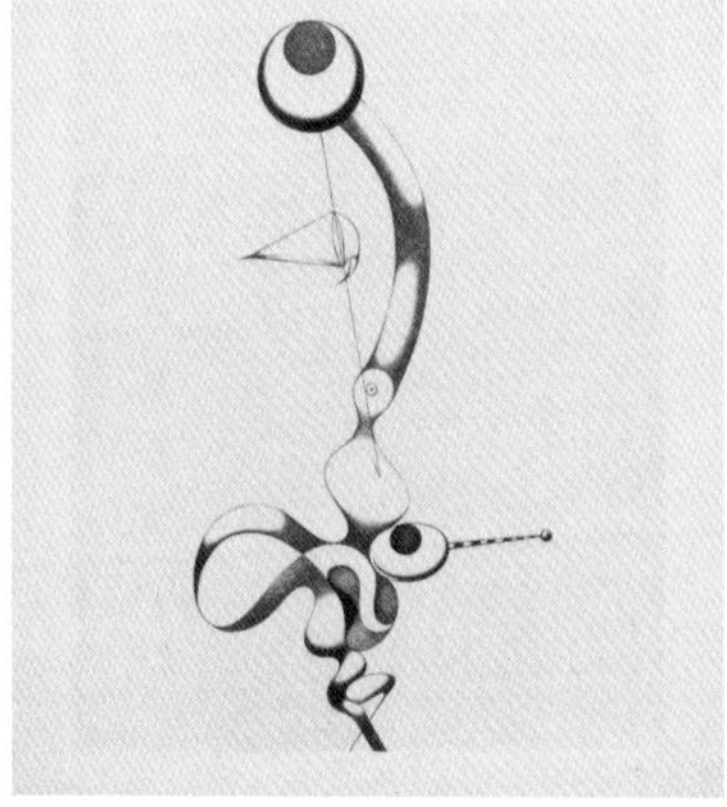

041 続き
詩画集『妖精の距離』　*Illustrated Book "Fairy's Distance"*

D33
山中散生
『L'échange surréaliste』（超現実主義の交流）
ボン書店、1936年、個人

図2
ダリが山中に送ったデッサンが表紙に使用されている（ポオル・エリュアアル著、山中散生訳『或一生の内幕或は人間の尖塔』1937年、春鳥会、三重県立美術館）。

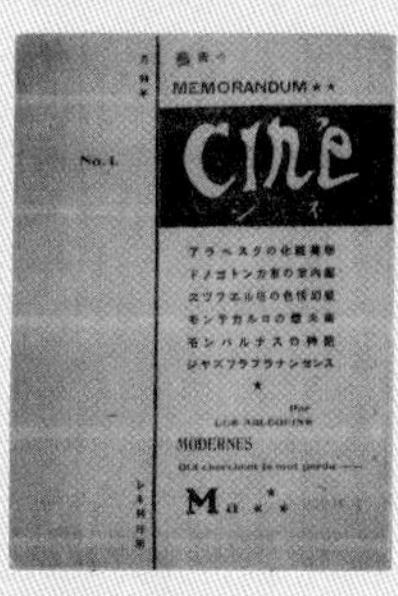

図1
『Ciné』創刊号
1929年 ★5

山中散生——日本のシュルレアリスム運動の推進者

名古屋高等商業学校（現・名古屋大学）在学中、山中散生（本名・利行）はフランス語の教師・西脇得三郎と出会う。井口蕉花や春山行夫によって創刊されたモダニズム詩誌『青騎士』に参加し、詩人への道を歩み始めた。卒業後は名古屋放送協会東海支部に勤務の傍ら詩作や翻訳活動を継続し、冨士原清一から贈られた『衣裳の太陽』[D8-9]を機にシュルレアリスムを知った。一九二九年には雑誌『Ciné』を創刊する[図1]。詩と映画批評の同人雑誌であった『Ciné』は、ブルトンとフィリップ・スーポーの共作『磁場』（一九一九年）の一部を訳出するなど、次第にシュルレアリスム紹介のための媒体へと変容していく。★1

山中が最初に知己を得た海外のシュルレアリストはポール・エリュアールである。巴里・東京新興美術展を見て衝撃を受けた山中がエリュアールに手紙を送ったことから、二人の文通は始まった。「その表現技術においてブルトン提唱による自動記述法を意識的に援用することはほとんどなく、しかも独自の新しい美の基準をつくり出して、シュルレアリスム思想の展開のための大きな支柱となった」★2というエリュアールの作品は、山中に「異様な刺激」★3をもたらした。エリュアールを筆頭にブルトン、ツァラ、エルンスト、ダリとの文通を通して詩や理論の訳出に励んだ山中は、名古屋のみならず日本におけるシュルレアリスムの紹介者としての役割を獲得していく[図2]。一方的な受容から国際的な交流へと発展した成果として『Hommage à Paul Éluard（海盤車三巻一四号）』（一九三四年）や『L'échange surréaliste』[D33]があった。

なかでも大きな反響を得ることになったのは、瀧口修造とともに開催した海外超現実主義作品展（一九三七年）と、開催を記念して刊行された『海外超現実主義作品集』[D34]である。ブルトンやエリュアール、ジョルジュ・ユニエらと、山中および瀧口の交流によって実現した展覧会は、東京のみならず、巡回先の若い芸術家たちに強い刺激を与えた。フランスで刊行された『シュルレアリスム簡約辞典』[D39]には、瀧口修造とともに「日本のシュルレアリスム運動の推進者」★4としてその名前が記されている。（ST）

海外超現実主義作品展

一九三七年六月、山中散生と瀧口修造の協働で海外超現実主義作品展の開催が実現する。海外委員にはポール・エリュアール、ジョルジュ・ユニエ、ローランド・ペンローズが就き、東京、京都、大阪、名古屋、福井を巡回した［図1-4］。東京、京都、大阪展の主催は雑誌『みづゑ』であるが、名古屋展は新愛知新聞社が主催し、東京展を見た土岡秀太郎（つちおかひでたろう）が独自に交渉した福井展は北荘画会により開催された。[★1]『みづゑ』の臨時増刊号として『海外超現実主義作品集』［D34］が刊行された。表紙と裏表紙のデカルコマニーを手がけたのは、瀧口である。

各会場で、水彩や素描、版画、「妙屍体」の他、絵画やオブジェ等を写した写真や資料など約四百点が展示された。一九三六年にロンドンで開催されたシュルレアリスム国際展（ニュー・バーリントン画廊）に続く国際展であったとはいえ、日本の作品は一点も含まれていない。山中は『みづゑ』に掲載した報告書の中で「今度の展覧会は、日本のシュルレアリスト諸君に対する果敢なる呼掛けとしての意義に甘んずるより他なかつた訳であるが、しかし私は、これが諸君に対する友誼的な平手打ちとならば幸ひである」と日本の作家たちを鼓舞する言葉を述べている。[★2]「日本のシュールレアリスム　一九二五—一九四五」展（一九九〇年、名古屋市美術館）を企画した山田諭（やまださとし）は、シュルレアリスムの世界的な展開を伝えたこと、ダリを紹介したこと、絵画以外の可能性を提示してオブジェや写真の登場を促した点に、本展の意義を見出している。[★3]

資料展としての側面の強い展覧会であったとはいえ、海外から直接送られてきた「作品」が、地方の目撃者に対して与えた影響力は大きい。京都展を訪れた北脇昇は「(解らん！世界が違ふんだな）と頭をふり乍ら、然し何かたのしさうに帰つて行く」観客の姿を伝えながら、「単なる酔興やたわ事ではなく、行詰つたわれわれの世紀に何か一つの血路を与へるものと見ることが出来よう」とその興奮を伝えている。[★4]（ST）

図1
東京展（日本サロン）
右より春鳥会の大下正男、山中散生、瀧口修造 ★5

図2
京都展（京都朝日会館）★6

図3
大阪展（三角堂）
右より吉原治良、中村真 ★7

図4
福井展（アルト会館）★8

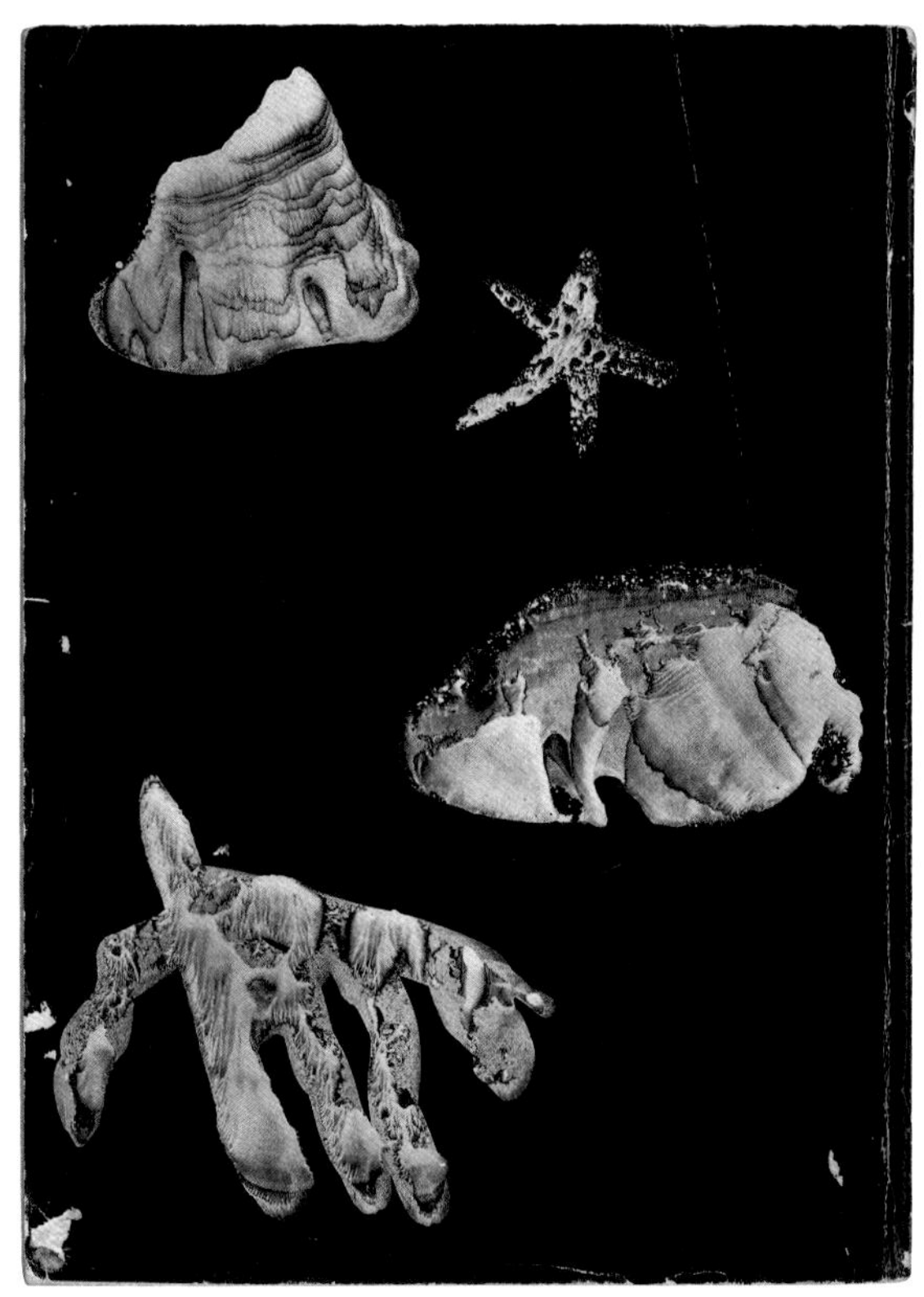

D34
『みづゑ 臨時増刊 海外超現実主義作品集 Album surréaliste』
388号、1937年5月、熊本県立美術館
表紙：瀧口修造

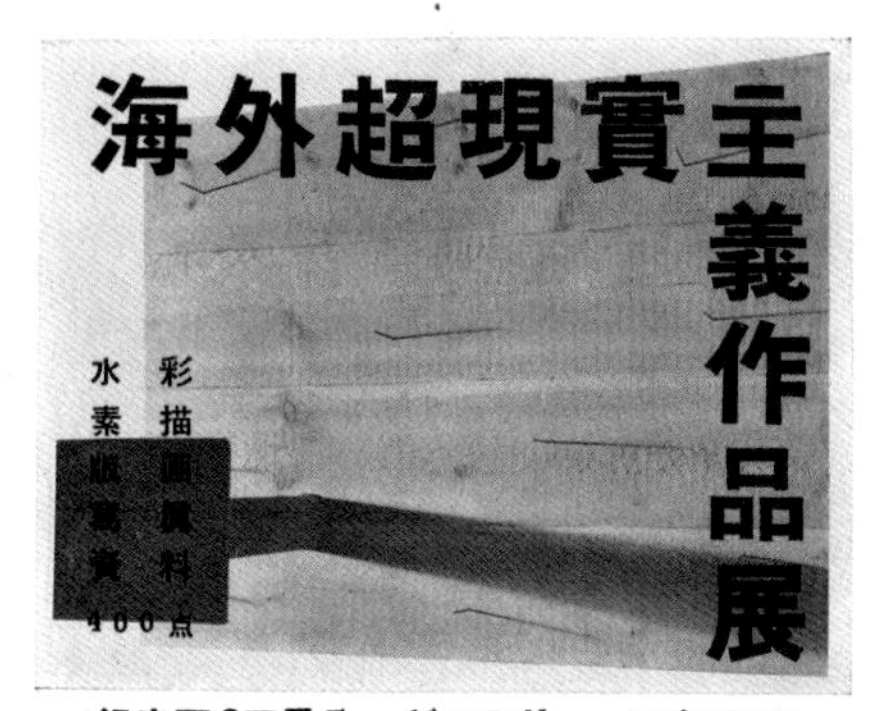

D35
海外超現実主義作品展（リーフレット）
1937年、行田市郷土博物館

D37
『海外超現実主義作品展』（冊子）
1937年6月、個人

海外超現實主義作品展

1937年6月10日―14日 於 銀座 日本サロン

主催 春鳥會 日本委員 瀧口修造 山中散生 海外委員 エリユアール ユニエ ペンロオズ

アイリーン・エイガア	Eileen Agar	(1–3)	水彩 2 寫眞 1
ハンス・アルプ	Hans Arp	(1–16)	コラアジユ 1 素描 1 寫眞 11
ハンス・ベルメエル	Hans Bellmer	(17–28)	素描 2 寫眞 10
ヴイクトル・ブロオネル	Victor Brauner	(27–35)	素描 2 寫眞 5
アンドレ・ブルトン	André Breton	(36–41)	寫眞 6
ジヤクリイヌ・ブルトン	Jacqueline Breton	(42–43)	素描 2
ブルトン夫妻合作	A. Breton et J. Breton	(44)	寫眞 1
ジヨルジユ・ド・キリコ	Georgio de Chirico	(45–51)	寫眞 7
クリストフオル	L. Cristfol	(52)	寫眞 1
サルヴアドル・ダリ	Salvador Dali	(53–69)	版畫 4 寫眞 13
ノオマン・ドオスン	Norman Dawson	(70)	水彩 1
オスカア・ドミンゲス	Oscar Dominguez	(71–80)	素描 2 版畫 1 寫眞 6
マルセル・デユシヤン	Marcel Duchamp	(80–85)	寫眞 6
ポオル・エリユアル	Paul Eluard	(86–96)	寫眞 11
マツクス・エルンスト	Max Ernst	(97–148)	グワツシユ 1 フロツタアジユ 2 素描 2 版畫 1 寫眞 48
マアヴイン・イヴアンス	Mervyn Evans	(149–153)	寫眞 5
レオノオル・フイニ	Leonor Fini	(154–157)	素描 1 寫眞 3
アンジエル・フエロオ	Angel Ferraut	(158–160)	寫眞 3
アルベルトジヤコメツテイ	Alberto Giacometti	(161–166)	寫眞 6
ウイリアム・ヘイタア	William Hayter	(167–175)	素描 2 版畫 3 寫眞 4
モオリス・アンリイ	Maurice Henry	(176–178)	素描 3
チヤアルズ・ハウアード	Charles Howard	(179–181)	素描 4
ジヨルジユ・ユニエ	Georges Hugnet	(182–190)	コラアジユ 3 寫眞 5
ヴアランテイヌ・ユウゴオ	Valentine Hugo	(191–195)	寫眞 5
マルセル・ジヤン	Marcel Jean	(196–205)	版畫 3 寫眞 7
ハンフリ・ジエニングス	Humphrey Jennings	(206)	寫眞 1
パウル・クレエ	Paul Klee	(207–209)	寫眞 3
ドオラ・マアル	Dora Maar	(210–214)	寫眞 5
ルネ・マグリツト	René Magritte	(215–221)	寫眞 7
アンドレ・マツソン	André Masson	(222–224)	寫眞 3
ジヨアン・ミロ	Joan Miro	(225–260)	水彩 1 版畫 2 寫眞 33
ヘンリイ・ムア	Henry Moore	(261–266)	寫眞 6
ポオル・ナツシユ	Paul Nash	(267–280)	コラアジユ 1 寫眞 13
ウオルフガング・パアレエン	Wolfgang Paalen	(281–289)	素描 1 寫眞 8
ロオランド・ペンロオズ	Roland Penrose	(290–298)	素描 3 寫眞 6
ペエテルゼン	B. Petersen	(299)	寫眞 1
フランシス・ピカビア	Francis Picabia	(300–301)	寫眞 2
パブロ・ピカソ	Pablo Picasso	(302–313)	寫眞 12
マン・レイ	Man Ray	(314–323)	素描 2 寫眞 8
レメデイオス	Remedios	(324–325)	素描 1 寫眞 1
シユウタア	Sewter	(326–327)	水彩 2
スチイルスキイ	Styrsky	(328–330)	寫眞 3
イウ・タンギイ	Yves Tanguy	(331–351)	グワツシユ 2 素描 3 寫眞 17
トワイアン	Toyen	(352)	寫眞 1
ジユリアン・トリヴイリアン	Julian Trevelyan	(353–358)	版畫 2 寫眞 4
靜物畫一合作		(359–362)	
ロンドン超現實主義展記錄		(363–366)	寫眞 3 ポスター 1
肖像		(367–373)	
子供の繪畫		(374–377)	
原稿・文獻			

寫眞トアルハ繪畫複製・オブジエ・創作的寫眞ヲ含ミ、版畫トアルハ自作エツチング・石版ヲ含ム

海外超現實主義作品集

原色版 2点 瀧口修造・山中散生・共編
グラビヤ版 4点 テキスト 16頁
寫眞版 109点 總論・沿革・文獻・作家錄
¥1.50・送料 .14 東京小石川駒井町 春鳥會 振替東京 6963

D36
海外超現実主義作品展
（目録・銀座 日本サロン）
1937年6月、行田市郷土博物館

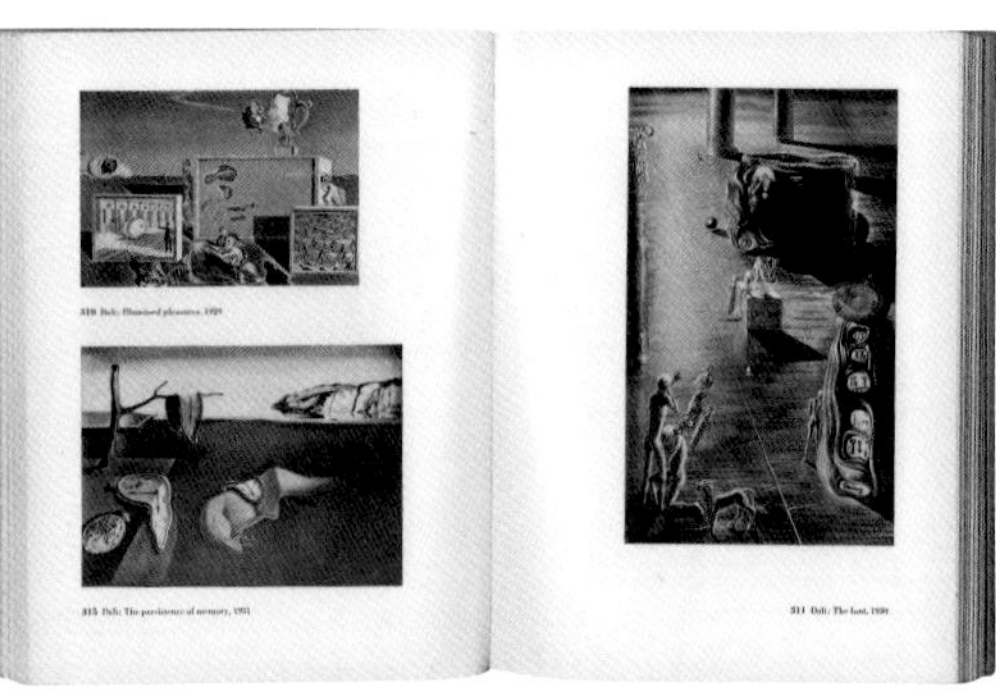

D38
『ファンタスティック・アート、ダダ、シュルレアリスム』
ニューヨーク近代美術館、1936 年、個人（*Fantastic Art, Dada, Surrealism*, The Museum of Modern Art, New York）

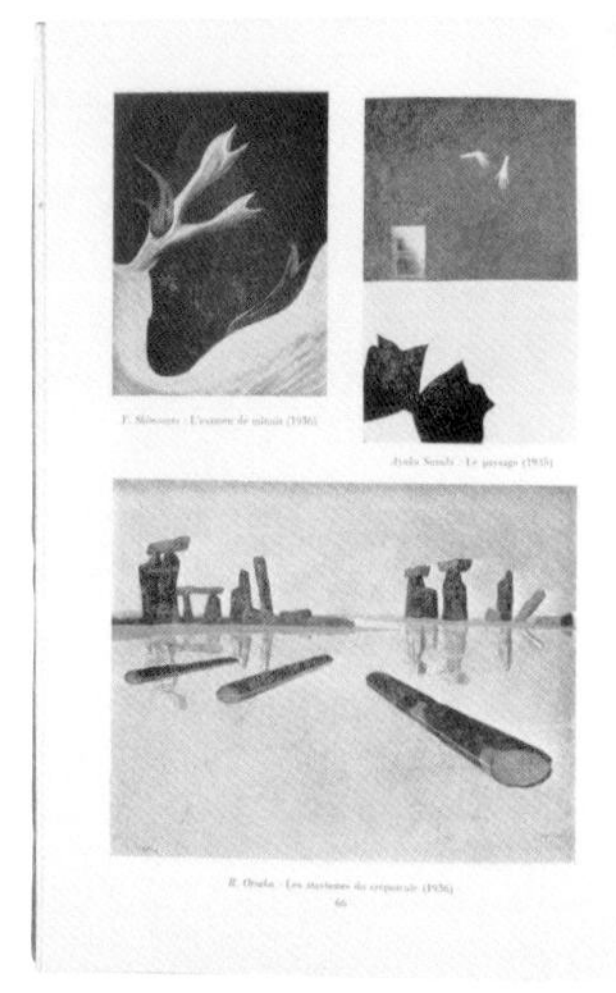

D39
アンドレ・ブルトン、ポール・エリュアール編
『シュルレアリスム簡約辞典』
Galerie Beaux-Arts、1938 年
慶應義塾大学日吉メディアセンター
（André Breton, Paul Éluard, *Dictionnaire abrégé du surréalisme*）

D41
『ナゴヤアバンガルド』
ナゴヤアバンガルドクラブ、1938 年、個人

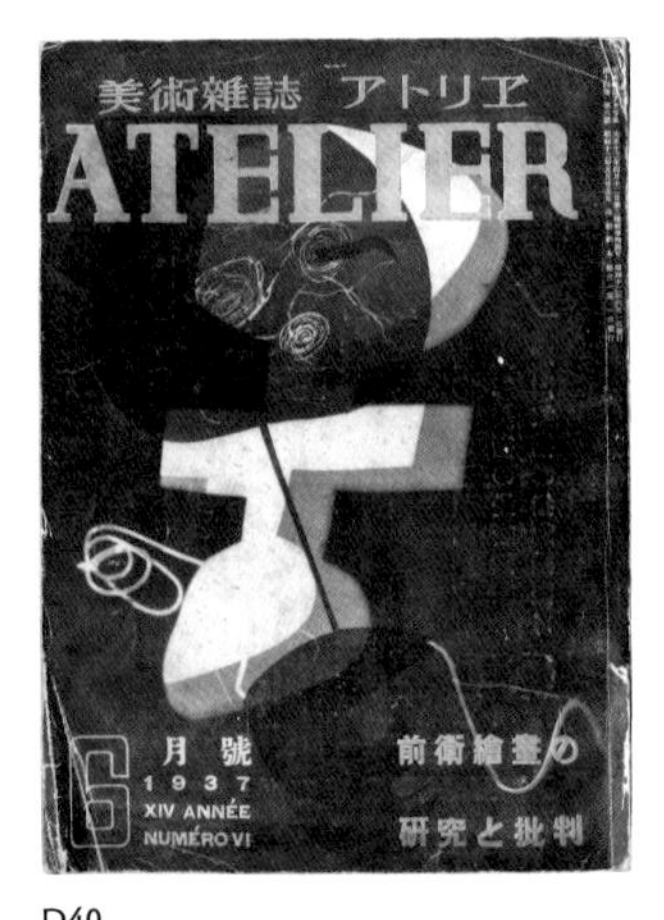

D40
『アトリヱ　前衛絵画の研究と批判』
14 巻 6 号、1937 年 6 月、個人

042

原田直康
悪夢
1937 年
板橋区立美術館
第 24 回二科展

Harada Naoyasu
Bad Dream
1937
Itabashi Art Museum

043
山路商
犬とかたつむり
1937 年
広島県立美術館

Yamaji Shō
Dog and a Snail
1937
Hiroshima Prefectural Art Museum

044
小牧源太郎
民族系譜学
1937年
京都市美術館
第2回京都市展

Komaki Gentarō
Genealogy of a Race
1937
Kyoto City Museum of Art

045
北脇昇
独活
1937 年
東京国立近代美術館
第 7 回独立展

Kitawaki Noboru
Spikenards
1937
The National Museum of
Modern Art, Tokyo

046
今井憲一
球体
1938年
京都市美術館
第4回新日本洋画協会展

Imai Ken-ichi
Sphere
1938
Kyoto City Museum of Art

独立美術京都研究所と新日本洋画協会

一九三三年一〇月、北脇昇や池田治夫が中心となり、京都・四条河原町に独立美術京都研究所が開設された。ことの発端は同年七月、彼らの師、津田青楓が治安維持法違反の嫌疑で検挙拘束され、京都、東京、名古屋にある津田青楓洋画塾がすべて閉鎖となったことにある。[★1] 反官学の場を失わないために奔走した北脇は、林重義ら独立美術協会員を訪問、井澤元一ら面識のない画家にも声をかけながら短期間で目的を実現させた。[★2] 研究生による自主運営を基本とするが、指導的役割は林や里見勝蔵、田中佐一郎、のちに須田国太郎が担った。

同人の多くが手がけていたのはフォーヴィスム風の絵画であった。機関紙『TOILE』四号（一九三五年二月）に掲載された松崎政雄（八笑亭）によるフォトグラムの実験が、わずかにシュルレアリスムの兆しを感じさせる。[★3] 一九三五年六月には北脇を中心に、研究所の有志二八名によって新日本洋画協会が結成された［図1］。小牧源太郎が「松崎八笑亭君なんかがむしろシュールという点では一番早かった」[★4]と述べる一方で、「独立の研究所で、最初にシュール・リアリズムに踏切ったのは、北脇昇君であった」[★5]とするのは、今井憲一である。その今井に「自分の世界が、独特な自分の技法を生み出す、生え抜きのシュール・リアリスト」[★6]と称される小牧もまた、シュルレアリスムや精神分析学に自らの進むべき道を見出していく。

海外超現実主義作品展が京都に巡回した一九三七年、第三回新日本洋画協会展に並んだのは、北脇の発案による同人一四名の集団制作《浦島物語》（京都市美術館）である。「妙屍体」と俳諧連句の形式が対立的に考慮されたという集団制作のめざすところは「個性と集団性の矛盾の積極的な克服」[★7]にあった。翌年の第四回展では「個性を包越するもの」[★8]としての集団制作《庭園》が展示されると同時に、複数の実験作品やオブジェの並ぶ「超現実性観測室」が出現する。批判と冷笑のなかで、京都におけるシュルレアリスムをめぐる動きは山場を迎えていた。（ST）

TOILE

1

獨立美術京都
研究所機關誌

D42
『TOILE　独立美術京都研究所機関紙』
1号、1933年12月、個人

図1
第1回新日本洋画協会展（大礼記念京都美術館）
1935年9月1日

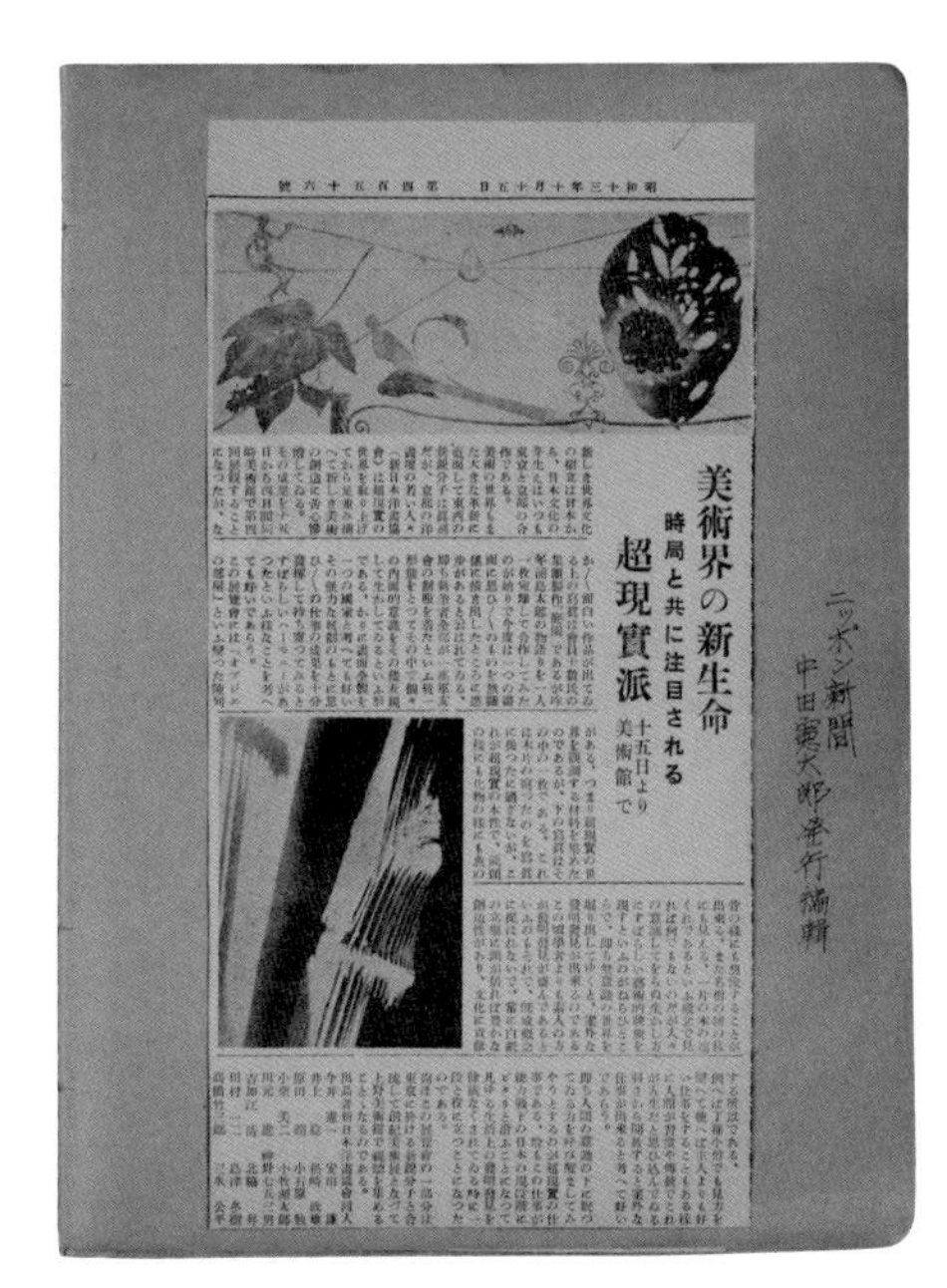

昭和十三年十月十五日　第四百五十六號

美術界の新生命
時局と共に注目される
超現實派
十五日より 美術館で

D43

『ニッポン新聞』1938 年 10 月 15 日

（小牧源太郎　スクラップブック『第 1 巻（正）記録　第一種第一編』1936–49 年、市立伊丹ミュージアム）

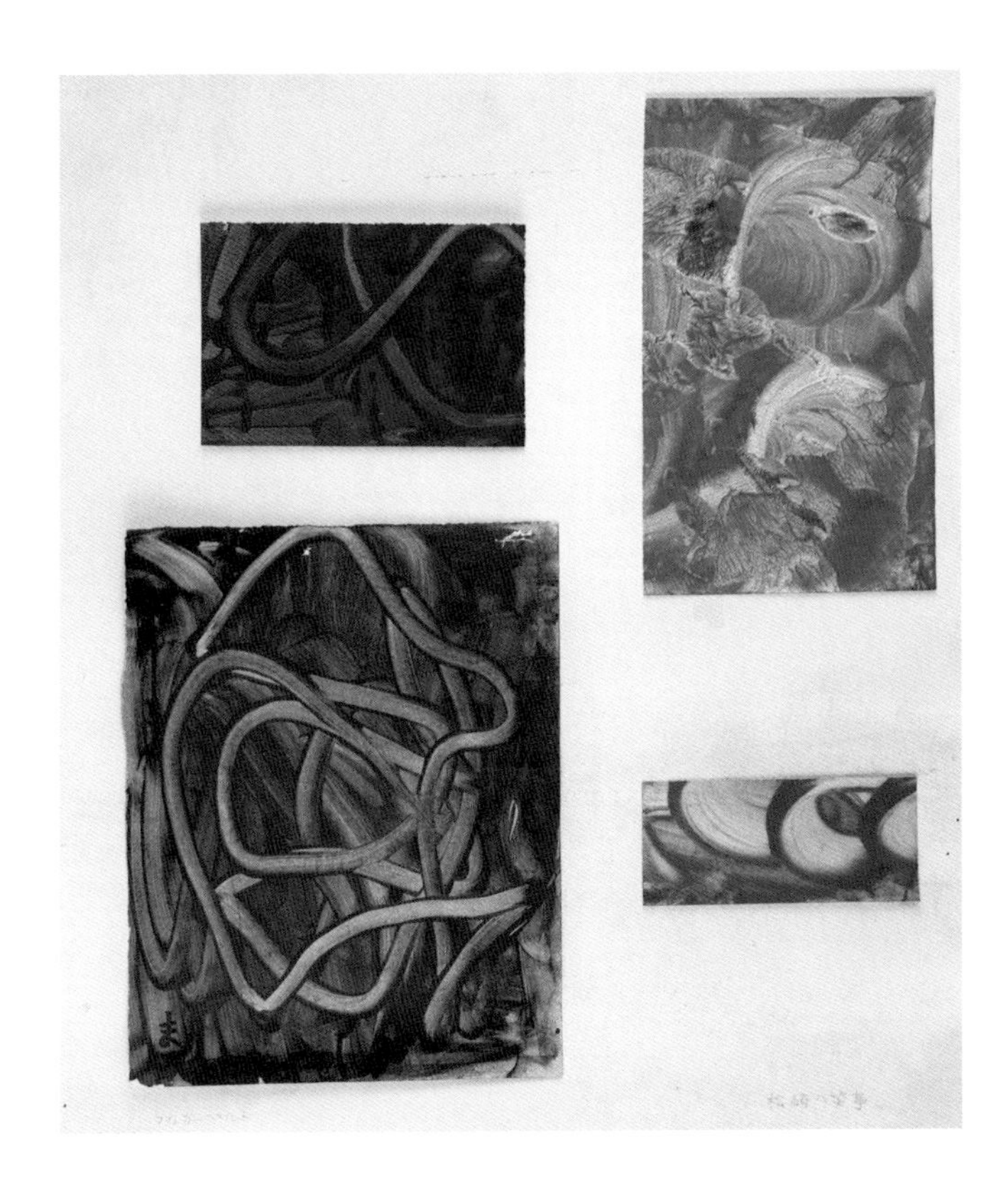

047

松崎政雄

フィンガーペイント

京都府（京都文化博物館管理）

Matsuzaki Masao

Finger Painting

Kyoto Prefecture (Administrated by The Museum of Kyoto)

図1
横地康国《二人》
1935年頃、武蔵野美術大学美術館・図書館

図2
藤井令太郎《ドルメン》
1936年、絵葉書、行田市郷土博物館

図3
矢崎博信
《街角（彼の地には水害のあった日）》
1935年、茅野市美術館

帝国美術学校とJAN、アニマ、小松清

一九二九年に開校した帝国美術学校（現・武蔵野美術大学）では三五年に学内紛争のなか、学生たちによるストライキ「同盟休校」が行われ、多摩帝国美術学校（現・多摩美術大学）と分裂した。★1

学生たちに銀座の画廊で展覧会を行うことを提案し、会にJANやアニマと命名したのは同校講師の小松清である。★2 フランス帰りの小松はアンドレ・マルローの著書を翻訳し、行動主義を提唱した。永井敦子によると小松の紹介する現実を肯定しつつ変革せんとする「行動的ヒューマニズム」は、福沢一郎はじめ文化人たちに浸透したという。★3

JANはJeunes Artistes Nouveaux（青年美術家集団）の略である。彼らは海老原喜之助の作品に傾倒し、デ・キリコやエルンストなどの図版に飛びついた。★4 発表作には横地康国《二人》［図1］、藤井令太郎《ドルメン》［図2］のように古代への憧憬がうかがえるような遺跡やモニュメントが描かれたものが多い。

フランス語で生命（L'ANIMA）を意味するアニマは三五年に矢崎博信、山鹿正純、小山田二郎ら七名で結成された。横山千勝は同会について「行動主義（行動ヒュマニズム＝人間主義）絵画の第一提唱者」であり「スウルレアリズムを仕事の一方便として用いる」と述べているように、思想面で小松の影響を受けていた。

矢崎は第三回展で《街角（彼の地には水害のあった日）》［図3］を発表した。長年矢崎の研究に携わってきた大島浩は矢崎の日記から三五年の京都大水害がひとつの因果関係にあるのではないかと推測している。★5 手前には人影に慄くような二人の人物、水害を連想させる水面には奇妙な形が映し出され、隣の建物からは煙が噴き出し、窓から助けを求める人物が描かれた同作は不穏である。小松はアニマの学生について「何ものかに憑かれたまなざし」があり、「絵画のモチーフを人間の内部にもとめようとするところに共通したものがあった」と回顧した。★6（HS）

MANIFESTE

L'ANIMA 第五回展

15日 ── 17日

於銀座紀伊國屋畫廊

會員　横山千勝　山鹿正純　矢崎博信　佐藤忠夫　小島義也　金子親　小山田二朗　板坂勇　有海千尋

既成の概念を脱して、吾々の繪畵精神が、新たな形式をもたらしつゝあるのは繪畵そのもの、傳統を否定するのではなくて、現代の生活感情に適應する要素を發見し、吾々の血液にしたまでゝある。總て藝術とはその時代の所產であるとゝもに、その容貌を新にしてゆくもので、繪畵形式の實用價値は、精神の發展と同時的に文化の建設作用に與るものである。複雜な現代文化の交流のさなかにあつて繪畵そのもの、特殊な機能は、今日の畵家によつて充分に意識されねばならぬだらう。

千邊一律の花鳥山水、裸體、果物、風景の模倣圖、それが巧からうが拙からうが、對照の解釋はすでに凝固化して、卑俗な日常生活の投影とその煩はしい蓄積。舊世紀の夢や高邁な精神と呼ばれる技巧の形骸達は權威の名で君臨する、これは、一見する畵壇の現象である。その底には飽和に達した革新の待望が、時代の桎梏と傳統の概念に縛られて、一度び己の畵室を出たものも混亂したあげくは、舊態そのまゝの一畵工に止るが、その時彼等は己が藝術の死滅を意識してゐないのであらうか。

又は意識し得ぬ精神の飽和狀態が無力の中に保存されるに止るのであらうか。

より多くの無意識の探求は必然的に作家の內部に築かれ、固定してゆく感情を不斷に斥けて生命の促すものを熱情的に、しかも最も明瞭に表現しつゝ、論理を飛躍して新たな實在を經驗せしめるのであるが、今日個人の限界を破るものは、過渡期の僞瞞と同時に對立せざるを得ないのである。世紀の矛盾は、種々雜多な變貌に紛れて外界だけではない、人間の內部をも恒に蝕んできた。自意識の牢獄を脫して、死灰に等しい運命を超える意欲はアニマの生命であり、既成畵壇の反動的懷古主義と形式踏襲の有閑モダニズムに抗して自らを解放するための繪畵は一手段である。物質的な困難はあるものに餘儀なく描かしめぬ時期をもたらすが、繪畵に對する意志の存續する限り、アニマは今後の飛躍を約されてゐるのである。

事務所　杉並區大宮前五ノ二九八　矢崎方

D46
MANIFESTE L'ANIMA 第 5 回展（リーフレット）
1936 年 3 月、個人

謹啓　今般JAN第六回展覧會を來る五月八日より十日まで銀座・紀伊國屋画廊に於て開催仕り候間何卒萬障御繰合の上御清鑑仰ぎ度此段御案内申上候

JAN

同人（ABC順）
荒木剛　藤井令太郎　濱谷次郎
加藤文生　村瀬靜孝　武藤忠
中山次郎藏　酒井正　渡部光雄
横地康行

D44
JAN 第 6 回展（案内葉書）
1937 年、行田市郷土博物館

L'ANIMA
exposition des
artistes d'avant-
garde
no. 3
le 18 ── 20. sept.

D45
『L'ANIMA』
3 号、1935 年 9 月、行田市郷土博物館

049
山鹿正純
作品
1936年頃
三重県立美術館

Yamaga Masazumi
Work
c.1936
Mie Prefectural Art Museum

048
村瀬静孝
ひとで
1934年
板橋区立美術館
第1回JAN展

Murase Shizutaka
Starfish
1934
Itabashi Art Museum

050
大塚耕二
トリリート
1937 年
熊本県立美術館
第 7 回独立展

Otsuka Kōji
Trilithon
1937
Kumamoto Prefectural
Museum of Art

図1
井上愛也《現実ノ具体》
1936年、新潟県立近代美術館・万代島美術館

図2
永井東三郎スナップ写真
1930年代、板橋区立美術館

学生グループ 表現

「表現」は帝国美術学校に在学中の浅原清隆、大塚耕二、長谷川宏、森堯之ら六人により結成された。一九三六年一月に行われた第一回展の目録には「我々は表現することにより文化的行動をとる」とあることから、彼らも小松清の行動主義に共鳴していた様子がうかがえる。その後、メンバーを入れ替えながら卒業の年の三九年六月まで九回の展覧会を行った。学生グループとはいえ第二回展には、来日中のジャン・コクトーが小松の推薦で会場を訪れ、雑誌には会場写真入りで取り上げられるなど注目を集めた。[★1]

会員たちは絵画を起点としながら、幅広いジャンルの作品を発表した。長谷川《噴煙・たそがれ》[053]や森《風景》[051]、井上愛也《現実ノ具体》[図1]のように地平線の強調された風景を描いた絵画作品も発表されていたが、森《靴》[052]のようなオブジェを被写体にした写真、永井東三郎《作品B》[055]のようなオブジェ、森のフィンガー・ピクチャーに象徴される実験的な試みも積極的に行った。浅原は学内の映画研究会、森や永井は瀧口修造を中心に結成された前衛写真協会に参加しており、新しい表現の探究に貪欲であった。永井旧蔵の写真には彼らが銀座の街を闊歩し、モード雑誌を手にする様子も残されていることから美術の範疇を超えてモダンな文化にも関心を寄せていたことがわかる[図2]。瀧口は彼らの技術の不十分さを指摘しつつも、意欲的な姿勢にエールを送った。[★2]

一九三九年に無記名で書かれた文章によると、彼らはシュルレアリスムに影響を受け、「象徴の相貌」を学んだという。また、最近の話としてシュルレアリスムは批判され、克服され「新しい転回」に向かっていると述べた。[★3] 学生たちの元にも特高警察が訪ねてくるなか、彼らは絵画のみならずオブジェ、写真といった手法を巧みに使い、時代を先取りするような作品を制作していた。(HS)

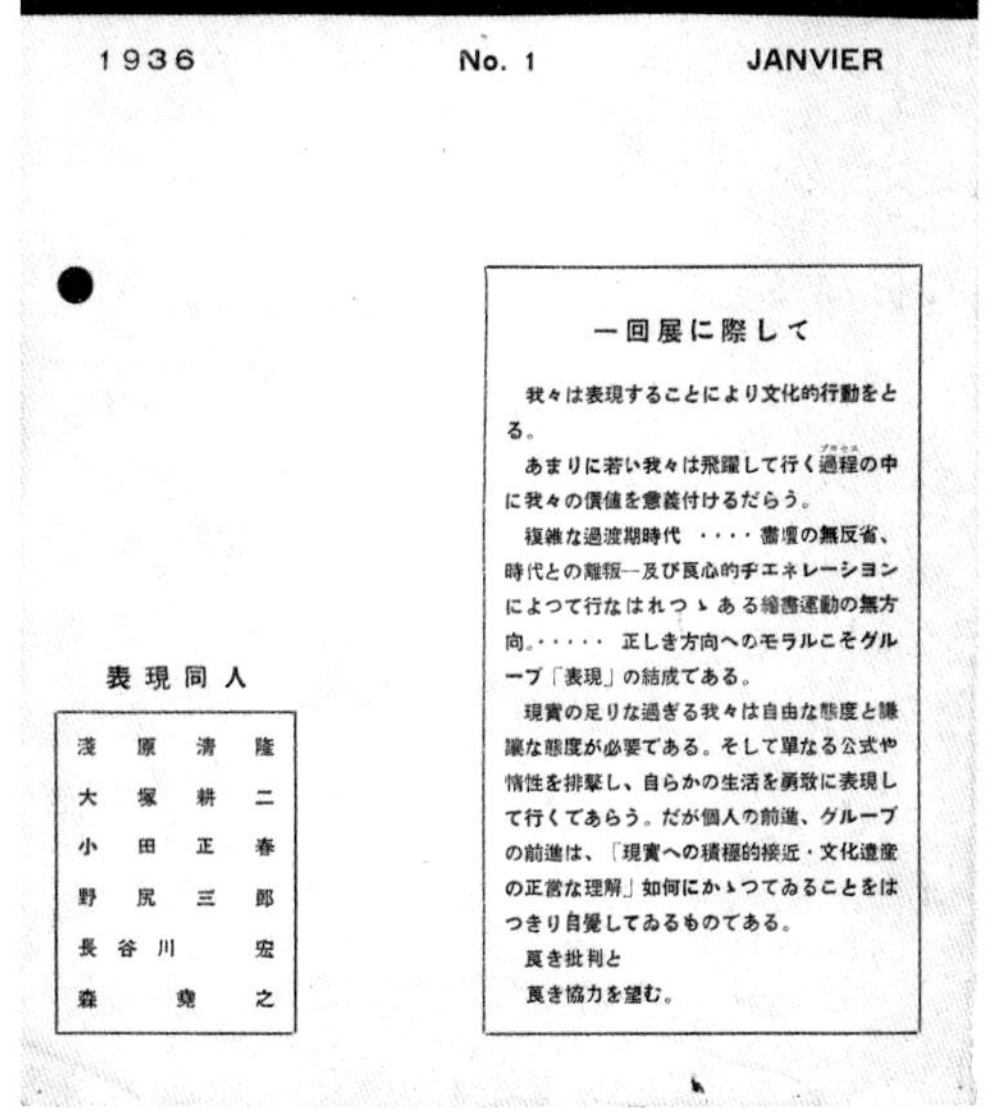
1936　No. 1　JANVIER

表現同人

淺原清隆
大塚耕二
小田正春
野尻三郎
長谷川宏
森堯之

一回展に際して

我々は表現することにより文化的行動をとる。

あまりに若い我々は飛躍して行く過程（プロセス）の中に我々の價値を意義付けるだらう。

複雑な過渡期時代　・・・・畫壇の無反省、時代との離叛―及び良心的ヂエネレーションによつて行なはれつゝある繪畫運動の無方向。・・・・・　正しき方向へのモラルこそグループ「表現」の結成である。

現實の足りな過ぎる我々は自由な態度と謙讓な態度が必要である。そして單なる公式や惰性を排撃し、自らかの生活を勇敢に表現して行くであらう。だが個人の前進、グループの前進は、「現實への積極的接近・文化遺産の正當な理解」如何にかゝつてゐることをはつきり自覺してゐるものである。

良き批判と
良き協力を望む。

D47
『L'EXPRESSION』
No. 1、1936年1月、行田市郷土博物館

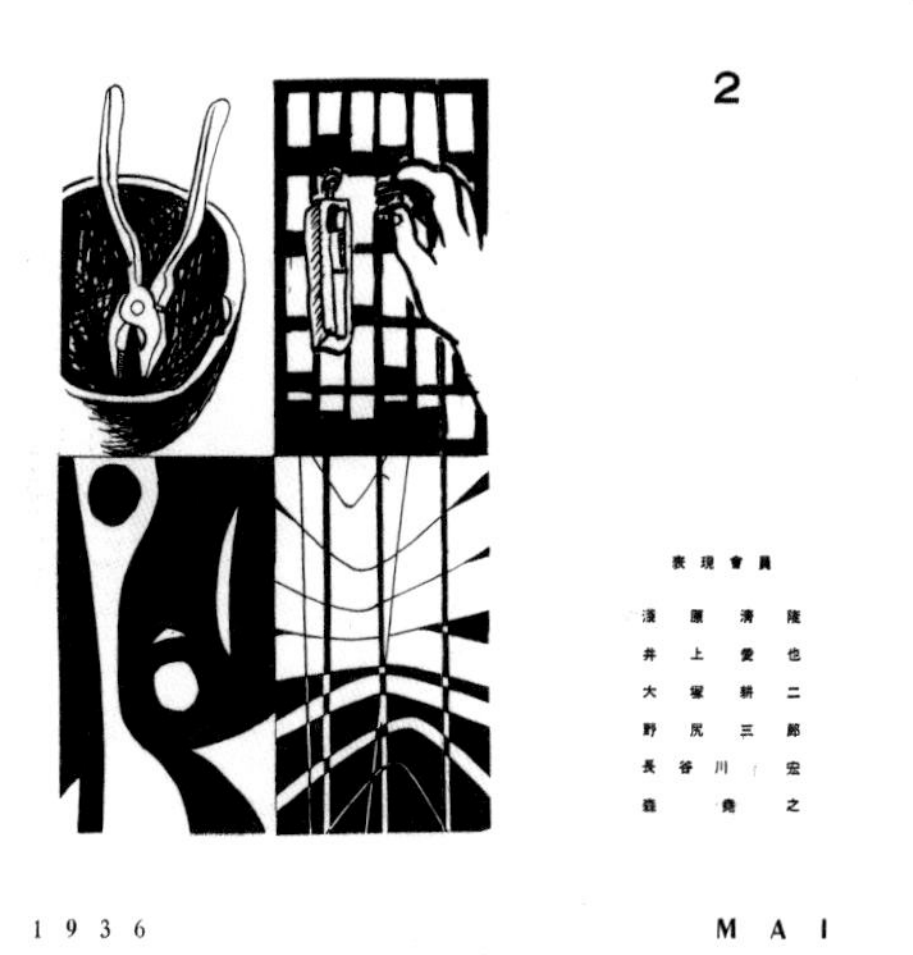

D48
『L'EXPRESSION』
No. 2、1936年5月、行田市郷土博物館

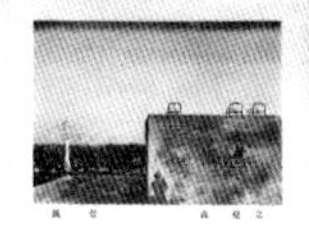

D49
表現第5回展（目録）
1937年6月、行田市郷土博物館

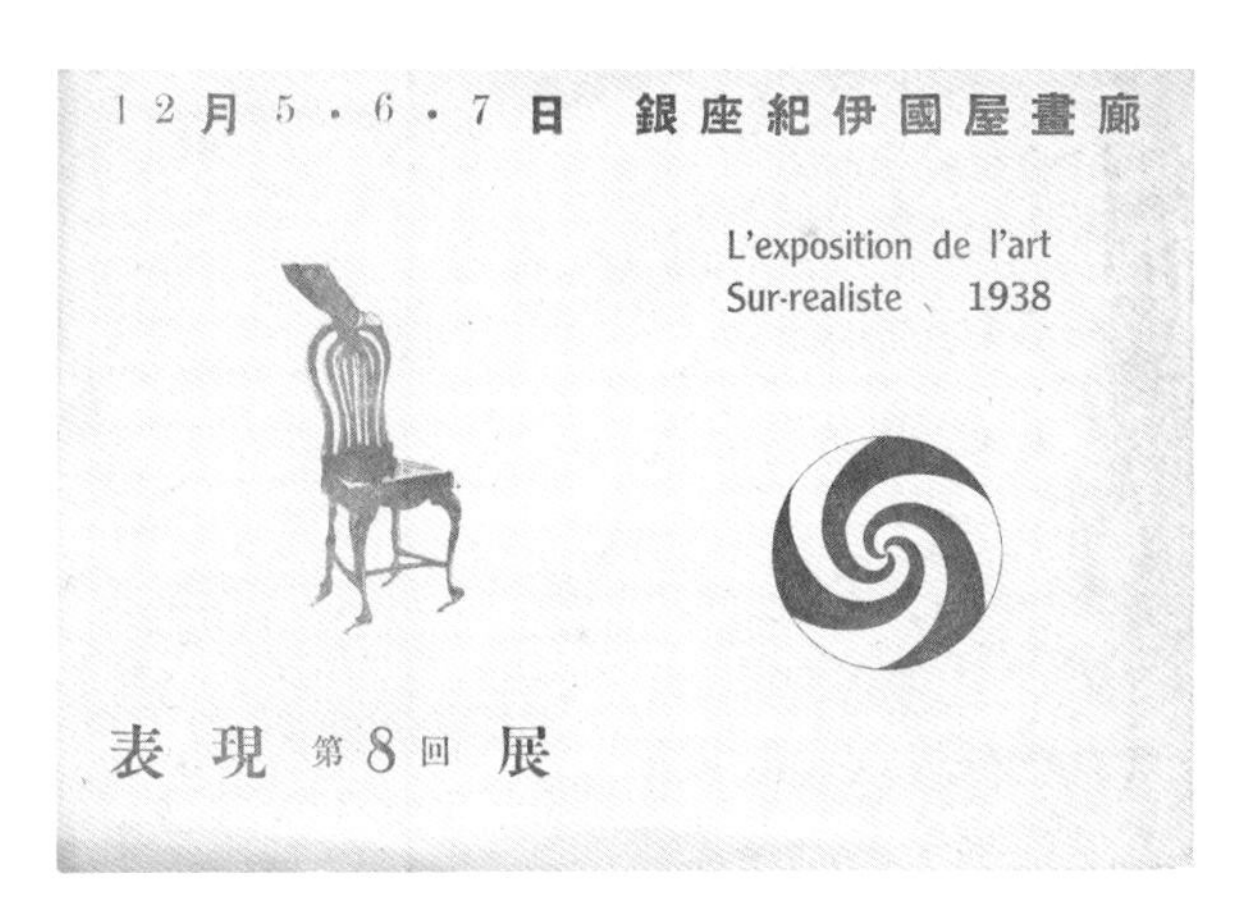

D51
表現第8回展（目録）
1938年12月、行田市郷土博物館

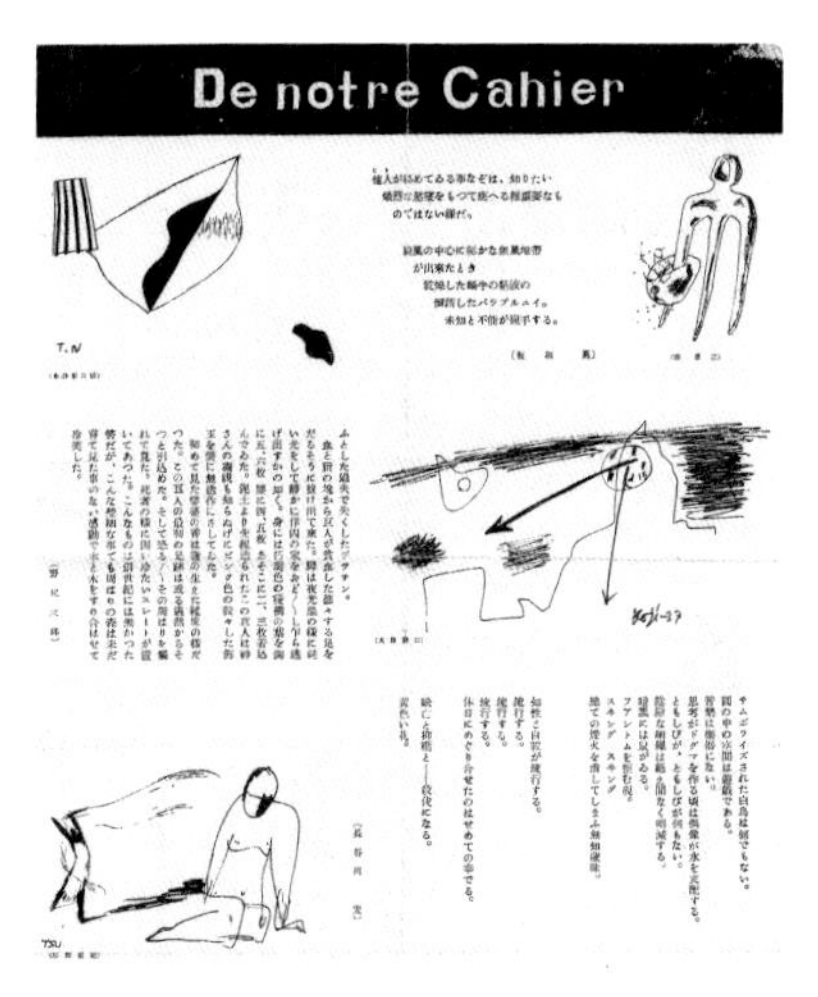

D50
表現第6回展（目録）
1937年10月、行田市郷土博物館

051
森堯之
風景
1938 年
板橋区立美術館
第 7 回表現展

Mori Takayuki
Landscape
1938
Itabashi Art Museum

053
長谷川宏
噴煙・たそがれ
1938年
行田市郷土博物館

Hasegawa Hiroshi
Volcanic Smoke at Dusk
1938
Gyoda City Museum

054

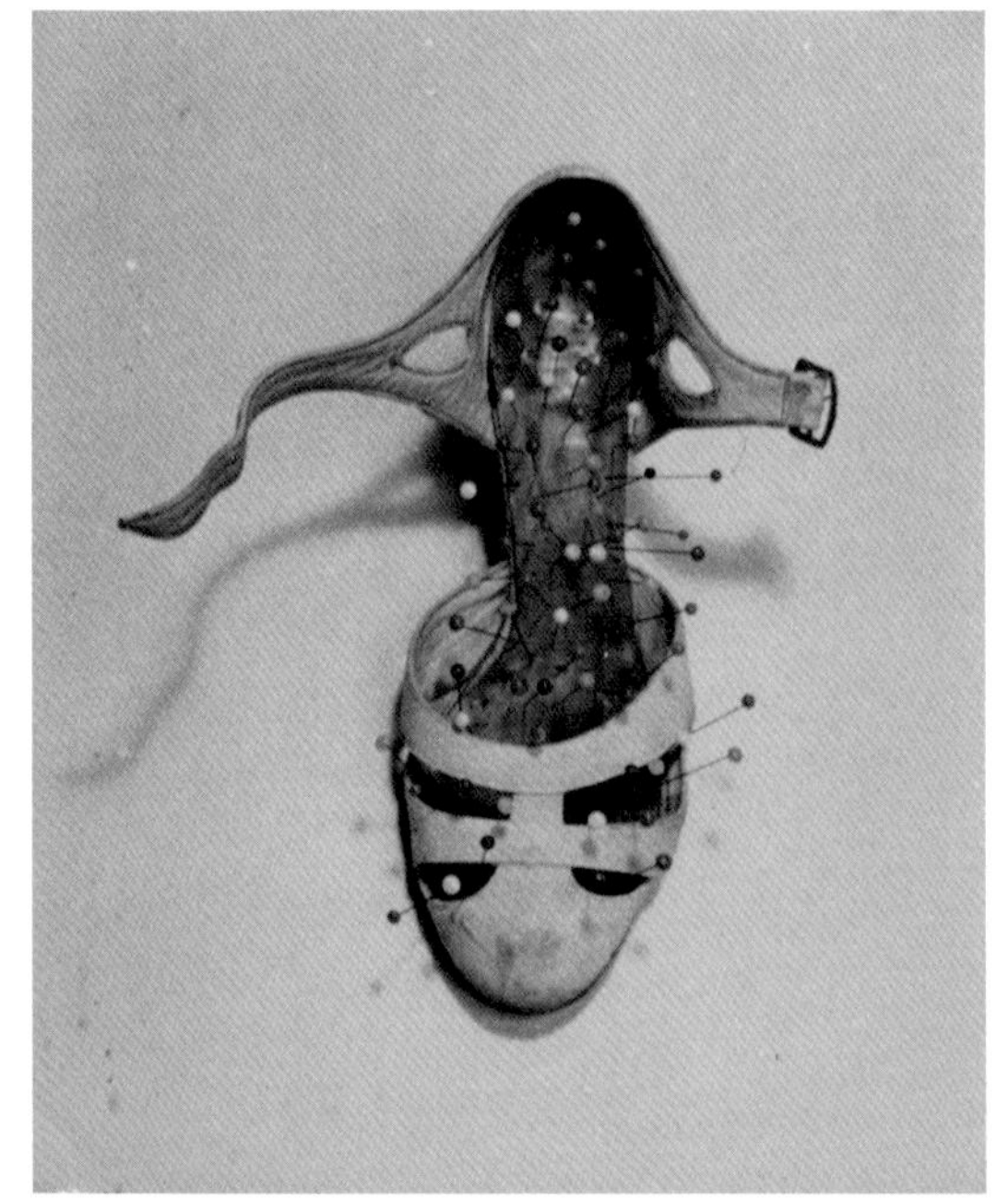

052

055

052
森堯之
靴
1939 年
行田市郷土博物館

Mori Takayuki
Shoe
1939
Gyoda City Museum

055
永井東三郎
作品 B
1940 年（再制作）
板橋区立美術館

Nagai Tōzaburō
Work B
1940 (reproduction)
Itabashi Art Museum

054
長谷川宏
無題
1939 年
行田市郷土博物館

Hasegawa Hiroshi
Untitled
1939
Gyoda City Museum

056

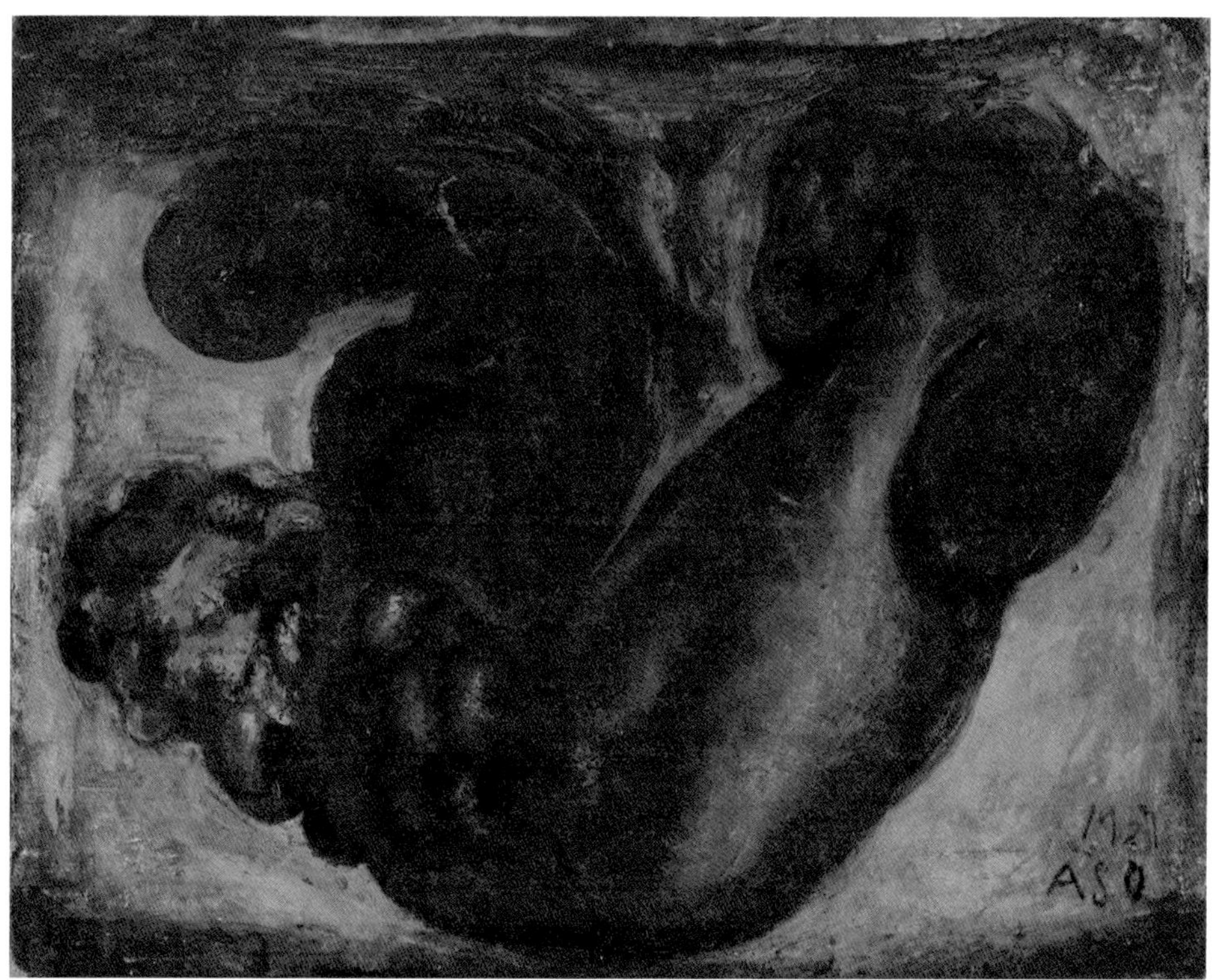

057

057
麻生三郎
形態 B
1937 年
神奈川県立近代美術館

Asō Saburō
Form B
1937
The Museum of Modern Art,
Kamakura & Hayama

056
麻生三郎
形態 A
1937 年
神奈川県立近代美術館

Asō Saburō
Form A
1937
The Museum of Modern Art,
Kamakura & Hayama

エコルド東京美術協会（エコール・ド・東京）

一九三六年三月に結成された会の名について、宣言文では「エコールド　東京」、機関誌『エコルド東京』（École de Tokio [D52-53]）の発行所は「エコルド東京美術協会」、解散声明では「超現實主義・エコールド東京　東京派」と書かれるなど会の発行物でも表記が定まらず、美術雑誌などでは「エコール・ド・東京」とされることが多い。

結成時には新造型美術協会を脱退した内田慎蔵、浜松小源太ら、一九四〇年協会の末永胤生、独立美術協会の寺田政明ら一八人が参加した。のちに麻生三郎、小川原脩、吉井忠、大連から高橋勉らも加わった。「エコール　ド　東京　結成に際して」の中で「自由な欲求の母胎」である「新しく生れる芸術の温床」でありたいと述べているように、彼らはシュルレアリスムのみに先鋭化せず、自由な創造の場を求めて集った。

会では展覧会に先駆け会報誌を刊行した。一号では、アラゴンなどの翻訳のほか、瀧口修造の「超現実主義の未来性」、小熊秀雄が日本のシュルレアリスムを社会状況と絡めて論じた「忙しくなってきた画壇」、会員たちの作品図版などが掲載されている。しかし、発行直後に小熊は拘留され、発行者の末永は尋問を受け、一号は押収された。これについて瀧口は、特高警察によるシュルレアリスムの弾圧事件だと認識していたという。★1 そのようななかでも会は三カ月後に二号を発行し、ロートレアモンやダリの翻訳、小松清の論考などを掲載した。

一九三七年一月の一回展では、瀧口が「のびのびと作意を披露してゐる新しい様相を呈した」と述べたように、麻生《馬（馬A）》[図1]、末永《丘》[図2]、浜松《失風景》[図3]などシュルレアリスムを発想源とした作品が発表された。★2 しかし、福沢一郎が「出陳作品の中には、既にや〻退屈になつた所謂超現実主義的『型』をも含んでゐる」と指摘したように、旧来のスタイルから変わらないものもあった。★3

この会は一九三八年四月に「新たな組織を必要」として解散し、多くの画家たちが同月結成された創紀美術協会へと活動の場を移した。（HS）

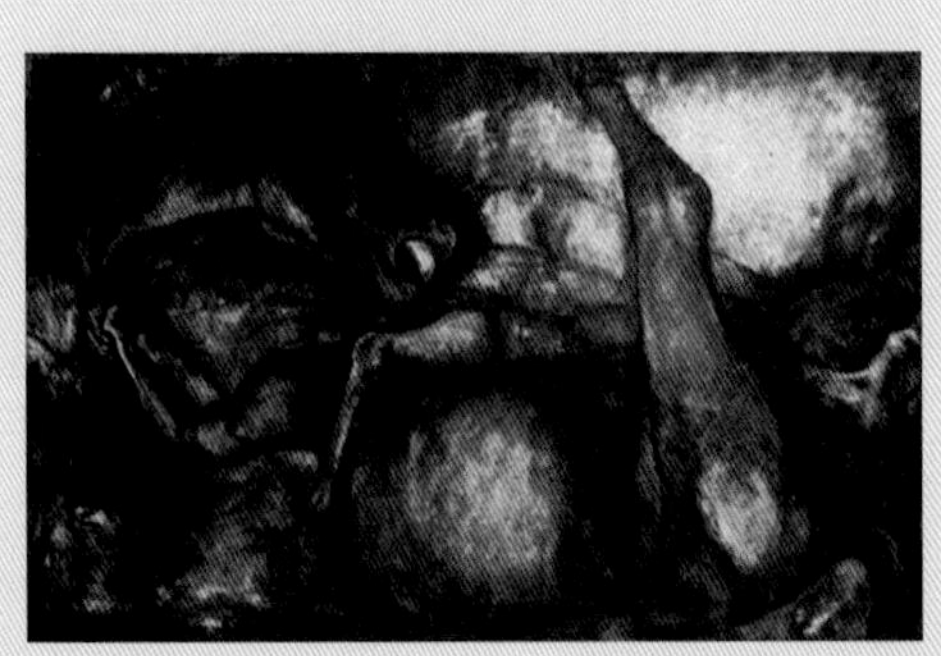

図1
麻生三郎《馬（馬A）》
1936年頃、焼失

図2
末永胤生《丘》
絵葉書、行田市郷土博物館

図3
浜松小源太《失風景》
1937年、板橋区立美術館

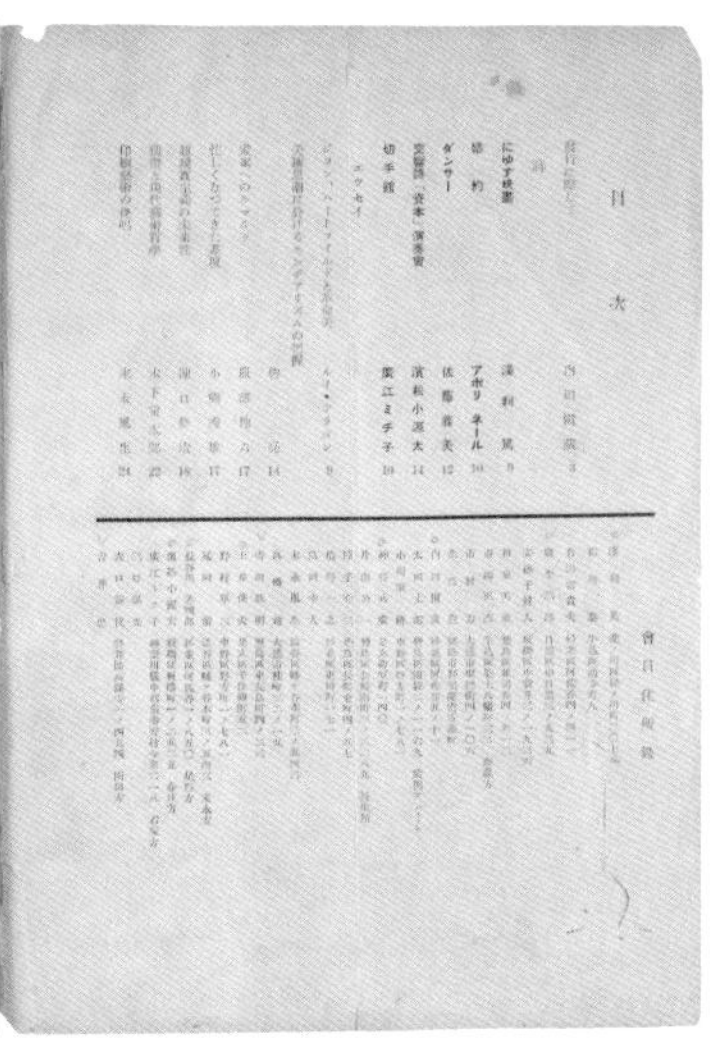

D52
『エコルド東京』
1 巻 1 号、1936 年 9 月、個人

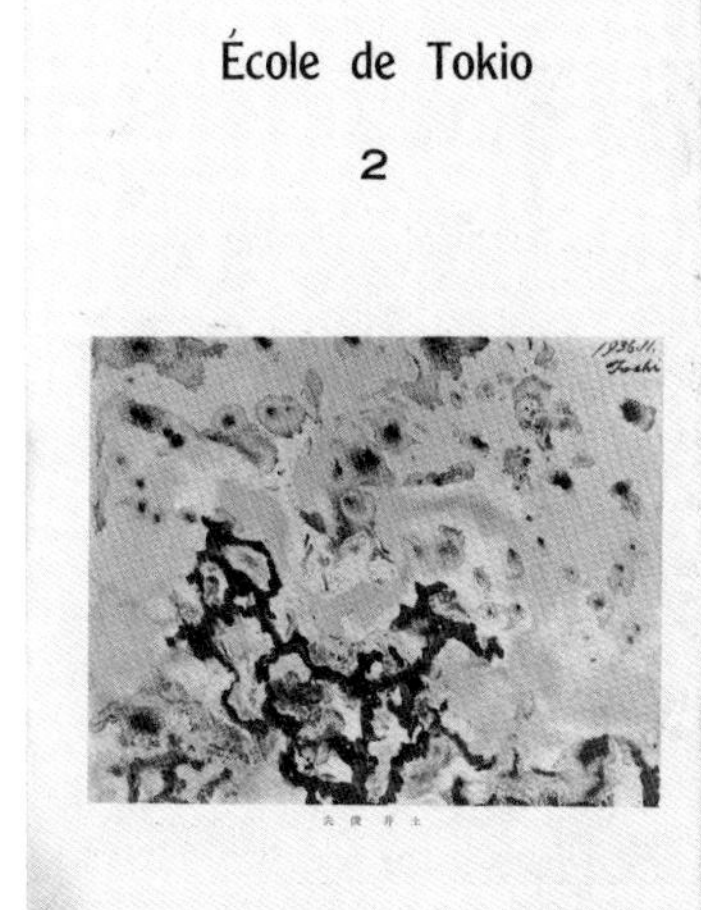

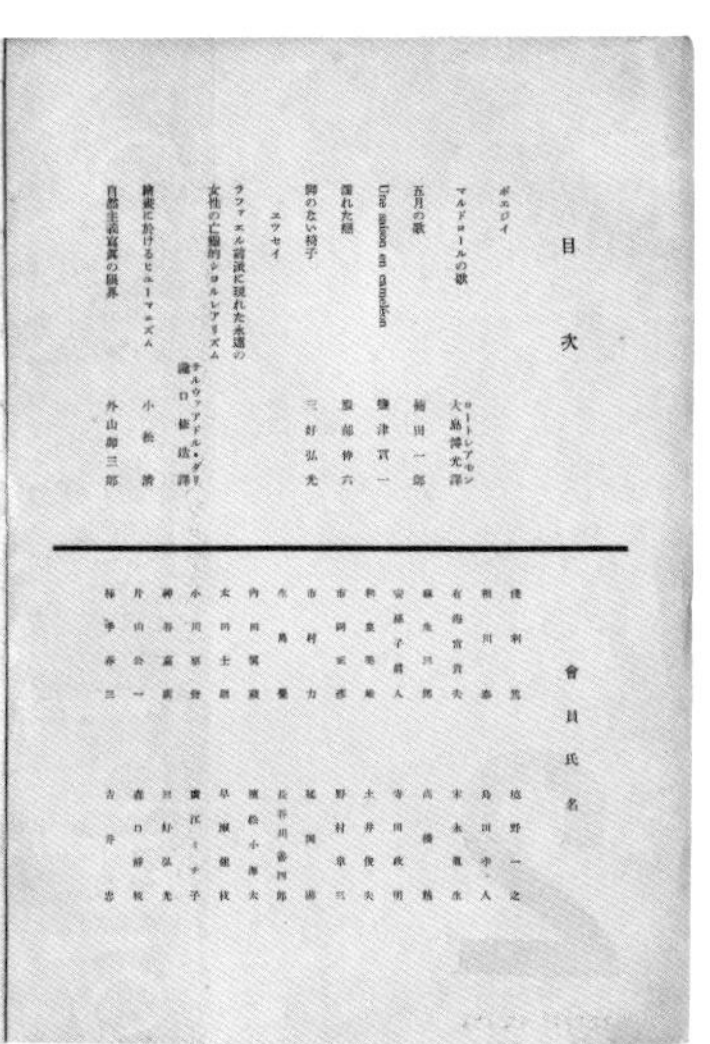

D53
『エコルド東京』
1 巻 2 号、1937 年 1 月、板橋区立美術館

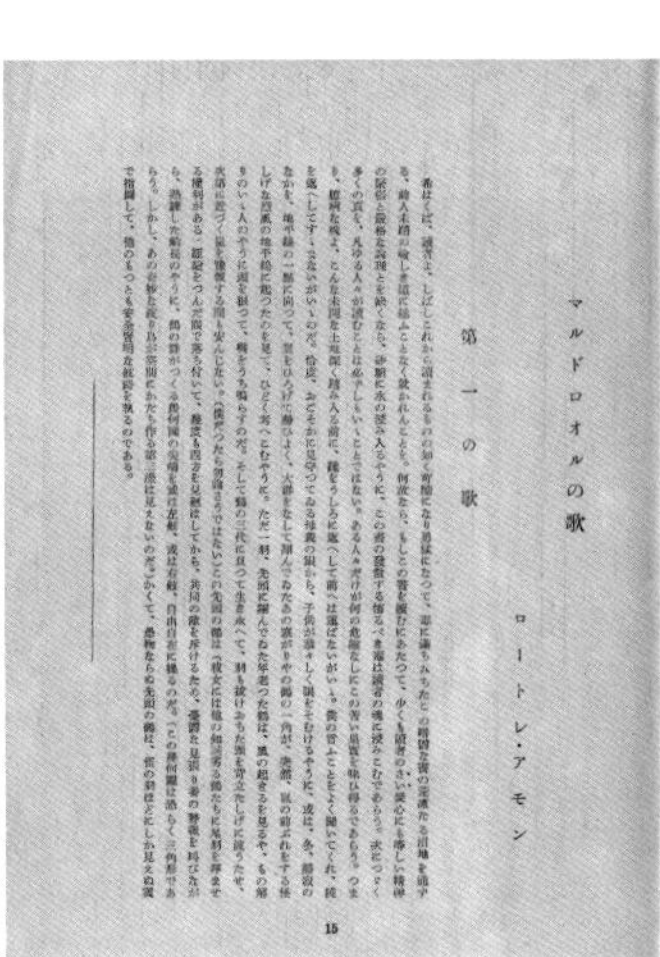

動向と報告絵画

「動向」は、矢崎博信、山鹿正純、今井大彭（いまいだいほう）ら六人が結成した会で、彼らは一九三六年九月に東京報告絵画展と題した最初の展覧会を開催した。浅原清隆など名前を連ねているが出品した形跡のない人もおり、その後メンバーを入れ替えながら三回の展覧会が行われた。理論的リーダーとなったのは矢崎と山鹿で、彼らはかつてアニマに参加していた。二回展のマニフェストによると、彼らの提唱する報告絵画とは東京という都市を舞台に「目前の対象を超現実的に描写することにより現実と超現実との交流を常に具体的に表現し、かつそこから幾多の問題を解決せんとする」ものだという。[★1]

その意図は作品にも反映された。一回展で矢崎は《日本橋》［図1］、山鹿は《ある風景》［図2］と題した国会議事堂のある風景を描いた作品を出品した。いずれもよく知られた東京の街を鬼や妖怪のような生き物が破壊し、占拠するような様子が描かれている。実在する都市空間にモンタージュされたイメージは、東京を中心に進められつつあった暴力的な軍国主義を批判しているように見える。また、今井が発表した《背徳》［058］は、デ・キリコの作品を思わせるモチーフを効果的に使いながら、人間の内面を暴いているようだ。

瀧口修造は彼らの作品をジャーナリズムとは異なり、「むしろ対象の把握の上に内面性を加へようとするもの」だと評したように、特定の事件を告発するのではなく内面的なものであった。[★2] しかし、プロレタリア運動弾圧後の社会を直視し、その背景にあるものを果敢に描こうとした彼らの活動はメンバーの姫田（ひめだ）（伊藤）眞左久（しんさく）が「『東京報告絵画展』は、その意図されてゐるものがものだけに、相等（ママ）の困難と危険性が有らう」と述べているように、治安維持法に抵触する危険も孕んだ試みであった。[★3] 彼らの活動は、戦後のルポルタージュ絵画運動などの先駆けともいわれている。[★4]（HS）

図1
矢崎博信《日本橋》
1936年、絵葉書、行田市郷土博物館

図2
山鹿正純《ある風景》
1936年、絵葉書、行田市郷土博物館

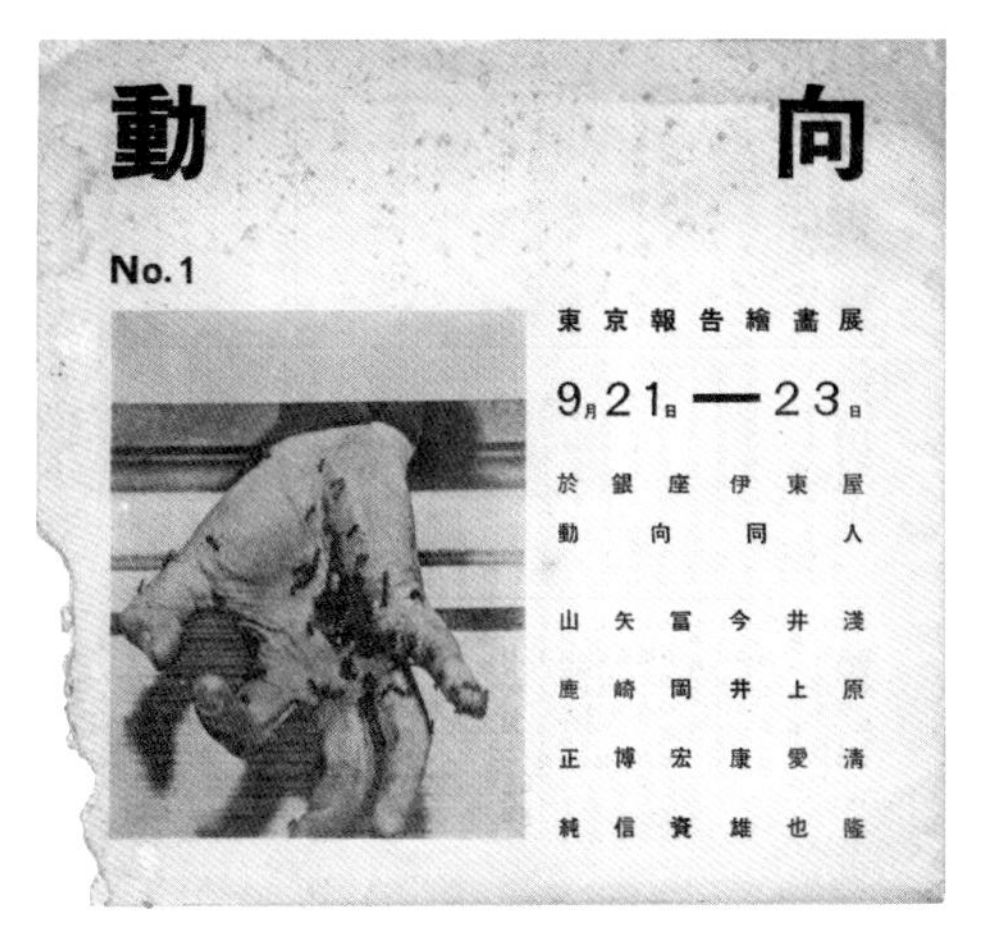

報告繪畫提唱に就いて

山鹿正純

日本に於ける社會主義的陣營は、すでに潰滅に瀕し、今日の智識階級全般は、不安、懐疑、絶望、におかされ幻滅の悲哀を歎じ傷悼してゐる。

一時智的な繪畫として提唱されたる繪畫、超現實主義繪畫も、今や低俗化し、單なる世紀末的な、都會主義に墮し、戰亂の後の様な混亂を呈してゐる。アカデミックな繪畫の跳梁は勿論の事であるが、いづれにしてもこれ等は、殆ど、指導的役割をもたないし、文化發展の爲にも役立つものではない、これが現狀だ。

かゝる現狀に遭遇した作家の殆ど全部までが、繪畫に於ける様式上、形式上の秩序を確立しようと、いづれもが要望してゐるのである、かゝる意味からしても一つの秩序的な繪畫様式亦は形式を、發見する必要がある。今日の現狀、いづれにしても報告繪畫の必然性は充分あるのであるが、それは單なる小兒病的なアヂプル精神でもないし、氣取でもない筈だ、現社會狀勢、新興繪畫動向の必須なのだ。

これ等の事柄は、單なる時代の潮流でなく、アカデミックな繪畫、末梢的な都會主義繪畫に對しての挑戰、亦は挑發なす武器としても報告繪畫は必要なのだ。

即ち、前衛畫壇强化ともなり、また同時に、人間性、生活形態の革變ともなる。全て合理化されたる機構、映畫機構、映畫の興行化、その他、これと同様に報告繪畫の興行化、實用化、繪畫の商品化、そして商品價値、價値を決定したからと

D54
『動向』
1号、1936年9月、行田市郷土博物館

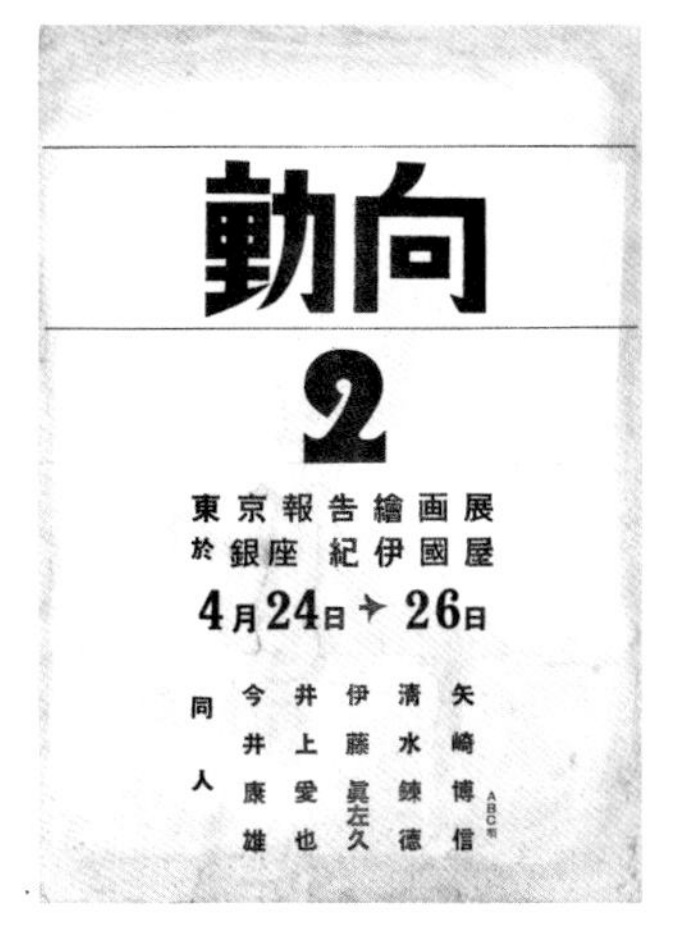

マニフエスト

「動向」同人第二回
「東京報告画繪展」

超現實主義運動にあつて夢の問題がやがて知覺の問題に成長した、今や吾々は特殊な報告的繪画の中に身を置くことが許される。

結局吾々の繪画は目前の對象を超現實的に描寫することにより現實と超現實との交流を常に具体的に表現し、かつそこから幾多の吾々の問題を解決せんとするものである。

「東京報告繪画展」の目的は吾々各人の異なつた特異な知覺による東京の事物の報告によつて反對に意外な東京の設計圖を作ることにある、この吾々各人によつて建設されつゝある都會は一方無意識界に答へると共に他方對象に對し常に超現實的内容を持つた批判能力を有するに至るであらう。然しこの都合に就てはさらに積極的に何事かを語り得る時のあることを吾々は信ずる者である。」

今井康雄
1 背德
2 退嬰的知覺
3 都會の春
4 夢遊病
5 外科醫
6 都會の憂鬱
7 生活（試作）
8 花（試作）
9 デッサン

井上愛也
1 作品
2 作品
3 作品

伊藤眞左久
1 記念物
2 白日の記錄
3 風景
4 漂流物
5 作品

清水錬徳
1 雪泥
2 たわむれ
3 百貨店
4 街の斷片

矢崎博信
1 街角の殺意
2 丸を持つ建築群
3 水上の東京
4 左側通行
5 傳說的建築
6 ネオン斑点と原始的記憶
7 或る机上

D55
『動向』
2号、1937年4月、行田市郷土博物館

D56
『DOKO』
3号、1937年11月、行田市郷土博物館

058

今井大彭
背徳
1937 年
板橋区立美術館
第 2 回動向展

Imai Daihō
Immorality
1937
Itabashi Art Museum

059
杉全直
跛行
1938 年
姫路市立美術館
第 2 回貌展

Sugimata Tadashi
Limp
1938
Himeji City Museum of Art

図1
『JEUX D'ESPRIT』
8号、1939年、郡山市立美術館★4

図2
鎌田正蔵《白昼夢》
1938年、郡山市立美術館

図3
山元恵一《叢》
絵葉書

貌と東京美術学校のグループ

東京美術学校（現・東京藝術大学）にもシュルレアリスムに関心を持つ学生たちがいた。しかし、帝国美術学校（現・武蔵野美術大学）とは異なり、アカデミスムに則った教育方針の同校において彼らは「官学にあきたらない異端の徒たち」であった。[★1] 一九三六年に結成されたレ・リラ、三七年五月に一回展を行った、高田（浜田）知明や佐田勝が参加したデ・ザミ、日本画や彫刻、工芸を専攻する学生も参加した磁座などでも西洋のシュルレアリスムの影響を受けた作品が発表された。

一九三七年に杉全直、鎌田正蔵、加藤太郎ら一〇人の学生たちで結成された貌は、四回の展覧会を開催したのみならず、同人誌『JEUX D'ESPRIT』を八号まで刊行した［図1］。同誌には、西洋画科に在籍しながら臨時版画教室に通い、平塚運一に学んだ加藤、山元恵一、杉原正巳らによるモダンな木版画も掲載されている。

貌はシュルレアリスムだけを標榜した会ではなく、風景や人物を描いた作品も発表されていた。しかし、当時の展覧会評では杉全や鎌田らのシュルレアリスム風の作品も注目を集めた。[★2] 彼らは学外にも学びの場を求め、本郷・動坂にあった福沢一郎の自宅を訪ねて彼の所有するエルンストの画集を見るなどしてシュルレアリスム絵画を貪欲に学び、そして試みた。

二回展で発表された杉全の《跛行》［059］は、ダリの作品に見られる松葉杖などのモチーフを引用しながら、軍国主義が進められつつあった当時の跛行状態を描いたという。[★3] 同展に鎌田が出品した《白昼夢》［図2］、途中から参加した山元が三回展で発表した《叢》［図3］の生い茂る植物の表現はエルンストの作品を思わせる。

深い友情で結びついていた彼らは鎌田が出征する直前の一九三八年に軽井沢方面に旅に出た。その後も召集を受け、従軍する会員が増え、最後に行われた三九年五月の四回展開催時には会員の約半数が出征中だった。（HS）

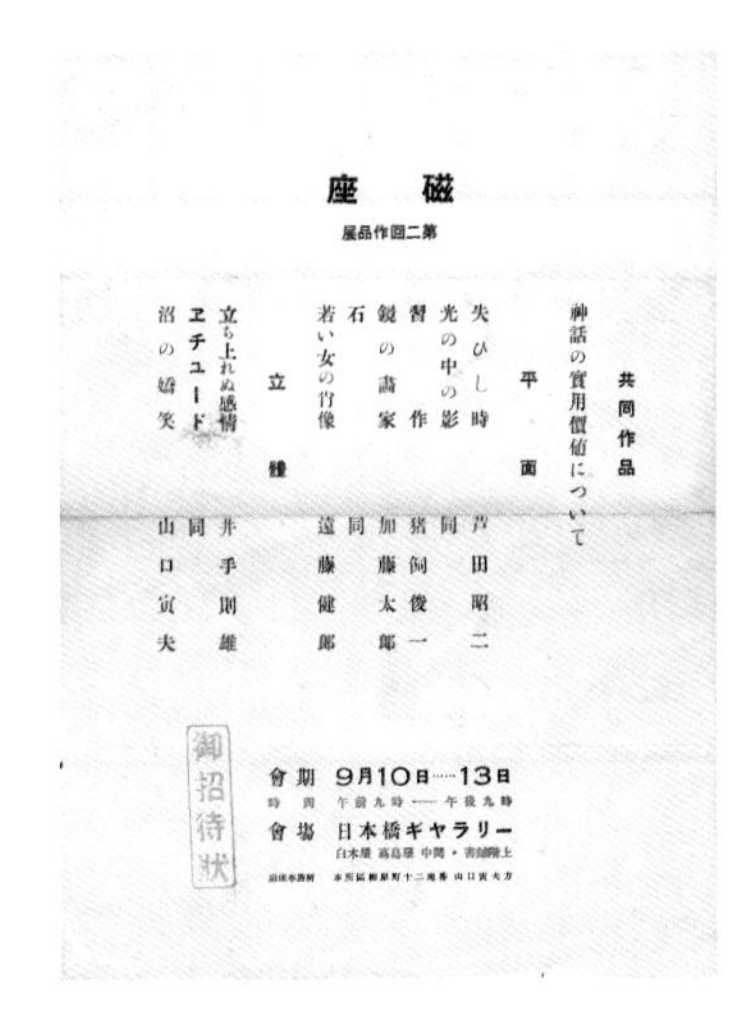

D58
磁座　第 2 回作品展（目録）
1938 年 9 月、行田市郷土博物館

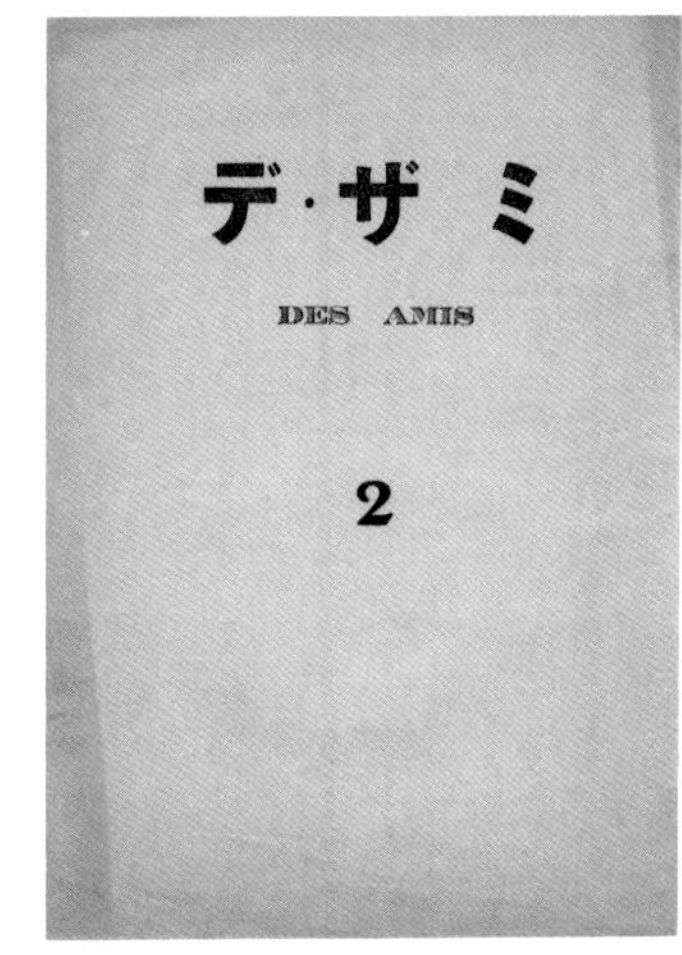

D57
『デ・ザミ　Des Amis』
2 号、1937 年 11 月、行田市郷土博物館

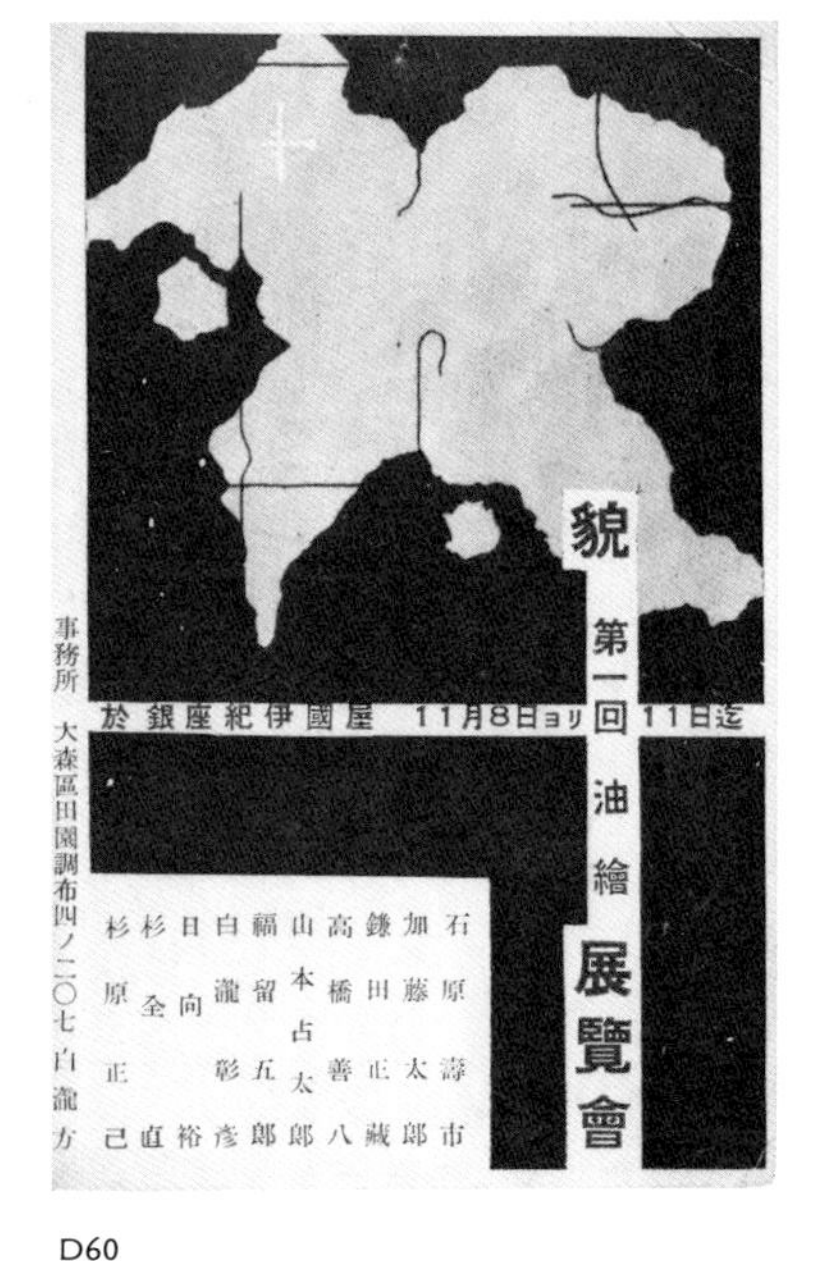

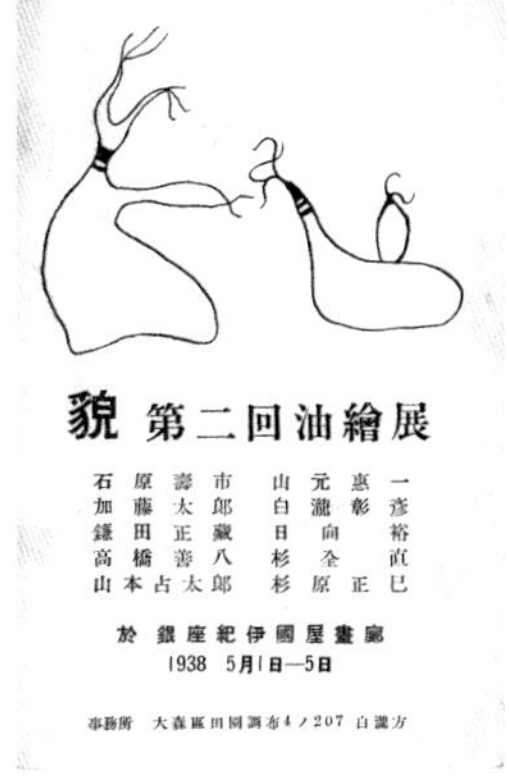

D61
貌　第 2 回油絵展（案内葉書）
1938 年、行田市郷土博物館

D60
貌　第 1 回油絵展覧会（案内葉書）
1937 年、行田市郷土博物館

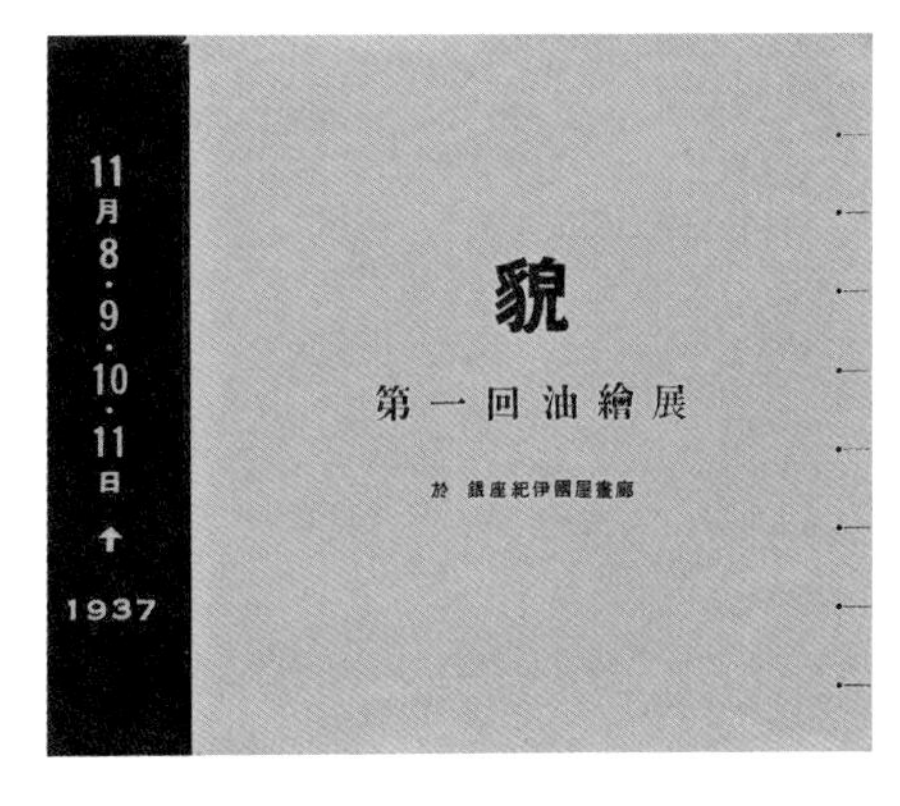

貌 目録
11月8・9・10・11日 1937
石原壽市
加藤太郎
鎌田正藏
高橋善八
山本占太郎
貌事務所 白瀧方
福留五郎
白瀧彰彦
日向裕
杉全直
杉原正己

D59
貌　第 1 回油絵展（目録）
1937 年 11 月、行田市郷土博物館

名古屋のシュルレアリスム

副田一穂

名古屋が日本のシュルレアリスムの重要な発信源足り得たとすれば、それは詩、絵画、写真の各領域で指導的立場を担った個性的な作家たちが、緊張感のある協力関係を維持できる環境があったからこそだろう。このうち二人の名は、一九三八年にアンドレ・ブルトンとポール・エリュアールが編纂した『シュルレアリスム簡約辞典』[D39]に登場する。ひとりは「日本のシュルレアリスム運動の推進者、シュルレアリスムの詩人、作家」として。もうひとりは《夜の験証》という掲載図版の作者として[1][図1]。

前者は山中散生（本名利行）、一九二三年に名古屋高等商業学校（現在の名古屋大学経済学部）に入学し[2]、卒業後は社団法人名古屋放送協会東海支部に勤め、戦後は日本放送協会富山放送局長、静岡放送局長、松江放送局長を歴任した人物である[3]。冨士原清一から詩誌『衣裳の太陽』[D8–9]を贈られたことをきっかけにシュルレアリスム詩へ関心を持つようになった山中は、業務の傍ら一九二九年二月創刊の『Ciné』編集を担当し、ブルトンとフィリップ・スーポーによる「白の手袋」をはじめ、エリュアール、バンジャマン・ペレ、トリスタン・ツァラらの詩を翻訳紹介する。一九三二年一二月、峰岸義一の誘いで東京府美術館（現・東京都美術館）の「巴里・東京新興美術展覧会」を見て強烈な印象を受けた山中は、興奮冷めやらぬうちにエリュアール宛に詩の翻訳許可を求める書簡を送った。これを契機にブルトン、ジョルジュ・ユニエ、ローランド・ペンローズ、ペレやツァラとも文通を始めた山中は、欧州のシュルレアリストに対する極東日本の窓口役となってゆく[4]。

とはいえ当初の山中の活動は、あくまで詩人としての領域にとどまっていた。その関心を美術の領域に誘引したのが、『簡約辞典』掲載のもうひとり、下郷羊雄である。愛知郡鳴海の名家・千代倉本家の次男として生まれた下郷は、一九二六（大正一五）年に静岡高等

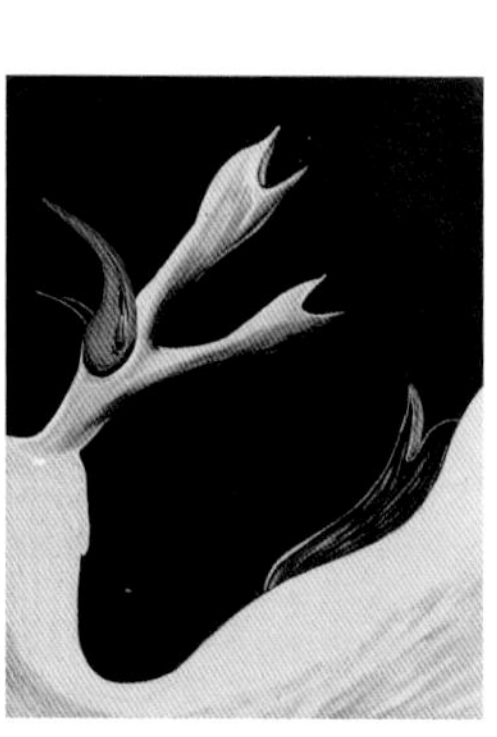

図1｜下郷羊雄《「怪奇鳥」亜属》(L'examen de minuit 夜の験証) 1937年

学校文科丙類に入学するも、在学中に全日本無産青年同盟と関わり、三・一五事件の余波で二年次に放校処分となった。[5] 郷里に戻るも肩身が狭く、京都の知人の下宿先に身を寄せた下郷は、思い立って近所の画材店で油絵具を揃え、鹿ヶ谷桜谷町に移転したばかりの津田青楓洋画塾の門を叩き、次第に頭角を現してゆく。[6] 一九三二年、二科展初入選を果たして名古屋へ戻る決心がついた下郷は、[7] 九月、実家の援助で昭和区菊園町に構えた一五坪ほどのアトリエに、津田清風洋画塾名古屋研究所を開設した。[8] 毎月津田を招いての指導講評会を催しつつ、[9] 一九三三年一月、下郷は尾澤辰夫、西村千太郎、水野勝美による二科系の若手グループ「美術新選手」に合流し、両研究所を統合して規模を拡張した。[10] こうして下郷は名古屋の若手画家の中で強い存在感を放ち始めたが、彼らの目下の関心は未だフォーヴやリアリズム、要は「前寛ばり」からの脱却であった。[11]

そんな名古屋の画家たちにシュルレアリスムを強烈に印象付けたのは、やはり一九三二年一二月から東京府美術館を皮切りに大阪、京都、福岡、熊本、大連、金沢と巡回し、一九三三年六月に最終会場の名古屋・鶴舞公園美術館で開催された前述の巴里新興美術展であった。「巴里新興展ガヤット此頃名古屋ヘキタ。スバラシカツタ。みろートえるんすとトまつそんガイ、。写真ヤ原色版デハアノまちえーるハ想像スルコトガ出来ナイデアラウ」。[12]

ところがその直後の七月、杉並署に連行された津田がプロレタリアへの関心を断ち切り日本画へと転向、洋画塾を解散したため、必然的に名古屋研究所も消滅してしまう。二科との繋がりを失った下郷は、独立美術協会への鞍替えを考え、やはり巴里新興美術展に衝撃を受けて前衛的な画風へと急転回したばかりの三岸好太郎の知遇を得る。[13] 二人の交流は、三岸が名古屋の常宿・銭屋旅館で急逝する一九三四年七月までのわずか数カ月間だったが、その存在感は下郷に強い印象を残した。[14] 立て続けに支えを失い却って画壇への執着が薄れた下郷は、当時東京帝国大学の美学美術史科の学生で、同窓の先輩・長谷川三郎に絵を学んでいた三輪福松を偶然知り、その三輪の勧めで東京個展を画策する。一九三五年九月、名古屋市公会堂で近作三〇点を披露すると、そこから選りすぐってさらに新作を加えた二四点を抱えて、翌月には東京銀座の紀伊國屋画廊に乗り込んだ。長谷川や峰岸、福沢一郎、瀧口修造をはじめ来場者は二百三十余名を数え、この個展は成功裡に終わった。[15]

この下郷の名古屋・東京での連続個展は、名古屋のシュルレアリスムにとってひとつの画期となった。山中が下郷を知ったのは名古屋市公会堂の個展会場でのことと思われ、またその山中を伴って下郷が新造型美術協会に加わったのは、紀伊國屋画廊の個展を見た同会の島津純一からの誘いを受けたからであった。[16]

翌一九三六年一月、山中がエリュアールの詩集刊行のために取り寄せていたサルバドール・ダリの挿絵原画[17]を預かった下郷は、自作とともに東京府美術館の二回新造型美術協会展に持ち込んだ。[18] この四点の素描は、日本で初めて展示されたダリの実作品となった。さらに下郷は翌月名古屋の丸善ギャラリーを押さえて、同展を巡回させている。[19] こうしたなかで、まさに名古屋は「シュール的絵画の抬頭」[20]の季節を迎えるのである。一九三五年一〇月から広小路本町角のフルーツパーラー千疋屋や住吉町の広小路茶房で半月ごとに新作を発表した「タロン」（福原武雄、吉田泰雄、宮地周）もそのひとつで、翌年の吉田の上京と入れ替わりで独立系の岡田徹、戸川金雄、吉川三伸が合流して「アバンガルド」と改称、一一月にはグループの中心だった福原武雄も上京したため、下郷を指導者に迎えて一二月に栄町交差点の喫茶店・紀文堂で「アバンガルド12月展」を開催したのち、「トルピ」とさらに改称した。一九三七年六月に松坂屋八階ギャラリーで開催された二度目の新造型名古屋展には、このトルピのメンバーも参加しており、山中がフォト・コラージュを出品している点も興味深い[21]［図2］。また、『カイエ・ダール』や『ミノトール』などの最新洋雑誌が揃う下郷のアトリエは、名古屋のシュルレアリスムの実質的な拠点として機能した。山中はもちろん、下郷を慕うタロンやアバンガルドの若い画家たち[22]、解散した美術新選手の面々、名古屋に立ち寄る新造型のメンバーらがひっきりなしに顔を出しては美術談義に花を咲かせている。

さて、一九三五年初頭から『L'ÉCHANGE SURRÉALISTE』刊行のためにブルトンとエリュアールに内容を相談しながら書き下ろし原稿や新作図版を集めていた山中は、表紙デザインを下郷に依頼した。一九三六年一〇月にこれを上梓して以降、『みづゑ』や『アトリヱ』などの美術誌にシュルレアリスムの思想や美術に関する論考を矢継ぎ早に発表した山中は、瀧口修造と並び日本のシュルレアリスムの理論的支柱のひとりとなってゆく。その瀧口と『みづゑ』主幹の大下正男の協力を得て、山中は一九三七年六月から八月にかけて「海外超現実主義作品展」（東京、京都、大阪、名古屋、福井を巡回）を開催した。当初山中は資料展のつもりで準備を始めたが[23]、エリュアールやユニエが想定以上に協力的で、ペンローズやハンス・ベルメール、ヴィクトル・ブローネルらにも渡が付いたため[24]、「総点数四〇〇点の内三〇〇点以上は写真である憾はあるとしても、今日の海外に於けるシュルレアリストを殆ど網羅した」[25]充実の内容となった。

名古屋のシュルレアリスムにとってのもうひとりのキーパーソン、

図2｜山中散生《錫泥のない鏡》1937年

坂田稔が昭和区曙町にカメラ写真材料店「ジャパン・コダック・ワァク社」を開設したのは、一九三四年のことだった(26)。店に出入りするアマチュア写真家を集めて「なごや・ふぉと・ぐるっぺ」を結成した坂田は、自店舗で毎月例会を行う(27)。一九三七年には五〇名を超える会員を抱えたものの、その活動は「格別の主義主張もなく勿論何等の自負も無之候(28)」と愛好会の域を出ない。前衛写真家としての坂田の本領は、一九三五年一二月に鶴重町の酒屋・白鶴屋を拠点に紅村清彦、佐溝勢光らが結成した曙写真倶楽部の例会において発揮された(29)。またこの頃から坂田は『写真月報』や『フォトタイムス』に前衛写真論を寄稿しはじめる[図3]。

下郷や山中と坂田がどのように接触したかは詳らかでないが、遅くとも一九三七年九月には山中が曙写真倶楽部の例会にゲストとして出席している(30)。この邂逅が、名古屋のシュルレアリスムのもうひとつの転機となった。一九三七年一一月、下郷と山中は坂田や写真家の今井達雄と佐溝、トルピの岡田、戸川、吉川、新自然派協会(31)の猪飼重明、独立系の安藤かをるや大口登ら一三名を糾合して「ナゴヤアバンガルドクラブ」を結成した。翌年六月に松坂屋八階ギャラリーで第一回展を開催するまでに、元タロンの吉田と福原、独立系の白木正一ら東京組をさらに同人に加え、機関誌には詩人の船橋清治やメンバー外の尾澤が寄稿した(32)。ただ、事務所となった下郷アトリエの顔馴染みを集めた感は拭えず、メンバーの出入りも激しかったため、展覧会も機関誌も一度きりしか成立しなかった。この後下郷と山中は俄かに写真への傾斜を深め、新たに加わった写真家の稲垣泰三、田島二男、詩人の山本悍右らとともに、写真部として独自に例会を持つようになる。

関西と東京の前衛写真家らを一堂に会した『フォトタイムス』誌の「前衛写真座談会(33)」で存在感を発揮した坂田は、一九三八年末に名古屋で行われた『カメラマン』誌の「前衛写真再検討座談会」で下郷、山中とさらに議論を深め(34)、一九三九年二月にはアバンガルドクラブから「ナゴヤフォトアバンガルド」を分離独立させた。「メンバー8名、実験はカメラワークは主として名古屋近郊や下郷アトリエで、暗室ワークは坂田の暗室で、殆ど毎週位にやっている(35)」。この写真への傾斜の背景には、オブジェをめぐる議論の隆盛や、記録写真が持つ可能性への注目があった(36)。下郷はグループの活動の成果として、数年来構想を温めてきた多肉植物の記録写真による超現実主義写真集『メセム属』(一九四〇年三月[099])を刊行し、坂田は被写体から美と秩序を抽出するという自らの理論をメンバーらの実作を通じて裏付ける『造型写真』(一九四一年一月)を世に送り出した。また山本は一九三八年一一

図3｜坂田稔《題不詳(水滴による構成)》制作年不詳

月、「純粋にシュールレアリスムの作品を掲載する一種の同人雑誌」[37]として詩誌『夜の噴水』を創刊し、山中が構想しながら実現し得なかった同人誌の計画を異なるかたちで引き継いだ。[38]取り残されるかたちとなった独立系の画家たちは、一九三九年五月に福沢を中心に東京で発足した美術文化協会に合流する。

しかし、下郷は『メセム属』刊行後に京都へ転居し、山中も一九四一年三月に転勤、坂田は一一月に応召し、いずれも名古屋を去る。太平洋戦争下の緊迫した状況はもはや前衛を許容し得なかった。一九四一年一一月には吉川と船橋が検挙され、岡田と大口が家宅捜索を受ける。[39]戦後、彼らがシュルレアリスムの旗の下に再び集うことはない。「いちど消された私自身の火が、ふたたび燃えさかることなく、とろ火に終わった」[40]。

（そえだ・かずほ／愛知県美術館主任学芸員）

(1) André Breton ed. *Dictionnaire abrégé du surréalisme*, Galerie des beaux-arts, Paris, 1938.
(2) 同級生には米倉壽仁がいた。『官報』三二二五号、一九二三年五月三日、七頁。また一九二五年度より西脇得三郎が仏語講師として同校に赴任、以降山中と永く親交を持つ。『名古屋高等商業学校一覧自大正15年至大正16年』一九二六（大正一五）年一一月、六〇頁。
(3) 山中の生涯は主に黒沢義輝編『山中散生書誌年譜』丹精社、二〇〇五年を参照した。
(4) 山中散生「シュルレアリスム雑稿5」『古沢岩美美術館月報』二二号、一九七七年三月。山中が受け取った書簡の一部は慶應義塾大学日吉メディアセンターが所蔵しており、翻訳が刊行されている。『山中散生書簡資料集』神奈川県立近代美術館、二〇一七年。
(5) 下郷の生涯は、主に木下信三『樹科シリーズ27 前衛の人 下郷羊雄物語』私家版、二〇一五年を参照した。
(6) 江上明「日本の前衛芸術（四）」『ニュース窓口』一二九号、愛知県文化会館、一九六九年八月、一一五頁。下郷は同門の今井憲一や北脇昇らとともに塾報『Fusain』の編集や執筆にも携わっている。
(7) 「二科展入選者の玉稿集」『パレット』二一号、三角堂、一九三二年九月。
(8) やや唐突に見える名古屋研究所開設だが、すでに津田の画塾は京都・北白川下池田町に画室を増やし、一九三一年一月に東京都杉並区の前田寛治の旧アトリエを購入して移転、北白川の画室を京都研究所と改め、五月に上野研究所を開設するなど拡大の一途をたどっていた。清水智世「コラム 津田青楓洋画塾の七年」『背く画家 津田青楓とあゆむ明治・大正・昭和』芸艸堂、二〇二〇年、一〇二—一〇三頁。
(9) 下郷生「ナゴヤ便り」『Fusain』一二号、津田青楓洋画塾、一九三二年四月、七—九頁。
(10) 「美術新選手小史」『ジムナアズ』三号、美術新選手、一九三三年一〇月、二頁。
(11) 一九三〇年に三三歳で夭折した前田寛治による重厚な人物描写は、「前寛ばり」と呼ばれて多くの模倣者を生んだ。下郷羊雄「前寛氏の画室とレヤリスムの旗」『Fusain』九号、一九三一年二月。
(12) 「体操場」『ジムナアズ』三号、一九三三年一〇月、二—八頁。
(13) 当時三岸はアトリエ増築資金を得るためツテを頼って関西で絵や画集を売り捌いており、下郷も手彩色の素描集『蝶と貝殻』限定百部のうち一〇部の販売を手伝っている。木下信三、前掲書、三六—三七頁。

(14) 「「三岸先生の追憶」など、四角ばつて書き出せない程、それ程三岸さんは親しみ深い人柄であつた」。下郷羊雄「三岸さん」『パレット』四二号、一九三四年一〇月。

(15) 『下郷羊雄個人展芳名帳』江上明旧蔵資料（名古屋市美術館保管）。長谷川と瀧口はそれぞれ展評を執筆している。長谷川三郎「下郷羊雄個展」『みづゑ』三六九号、春鳥会、一九三五年一一月。瀧口修造「若き美術」『セルパン』五七号、第一書房、一九三五年一一月。

(16) 前掲『下郷羊雄個人展芳名帳』内の出品作行先の覚え書きに、山中の名が記されている。新造型は一九三四（昭和九）年第四回独立美術協会展を契機とする内紛で誕生した、シュルレアリスムを標榜する団体である。藤田鶴夫「何が故に独立美術協会と絶縁し新造型美術協会が組織されたか」『美術』九巻五号、美術発行所、一九三四年五月、八〇—八三頁。

(17) 詩集とはエリュアル『或一生の内幕或は人間の尖塔』春鳥会、一九三七年のこと。「本書の装幀並に挿画四葉は今日のフランス画壇の前衛サルヴアドオル・ダリが特に本訳書のために送つて来たもので、著者と訳者と装幀者との完全な握手に依つて出来た本である」。山中散生「自著紹介——エリュアル『或一生の内幕或は人間の尖塔』」『書窓』二五号、日本愛書会書窓発行所、一九三七年一〇月、二八三頁。

(18) 『下郷羊雄日記』江上明旧蔵資料（名古屋市美術館保管）、一九三六年一月四日。

(19) 最終日に開催された「シュルレアリスム座談会」には名古屋の若い前衛画家たちが集っている。

(20) 尾澤辰夫は一九三五年秋の名古屋画壇を振り返って、「特に眼立つ事はシュール的絵画の抬頭」を挙げ、「名古屋における最初のシュール絵画の展覧会」として下郷の個展に触れ、さらにタロン展結成にも触れている。『シマモトニュース』一九三六年一月。

(21) 「山中氏来られ、フォトモンタージュ試みる」『下郷羊雄日記』一九三七年二月二八日。また山中はこのうちの一点《錫泥のない鏡》をたびたび寄稿したテキストの挿図に用いている。「POCO A POCO ジョルジュ・ユニエの仕事について」『みづゑ』三九二号、一九三七年一〇月、四二二—四二三頁。「超現実主義の対象」『写真サロン』一一巻一号、玄光社、一九三八年一月、五五—五七頁。

(22) ただし吉川の回想によれば、「横文字にあまり強くない彼らをまえにして、知識をひけらかすようなことをしたり、先輩ぶったり、師匠ぶったりすることのある下郷には、時折、不快なものを感じることもあった」ようだ。吉川了悟「吉川三伸の人生と作品」『吉川三伸作品集』同時代社、一九八八年、一一九頁。

(23) 山中散生「海外超現実主義の東京展を終つて（二）」『日刊美術通信』日本美術通信社、一九三七年六月三〇日。

(24) 前掲『山中散生書簡資料集』。

(25) 山中散生「海外超現実主義の東京展を終つて（三）」『日刊美術通信』一九三七年七月一日。

(26) 竹葉丈『「写真の都」物語——名古屋写真運動史 1911–1972』国書刊行会、二〇二一年、六〇—六三頁。

(27) 例会の内容は同時期の『フォトタイムス』（フォトタイムス社）の「写真界通信」や『カメラ』（アルス）の「写真界雑信」に詳しい。

(28) 「なごや、ふおと。ぐるつぺ一同」『アマチュア・カメラ』六八号、玄陽社、一九三七年七月、七四頁。

(29) 「芸術写真の理論を実践的に研鑽し、感覚を極度にまで表現せんと志す者、集ひてこゝに曙写真倶楽部を生成す」。「曙写真倶楽部創立趣旨」『カメラ』一七六号、一九三六年二月、一九六頁。

(30) 「坂田氏の紹介により超現実主義美術批評家、中山三省氏出席せらる」。これは山中の誤記と思われる。『カメラマン』一四号、一九三七年一月。また田島二男は下郷と知り合ったのは一九三七年と証言している。黒沢義輝編『山中散生書誌年譜』一三七、一六一頁。

(31) 一九三五年七月七日、東京で小城基が門弟四十名余とともに結成したグループ。小城は峰岸義一、松尾邦之助とともに巴里新興美術展覧会の実現に尽力した画家。

(32) 『ナゴヤアバンガルド』ナゴヤアバンガルドクラブ、一九三八年六月。

(33) 「前衛写真座談会」『フォトタイムス』一五巻九号、一九三八年九月。

(34) なお『カメラマン』主筆の永田二龍も一九四〇年一〇月に、県警特高の検閲係から出頭命令を受け、廃刊を迫られている。竹葉、前掲書。

(35) 「ナゴヤ・フォトアヴンガルド（『写真団体の誌上問答』）」『フォトタイムス』一六巻七号、一九三九年七月。

(36) この点については別稿で論じた。副田一穂「多肉植物と写真——下郷羊雄の可食的オブジェについて」『愛知県美術館研究紀要』二五号、愛知県美術館、二〇一九年、二六—四四頁。

(37) 木下信三「昭和戦前名古屋地方詩誌資料ノート五 夜の噴水」『風木下信三個人雑誌』三八号、私家版、一九七二年四月、六頁。

(38) 山田諭「ある前衛芸術家の生活と創作——『下郷羊雄日記』より」『名古屋市美術館研究紀要』一号、名古屋市美術館、一九九二年、二八頁。

(39) 『復刻版 内務省警保局編 社会運動の状況一三 昭和一六年』三一書房、一九七二年、三〇八—三一三頁。

(40) 山中散生「ヨーロッパのどこかで」『本の手帖』五九号、昭森社、一九六六年一一月、四六—四九頁。

九州とシュルレアリスム

林田龍太

はじめに

九州において、シュルレアリスムはいかにもたらされ、そしていかに地域で展開していったのか。このことを概観するのが、本稿の目的である。しかし問題は簡単ではない。日本の近代美術史においては東京や京都などの「中央」、あるいはそれ準じる規模の大阪や名古屋といった大都市ではない地域、いわゆる「地方」の動向が語られることは、ほとんどないからだ。「地方」で生まれた美術作品は、しばしば「中央」で生まれた作品の二次的存在とみなされ、日本の近代美術史に明確な位置を与えられることは、あまりない。それだけに研究の状況も地域によって濃淡があり、「地方」におけるシュルレアリスムの受容状況もまた、明らかになっている地域とそうでない地域があるのが現状だ。九州内で把握できているのは、九州八県のうち福岡、大分、熊本の三県のみに過ぎない。断片的ではあるものの、以下では九州におけるシュルレアリスムの受容と地域での展開を北から順に見てゆこう[1]。

福岡とシュルレアリスム

福岡市ではシュルレアリスムに関連する展覧会が複数開催されている。とりわけ、一九三三年二月の「巴里新興美術展」の福岡巡回は特筆すべき出来事といえるだろう。さらに一九三一年から三五年にかけては独立展が、そして一九三四年から四〇年にかけては二科展が断続的に巡回している。よく知られるように、二科会と独立美術協会は、昭和初期のシュルレアリスムを牽引した公募美術団体である。福岡市においてシュルレアリスムは、巡回展により継続的に紹介された。

福岡県出身のシュルレアリスムの画家に古賀春江がいる。生前の古賀は地元久留米市の美術グループ「来目会」の展覧会等に参加しているが、シュルレアリスム風の作品はほとんど出品していない。福岡の人々が《海》などの作品を目にするのは古賀の没後、具体的には一九三四年一一月に巡回した「第二一回二科展」での遺作の特別陳列においてであった。二科展の巡回が地域ゆかりのシュルレアリスム画家の存在を認識させた格好である。

　福岡在住の作家たちによる活動も盛んだ。まず、一九三四年の二科展福岡巡回を機に結成された「二科西人社」は注目に値する。同グループには伊藤研之をはじめ、青木寿（あおきひさし）らシュルレアリスム的傾向を有する画家が複数名参加していた。《音階》などで知られる伊藤はもちろんだが、青木は二科展に初入選を果たした頃から、地平線を背景に壊れた自動車と工具箱を配した《自動車とその他》[図1]を制作。さらに一九三〇年代末にはシュルレアリスム的傾向をより明確にしてゆく。同会には多様な傾向を有する画家たちが参加しているため、単にシュルレアリスムの団体と定義することは困難だ。しかし一九三五年から四三年までの間、福岡市で展覧会を継続しており、その点ではシュルレアリスムの展開に一定の役割を果たしたと考えられる。

　また、一九三九年結成のグループ「ソシエテ・イルフ」も重要だ。主なメンバーは、写真家の高橋渡、久野久、許斐儀一郎、田中善徳、吉崎一人と工芸家の小池岩太郎、そして先述の伊藤研之ら。その活動は絵画のみならず写真や工芸、それに詩などにも広がる、ジャンル横断的なものであった。彼らの理念には抽象絵画とシュルレアリスムが強く意識されており、とりわけ高橋や許斐、久野の写真作品には、地平線や水平線をバックに岩や貝殻、マネキンを配するなど、三岸好太郎による《海と射光》[021]との関連がうかがわれる。ただし、メンバーの転居や死去、それに戦争により、活動期間はきわめて短い。また彼らは、グループ展として自作を発表することもなかった。ソシエテ・イルフの活動は、現在から見れば画期的だが、地域への影響は限定的だったのかもしれない。

　個展としては、寺田政明が一九三八年から三九年にかけて門司市、八幡市、小倉市で個展を開催している。また一九三九年五月には芦屋町出身の多賀谷伊徳（たがやいとく）と八幡市で二人展を開催。この頃、寺田は東潤（ひがしじゅん）ら同地のシュルレアリスム詩人たちと親交を結んでいたようだ。板橋区立美術館が所蔵する寺田の個展フライヤーには東らが推薦文を寄せており[2]、さらに東らの同人誌には寺田が「原始美術に関する覚書断片」を寄稿している[3]。当時の寺田の拠点は東京だったが、画家と詩人との関係が地域を超えて生まれていることは、興味深い。

　展覧会の巡回にはじまり、地域内にお

図1｜青木寿《自動車とその他》1933年　福岡県立美術館

けるグループ展の開催、ジャンル横断的な小グループの活動、それに個展など、福岡でのシュルレアリスムの受容と展開は豊かだ。

大分とシュルレアリスム

大分では、個展を通してシュルレアリスムが紹介されている。一九二八年三月、大分市のキムラヤ画房[4]で古賀春江が個展を開催。ただしこの時の出品作はキュビスム風の絵画が中心で、クレー風の水彩画[5]以外にシュルレアリスム的作品は出品されていない。また同地の新聞『大分新聞』も古賀を「立体派の最右翼」とし[6]、展覧会についても「大分地方には始めて(ママ)の立体派の作品」と記している[7]。古賀が《海》のようなシュルレアリスム風絵画を制作するのは翌年からである。この時はまだ、大分にシュルレアリスムはもたらされていない。

大分市に初めてシュルレアリスムを紹介したのは、古賀と並ぶ日本のシュルレアリスム絵画のパイオニア・阿部金剛であった。古賀の個展から八年後の一九三六年三月には、阿部が大分市を訪れ個展を開催している。当時の『大分新聞』に列記された出品作品名には「りあん」、つまり《Rien》の記述が見られ、それ以外にも数点のシュルレアリスム風作品が出品されていることがわかる[8]。なお、記事において「シュルレアリスム」という言葉は、阿部の発話をなぞったのか「シユウリアリズム」と記されている。当時の大分の人々にとって、この言葉自体が耳慣れない、未知のものであった。それでも阿部の個展は好評だったようで、出品作品三十数点のうち二〇点が売約されている[9]。

なお、新聞は阿部の個展について、八年前の古賀の個展以来「シユウリアリストの個展は大分では今回が二回目」[10]と報じている。これは取材に応じた阿部が、日本を代表するシュルレアリスム画家として古賀を挙げたことに起因するようだ。古賀の個展出品作であるクレー風水彩画は、当時キムラヤに所蔵されており、阿部は同作品を参照して欲しいとも語っている[11]。シュルレアリスムを理解するための例ということであろう。阿部の言葉により、古賀の個展は遡及的に大分初のシュルレアリスム絵画展と位置付けられたのだ。

大分市においては、主に阿部の個展がシュルレアリスムを紹介した。しかしそれ以外、シュルレアリスムを紹介する展覧会は開催されていない。さらにいえば、在郷の画家あるいは在京の出身画家が大分でシュルレアリスム風の作品を発表した様子も見受けられない。大分出身のシュルレアリスム系画家に糸園和三郎がいるが、彼は戦前・戦中に大分では活動しておらず、故郷で自作を発表し始めるのは、疎開を経た戦後からである。大分では阿部の個展を通してシュルレアリスムを受容したものの、地域での展開はなかったといえる。

熊本とシュルレアリスム

熊本では、福岡同様に巡回展を通してシュルレアリスムが紹介されている。一九三一年四月には「第一回独立展」が熊本市に巡回。同展には福沢一郎の《寡婦と誘惑》等も出品された。[12] さらに一九三三年二月には「巴里新興美術展」が巡回。同展の熊本開催は、当時一五歳の浜田知明や一八歳の大塚耕二に影響を与え、とくに大塚にとっては画家を志す動機になっている。

その大塚は、一九三四年に上京し帝国美術学校（現・武蔵野美術大学）へ進学。一九三五年には同級生らとグループ「表現」を結成・活動するが、その翌年からはたびたび帰郷し、熊本市での活動を開始している。一九三六年四月には同郷の帝美生二名と「熊本新興美術展」を開催。三者ともにシュルレアリスム風の作品を発表した。この時、独立美術協会の若手画家グループ「洋画研究会」に参加していた同郷の坂本善三が、『九州日日新聞』に熱心な展覧会評を寄稿し、大塚たちを応援している。[13] さらに一九三七年五月には、坂本善三、加藤文生（かとうふみお）、石原真一（いしはらしんいち）ら、在京・在熊の独立美術協会系画家たち一一名によるグループ「熊本独立美術作家協会」に参加し「熊本独立展」を開催。大塚が《トリリート》ほかを出品したのに加え、帝美のグループ「JAN」に所属する加藤もシュルレアリスム風の作品《悔恨》を出品した。[14] さらに一九四〇年一月には個展を開催。反響は不明だが、いずれにしても大塚の郷里での活動は継続的だ。

とはいえ、熊本での大塚が出品した展覧会はグループ展が大半であり、それだけに各展覧会に出品されたのはシュルレアリスム風の作品のみではない。坂本善三はシュルレアリスムとは距離を置いていたし、[15] 熊本の石原真一もフォーヴィスム的画風の作品を発表していたようだ。昭和戦前期の熊本において、シュルレアリスムは大塚により展開されたといっても過言ではないが、大塚以外にシュルレアリスム系画家が継続的に活動した形跡は、現在のところ見られない。

ところで、「巴里新興美術展」の熊本開催は、意外な人物にも影響を与えている。のちに美術史家となる福岡県出身の河北倫明である。第五高等学校（現・熊本大学）在学中、同校の洋画研究会「双葉会」で油絵を制作していた河北は、巡回した「巴里新興美術展」を観覧。とくにキリコの出品作《戦勝碑（トロフィ）》に惹かれたようで、校友会誌『龍南』二二七号（一九三四年二月）に、「キリコに関する一考察」を寄稿している。さらに河北は同誌の装丁やカットを担当しており、二二六号（一九三三年一一月）の表紙では、東郷青児《超現実派の散歩》を想起させるイラストを寄せている［図2］。その後河北は京都帝国大学に進学し、在学中には浜田浜雄らによる帝美生のグループ「絵画」

に参加する。

むすびにかえて

以上、九州の各地におけるシュルレアリスムの受容と展開の状況を概観してきた。概ね福岡・熊本では受容と地域内での展開の様相が見られる。対して大分では、個展として受容されることはあっても、地域内での展開につながることはなかった。九州であっても、そこには一括りにはできない差異が生じている。

そうした差異は、シュルレアリスムが個展として紹介されたか、あるいは複数の画家の作品群として紹介されたかに起因するところもあるだろう。大分では阿部の個展としてシュルレアリスムが紹介されているが、対して福岡・熊本では、「巴里新興美術展」や二科展、あるいは独立展を通して、複数の画家による作品が紹介されている。ひとりの画家の作品であれば、見慣れない作風は「画家の個性」と受け取られかねないが、複数の画家による作品であれば、一種の「美術運動」と理解され得る。

しかし、それ以上に目を引くのは、公募美術団体の存在である。とくに福岡では、「巴里新興美術展」に加え、二科展と独立展が巡回している。確かに、「巴里新興美術展」の衝撃は大きなものであったに違いない。だが、単発であった「巴里新興美術展」に対して、二科展や独立展は複数年にわたりながら、シュルレアリスムをはじめとする動向を紹介している。公募美術団体展による継続的な紹介は、シュルレアリスムが東京で進行中の新たな美術動向であることを印象付けただろう。

図2｜『龍南』226号表紙
1933年11月、熊本県立図書館

展開においても、公募美術団体が重要な役割を果たしている。福岡の二科西人社、熊本の熊本独立美術作家協会といったように、地域におけるシュルレアリスム系画家たちの活動には、公募美術団体関連のグループが関与していた。これらのグループは、展覧会巡回等を契機に支部的グループとして結成され、在郷画家たちの活動基盤を形成していった。さらにいえば、こうした支部的グループによる展覧会への出品作は、東京での展覧会出品作に準じる価値を有する保証になったと考えられる。[16] 公募美術団体の支部的グループは、継続的な活動基盤の形成と価値を保証する性質により、地域におけるシュルレアリスムの継続的展開を促したといえる。

ただし注意しておきたいのは、これらの支部的グループの展覧会に出品されたのは、必ずしもシュルレアリスム風の作品のみではないということだ。先にも触れたとおり、各グループには多様な傾向を有する画家たちが所属していた。シュルレアリスム風の作品も複数出品されたに違いないが、それは一部にすぎない。さまざまな傾向の作品が同時代の新興美術〝群〟として展開したというのが実情である。福岡や熊本であっても、シュルレアリスム系画家のみによる運動が展開されることはなかったのだ。

以上はあくまで現時点で判明している動向をまとめたものにすぎない。今回取り上げた三県についても、まだ判明していない動向があり得るし、取り上げなかった佐賀、長崎、宮崎、鹿児島でも、何らかの受容と展開があった可能性もある。(17) 九州にはまだ、知られざるシュルレアリスムの動向が眠っているのかもしれない。

（はやしだ・りゅうた／熊本県立美術館学芸普及課長）

(1) この稿を起すにあたっては、主に次の文献を参考にした。【福岡】図録『福岡美術戦後物語』（福岡市美術館、一九九八年）、図録『県展事始め展』（福岡県立美術館、一九九九年）、図録『古賀春江の全貌』（石橋美術館、二〇一〇年）、図録『ソシエテ・イルフは前進する』（福岡市美術館、二〇二一年）【大分】後藤龍二『大分県美術協会史料』（一九八八年）、後藤龍二『大分県近代美術史年表』（一九九六年）【熊本】図録『画家たちの上京物語』（画家たちの上京物語展実行委員会、二〇一四年）なお、福岡におけるシュルレアリスムついては高山百合氏（福岡県立美術館）と弘中智子氏（板橋区立美術館）、大分については後小路萌子氏（大分市美術館）よりご教示いただいた。また本稿には記せなかったものの、宮崎については小林美紀氏（宮崎県立美術館）、長崎については松久保修平氏（長崎県美術館）よりご教示いただいた。この場を借りて御礼申し上げたい。

(2) 『寺田政明氏油絵小品展』一九三八年八月（板橋区立美術館所蔵／寺田政明旧蔵資料）。

(3) 広告「新刊 詩集 霞の海綿」『MHONE POEME・ESSYE』No.1、一九三九年五月（板橋区立美術館所蔵／寺田政明旧蔵資料）。

(4) スポーツ用品と画材を取り扱う商店・キムラヤに設立されたアトリエ。一九二六年の設立以来、展覧会場としても使用された。なお、キムラヤは戦後、吉村益信や磯崎新らによる前衛美術グループ「新世紀群」の拠点となっている。

(5) 阿部金剛「新しき世界の創造」『大分新聞』一九三六年三月二五日。

(6) 「古賀春江氏個人展覧会」『大分新聞』一九二八年三月三日。

(7) 「春江氏の個展」『大分新聞』一九二八年三月四日。

(8) 「素晴しい魅力　新鮮味あふれる阿部金剛氏の個展」『大分新聞』一九三六年三月二七日。

(9) 「阿部氏個人展大成功」『大分新聞』一九三六年三月三一日。

(10) 註8前掲資料。

(11) 註5前掲資料。

(12) 「九州では唯一最初の独立展幕開く」『九州新聞』一九三一年四月一二日。

(13) 坂本善三「熊本新興美術展寸感（上）」『九州日日新聞』一九三六年四月五日、坂本善三「熊本新興美術展寸感（下）」『九州日日新聞』一九三六年四月六日。

(14) 菅野寅夫「熊本独立展を見て」『九州新聞』一九三七年五月一二日。

(15) 坂本は当時について「私は必死にシュールの誘惑に耳をふさぎ」云々と回顧している（坂本善三「私の記録 3」『西日本新聞』一九六八年五月五日）。

(16) 「熊本新興美術展」についても、坂本善三が「洋画研究会」会員として展覧会評を寄稿している点で、公募美術団体所属画家が出品作品の価値を保証した事例と考えられる。

(17) とくに鹿児島では、「第一回独立展」出品作品の一部が、同地の公募美術展「南国美術展」に出品され、一九三三年には「鹿児島県独立美術協会」が結成されるなど、福岡・熊本と似た状況が見られる。

第四章　シュルレアリスムの最盛期から弾圧まで

Chapter 4.
From the Culmination to
the Oppression of Surrealism

4

一九三八年以降、日本ではヨーロッパのシュルレアリスム絵画の直接的な影響から離れ、円熟した作品が発表されるようになった。写実を追求しつつ幻想的な絵画を作り上げた靉光[060–062]、日常的なモチーフから出発しながら内面を反映させたような絵画世界を創り上げた浅原清隆[065]の作品などがその例に挙げられる。二科会のなかでは九室会が結成され、伊藤研之[066]、桂ゆき[067]といった若手の画家たちが台頭してきた。

日本においてシュルレアリスムの表現の幅をさらに広げたのは、やや遅れてヨーロッパのシュルレアリスム運動に参加したダリである。美術雑誌や展覧会を通じて日本に紹介されたダリについて、瀧口修造が「不可視な光線のやうに迅速に伝播した」と述べるほどに影響は一気に広まった。展覧会では画学生や若い画家たちによる、強調された地平線やダブル・イメージを用いたもの、歪曲したモチーフを描いた作品が次々に発表された。

時を同じくして画家たちの小グループでの活動もピークを迎え、その多くが集結して一九三九年四月、福沢一郎を中心に美術文化協会が結成された。しかし日本が本格的な軍事体制に突入したことに伴い、特高警察による前衛画家たちへの監視の眼は一層厳しくなった。第二回美術文化展開催直前の四一年四月五日に福沢と瀧口がシュルレアリスムと共産主義の関係を疑われて拘束された事件は画家たちを動揺させた。協会ではすぐさま軍部への協力姿勢を示した声明を発表し、展覧会前に自己検閲を行いシュルレアリスムの影響が色濃く反映された作品は事前に排除するなど、会の存続に奔走した。

一九四一年の太平洋戦争開戦にかけては召集を受け従軍する画家が相次いだ。美術界においても統制組織が結成され、「戦争画」を除く自由な作品発表が困難になった。そのためシュルレアリスムに関心を持つ画家たちは、許される範囲での表現を模索するか、描いた作品を発表せずにいた。(HS)

From 1938 onward, Japan moved away from the direct influence of European Surrealism, and works mellow in expression came to be presented. Look, for example, at the works by Ai-Mitsu [060–062], who, while pursuing realism, produced phantasmal paintings, and Asahara Kiyotaka [065], who, starting out from everyday motifs, created a pictorial world reflecting the inner realm. At the Nika Association, Kyūshitsu-kai (Ninth Room Association) was formed as a subsection, and young artists such as Itō Kenshi [066] and Katsura Yuki [067] emerged.

It was Salvador Dalí, who participated in the European Surrealist movement a little later, that broadened the extent of Surrealist expressions in Japan. The influence of Dalí, who was introduced in Japan through art magazines and exhibitions, expanded all at once to the extent that Takiguchi Shūzō noted, "it spread as rapidly as invisible rays." At exhibitions, art students and young artists presented one after another painting employing an emphasized horizon or double images and works depicting distorted motifs.

At the same time, the activities undertaken by small art groups came to a climax. In April 1939, many such groups gathered and formed Bijutsu Bunka Association with Fukuzawa Ichirō as the mainstay. However, following Japan's embarkation on a full-scale military system, surveillance of avant-garde artists by the Special Higher Police became all the more stringent. On April 5, 1941, just before the second Bijutsu Bunka Association Exhibition was to take place, Fukuzawa and Takiguchi were detained on suspicion of a relationship between Surrealism and Communism. This incident upset the artists. The Association immediately released a statement announcing a cooperative attitude to the military and busied themselves to maintain the Association by undergoing self-censorship before the exhibition to exclude works strongly reflecting the influence of Surrealism beforehand.

Once the Pacific War broke out in 1941, many artists were drafted and joined the army. An organization to assume internal control was formed within the art world, too, and it became difficult to freely present works other than "war paintings." Consequently, artists interested in Surrealism were compelled to seek expressions within the permissible range or to refrain from presenting the works they created in public. (HS)

060
靉光
眼のある風景
1938 年
東京国立近代美術館
第 8 回独立展

Ai-Mitsu
Landscape with an Eye
1938
The National Museum of
Modern Art, Tokyo

靉光《眼のある風景》

シュルレアリスムに近接した作品のなかでも、独自性と不可解さの双方で際立っているのが靉光（本名・石村日郎）の《眼のある風景》[060]である。もとは「風景」というタイトルであったが、靉光の死後、郷里・広島で開催された遺作展で「目のある風景」へと変更された。名付けたのは友人の画家・井上長三郎である。画面上部に広がる青色と右下に曖昧に描かれた地平線が、かろうじて「風景」の痕跡をとどめている。《風景》は、第八回独立展で独立賞を受賞した。

「風景」の大部分を占めるのは、肉塊や臓物、もしくは化石や岩石を想起させる茶色や白の塊である。複数のイメージを喚起させる塊にぽっかりと空いた穴が、壊れそうな「風景」に闇の安定と静寂をもたらす。重ねては拭き取られ、乾く間も無く削られた不透明な絵具の層に、作家の身体と思索の痕跡が記録されている。だが何よりも強烈かつ異質なのは、人体から孤立して浮かび上がる「左眼」であろう。靉光自身の眼か、キャンバスの眼か、それとも荒涼とした「風景」を見つめる眼か。いずれにせよこの絵を見る「私」は、茶色い塊の奥にある眼に「見られる」ことになる。

石村日郎が「靉光」になったのは、洋画を描き始めた頃のことである。自らの画風を求めて模索する過程で試みられた多様な描き方と画材の探究、描く対象とその細部への執拗な眼差しが、やがて《眼のある風景》の画面全体を覆う得体のしれないものの存在感へと結実した。

靉光の凝視する対象のひとつが上野動物園のライオンである。多くの論者が、一九三六年頃から始まるライオンの連作の延長に《眼のある風景》があることを指摘してきた。その一方で大井健地は、捨てられた木の根に対して靉光が「ここに目を入れたら絵にならないか」と述べたという友人・森鵜光の証言を紹介する。[★1] 塊はライオンか木の根か、それともまた別の何かだろうか。塗っては削る作業を通して眼差しの先にあるものを解体する靉光の姿勢がまた、多くの「語り」を促していく。[★2]（ST）

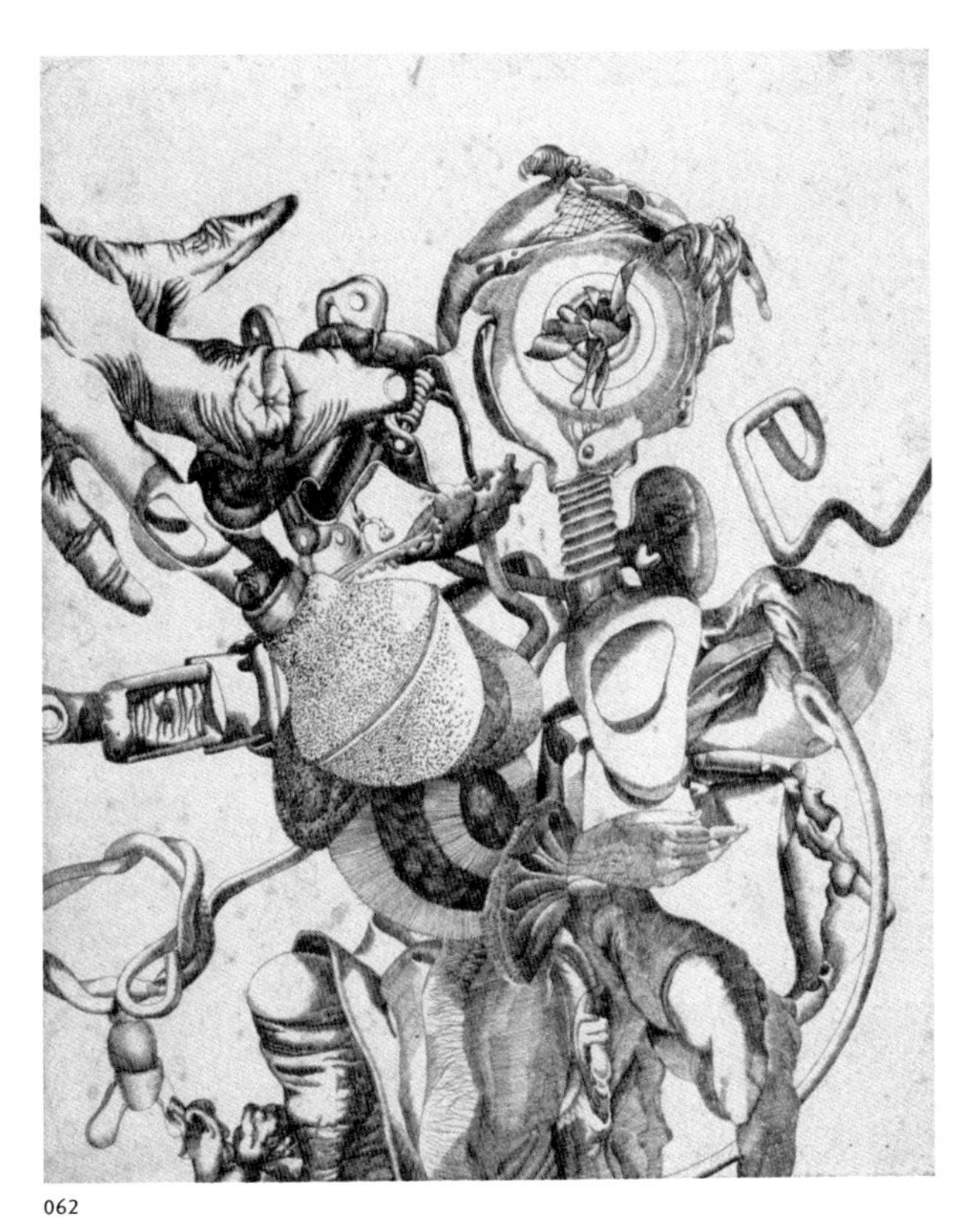

062

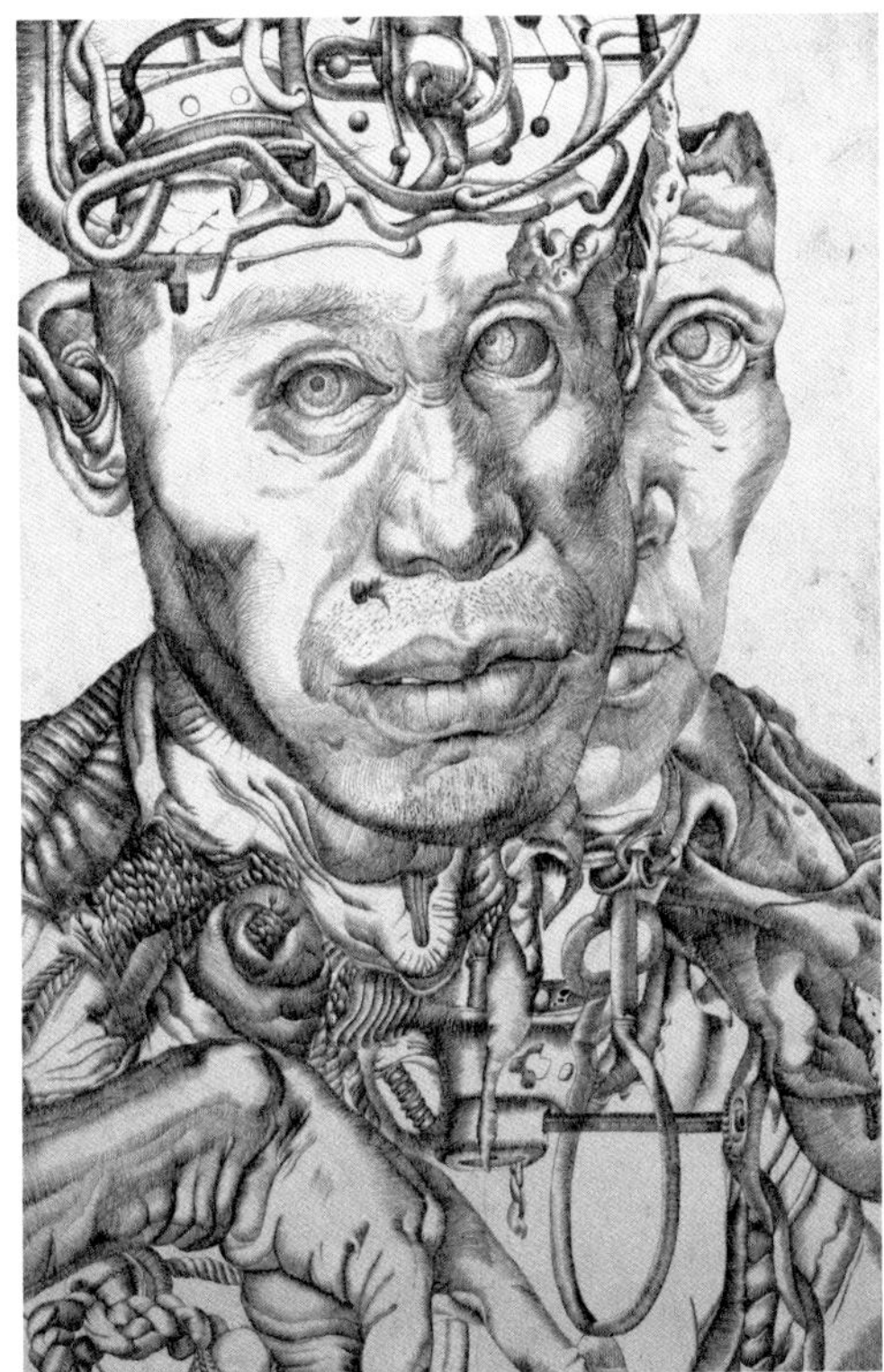

061

062
靉光
作品
1941 年
宮城県美術館

Ai-Mitsu
Work
1941
The Miyagi Museum of Art

061
靉光
二重像
1941 年
広島県立美術館

Ai-Mitsu
Double Portrait
1941
Hiroshima Prefectural Art Museum

063
寺田政明
生物の創造
1939 年
北九州市立美術館
第 9 回独立展

Terada Masaaki
Creation of Life
1939
Kitakyushu Municipal Museum of Art

064
吉加江京司（清）
葉（葉脈の構成）
1939年
東京国立近代美術館
第10回独立展

Yoshigae Kyōji (Kiyoshi)
Leaf (Structure of Veins)
1939
The National Museum of
Modern Art, Tokyo

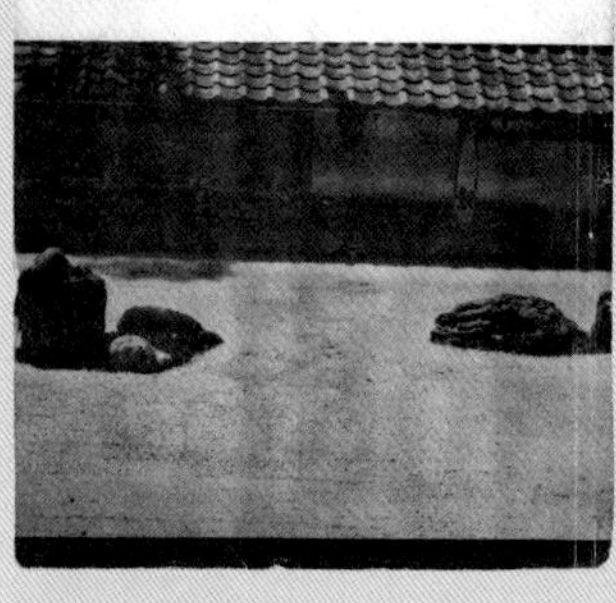

D64
『帝国美術』
8号、1938年7月
行田市郷土博物館

D63
『帝国美術』
7号、1937年6月
行田市郷土博物館

D62
『T映』
3号、1936年6月
行田市郷土博物館

浅原清隆（あさはらきよたか）——若き画家の活動歴

一九三〇年代後半、画学生たちの前衛運動が活発化したが、浅原清隆はその中心的、象徴的な存在といえよう。二度目の応召で戦地に没した短い生涯には精力的で多面的な活動があった。★1

一九三四年、帝国美術学校入学まもなく学内騒動、学生運動に関わる一方、翌年の二科展でデビュー。同級生とグループ「表現」を結成し二回展まで出品、機関誌も担当した。これと並行して、学内の映画研究会を率い、会報『T映』[D62]を編集、シュルレアリスム映画、マン・レイ『ひとで』とデュラック『貝殻と僧侶』の上映を学内で行ったという。のちに瀧口修造と相談して映画館での上映も企てたようだが、「映写する直前に禁止」されたと瀧口は回想する。「しかし熱心な推進者のひとり浅原清隆が苦心してフィルムから数場面を伸ばしておいた」印画紙を瀧口は記念に保存していた。★2 浅原は映画製作も試みたようだが現存していない。

学内では新興美術の研究グループ「N.A.A.」を結成して瀧口、小松清らの講演会を企画、その機関誌も編集し、『T映』同様、長谷川宏、大塚耕二、藪内正直（やぶうちまさなお）ら当時の仲間が寄稿している。より注目すべきは、一九三六年から学友会誌『帝国美術』六―八号[D63-64]の編集発行を浅原が担ったことだ。誌面を改革して前衛美術を多く掲載し、学生の文章とともに瀧口らが寄稿するなど、学校の枠を超えた内容となり、八号は市販もされた。

一九三七年からは独立展に出品し、翌年出品の《郷愁》（東京国立近代美術館）と三九年の《多感な地上》[065]は現存する代表作である。この頃、北園克衛と親交を持ち、VOUクラブ員となる。創紀美術協会ついで美術文化協会の結成に参加し、三九年『美術文化』一号[D77]の編集を担当したが、召集を受け同展にはついに出品しなかった。同じ年、最初で最後の個展を神戸で開催、案内状には北園、瀧口、福沢一郎が文を寄せ、瀧口は「前衛画壇でもつとも前途を嘱望されてゐる選ばれた作家」と記した。（HY）

065
浅原清隆
多感な地上
1939年
東京国立近代美術館
第9回独立展

Asahara Kiyotaka
This World of Emotions
1939
The National Museum of
Modern Art, Tokyo

九室会のシュルレアリスム

古賀春江を失った二科会に新風をもたらしたのは、二科展の一室に出品作をまとめて展示された画家たちであった。一九三三年の第二〇回展以後、抽象やシュルレアリスム傾向の作品が「第九室」に一括して展示されるようになる。古賀は、前衛芸術を標榜する「アヴァンガルド洋画研究所」の設置を切望していた。★1

福沢一郎の『シュールレアリズム』[D26]に「二科のアヴァンギャールドの画家」として名前が挙げられたのは、東郷青児と高田力蔵、そして伊藤久三郎と鷹山宇一である。★2伊藤や鷹山は一九三三年に、高井貞二や井上覚造ら二科会の新進画家とともに「新油絵」を結成していた。東郷は「所謂シュールレアリズムの応募作品」が年々増加する現状に対して「あの部屋に並べられる作品は相当吟味されなければならない」と述べている。第九室には、「日本画壇のアヴァン・ギャルド」としての期待が高まっていた。★3

吉原治良と山口長男、峰岸義一、山本敬輔、広幡憲、高橋迪章、桂ユキ子(ゆき)の七名を発起人として前衛傾向を示す画家の結集を提唱し、一九三八年一〇月、ついに二科会の内部に「九室会」が発足する[図1]。発起人のほか斎藤義重や伊藤、井上、鷹山を含む二九名が参加し、東郷と藤田嗣治が顧問に迎えられた。★4

一九三九年五月、高井や伊藤研之らが新たに加わり第一回九室会展が開幕する。機関誌『九室』一号[D65]を発行し、大阪でも第一回展が開催された。盧溝橋事件以後の中華民国をめぐる感情を露にする難波架空像(香久三)の《蒋介石よどこへ行く》[068]や、開催直前に死去した小林孝行の《出発》も展示された。

一九四〇年三月、第二回展の開催とともに『九室』二号[D66]を発行し、再び大阪巡回展が開かれる。だが翌年九月に開催されたのは、時局を反映した航空美術展であった。戦中の九室会としての活動としては、一九四三年五月の第三回展が最後となる。抽象とシュルレアリスムが、対立ではなく差異として一室に共存していた第九室の可能性は、その双方を否定する「不気味」★5な時局によって押し流されていく。(ST)

D66
『九室』
2号、1940年3月、SOMPO美術館

D65
『九室』
1号、1939年5月、SOMPO美術館

図1
九室会発足当時 ★6

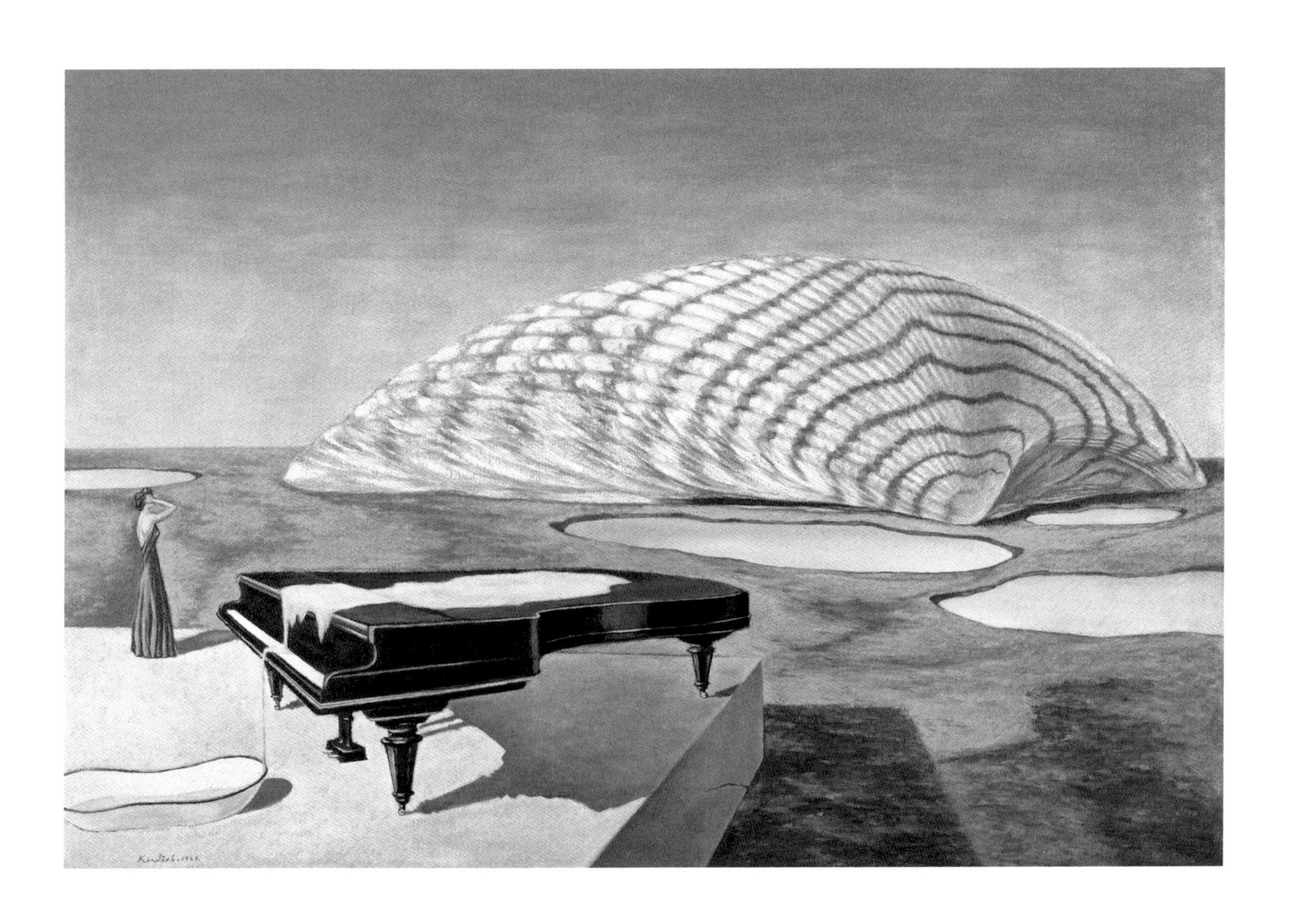

066
伊藤研之
音階
1939 年
福岡市美術館
第 26 回二科展

Itō Kenshi
Musical Scale
1939
Fukuoka Art Museum

067
桂ゆき
土
1939 年
広島県立美術館
第 26 回二科展

Katsura Yuki
Soil
1939
Hiroshima Prefectural Art Museum

068
難波架空像（香久三）
蒋介石よどこへ行く
1939 年
板橋区立美術館
第 1 回九室会展

Namba Kakuzō
Chiang Kai-shek,
Where Are You Going?
1939
Itabashi Art Museum

図2
北脇昇《土星への幻想》
1938年、東京国立近代美術館 ★4

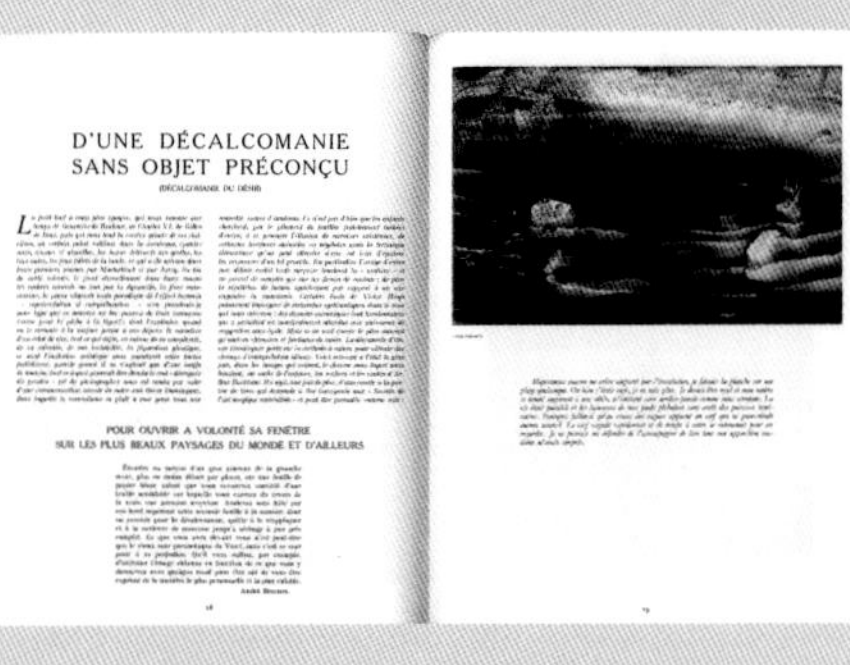
D'UNE DÉCALCOMANIE
SANS OBJET PRÉCONÇU
(DÉCALCOMANIE DU DÉSIR)

POUR OUVRIR A VOLONTÉ SA FENÊTRE
SUR LES PLUS BEAUX PAYSAGES DU MONDE ET D'AILLEURS

André Breton.

図1
「あらかじめ対象を想定しないデカルコマニーについて」
『ミノトール』8号、1936年6月より

デカルコマニー

シュルレアリスムの造形手法のひとつ、デカルコマニーは、絵具を画面にのせ、紙などで上から圧さえて半ば自動的にイメージを生み出す技法である。これが初めて報告されたのは、雑誌『ミノトール』八号（一九三六年六月）の記事「あらかじめ対象を想定しないデカルコマニーについて」であった［図1］。記事ではブルトンの文章とともに、ブルトン、タンギー、手法の発見者とされるオスカル・ドミンゲスらのデカルコマニー一〇点が掲載されている。

この記事を受けて日本でもこの技法が紹介、実践される。同年一二月の『阿々土（あぁと）』誌にこの記事が瀧口修造によって訳出され、翌年三月の第五回新造型展では、瀧口と瀧口綾子、今井滋らがデカルコマニーを出品、五月の『みづゑ』誌では今井が、『アトリヱ』誌では瀧口綾子が、技法と作例を紹介した。同月刊行の『海外超現実主義作品集』［D34］の表紙を飾った瀧口修造による作品はよく知られる。★1

以後、多くの画家がこの技法を試みたようだ。小谷博貞（こたにひろさだ）は、瀧口修造が多摩帝国美術学校の特別講義で他の新技法とともにこの技法を解説して学生に刺激を与えたと回想する。★2 米倉壽仁、糸園和三郎［072］らの作例が現存し、福沢一郎は三〇年代末頃の油彩《風景》（一般財団法人草月会）でこの技法を応用した。北脇昇は、多色を用い、かつコラージュ技法も組み合わせた《土星への幻想》［図2］を制作、三八年の創紀美術第一回展に出品する。

自由美術家協会展で注目を集めた平岡潤［069–071］は、デカルコマニーを自らの主要な表現手段とした。自ら「意識的デカルコマニー」と呼んだように、平岡においてはこの手法本来のオートマティスム的な性格よりも繊細な技巧的要素が強い。★3 この技法を大画面に展開した佐田勝《野霧（のぎり）》（一九四一年、姫路市立美術館）は、日本画風の作品であり、弾圧のなかでの前衛表現のあり方を考えさせる。（ＨＹ）

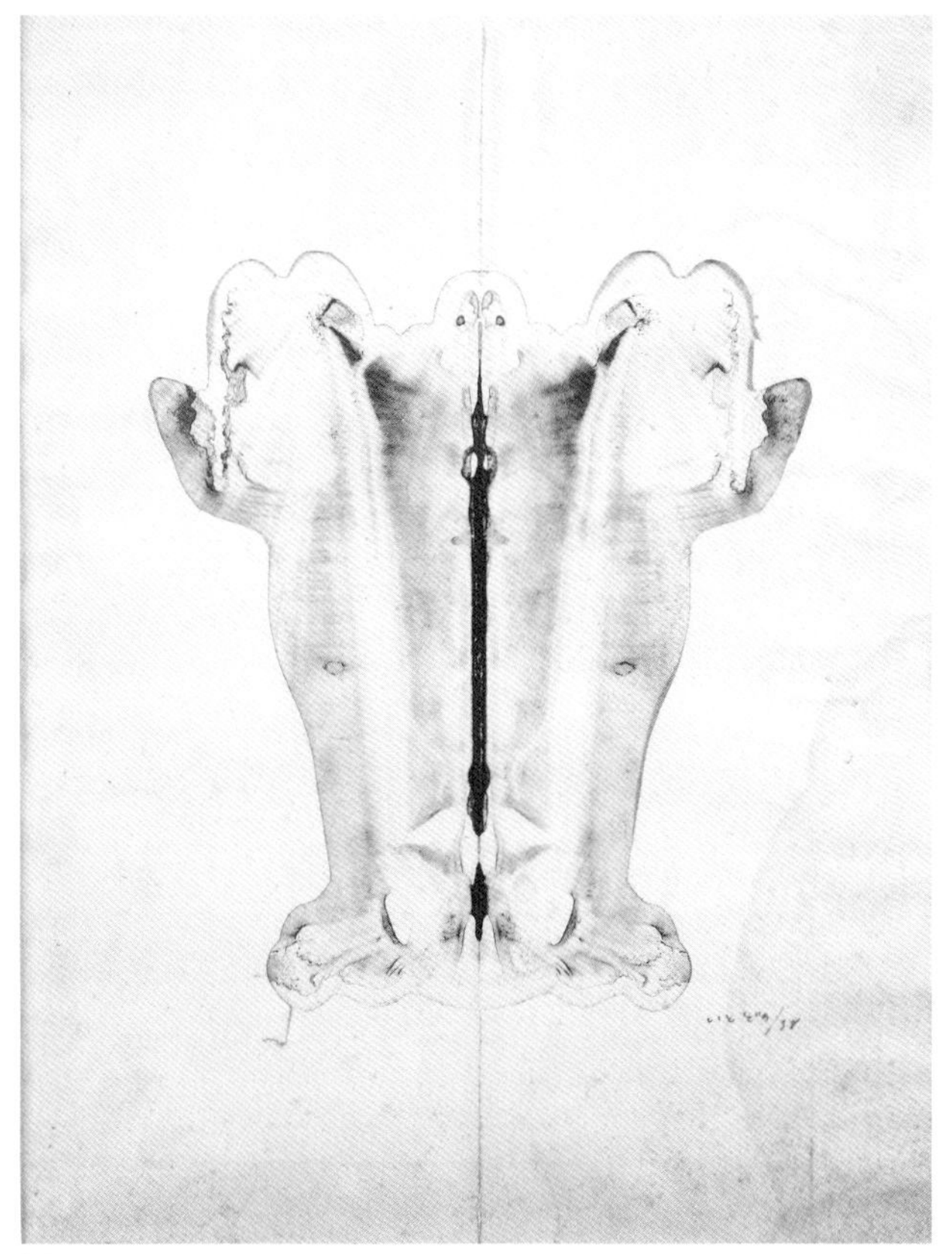

072

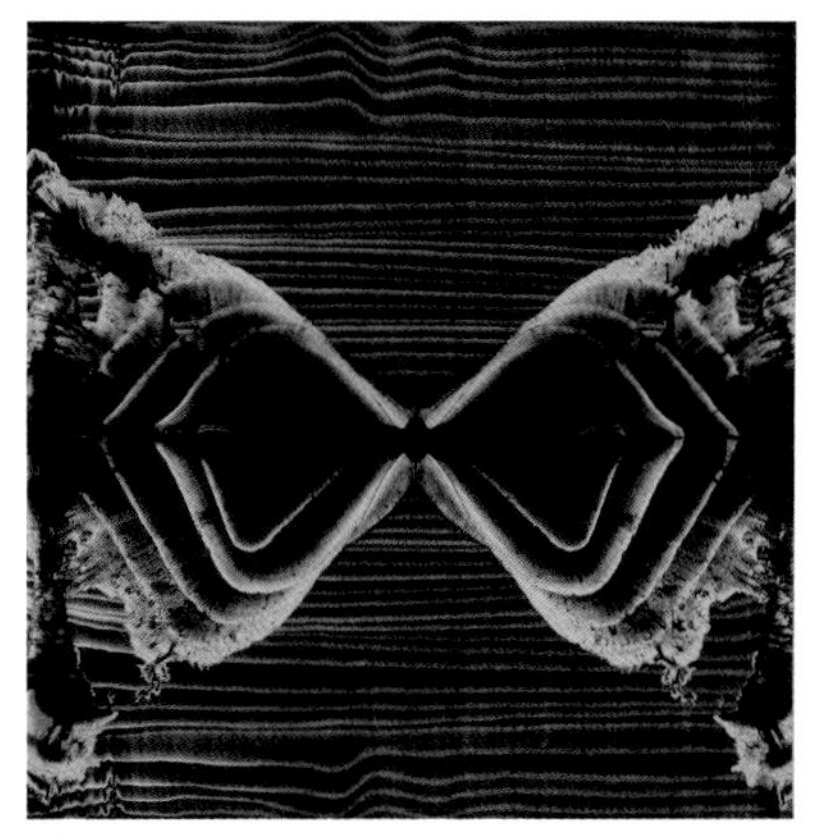

069

070

071

069–071

平岡潤	Hiraoka Jun
デカルコマニー	*Decalcomania*
1938 年頃	c.1938
三重県立美術館	Mie Prefectural Art Museum

072

糸園和三郎	Itozono Wasaburō
無題（デカルコマニー）	*Untitled (Decalcomania)*
1939 年	1939
名古屋画廊	Nagoya Gallery

帝国美術学校 最後の前衛グループ ジュンヌ・オムと絵画

「ジュンヌ・オム」(Jeune Homme)と「絵画」はいずれも帝国美術学校の学生たちが結成した絵画グループである。

ジュンヌ・オムは学生七人により結成され、一九三八年一月に一回展が開催された。二回展の目録には「ABSTRACTART ET SURREALISME」(原文ママ)[D68]とあるように、発表されたのはシュルレアリスム風のものだけではなく、田中富士雄《作品》[図1]のような抽象的な作品もあった。瀧口修造は彼らの作品について「征服すべき造型上の問題を控へてゐる」としつつも「一つの線、一つのマッス、一つの色彩にも諸君の若さが燃焼してゐてほしい」と評した。[★1] 渡辺武《風化》[073]や山本昌尚《作品》[074]のように強調された地平線、ダブル・イメージで描かれた雲のある作品は映画の一場面のように象徴的である。会員には学内の映画研究会に所属した者もあり、渡辺は卒業後映画会社へ就職した。

絵画は「絵画的なポエジーの燃焼」を求めて浜田浜雄、石井新三郎らに加え、当時、京都帝国大学の学生であった河北倫明も参加し八人で結成され一九三八年一二月に第一回展が開催された。瀧口が「二、三を除いてダリのエピデミックな影響は、よいにつけ悪いにつけ考へさせられた」[★2]と述べているように、同展では石井《夏の午后》[図2]のようにダリのダブル・イメージの手法を使い、地平線が強調された褐色の大地や破壊されたオブジェを描いた作品が多く見られた。浜田が二回展で発表した《ユパス》[076]には、岩と人の横顔がダブル・イメージで描かれ、水面には岩とともに薄暗い空が反射している。ジャワ島の毒樹の名前をつけた本作には、本格的な戦時体制に入る直前の閉塞した社会状況も反映されているのだろう。会員の中には警察から注意を受けた者もいたという。浜田は当時の活動について「伝統、権威、規範、既成の概念や意味」などへの反発や否定があったと振り返っている。[★3](HS)

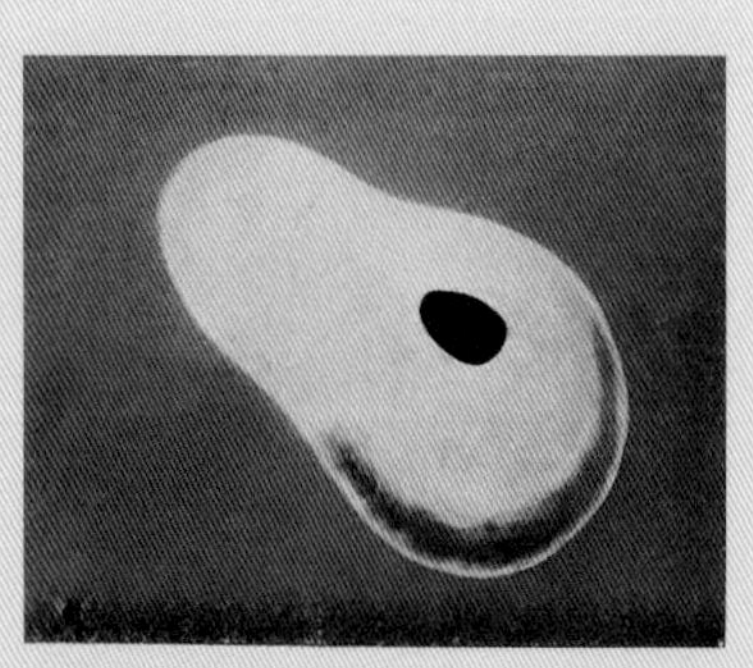

図1
田中富士雄《作品》

図2
石井新三郎《夏の午后》
1938年、板橋区立美術館

D69
ジュンヌ・オム第 3 回展（目録）
1939 年 5 月、行田市郷土博物館

D68
ジュンヌ・オム第 2 回展（目録）
1938 年 10 月、行田市郷土博物館

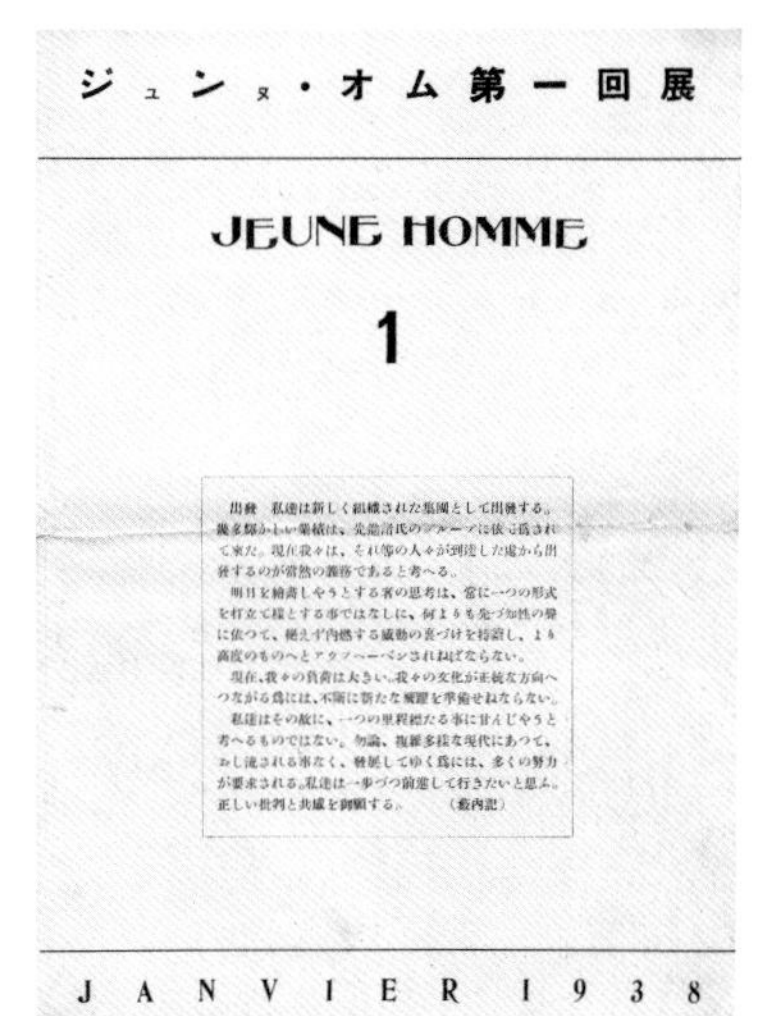
ジュンヌ・オム第一回展

JEUNE HOMME

1

出發　私達は新しく組織された集團として出發する。幾多輝かしい業績は、先進諸氏のグループに依って為されて来た。現在我々は、それ等の人々が到達した處から出發するのが當然の義務であると考へる。

明日を締齎しやうとする者の思考は、常に一つの形式を打立て様とする事ではなしに、何よりも先づ知性の欅に依つて、絶えず内燃する衝動の裏づけを特證し、より高度のものへとアウフヘーベンされねばならない。

現在、我々の負荷は大きい。我々の文化が正統な方向へつながる為には、不斷に新たな展望を準備せねばならない。

私達はその故に、一つの里程標たる事に甘んじやうと考へるものではない。勿論、複雜多様な現代にあつて、おし流される事なく、發展してゆく為には、多くの努力が要求される。私達は一歩づつ前進して行きたいと思ふ。正しい批判と共感を御願する。　（藪内記）

JANVIER 1938

D67
ジュンヌ・オム第 1 回展（目録）
1938 年 1 月、行田市郷土博物館

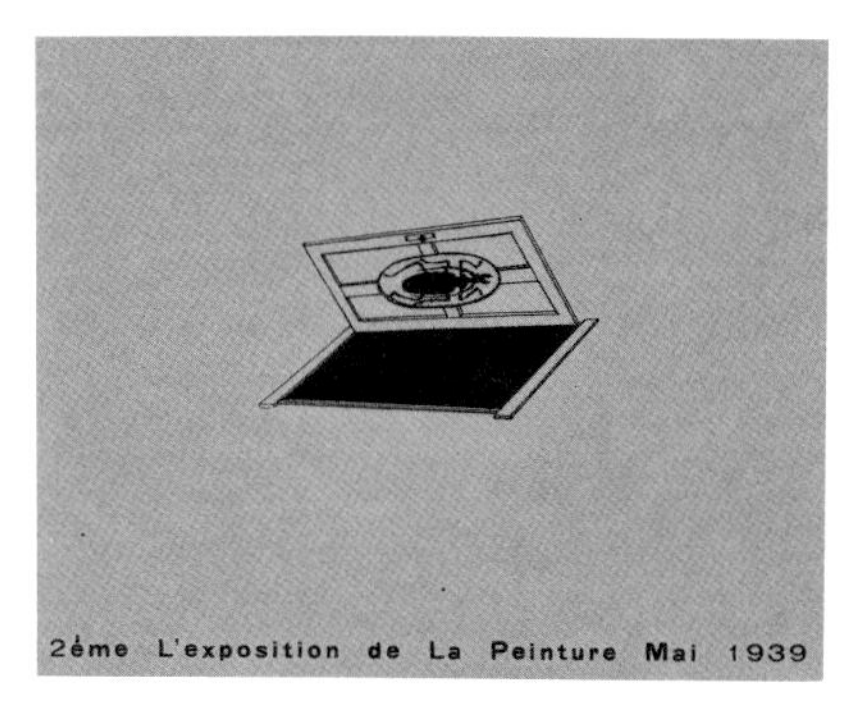

D71
絵画　第 2 回展（目録）
1939 年 5 月、行田市郷土博物館

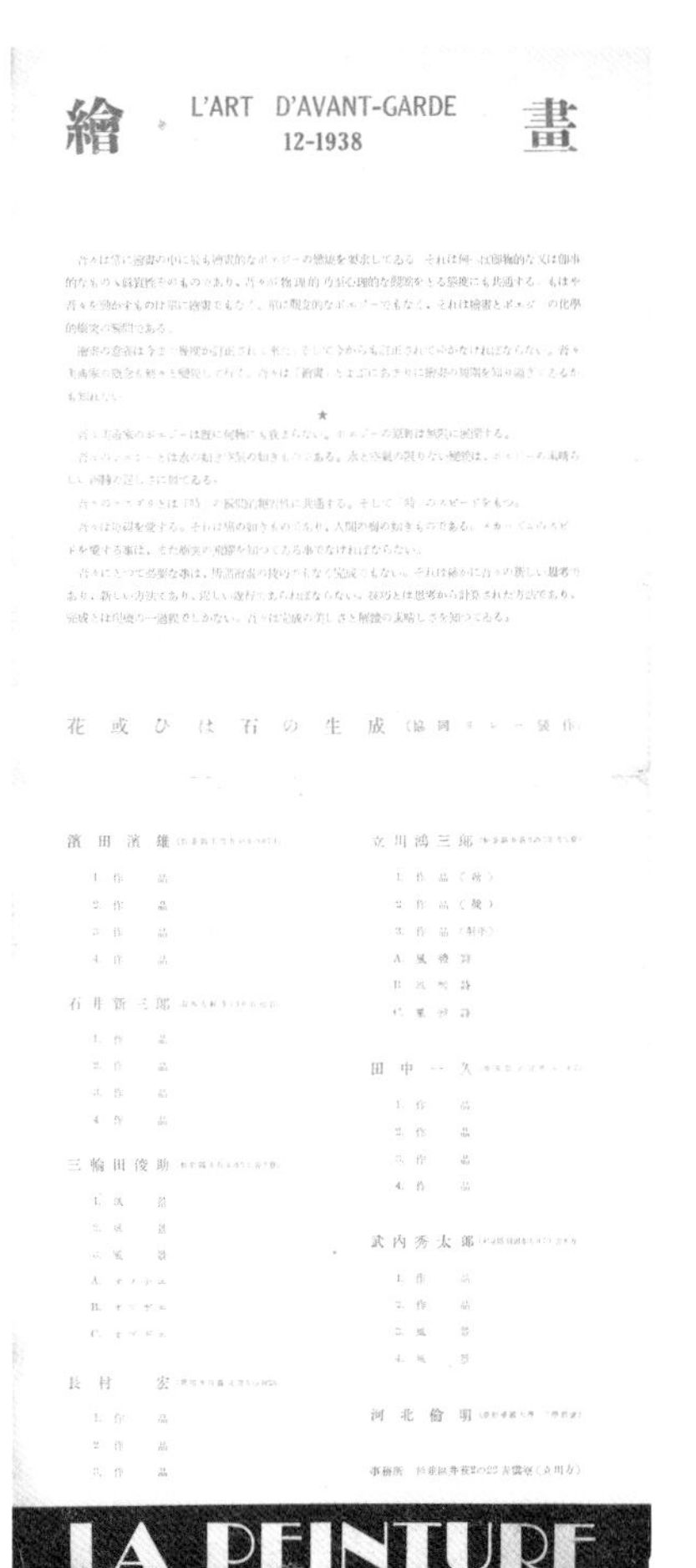
繪　L'ART D'AVANT-GARDE 12-1938　畫

花或ひは石の生成

LA PEINTURE

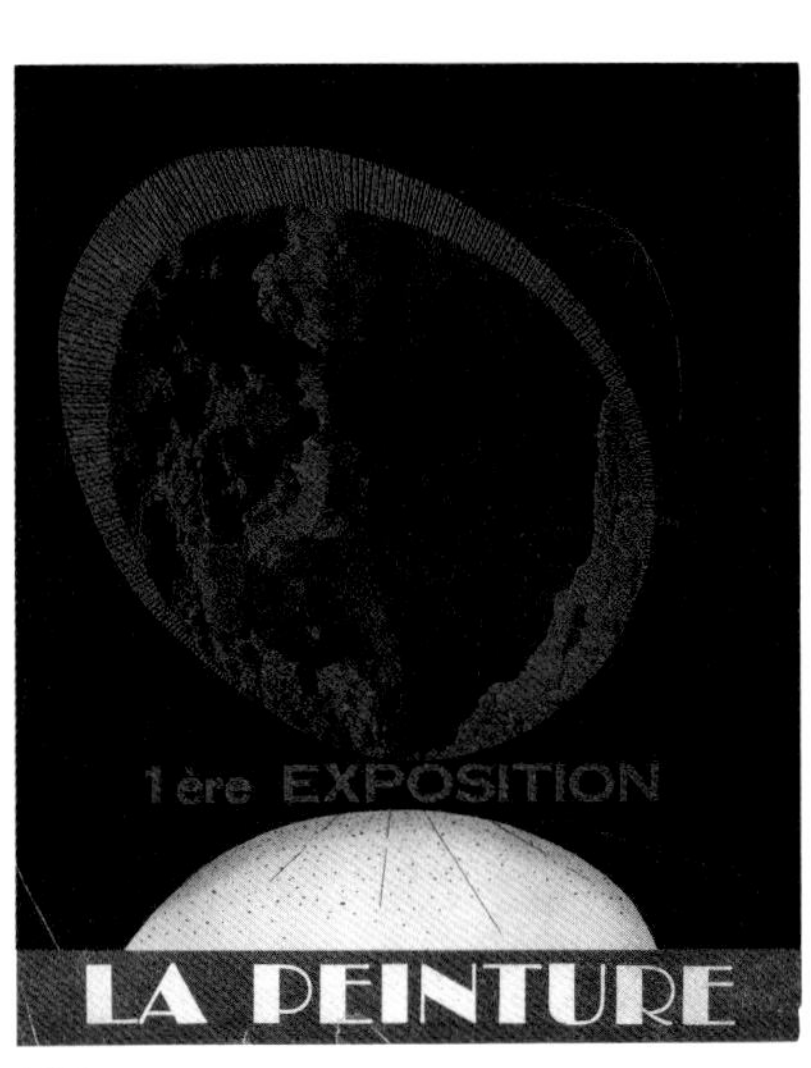

D70
La Peinture 絵画　第 1 回展（目録）
1938 年 12 月、行田市郷土博物館

073

渡辺武	Watanabe Takeshi
風化	*Erosion*
1939 年	1939
板橋区立美術館	Itabashi Art Museum
第 4 回ジュンヌ・オム展	

074
山本昌尚
作品
1939 年
板橋区立美術館
第 4 回ジュンヌ・オム展

Yamamoto Masanao
Work
1939
Itabashi Art Museum

075
石井新三郎
作品
1938 年
板橋区立美術館

Ishii Shinzaburō
Work
1938
Itabashi Art Museum

076
浜田浜雄
ユパス
1939年
東京国立近代美術館
第2回絵画展

Hamada Hamao
Upas
1939
The National Museum of Modern Art, Tokyo

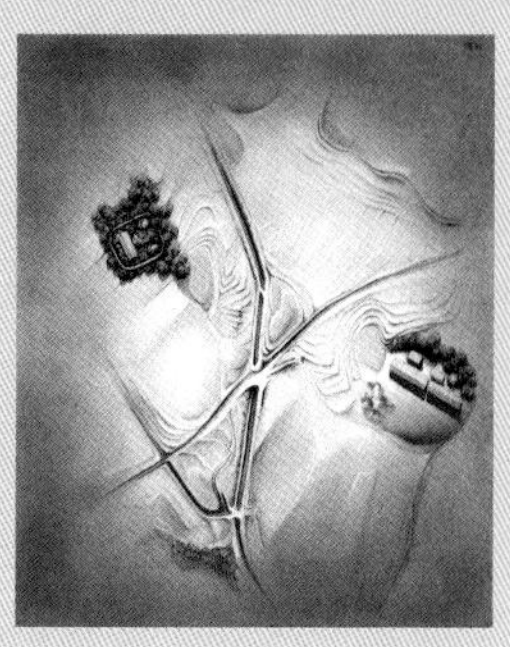

図1
北脇昇《聚落(観相学シリーズ)》
1938年、東京国立近代美術館 ★5

図2
浜田浜雄《予感》
1937年、米沢市上杉博物館 ★6

D72
瀧口修造『ダリ』
西洋美術文庫、第24巻、
アトリヱ社、1939年、個人

ダリの影響——ダブル・イメージと地平線

一九三〇年代後半の日本のシュルレアリスム的な絵画表現に見られる顕著な現象としてサルバドール・ダリの影響がある。瀧口修造は、「ダリの影響が一部の若い作家の間に、不可視な光線のやうに迅速に伝播した」★1と形容したが、一九三六年六月の『みづゑ』誌の記事「サルヴァドル・ダリと非合理性の絵画」をはじめ、瀧口自身の紹介が影響力を持ったことも確かである。彼は一九三九年、日本最初の画集『ダリ』[D72]も著した。

ダリがシュルレアリスム運動に加わったのは一九二九年であり、日本への紹介も他の画家より遅れた。だが、早くからダリに関心を寄せた山中散生はエリュアール詩集刊行のため挿絵を依頼し、送られた素描四点は一九三六年一月の第二回新造型展に展示された。一九三七年から独立展や二科展で、ついで画学生たちの間でダリの影響は爆発的に拡がり、一方で批判もされた。★2

彼らの作品では、ひとつのかたちが複数の形象に読める、ダリ独特の手法ダブル・イメージがしばしば試みられたが、これをシステマティックに応用した作例として、北脇昇の一九三八―三九年の「観相学シリーズ」[図1]が挙げられる。

さらにこの影響に関わる現象として、ダリの絵にあるような地平線が多く描かれたことが指摘できる[図2]。二〇〇三年に「地平線の夢」展を企画した大谷省吾は、三〇年代の絵画に多く描かれた地平線に、閉塞した時代状況における、危機からの脱出願望、「いま・ここ」から遠く離れた理想郷を求める広い意味での浪漫主義志向を読み取っている。★3

ダリの影響の早い実例である米倉壽仁《ヨーロッパの危機(世界の危機)》[031]や杉全直の《跛行》[059]にも見られるように、ダリの絵画は社会や個人にとって切実な観念や思惟を表す象徴や寓意の絵画言語を画家たちにもたらしたといえよう。ダリ風に歪み変形された主に人体の表現は、戦後一九五〇年代の前衛絵画にも影響を及ぼしたと思われる。★4

(HY)

077
土屋幸夫
果てしなき餐食
1938年
広島県立美術館
創紀美術協会京都前哨展

Tsuchiya Yukio
Endless Dinner
1938
Hiroshima Prefectural Art Museum

図 1
吉井忠が撮影したグラディーヴァ
1937 年 6 月、個人

図 2
吉井忠によるエスキス、個人

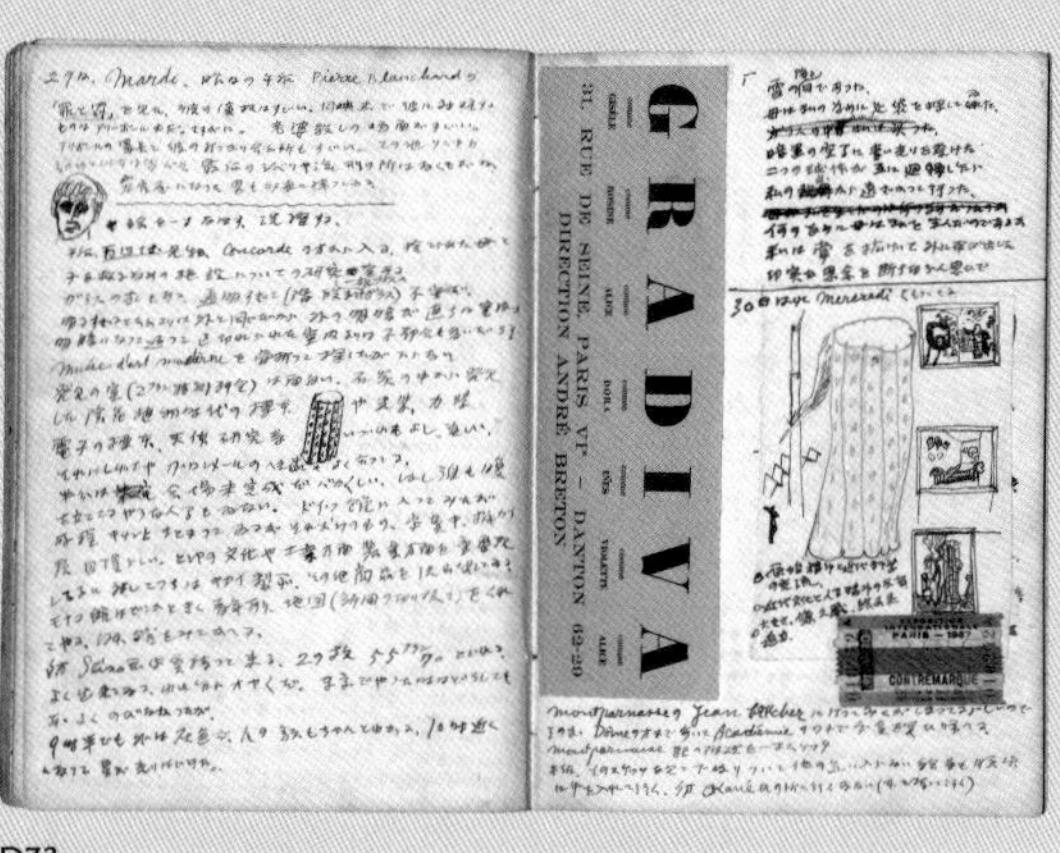

D73
グラディーヴァでブルトンにもらった印刷物が貼付された日記
吉井忠　日記、1936–37 年、個人

吉井忠（よしいただし）のフランス留学（一九三六―一九三七）

一九三六年一〇月一七日、東京を発った吉井忠は、下関から釜山に渡りシベリア鉄道でモスクワに向かった。[★1] パリに到着したのは一〇月三一日のことである。ここからモンパルナス地区のアトリエに寄宿しながらアカデミー・ド・ラ・グランド・ショミエールに通いデッサンに励む、約一〇カ月の生活を開始する。日記に「実物を見る事――これがすべて」[★2] と記していた吉井は、画業と人生の分岐点ともいうべき期間に、ルーヴル美術館や画廊、本屋、イタリアやベルギーを巡り自らの目と足で西洋の文化を吸収した。

シュルレアリスムの動向に関心を持っていた吉井は、福沢一郎に宛てた手紙で「シュール派の展覧会も見たいと思ふのですが、なかなか見当らず実際やつてないらしいのでどうも仕方ありません」と、運動が下火であることを伝える。[★3] だが一九三七年六月、町を散策していた吉井はブルトンがパリで経営し始めた画廊、グラディーヴァを発見する。デュシャンが設計した入口には「人間の形に切り抜かれ」たドアが設置され、中には大量のオブジェに囲まれた「白髪交りのブルトン先生」がいた[★4]（[D73] [図1]）。

グラディーヴァを訪れていた作家のひとりがピカソである。吉井はパリで二度、ピカソに出会っている。そして帰国直前の一九三七年七月、パリ万国博覧会場を訪れた吉井は、未完成だったスペイン館で「ゲルニカ」と名付けられる以前の壁画《ゲルニカ》を見た。パリでの穏やかな生活と、急激に悪化する時局の間にあって、「マグマを内に秘めた休火山という感じだった」[★5] という《ゲルニカ》の印象は、吉井の中に深く沈潜していく。

帰国後、吉井が第一回創紀美術協会展に出品したのは《二つの営力・死と生と》[079] であった。ジャン・ルノワールの映画『ピクニック』を想起させる女性とその奥に横たわる死体、水平線とその先に広がる不穏な雲が接合された世界に、性と生に対する憧憬と不吉な予感が漂う。吉井にとってのシュルレアリスムは、パリと東京の間で始まったばかりであった [図2]。（ST）

079
吉井忠
二つの営力・死と生と
1938 年
宮城県美術館
第 1 回創紀美術協会展

Yoshii Tadashi
Two Driving Forces, Death and Life
1938
The Miyagi Museum of Art

創紀美術協会

創紀美術協会は、糸園和三郎や斎藤長三らの飾画、寺田政明や浜松小源太らのエコルド東京、京都の新日本洋画協会の北脇昇と小牧源太郎、「表現」に参加していた浅原清隆、独立展に出品していた古沢岩美など別々に活動をしていた一九人の画家により一九三八年四月に結成された。結成書には日中戦争開戦という「社会事象変貌の非常の秋」に「文化再建設に対する意慾」を持ち集った彼らは「単一なるイズムに偏向するもの」ではないとしているが、多くはシュルレアリスムに関心を示していた。

同年七月、京都の朝日会館で前哨展が行われた。古沢は東京で会場が取れなかったためだとするが、小牧は「京都で創紀美術を先取りしようと言う北脇の案を実行」したものだと語っている。[★1] いずれにせよ、京都在住の北脇と小牧は同会に積極的だった。同展では小牧《生誕譜 No.1》[図1]、土屋幸夫《果てしなき餐食》[077]などが紹介された。

一〇月の第一回展では、浜松《世紀の系図》[078]、吉井《二つの営力・死と生と》[079]、寺田《宇宙の生活》[図2]、古沢《砂漠の育成》[図3]などに加え、瀧口修造の出題による「火」をテーマにした作品も発表された。同展ではデカルコマニー、オブジェなども出品されている。瀧口が「実験的オブジェの展示など意義深きものがある」と評したオブジェそのものは現存しないようだが、『みづゑ』には阿部芳文撮影の会員たちのオブジェの写真が掲載された。[★2] 評論家の江川和彦は「それはフランス流のシュルレアリスムから脱皮し、日本的前衛芸術の創生を意図するもの」だと述べるなど、展覧会は好評だった。[★3]

その後も同会は活動を続け、吉井忠の日記によると一九三九年二月の例会では瀧口による講演が行われたという。[★4] しかし、三月に多くの会員が出品していた独立展の入選作が発表されると、不満を抱いた会員の間で新組織の立ち上げへの気運が高まり、創紀美術協会を発展的に解消させる形で五月に美術文化協会が結成された。（HS）

図1
小牧源太郎《生誕譜 No.1》
1938年、板橋区立美術館

図2
寺田政明《宇宙の生活》
1938年、板橋区立美術館

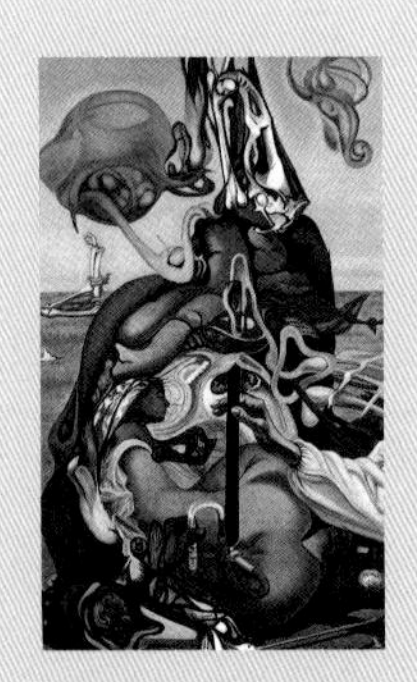

図3
古沢岩美《砂漠の育成》
1938年（再制作）、個人

D76
創紀美術第 1 回展（ポスター）
1938 年、個人

創紀美術
第一回展
會期 十月廿六日—卅一日
會場 銀座 青樹社画廊

D74
創紀美術第 1 回展（案内葉書）
1938 年、行田市郷土博物館

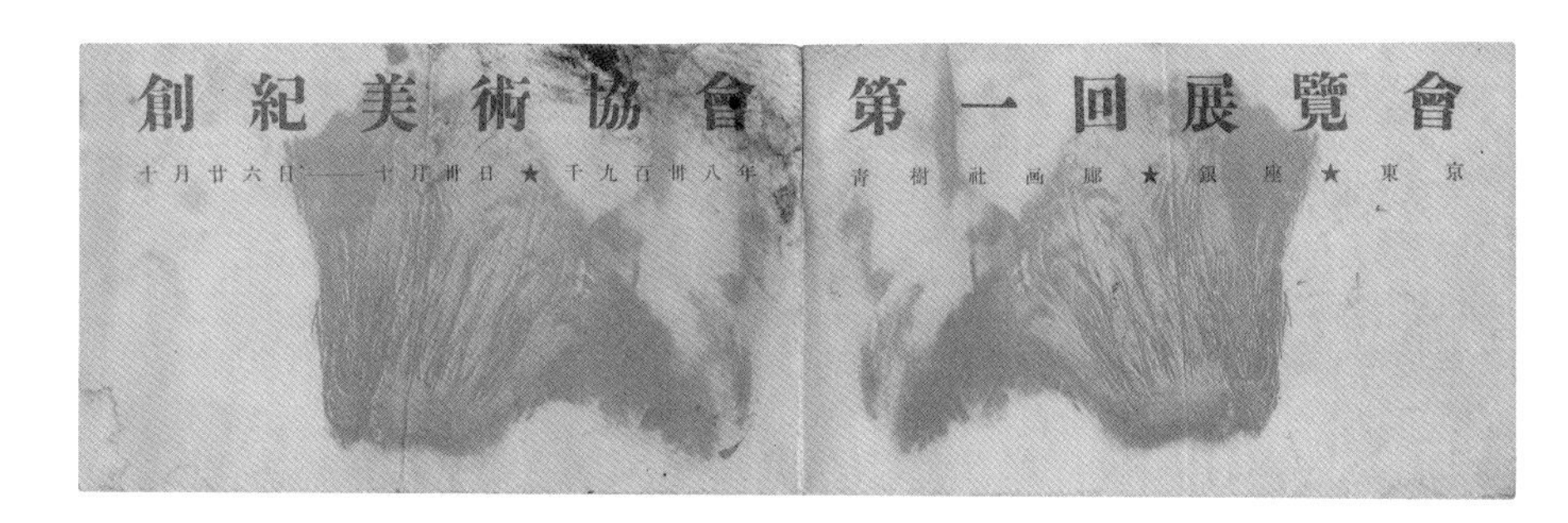

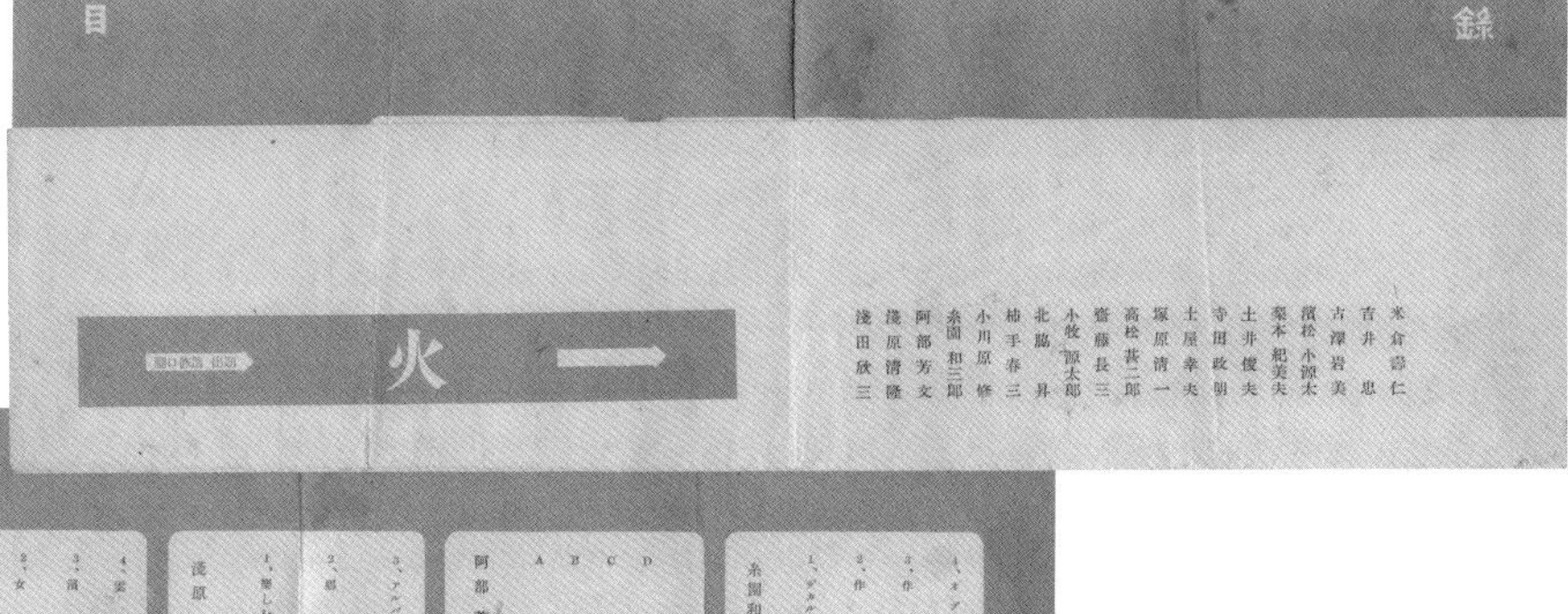

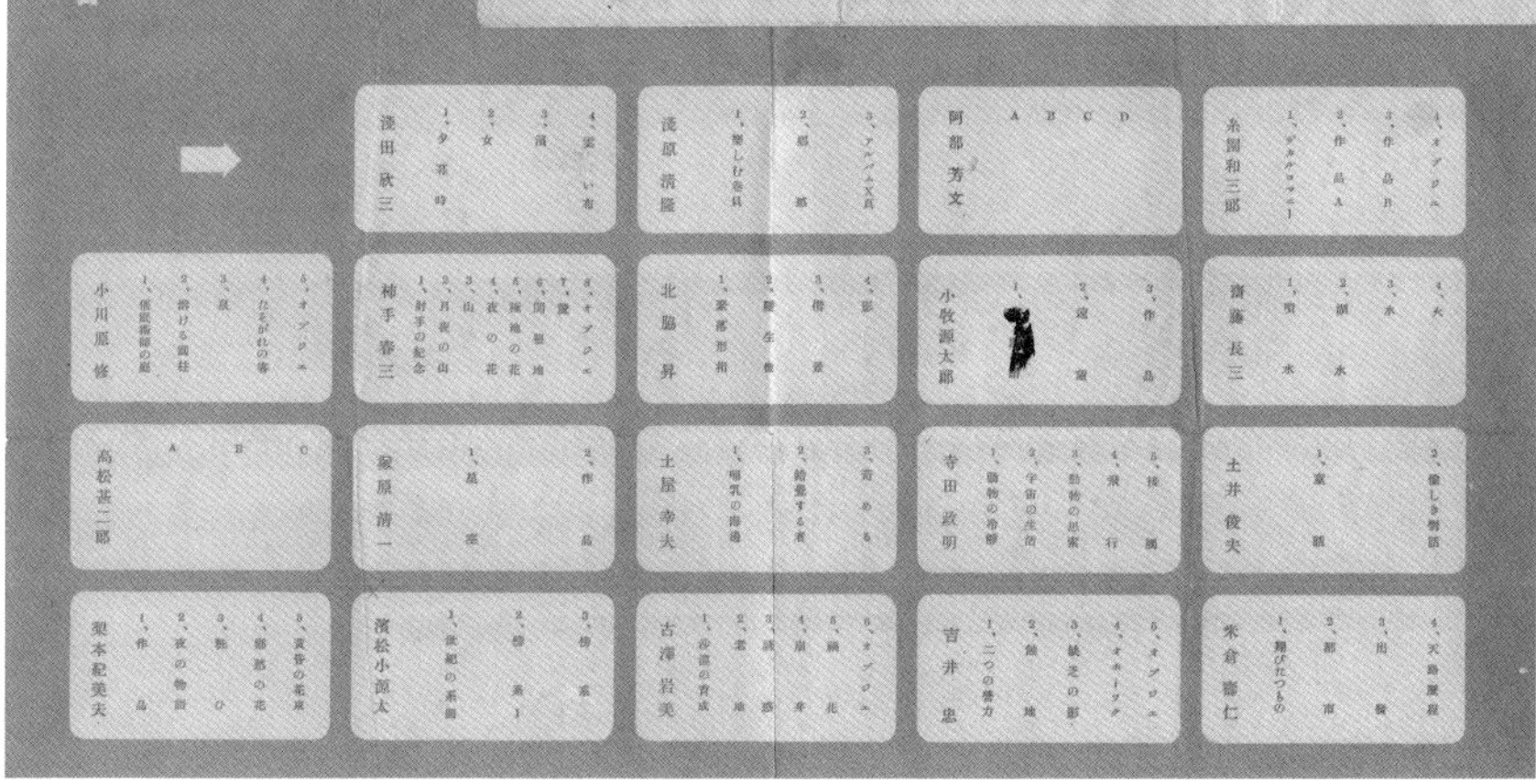

D75
創紀美術協会　第 1 回展覧会（目録）
1938 年 10 月、個人

078
浜松小源太
世紀の系図
1938 年
板橋区立美術館
第 1 回創紀美術協会展

Hamamatsu Kogenda
Genealogy of Century
1938
Itabashi Art Museum

國民美術の創成

第二回美術文化展開催に際して

昭和十六年四月

美術文化協會

D87
美術文化協会「国民美術の創成」
1941 年 4 月（小牧源太郎　スクラップブック
『第 1 巻 フク副 記録 第二種第一編』1937–47 年、市立伊丹ミュージアム）

図 1
第 1 回美術文化展（東京府美術館）
集合写真、1940 年 4 月19日 ★6

戦時下の美術文化協会

一九三九年五月、独立美術協会を脱退した福沢一郎を中心とする画家四〇名によって美術文化協会が設立された。創紀美術協会や九室会、帝国美術学校や東京美術学校の絵画グループ、そして独立美術協会に所属していた彼らは「芸術的意欲の喪失、絵画精神の曖昧不徹底」を嫌悪し、「真に我々の認識し、感覚するものに向つて、まつしぐらに肉迫[★1]」することを希求した。発会式には荒城季夫や外山卯三郎らとともに、会の活動に深く関与する瀧口修造が来賓として出席、会員たちは「時代に先行する前衛芸術を創造する[★2]」ための決意を新たに、多様な創作活動を開始した。

日本のシュルレアリスム運動を牽引した団体として知られるが、設立の声明文に「シュルレアリスム」や「超現実主義」の文字は含まれない。「前衛団体」として「無統制な作家の寄合世帯でなく、一つの方向を持つ事」が強調されたが、具体的な方向性は示されなかった。一方で会の機関紙『美術文化』[D77–82]には「シュルレアリスム」や「超現実主義」の文字が散見される。その曖昧さの背後には、悪化する時代を生きる画家たちの不安と切迫感を見ないわけにはいかない。『美術文化』四号に掲載予定の作品図版は、自主規制により掲載が見送られたという[★3]。

一九四〇年四月、東京府美術館（現・東京都美術館）で第一回美術文化展が開幕した[図1]。会場には抽象画を含む多種多様な会員作品のほか、公募で入選した作家の作品九六点[080–081]が並べられた。だが翌年四月五日、福沢と瀧口が治安維持法違反の嫌疑で拘束される。会が発行した文書「国民美術の創成」[D87]では「第二回展に披瀝して従前の誤解を一掃し、あわせて邦家の大東亜に於ける指導精神を画業の上に展開[★4]」することが宣言され、会員同士の相互審査が行われた第二回展では、寺田政明や小牧源太郎らの「不健康」な作品十数点が展示不可となった。「前衛団体」であることと「国策の線に沿つて実行[★5]」することの矛盾のなかで会を継続した一方で、個々の画家たちは時局における自らの役割と表現の可能性について模索し続けた。（ST）

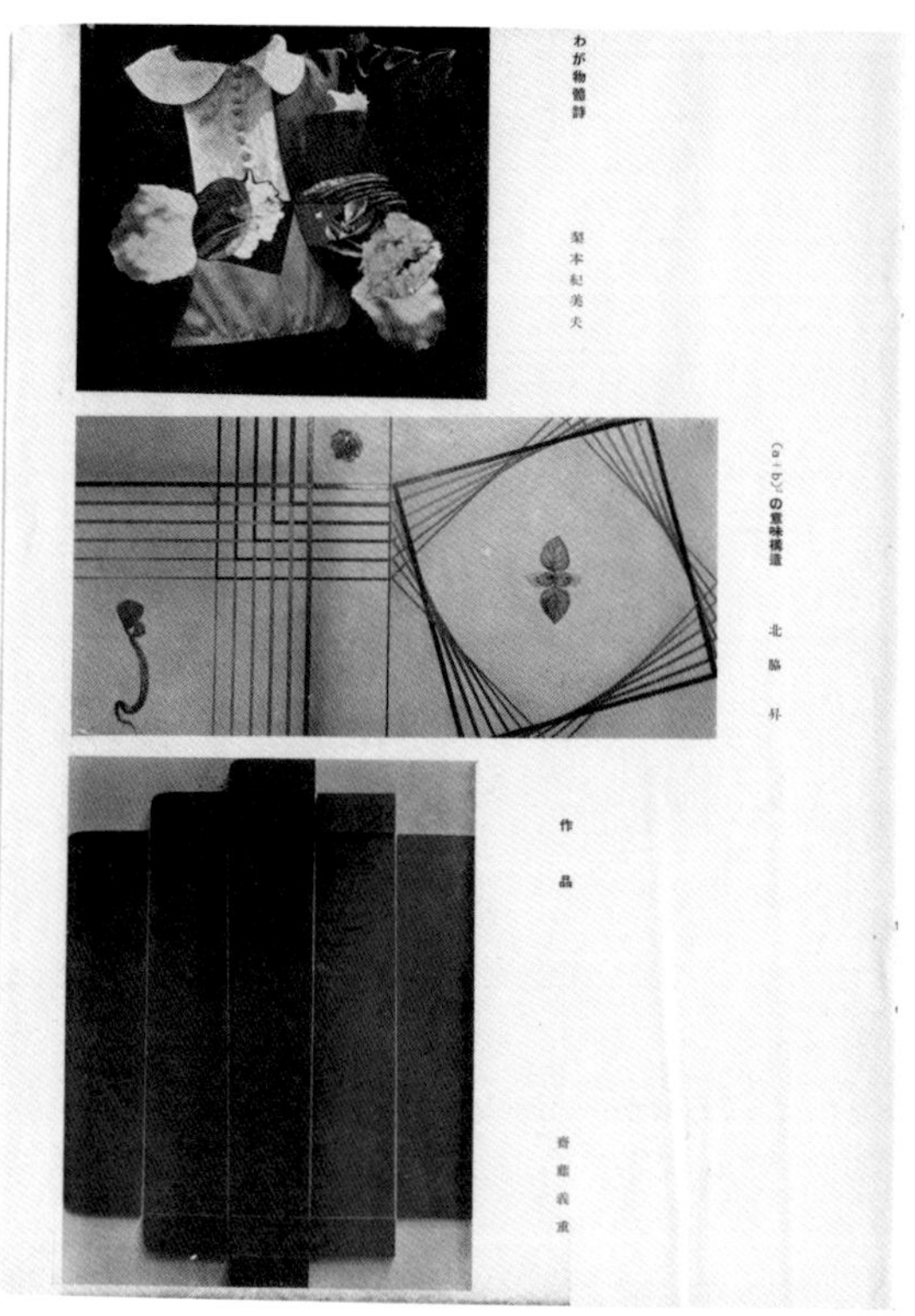

D79
『美術文化』
3号、1940年4月
板橋区立美術館

D80
『美術文化』
4 号、1940 年 8 月、板橋区立美術館

D78
『美術文化』
2 号、1939 年 12 月、板橋区立美術館

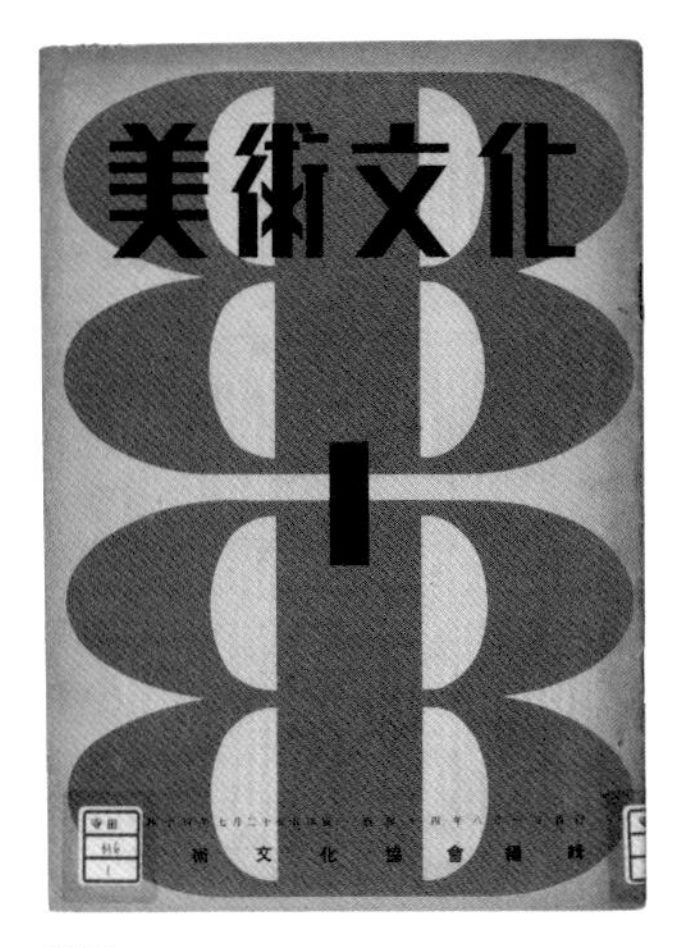

D77
『美術文化』
1 号、1939 年 8 月、板橋区立美術館

D83
『第 2 回美術文化小品展目録』
1941 年 12 月、板橋区立美術館

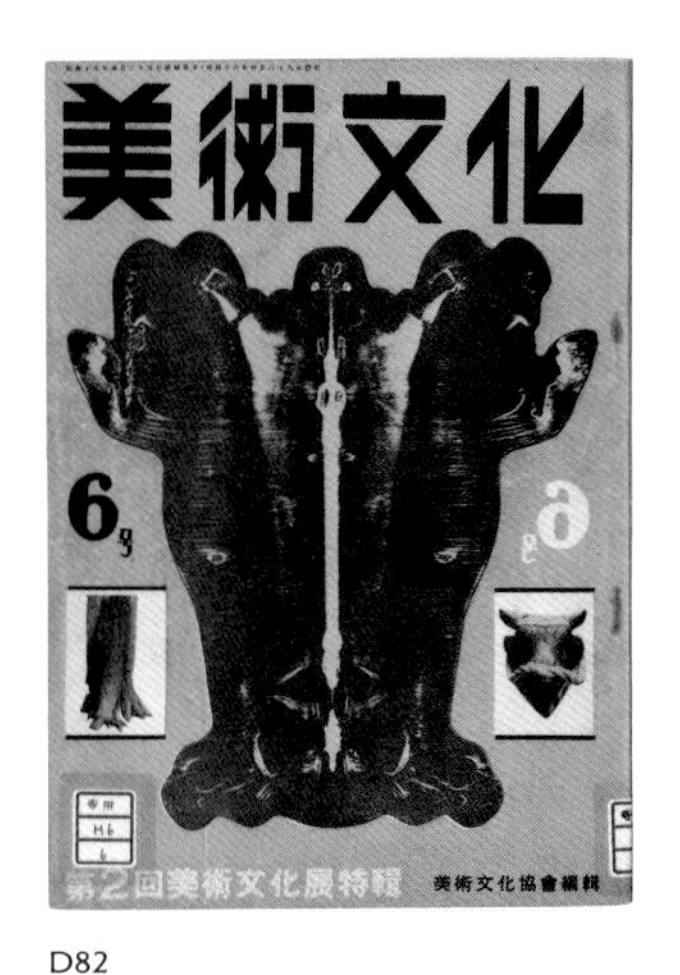

D82
『美術文化』
6 号、1941 年 4 月、板橋区立美術館

D81
『美術文化』
5 号、1940 年 11 月、板橋区立美術館

D85
『美術文化　4 回展集』
1943 年 5 月、板橋区立美術館

D84
『美術文化　第 3 回展集』
1942 年 5 月、板橋区立美術館

080
長末友喜
季節の貢
1939 年
北九州市立美術館
第 1 回美術文化展

Nagasue Tomoki
Tribute of Season
1939
Kitakyushu Municipal Museum of Art

081
多賀谷伊徳
飛翔する前
1939 年
多賀谷美術館
第 1 回美術文化展

Tagaya Itoku
Before Soaring
1939
Tagaya Art Museum

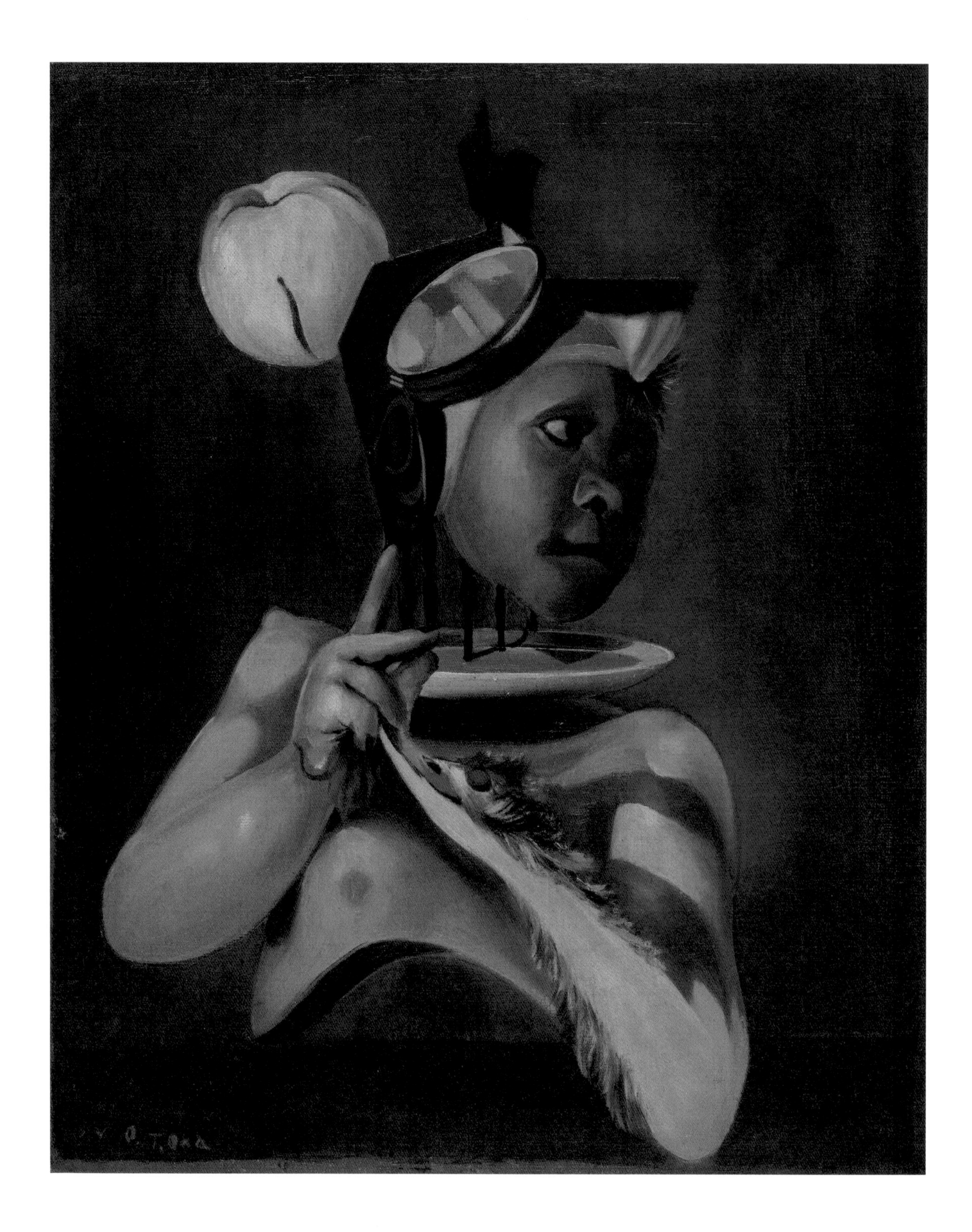

082
岡田徹
未熟のリンゴ
1940 年
岐阜県美術館

Okada Tetsu
Unripe Apple
1940
The Museum of Fine Arts, Gifu

083
吉川三伸
葉に因る絵画
1940 年
名古屋市美術館
美術文化協会名古屋グループ展

Yoshikawa Sanshin
Painting by Leaves
1940
Nagoya City Art Museum

084
石田順治
作品 2
1939 年
山口県立美術館

Ishida Junji
Work 2
1939
Yamaguchi Prefectural Art Museum

図1
佐田勝《戦利品A》
1939年、板橋区立美術館

図2
小川原脩《婦人像》
絵葉書

D86
新浪漫派１回展（目録）
（新浪漫派スクラップブック、個人）

新浪漫派美術協会

新浪漫派美術協会は、一九三九年五月に東京美術学校出身の磁座、デ・ザミの同人が福沢一郎の推薦のもとで提唱し、翌月にレ・リラや貌、同校の日本画科の学生たちによる成層絵画研究集団などに参加していた画家たちも加わって結成された。その背景には会員の出征や経済的な問題により小グループでの活動に困難が生じたこともあるようだ。結成時は佐田勝の自宅に事務局が置かれ、石田順治、小川原脩、大塚睦、浜田（高田）知明ら三七名の名前が連ねられたが、大幅な会員の出入りがあった。また出征などのために名前だけ掲載されていた人もいるという。「新鋭なる美術、広範なる前衛意欲の探究、行動」を目的にして結成されたこの会で発表されたのはシュルレアリスムに限らず、幅広い表現の油彩画、彫刻などであった。

一九四〇年二月の一回展には出征中の浜田を含め一〇人が出品した。佐田による壊れた大砲を描いた《戦利品A》［図1］や井手則雄のオブジェ風の彫刻もこの時に発表されている。一回展終了直後に病のため逝去した石田の絵画作品は続く二回展で特別展示された。石田の地平線が強調された大地に穴の空いた岩がどっしりと構えた一連の作品は、太平洋戦争開戦直前の押し迫った時代に逆らうように悠久の時を描いているようだ。

会員たちの作品は回を重ね、そして戦時色が一層強まるとともに変わっていく。出品作には風景や植物を描いた作品が増え、彫刻も写実的な表現になっていく。かつてエルンストを思わせる繁茂する植物が女性に絡みつく様を描いた《ヴィナス》［D86］を発表した小川原の作品は一変し、四二年に開催された四回展では西洋の古典絵画を思わせる《婦人像》［図2］を出品した。[★1] 前年に福沢と瀧口修造が拘束されたいわゆる「シュルレアリスム事件」を受けて画家たちはシュルレアリスム風と思われる表現を自粛するようになり、古典的な表現を引用したものも見られるようになった。[★2]（HS）

085
浜田知明
聖馬
1938 年
熊本県立美術館

Hamada Chimei
St. Horse
1938
Kumamoto Prefectural
Museum of Art

086
小川原脩
ヴィナス
1939 年
板橋区立美術館
個展（1939 年）

Ogawara Shū
Venus
1939
Itabashi Art Museum

矢崎博信と《時雨と猿》

戦前におけるシュルレアリスム的表現の隆盛を担った、学生を中心とする若い画家たちには過酷な運命が待ち受けていた。軍国主義の体制と戦争の激化のなかで創作活動が断たれたのみならず、出征し戦争で命を落とした者も多い。矢崎博信もそのひとりである。

一九三三年に帝国美術学校に入学し、在学中に「アニマ」ついで「動向」を結成、社会性をもった主題をシュルレアリスム風の語法で描き［図1］、いずれのグループにおいても矢崎は中心的な存在であった。卒業の年、第八回独立展に出品した《高原の幻影》［図2］は代表作のひとつと見なされる。矢崎は卒業後、郷里の長野へ帰り、小中学校の教員を務めながら制作を行うとともに芸術に関する思索を深め書き記した。

戦中、三度の召集を受け、一九四四年、太平洋上で輸送艦が魚雷を受けて二九歳の若さで逝去。だが、東京で活動した他の同世代画家の作品の多くが戦災や戦時の困窮で失われたなか、遺族ら関係者の努力もあって絵画、素描や日記、執筆原稿が保存され、これらは近年広く公開された。★1

《時雨と猿》［087］は矢崎が郷里で描いた最後の大作と思われる。屹立する枯れ木に四匹の猿が止まり、その向こうには切り立った崖が見える広大な、しかし陰鬱な風景が広がる。矢崎の残した未発表原稿のなかにはシュルレアリスムと俳諧の関係を論じたユニークな思索の試みがある。本作品は芭蕉の「猿蓑（さるみの）」の発句「初時雨猿も小蓑をほしげ也」をもとにしており、彼のこの思考に結びつく作例とされる。★2

この絵の制作過程は、残された日記からたどることができる。★3「色をなすりつけ」てみて、デッサンによらず「色の斑点の中から」「インスピレーションによって」描いたという記述から、オートマティスムの応用が指摘されており、★4謎に満ちた画面は、画家独自のシュルレアリスム的思考と実践の結実といえよう。（HY）

図1
矢崎博信《街角の殺意》
1937年、宮城県美術館 ★5

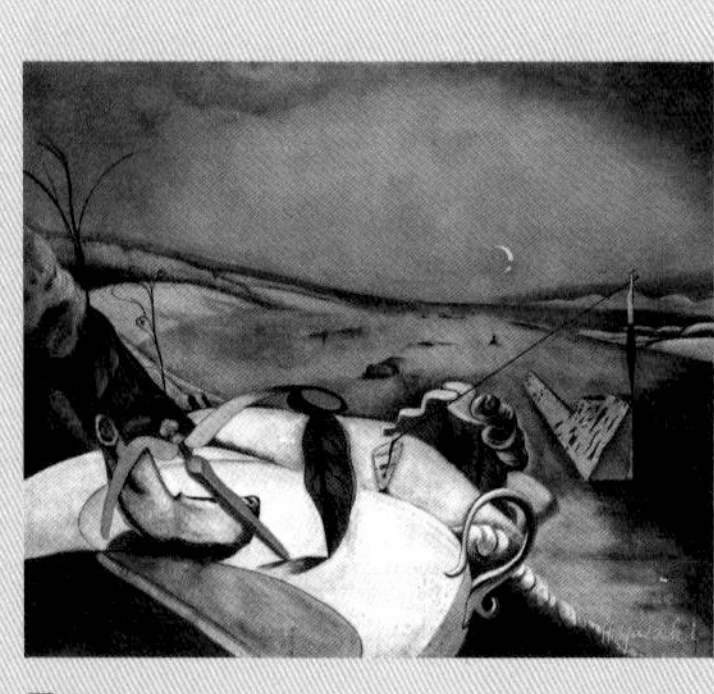

図2
矢崎博信《高原の幻影》
1938年、諏訪市美術館 ★6

087
矢崎博信
時雨と猿
1940 年
宮城県美術館

Yasaki Hironobu
Shower and Monkeys
1940
The Miyagi Museum of Art

図1
小牧源太郎・北脇昇二人展（京都朝日会館）
1939年
写真左より小牧、北脇

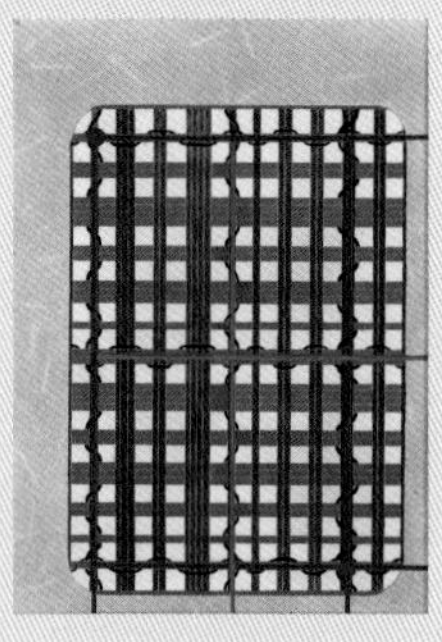

図2
北脇昇《非相称の相称構造（窓）》
1939年、東京国立近代美術館★5

北脇昇（きたわきのぼる）の「図式」絵画

長い影を携えた二本のウドが、まるで所在なく不安定に佇む人間のような生々しさで描かれた《独活》［045］は、北脇がフォーヴィスム的表現から距離を置き、シュルレアリスム的表現へと接近する契機となった。それから二年後の一九三九年、北脇が美術文化協会前哨展「北脇昇・小牧源太郎二人展」（京都朝日会館、［図1］）に出品したのは、自宅（現・廣誠（こうせい）院（いん））の下地窓から着想を得た《非相称の相称構造（窓）》［図2］をはじめとする、きわめて図式的な様相をした絵画であった。大谷省吾が「ここに至り北脇はシュルレアリスムの実験から踏み出し、秩序や構造の探求へと本格的に向かい始める」★1と述べるとおり、これを機に、以前の作品に見られた幻想性は影を潜め、因数分解や植物学、色彩学や仏教など多領域への興味関心を駆使しながら社会の構造や秩序について探究する、北脇の「図式」絵画が開始した。その背景には京都における前衛芸術の先導者としての自覚のみならず、数寄屋造りの建築物と広大な庭園からなる邸宅に寄宿する特殊な住居環境と生活、そして「新体制」に向けて急展開する時局に追い詰められた日常がある。

一九四一年、北脇が第二回美術文化展に出品したのは「周易」を冠した作品三点であった［088］。易をモチーフとする一連の作品は、緊迫する時局に対して急拵えで応じたものではなく、それまでの「図式」絵画の延長線上にある。中村義一が「同じように図式的な画面であり、同じように独自の思惟内容をひそませながらも、それが何であるのか一見読みとりようもない不思議な絵解きであるところに、共通点がある」★2と述べるそれらは、易経の知識やゲーテの色彩論からの影響を通して「復雑（ママ）怪奇」★3な現実社会の規則性を見るための「図式」絵画であり、情緒や偶然性、非合理性を否定しつつも、極限ではそれらを肯定する態度の表れでもある。新体制下を生きる画家として北脇が模索したのは、「相称と非相称」★4という反対概念とそこに孕む矛盾をも包括する「新しい絵画」の開拓であった。

（ST）

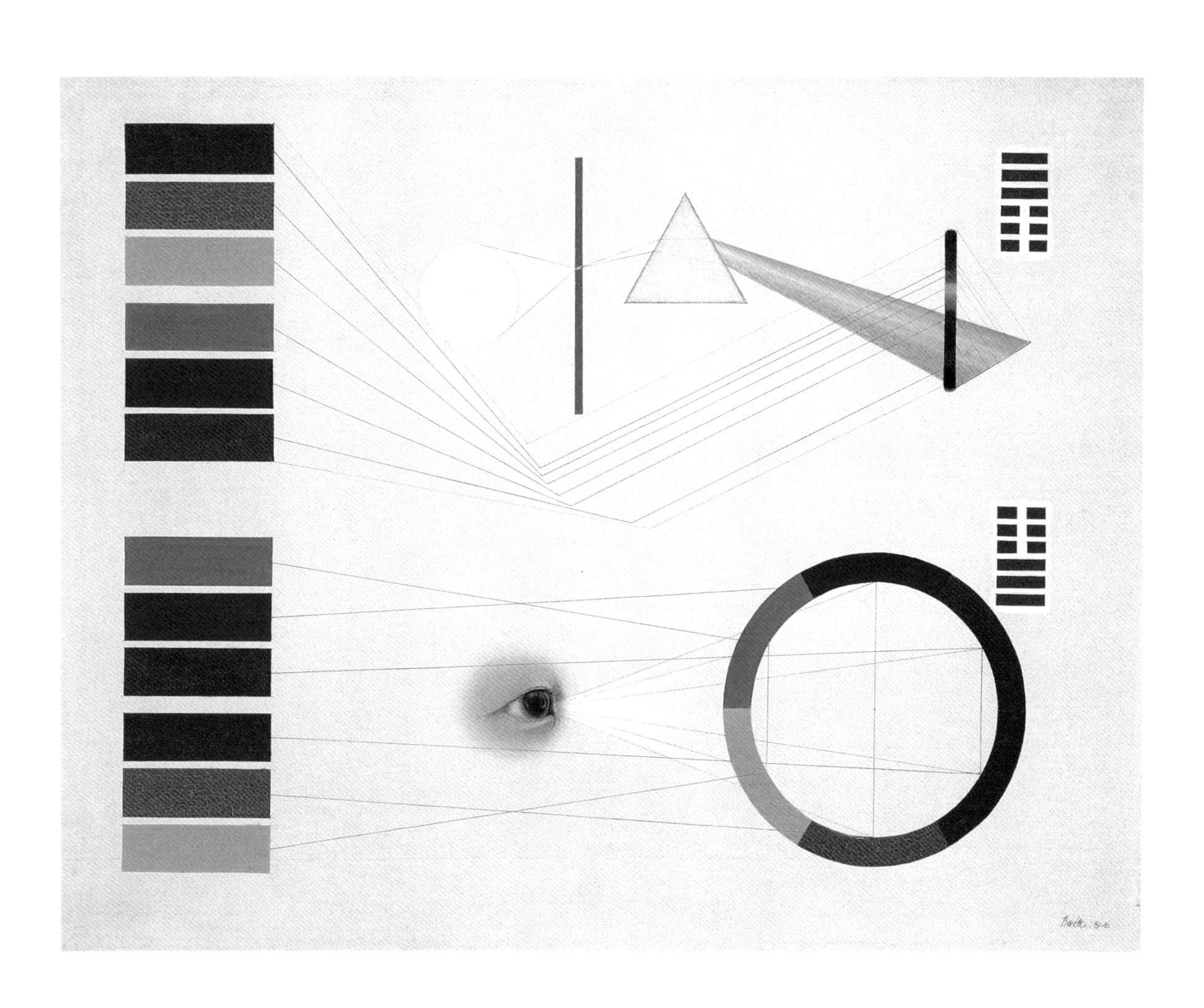

088
北脇昇
周易解理図（泰否）
1941年
京都市美術館
第2回美術文化展

Kitawaki Noboru
Analysis of Chinese
Divination of the Chau Period
1941
Kyoto City Museum of Art

D87
北脇昇から小牧源太郎に宛てた書簡
（小牧源太郎　スクラップブック『第 1 巻 フク副 記録 第二種第一編』1937–47 年、市立伊丹ミュージアム）

D88
吉井忠　日記
1941 年、個人

シュルレアリスムの弾圧

一九四一年三月一〇日の治安維持法改正は、適用範囲を大幅に拡大、芸術団体やグループをも取り締まりの対象にした。その嚆矢ともいえるのが四月五日、福沢一郎と瀧口修造の二人が治安維持法違反の嫌疑で検挙、約七カ月に及び拘留された所謂「シュルレアリスム事件」である。内務省警保局保安課が作成した『特高月報』には「シュール・リアリズムは反ファッショ的傾向を濃厚に持ち且共産主義理論の革命性と相通ずるものあるを以て、彼等は所謂シュール派画家の中心人物として左翼的画家を糾合し前衛絵画グループを結成し居りたるものなり」と記載されている。[★1] 前年の「神戸詩人クラブ事件」[★2]はプロレタリア文化運動の推進を検挙の理由としたが、ここにきてシュルレアリスムは、共産主義と「相通ずるものある」ことをもって弾圧の根拠となった。当局の監視下に置かれた美術文化協会は「国民美術の創成」を発行し、国策に沿って活動を継続することを表明する。

美術文化協会が置かれた状況を日記[★3][D88]に記録し続けた吉井忠は、京都の北脇昇に手紙を書き、事件のことを知らせた[D87]。四月一〇日、北脇から小牧源太郎に宛てられた手紙には、「福沢氏滝口氏の留置は恐らく例の中井正一氏等と同様な事になるのではないかと思はれるが、若しそうだとすれば、会としてはこの機をよほどうまく処理しないと所詮解散は免れまいと思ひます」と記されている。北脇の脳裏にあったのは、一九三七年から翌年にかけて『土曜日』や『世界文化』の関係者が水面下で一斉検挙・拘束されたいわゆる「京都人民戦線事件」であった。[★4]

その後一九四一年一一月一八日には愛知でナゴヤアバンガルドの吉川三伸と詩人の船橋清治が、日米開戦後の一二月九日には長野で詩誌『リアン』の髙橋玄一郎、広島でフォルム美術協会の山路商がリズム文学研究会の坂本寿、田谷春夫とともに検挙、拘束されている。[★5] 苛烈な拘束で体調を崩した山路は、原爆の惨禍を経ることなく一九四四年に死去、作品や資料の多くが失われた。（ST）

シュルレアリスムと「日本画」

菊屋吉生

今回の展覧会は、絵画やデッサンを中心とした、いわゆる「洋画」におけるシュルレアリスムの展開をテーマとして企画されているが、実はこの動向は、より広汎な芸術運動として彫刻、工芸、デザイン、写真など美術の他ジャンルにも、その先鋭な表現活動として、それぞれ独自な形で表現されている。そこで、とくにここではこの度は展示されない「日本画」とシュルレアリスムとの関わりについて述べてみたいと思う。

この関わりを考えるうえで、まず「日本画」という前提を設定して文展、帝展あるいは院展といった主要美術団体中心に、昭和初期の状況を眺めてみようとすると、その関係性は、それらの多様な作品群のなかに埋没してしまい、かえって見えにくくなってしまう。そこでここでは、あえてそうした主要美術団体から離れ、大正期から昭和初期にかけての日本画の小さな研究会や小団体、小グループの活動のなかに、当時の前衛絵画運動、とくにシュルレアリスムと、個々の若手日本画家たちとの繋がりをみてみたいと思う。またそうすることによって見えてくる「日本画」におけるシュルレアリスム的表現の特質についても、考えてみたい。

シュルレアリスムの日本における発生で、それに先行する動きとして、日本のダダイズムの高揚がある。そうしたダダの流れも含みこんだ前衛諸団体「未来派」「アクション」「マヴォ」などが合流して「三科造型美術協会」が結成されるが、ここには大正期院展の若手有望株だった日本画家・玉村善之助（号は方久斗）がいて、東京美術学校の日本画科卒業生の矢部友衛もいるとともに、かつての夢二学校のメンバーであって、大正中期には未来派美術協会にも参加した渋谷修（号は於寒）なども参加していた。彼は日本画家・尾竹竹坡とも近く、日本画団体であった巽画会の若手日本画家だった普門暁（号は暁水）の弟子でもあった。さらに昭和期に入って、玉村と渋谷は、三科や単位三科に参加していた峰岸義一（号は魏山人）とともにカメレオニズム展と称した三人展を開催していて、きわめて密接な関係を持ちながら制作活動を展開していた。やがて渡欧をした峰岸は、パリでピカソの知遇を得て、その時に日本の水墨画の伝統の重要性を説かれたことを、のちに述懐している。そして一年余りの滞欧を経て一九三〇年に帰国した峰岸は、再び渋谷らとともに「新興浪漫派」を結成して、主知主義に傾いていたダダやキュビスム、構成主義などの日本の前衛絵画の流れを発展させるかたちで、新たに主情主義を掲げて、シュルレアリスムを手段として、絵画に物語性を復活させようとしたのだった。また彼は一九三二年末には、「巴里東京新興美術展」を開催し、日本で初めて本格的にシュルレアリスム絵画を紹介するとともに、アヴァンガルド洋画研究所の創設や二科会における「九室会」の結成への動きに大きな役割を果たした。ただ、滞欧時代の峰岸が自覚した水墨を主体とした日本の伝統描法への憧憬は、のちに彼が水墨画家として沈潜していってしまうことによってもわかるように、すでに当時のアヴァンギャルド絵画の活動期にあっても、彼の表現の根本にはずっと意識され続けられていたと考えていいだろう。

一九三〇年代半ば以降のさらに若い世代による日本画界におけるシュルレアリスムの受容については、当時数多く誕生した新しいモダニズム絵画としての日本画の確立をめざした研究小団体や小グループの制作活動のなかに特徴的に見出すことができる。これは一九三五年以降のいわゆる帝展改組の混乱のなかから、日本画の分野においても、続々と生まれていった研究会や美術小団体であって、とくにそのなかでも、「新日本画研究会（以下、新日本画展という）」（一九三四年）から「新美術人協会（以下、新美術人展という）」（一九三八年）、「歴程美術協会（以下、歴程展という）」（一九三八年）の動向[1]、そしてその動きとも連動した「成層絵画研究集団（以下、成層展という）」（一九三八年、ただし一九四二年から改組して新壁画協会となる）などの動向[2]のなかに、単なる日本画のモダニズム絵画の枠を超えた先鋭でアヴァンギャルドな様相を見て取ることが可能である。

新日本画展から新美術人展の創立会員たちのなかにも、たとえば福田豊四郎などはシュルレアリスム的な感覚を盛り込む作品も制作しているが、なんといっても、新美術人展発足の際に、そこから離れ新たに結成された歴程展に集った画家たちの方が、より明確なアヴァンギャルドへの志向を出品作に反映させていた。現存する歴程展の出品作である山岡良文の《放鳥》［図1］、船田玉樹の《花の夕》［図2］、丸木位里の《馬》［図3］などは、動物や自然の形象をもとにしながらも、それらを大胆にデフォルメしつつ、現実を超越する物象や世界観を現出させている。また同じく歴程展に参加した岩橋英遠（当時の号は永遠）なども、当時明らかにシュルレアリスム的、あるいは抽象表現的な感覚が反映された作品を制作していたことが現存作品［図4］からもわかる。そうした歴程展出品の日本画家たちのなかでも、田口壮が描いた《季節の停止》［図5］は、画面手前の白い丸テーブルの上のピン止めされた蛾や、舞い飛ぶ洋傘、そして砂上に寝そべる細線で描かれた男女の裸像が浮遊するように描かれ、明確なシュルレアリスムへの造型志向が示された、日本画シュルレアリスム作品の秀作といえよう。さらにその創立時以降も多くの出品者を加えるようになり、そうした作家のなかのたとえば山崎(やまざき)隆(たかし)の《風》［図6］などにも、顕著にシュルレアリスム的傾向を見て取れる。このように歴程展に参加した画家たちは、シュルレアリスムや抽象表現など、当時の先鋭なアヴァンギャルド絵画を明らかに強く志向していたことを、それら現存作品においても確認できる。

ただその後、公募制をとるようになる歴程展には、さらに多くの出品者が参加したが、それらの作品が当時のアヴァンギャルド絵画の先端を示しながらも、やがて装飾性を強めながら日本の伝統絵画への傾斜を深めていったのは象徴的なことだった。そしてしだいに戦火の渦に画界も巻き込まれていくに従い、この展覧会が室内装飾や工芸美術、さらには盛花まで出品作に取り込むようになると、その

図１｜山岡良文《放鳥》1938年、山口県立美術館寄託、第１回歴程展

図２｜船田玉樹《花の夕》1938年、東京国立近代美術館、第１回歴程展

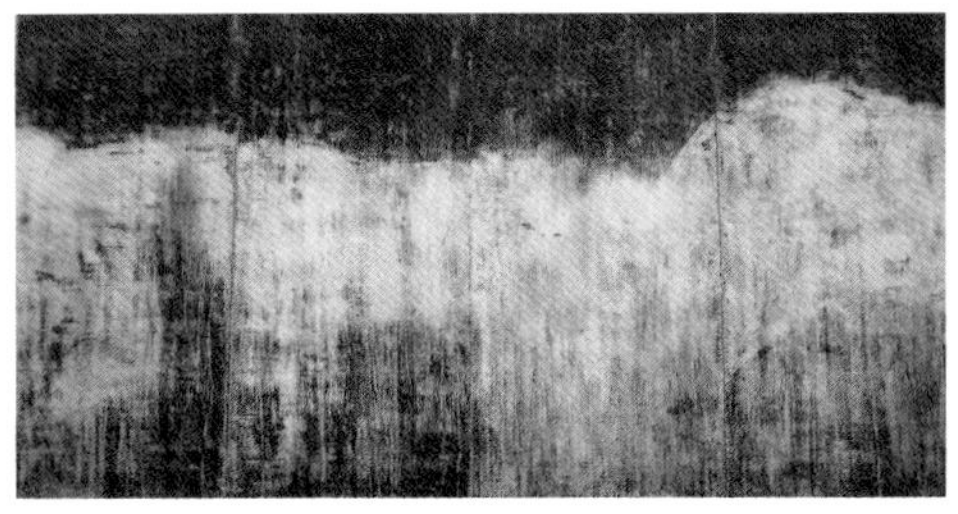

図３｜丸木位里《馬（部分）》1938年、原爆の図丸木美術館、第２回歴程展

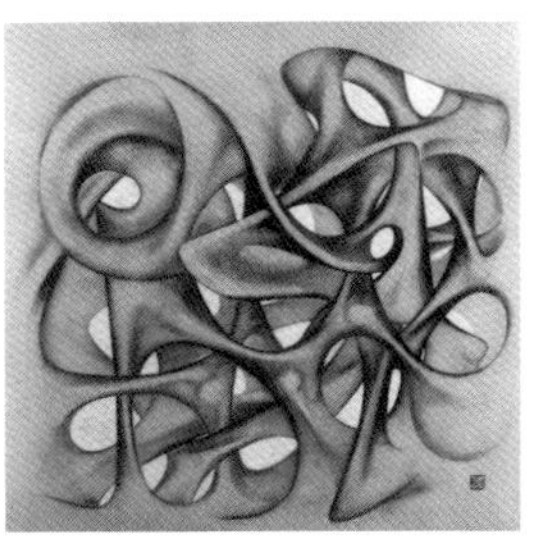

図４｜岩橋英遠《都無じ》1940年、北海道立近代美術館

図５｜田口壮《季節の停止》1938年、大分県立美術館、第１回歴程展

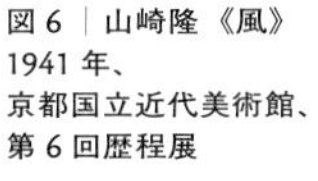

図６｜山崎隆《風》1941年、京都国立近代美術館、第６回歴程展

傾向はますます明確になっていった。

こうした動きとは別に、一九三八年に東京美術学校の日本画科を卒業した同期生たちを中心にして結成されたのが成層展であった。彼らは大正期に第一作家同盟という日本における最初のプロレタリア・アートを標榜した団体に創立参加した小林源太郎に、私的な勉強会で日本美術史の指導を受けた画学生たちであった。そしてその小林自身も成層創立後、一同人としてこの活動に加わったのだった。この成層展には、明快で洗練されたモダンな都市風景や人物描写の作品が展示されたのと同時に、シュルレアリスムや抽象表現も盛り込む多様で先鋭なモダニズム絵画が出品されたのだった。とくにその中心作家であった池澤賢は、《横を向く男》[図7]、《文明と宗教者》[図8]、《ダリ風光景》[図9]など、その現存する作品を見ても、特異なシュルレアリスム的感覚を発揮する作風を展開した画家であった。また同じく創立メンバーのひとりである神田禎之も、その現存する大作《小河内村》[図10]では、ダム建設によって水没する村をテーマとする社会派的な画題を、実際に彼自身が取材した写真からのモンタージュ的描法を駆使し、その混然とした画面にシュルレアリスム的感覚を濃厚に漂わせている。さらに創立会員の猪飼俊一も、当時はきわめて先鋭な作風を示す意欲作を成層展に出品しつつ（実際の作品は未見）、同時に東京美術学校の西洋画科出身者中心で、彫刻科や工芸科の出身者も加えたシュル系美術グループ「磁座」にも参加出品して実験的な制作活動を展開していた。そしてさらに彼ら三人は一九三九年には、他のシュル系グループとともに、「新浪漫派」の結成に参加している。（ただし、彼らは展覧会への出品はしていないと思われる。）

当時の他の美術団体との関連を見た場合、歴程展は自由美術協会

図7｜池澤賢《横を向く男》1939年、ギャラリー槐、第2回成層展

図8｜池澤賢《文明と宗教者》1942年、ギャラリー槐、第1回新壁画協会展

図9｜池澤賢《ダリ風光景》1942年、ギャラリー槐、第1回新壁画協会展

図10｜神田禎之《小河内村》1938年頃、ギャラリー槐

や美術文化協会などとの繋がりが強く、歴程の活動に参加しながら、自由美術や美術文化の展覧会にも出品し、会員にもなった画家もいた。また成層展の画家たちは、昭和初期の前衛諸派とのより広汎な繋がりを持ちつつ、当時の日本画モダニズム絵画の牙城として若手日本画家たちが応募していた新美術人展にも池澤、神田、猪飼らは出品し入選し、猪飼はその会員にもなっていた。新美術人展は、すでに周知のごとく、のちに戦後の日本画団体「創造美術」の母体のひとつともなった団体であった。また歴程展については、会員であった山崎が、三上誠らとともに、戦後京都においてその再興を図ったが、けっきょく実現できず、新たに京都の気鋭の若手日本画家たちを中心にして前衛美術団体「パンリアル」を結成して、その前衛精神を受け継いだ。そしてその初期の展覧会の若き会員たちの出品作には、戦前の歴程展で示されたシュルレアリスムの意識が、さらに生々しく増幅された形で表現されたのだった。

　戦前の新美術人展には、名古屋出身の日本画家・堀尾実（号は檉宇）なども出品していた(3)。彼もまた先鋭なモダニズム絵画に対する強い関心を抱きつつ制作［図11］していたが、戦後となると、郷里の名古屋で、「匹亜会」という前衛絵画をめざすグループ展を立ち上げるとともに、美術文化展などにもシュルレアリスム風の抽象作品を発表していた。

　新日本画展から新美術人展、および歴程展へは、関西の若い気鋭の日本画家たちも参加していたが、とくに京都において、東京の先鋭な日本画の動向も意識しつつ、画塾を越えた若手日本画家たちよって結成されたのが、「艸児社」（一九三五年）であった。そこに出品された作品は、変貌する近代都市風景や明澄な色彩による花鳥画など、モダニズム日本画の新しい様相を示すとともに、浜田観［図12］や井上和雄［図13］らの作品に見られるように、自然形象から出発しながらも、シュルレアリスム的、あるいは抽象表現的な作画意識も見て取ることが可能である。こうした動きに続いて、さらに広汎な若手日本画家たちを結集させた「生爽会」（一九三七年）や、さらには東京の歴程展などのメンバーも参加した「軌線美術」展

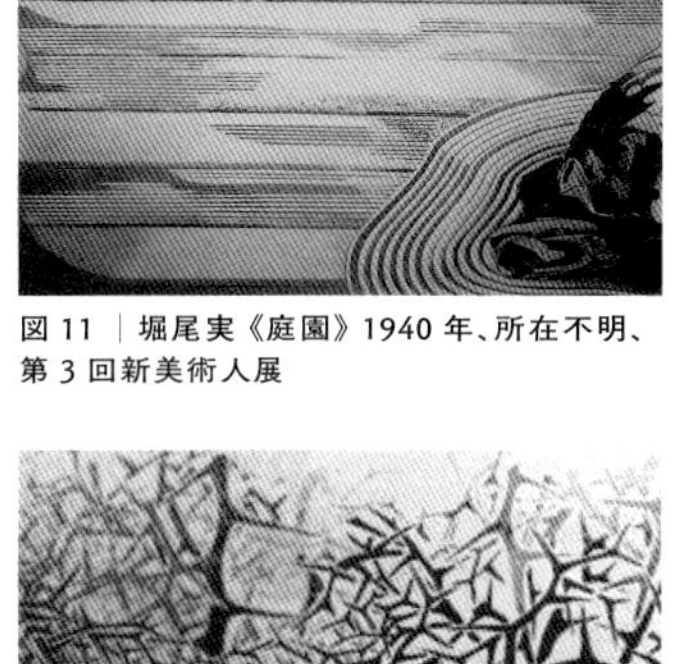

図11｜堀尾実《庭園》1940年、所在不明、第3回新美術人展

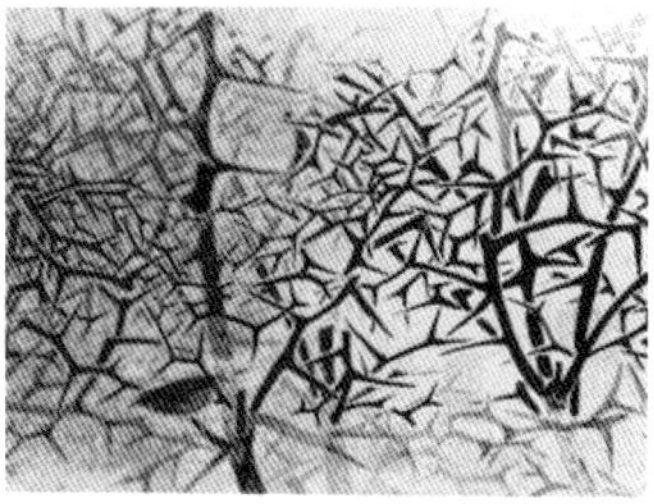

図12｜浜田観《からたち》1937年、所在不明、第2回艸児社展

図13｜井上和雄《南海樹林》1937年、所在不明

などが開催され、京都における若手日本画家たちの斬新な日本画制作の動きに、少なからぬ刺激を与えたのだった。(4)

　このように「日本画」におけるシュルレアリスム的表現の変遷を見たとき、その多様に見える展開そのものが、西洋からの新しい美術思潮を積極的に取り入れながらも、日本の独自のアヴァンギャルド絵画の自律性を求めようとする際に、伝統絵画としての「日本画」が元々もつ叙情性や情緒性といった志向に傾きやすい性質をもっていたことは指摘できるかもしれない。またそこには、たしかに先鋭的、実験的な表現が追求されながらも、「日本画」従来の花鳥風月的なテーマが基調となるものも多く、感傷的志向のもと、無自覚、無批判にその表面的なスタイルの取り込みや融合が図られたという側面があったのかもしれない。しかしこのことは、単に「日本画」だけの問題点ではなく、日本のシュルレアリスム運動そのものの特質といっていいものだろう。むしろ「日本画」のシュルレアリスム的表現には、そうした日本のシュルレアリスムの特殊性が、他のジャンルに比べて、より鮮明に見えてしまっていたことは象徴的なことだったといえる。

（きくや・よしお／山口大学名誉教授）

（1）新日本画研究会から、新美術人協会と歴程美術協会とに枝分かれしていく流れの詳細は、「日本画・昭和の熱き鼓動展」（山口県立美術館、一九八八年）で、初めて明らかにされた。さらに歴程展に関しては、その後、「日本の前衛　Art into Life 1900–1940」（京都国立近代美術館他、一九九九年）でも、その最終章「未完の前衛」で紹介され、また「『日本画』の前衛 1938–1949」（京都国立近代美術館他、二〇一〇年）においては、その展覧会の中心として紹介されている。

（2）「成層絵画研究集団」については、拙稿「前衛主義と伝統主義の相克――「成層絵画研究集団」の成立と変遷」（『昭和期美術展覧会の研究　戦前篇』東京文化財研究所編、二〇〇九年）で初めて詳しく紹介された。

（3）堀尾実の作品については、一九七四年に遺作展が開かれたのち、三六年ぶりに「生誕１００年記念　堀尾実展」（名古屋市美術館、二〇一〇年）が開催され、記念画集（樹芸書房、二〇〇九年）も発刊された。

（4）一九三五年以降、京都における「艸児社」から「生爽会」「軌線美術」の流れに関しては、展覧会としては「１９３０年代の京都」（京都市美術館、一九八八年）が開催されていて、そのなかの「日本画」のセクションで、これらの動きに焦点があてられた。

中国の「超現実主義」と外山卯三郎
倪貽徳によるシュルレアリスム絵画理論の翻訳をめぐって

呉　孟晋

はじめに

昭和初期の日本を席巻したシュルレアリスムは、ただ日本国内の美術青年たちのみを惹きつけたのではない。当時の日本の植民地であった朝鮮や台湾はもちろん、隣国の中国からの留学生たちをも魅了した。とくに中国のシュルレアリスム受容においては、本国フランスからよりも日本からの情報が充実しており、アンドレ・ブルトンの「シュルレアリスム宣言」が中国語で「超現実主義宣言」として翻訳されたのも日本語からの重訳であった[1]。なぜ、中国の美術青年たちは日本経由の「超現実主義」に魅せられたのであろうか。この小稿では、彼らのシュルレアリスム理解には独立美術協会系の美術評論家であった外山卯三郎（一九〇三—一九八〇）による解釈と紹介が反映されていたことをひもとき、主たる紹介者であった決瀾社の画家、倪貽徳（一九〇一—一九七〇）の理解についてもふれてみたい。

独立美術協会とのつながり

中国や日本をふくむ東アジア地域でのシュルレアリスム絵画の展開については、近年、その輪郭が少しずつ明らかになってきている[2]。中国での本格的なシュルレアリスム絵画は、一九三三年（中華民国二二年）に上海の決瀾社展に出品された陽太陽（一九〇九—二〇〇九）の《静物（宇宙的沈思）》［図1］を嚆矢とする[3]。一九三五年（昭和一〇年／民国二四年）に来日した陽太陽は日本大学芸術科で学び、翌三六年に描いた抽象作品《恋》が二科展に、そして三七年には《旅》が独立美術展に入選した。陽にさきがけて日大で学んでいた梁錫鴻（一九一二—一九八二）は、三五年に東京で中華独立美術協会を結成した[4]。雑誌で特集を組んで「シュルレアリスム宣言」を翻訳・紹介したこの団体は、「独立」の名のごとく独立美術協会と関係をもち、妹尾正彦（一九〇一―一九九〇）ら独立展の画家たちの作品を中国で展示した。梁はNOVA美術協会展に出品したことがあり、同会には独立美術協会の会員の井上長三郎（一九〇六―一九九五）らがいた。

台湾では、台湾人の画家によって積極的に描かれることはなかったものの、独立美術展の巡回展に触発されて一九三三年に山下武夫（生没年未詳）ら在台日本人画家たちによって新興洋画会が結成されるなどした。[5] また、楊熾昌（一九〇八―一九九四）らシュルレアリスムを標榜した風車詩社の詩人のなかには絵画に関心を向けるものもいた。[6] 満洲国に近い中国東北部の大連でも一九三二年に独立美術協会系の日本人画家たちが五果会を結成し、シュルレアリスム絵画を描いた。[7] 朝鮮では、金煥基（一九一三―一九七四）や劉永国（一九一六―二〇〇二）、金河鍵（一九一五―一九五一）ら日本に留学した画家たちがシュルレアリスム作品を手がけていた。[8]

こうした活動をみわたしてみると、東アジア地域では日本の在野展で二科会と勢力を二分した独立美術協会の存在感が際立ってくる。

「超現実主義的絵画」と外山卯三郎

その実、中国初のモダニズム絵画団体として知られる決瀾社にも日本の、さらにいえば独立美術協会の影響がうかがえる。

決瀾社はフランスでデザインを学んだ龐薫琹（一九〇六―一九八五）ら上海美術専科学校の同僚教員たちで結成された団体であるが、理論的支柱となっていたのは日本の川端画学校に在籍したことにある倪貽徳であった。倪は決瀾社が刊行した雑誌『芸術旬刊』創刊号（一九三二年九月）の「現代絵画的精神論」のなかでシュルレアリスムに言及し、翌三三年一月には後継誌『芸術月刊』創刊号に「超現実主義的絵画」を寄せて、中国で本格的にシュルレアリスム絵画を紹介した。ただし、これが外山卯三郎による『二十世紀絵画大観』（金星堂、一九三〇年）の抄訳だったのである。

外山卯三郎は和歌山県南部町の生まれ。[9] 北海道帝国大学予科をへて、京都帝国大学で美学・美術史を学び、在学中から詩壇でも活動した美術評論家である。里見勝蔵（一八九五―一九八一）や前田寛治（一八九六―一九三〇）ら、のちに独立美術協会となる一九三〇年協会の画家たちとの交流をとおして、積極的に美術評論や展覧批評を展開した。また、東京・池袋で芸術研究会を主宰し、同会発行の雑誌『洋画研究』は前衛美術を志す若手画家たちのあいだでさかんに読まれ

図1｜陽太陽《静物（宇宙的沈思）》
1933年頃、第2回決瀾社展
出典：『良友』画報、82期、1933年11月

ていたという。

　倪貽徳が訳したのは、『二十世紀絵画大観』のなかの第五章「超現実主義（シュールレアリズム）」であった。前半の「超現実主義序説」は外山の原文を逐語的に翻訳していったのにたいして、後半の画家たちの紹介となる「超現実主義的作家」は、ピカソとブラック、ジョルジョ・デ・キリコ、ジュアン・ミロ、マックス・エルンストのみをとりあげている。倪が省略したのは、外山が一項を設けて記述したパウル・クレーや、二科会の阿部金剛（一九〇〇―一九六八）らをあげる「日本のシュールレアリスト」であった。[10] そのほか、カルロ・カッラやマン・レイらについて簡単な紹介はすべて省略しているが、アンドレ・マッソンとイヴ・タンギーについては名前のみしるしている。倪貽徳はみずからの判断で、イタリア未来派の作家でキュビスム的造形をしめしていたカルロ・カッラや、まだ様式が確立していない日本の「シュールレアリスト」など、シュルレアリスムの「境界線」上にいる画家たちをシュルレアリスムから除外していた。

「純粋性」と「通俗」のはざまで

　もっとも、さきに倪貽徳が『芸術旬刊』で発表した「現代絵画的精神論」や「現代絵画的取材論」（一巻二期、一九三二年九月）も、外山の編著『新洋画研究第四巻　現代絵画の精神研究』（金星堂、一九三一年）からの抄訳であった。[11]
　それではなぜ、倪貽徳はここまで積極的に外山卯三郎の理論を紹介していったのだろうか。
　外山のシュルレアリスム理論は、独立美術協会系のシュルレアリスムでも福沢一郎（一八九八―一九九二）の衒学的な作風とは異なり、絵画表現としてフォーヴィスムにつらなる「純粋性」を強調していた。ここで外山のいう「純粋性」とは、絵画が描かれる対象に従属せず、その視覚性において優位を保つことであり、説明的描写の否定と「絵画的なもの」の表現をめざすことにあった。[12]
　そこで、外山が注目したのがドイツの写真家にして美術史家のフランツ・ローが提唱した「魔術的写実主義」（魔術的リアリズム）である。[13] ローの魔術的リアリズムは、事物を写真で撮影したかのように克明に描写することにより生みだされる、現実世界とずれをもつ既視感による眩惑として定義されている。[14] ローはブルトンの絵画論にある「恣意性」を排除し、「描く」という筆触を追求する画家としてのテクネ（技術）の復権を唱えていた。
　そして、外山の理論を「現代絵画的精神論」にて翻訳した倪貽徳も「描く」ことを重視する画家であった。倪は量塊感のある人物や風景を多く描いていた（たとえば、《肖像》［図2］）。
　倪は『芸術旬刊』の「談談洋画的鑑賞（洋画の鑑賞について語る）」で、中国画論の要である「気韻生動」から説きおこし、画の品格を示す「気韻」にのみ関心が向けられ、画の技量に左右される「生動」がおろそかになっている風潮を嘆いた。倪が批判するのは、大衆に迎合するようなわかりやすい画題の作品を描く画家とともに、奇抜さのみを追い求める画家である。

しかし自己の本意を出さずして、故意に奇怪な筆技を弄して不可解な印象を与える者もいる。これは前述した［引用者註：わかりやすい画題のみを描く］、通俗に堕落した作家であり、それが虚偽であるという一点において同様に罪悪なのであり、卑しくも棄て去るべきものなのである。[15]

倪が危惧する「奇怪な筆技」で描かれかねないのがシュルレアリスム絵画であった。中国の洋画界では人目をひく作品がすべてであるとの誤解が蔓延しているとして、たしかな技量をもつ画家の作品への評価を求めるという理想を掲げたのである。倪はロマン主義文学の結社として知られた創造社に参加しており、短篇集『東海之浜』（一九二六年）などを発表していた。

この後、倪は「写実性」を強調して、「写実主義」とでもいうべき理論を展開する。[16] そして、ローの「魔術的写実主義」にもとづく「超現実主義」絵画観は、倪の学生で梁錫鴻の友人でもあった二科会系の李仲生（りちゅうせい）（一九一二―一九八四）にひきつがれてゆく。[17]

李は一九三四年から三七年まで二科会第九室に連続入選して、中国人留学生で最も日本のシュルレアリスム様式に傾倒したひとりであった。たとえば、一九三七年の第二四回二科展に入選した李の《子供の肖像》［図3］は、少女の半身像が四角の枠を挟んで分割されており、その間に幼児が描かれている。肖像画のような人物表現もさることながら、画中に枠を挿入する構成はサルバドール・ダリの《照らし出された快楽》（一九二九年、ニューヨーク近代美術館）などにみられる。このダリの図版は、外山が発行していた雑誌『洋画研究』二号（一九三三年六月）に《欲望の適応》（一九二九年、メトロポリタン美術館）とともに掲載されていた。[18] そして、《欲望の適応》は、一九三五年に上海で開かれた第二回中華独立美術協会展に白砂（生没年未詳）が出品した《欲望》［図4］で模倣されている。李仲生たちはダリに写実性をともなった「超現実主義」絵画の可能性を見出

図2｜倪貽徳《肖像》1932年、第1回決瀾社展
出典：『藝術旬刊』1巻12期、1932年12月

図3｜李仲生《子供の肖像》1937年、第24回二科展
出典：『二科画集』朝日新聞社、1937年

していたのであった。

おわりにかえて

戦後台湾で抽象絵画を描いた荘世和（一九二三―二〇二〇）は戦時中の東京で外山卯三郎に師事した。荘の回想によれば、『洋画研究』は中国各地で購入することができ、美術学校の教材としても利用されていたという。[19]

確かに、さきにふれた『芸術旬刊』でも外山の抄訳は「造形美術論」（第五期）、「素描論」（第七期）、「現代絵画的構図概論」（第九期）の計三篇があり、うち前二篇は倪貽徳が訳していた。一九三四年にも倪は外山の『現代世界絵画総論』（金星堂、一九三二年）を翻訳し、『現代絵画概論』と題して上海の開明書店から出版している。また、中華独立美術協会でも李東平（生没年未詳）や曾鳴（生没年未詳）たちが外山のシュルレアリスム絵画に関連する批評を要約して紹介していた。[20]

このように中国では、倪貽徳たちによって外山卯三郎の理論は修正が加えられながらも積極的に紹介されていった。外山の功績は印象批評が一般的だった当時の美術評論に彼なりの絵画理論を持ち込み、それにもとづいて理論的な作品批評を展開したことにある。[21] 倪はそこに中国の「民族精神」という独自性を読み込もうとしたというが、[22] 次に明らかにすべきはその内実である。さらに、日本においてシュルレアリスムの旗振り役であった瀧口修造（一九〇三―一九七九）の理論は中国ではどのように紹介されていたのか。瀧口の活動は一九三〇年代後半からであり、日中戦争期とかさなるゆえにその影響は限定的であったとされるが、接点がなかったわけではない。[23]

中国におけるシュルレアリスム絵画は、はたして「上海モダン」で形容されるような、ひとときの流行にすぎなかったのであろうか。それは、その答えにたどりつくまでにはしばらく時間がかかりそうな、魅惑的な問いであり続けるのである。

（くれ・もとゆき／京都大学人文科学研究所准教授）

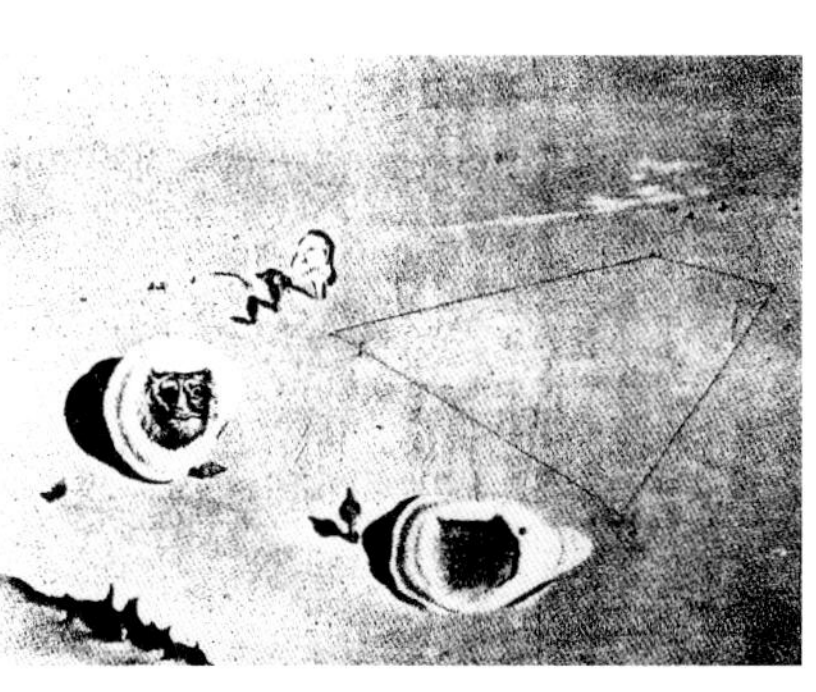

図４｜白砂《欲望》1935年、
第２回中華独立美術協会展
出典：『良友』画報、111期、1935年10月

(1) 普利東著、趙獣訳「超現実主義宣言」『芸風』三巻一〇期(「超現実主義介紹」専刊)、一九三五年一〇月。拙稿「民国期中国におけるシュルレアリスムの夢と現実──中華独立美術協会の「超現実主義」について」『現代中国』八三号、日本現代中国学会、二〇〇九年九月。

(2) たとえば、呉景欣氏の次の論文は、日本語で読めるものとしてわかりやすくまとめられている。呉景欣著、森川もなみ訳「戦前の東アジアにおけるシュルレアリスム美術の運動──日本・中国・台湾」『米倉壽仁展──透明ナ歳月　詩情のシュルレアリスム画家』図録、山梨県立美術館、二〇二二年。

(3) 決瀾社についての論考は数多いが、日本語で読める先駆的研究には、牧陽一「三〇年代モダニズムの行方──決瀾社・中華独立美術協会」(小谷一郎、佐治俊彦、丸山昇編『転形期における中国の知識人』汲古書院、一九九九年)がある。

(4) 中華独立美術協会の活動については、蔡濤著、大森健雄訳「中華独立美術協会の結成と挫折──一九三〇年代の広州・上海・東京の美術ネットワーク」『アジア遊学』一四六号、二〇一一年一〇月が詳しい。

(5) 蔡家丘「砂上樓閣──一九三〇年代台湾独立美術協会巡迴展与超現実絵画之研究」『藝術学研究』一九期、国立中央大学藝術学研究所、二〇一六年一二月、二五─三五頁。

(6) 二〇一九年に国立台湾美術館にて、シュルレアリスム研究で知られる巖谷國士氏を共同企画者に迎えて風車詩社の活動に焦点をあてた展覧会「共時的星叢──風車詩社与跨界域藝術時代」が開催された。

(7) 江川佳秀「大連のシュルレアリスム──「五果会」をめぐって」『日本美術襍稿──佐々木剛三先生古稀記念論文集』明徳出版社、一九九八年。

(8) 日本語文献では、金英那著、神林恒道監訳『韓国近代美術の百年』(三元社、二〇一一年)のうち第一部第六章「一九三〇年代、東京の韓国前衛グループ」や、洪善杓著、稲葉真以、米津篤八訳『韓国近代美術史──甲午改革から一九五〇年代まで』(東京大学出版会、二〇一九年)一八〇─一九四頁を参照されたい。

(9) 大谷省吾「外山卯三郎──『純粋絵画』の名のもとに」『近代画説』一一号、明治美術学会、二〇〇二年一二月を参照。

(10) 阿部金剛のほかに東郷青児、中川紀元、野間仁根、川口軌外、古賀春江らの名があがっており、みな二科会の画家であるのが興味深い。ただし、外山は阿部以外を「シュールレアリスト」とすることには留保していた。

(11) 倪貽徳の文集である林文霞編『倪貽徳美術論集』(杭州：浙江美術学院出版社、一九九三年)や王驍主編『二十世紀中国西画文献　倪貽徳』(北京：文化芸術出版社、二〇〇九年)などでは初出掲載のまま収録しているため、訳文であるとの注記は附されていない。

(12) 大谷省吾「外山卯三郎の生涯と仕事」大谷編『美術批評家著作選集第七巻　外山卯三郎』ゆまに書房、二〇一一年、四七二頁。

(13) 外山卯三郎「現代絵画の精神概論」『新洋画研究第四巻　現代絵画の精神研究』金星堂、一九三一年、三二─三三頁。

(14) 種村季弘『魔術的リアリズム──メランコリーの芸術』PARCO出版局、一九八八年、二八頁。

(15) 尼特(倪貽徳)「談談洋画的鑑賞(上)」『芸術旬刊』一巻七期、一九三二年一一月、九頁。引用箇所の原文は次のとおり。「但并非出之自己的本意，而故意売弄奇怪的筆技，以使人不可解者。這和前述的堕於通俗的作家，其虚偽之点，有同様的罪悪，最可卑棄的」。

(16) 蔡濤「第二章　従創造社到決瀾社──革命浪潮中的倪貽徳日本游学」『国家与芸術家──黄鶴楼大壁画与中国現代美術的転型』長沙：湖南美術出版社、二〇二三年、一六五頁。

(17) 拙稿「李仲生的「超現実主義」」『日殖時期現代文芸的共時与差異論壇専輯』(電子書籍)国立台湾美術館、二〇二〇年七月。拙稿「中国のモダニズム絵画と「ローカルカラー」──一九三〇年代東京での李仲生のシュルレアリスム作品をめぐって」『表象』二号、表象文化論学会、二〇〇八年三月。拙稿「広東から来た前衛画家──一九三〇年代の東京における李仲生の画業について」『アジア遊学』二六九号、勉誠出版、二〇二二年五月など。

(18) 『ショック・オブ・ダリ──サルバドール・ダリと日本の前衛』展図録、三重県立美術館、諸橋近代美術館、中日新聞社、二〇二一年、四六頁。日本の前衛画壇におけるダリ理解については、同展図録所収の速水豊「遅延とエピデミック──日本におけるダリ受容」が詳しい。

(19) 荘世和「何鉄華与台湾現代画運動」『現代美術』六五期、台北市立美術館、一九九六年四月、五五頁。

(20) たとえば、前述の『芸風』三巻一〇期の「超現実主義介紹」専刊に李東平が寄せた「什麼叫做超現実主義(なにを超現実主義とよぶのか)」や、曾鳴の「超現実主義的詩与絵画」は外山の『芸術の横断面』(春秋書房、一九三三年)からの翻訳であった。蔡家丘「一九三〇年代東亜超現実絵画的共相与生変──以台湾、中国画会為主的比較考察」『藝術学研究』二五期、二〇一九年一二月、一一六、一五九─一六一頁など。

(21) 大谷省吾、前掲「外山卯三郎の生涯と仕事」、四七〇頁。

(22) 陳徽「談倪貽徳二〇世紀三〇年代対外山卯三郎現代美術論著的訳介」『大観』二〇二一年五期、一六二頁。

(23) 瀧口修造は中国人留学生が多くいた日本大学芸術科でも講座をもっていたが、一九三九年の江古田移転前後であるようだ。板橋区立美術館の弘中智子氏のご教示による。

第五章　写真のシュルレアリスム

Chapter 5.
Surrealism in Photography

5

一九三〇年代に入ると写真家たちの間で海外から紹介されたシュルレアリスムのコラージュやモンタージュなどの技法やオブジェを被写体とした写真への関心が高まり、それらを試みた作品が発表されるようになった。なかでも、当時の軍縮や恐慌を伝える新聞記事に性的なアイコンである唇やハイヒールを履いた脚をコラージュすることで時代の緊迫感や高揚感を伝える山本悍右（勘助）一八歳の《ある人間の思想の発展・・・・靄と寝室と》[089]は先駆的であった。

　一九三七年に各地を巡回した海外超現実主義作品展は写真家たちのシュルレアリスムへの関心をさらに高めた。展覧会の興奮も冷めやらぬまま、同年には大阪でアヴァンギャルド造影集団、三八年には東京で前衛写真協会、三九年にはナゴヤ・フォトアバンガルド、福岡でソシエテ・イルフが結成されている。彼らは展覧会や撮影会を行い、カメラ雑誌などを通じ、地域のグループの枠を超えてシュルレアリスム写真について語り合った。

　大阪のアヴァンギャルド造影集団に参加した天野龍一は透明流動体を利用した「オートグラム」[093–094]を考案するなど、新たな写真表現を追求した。ナゴヤ・フォトアバンガルドは、海外のシュルレアリスムの紹介者で詩人の山中散生と、絵画だけではなく写真も試みていた下郷羊雄[040, 099]らが中心となり結成されたナゴヤアバンガルドクラブを母体に発足した。そのメンバーの坂田稔[097–098]は写真雑誌や書籍で写真論を展開するなど、理論的なリーダーであった。鳥取で写真館を開業していた植田正治[092]、福岡のソシエテ・イルフの久野久[091]の写真作品は、いずれも彼らの暮らした土地特有の風景を舞台にオブジェを配置したユーモアのある空間構成が特徴である。

　写真家たちのシュルレアリスムにまつわる実験的な試みは三七年から三九年頃にピークを迎えたとされる。軍国主義の時代、写真家たちも実用的な記録写真撮影などの戦争協力を求められるなか、前衛的な写真の展覧会や出版は困難になった。（HS）

In the 1930s, interest in Surrealist techniques such as collage and montage and photographs of objects introduced from abroad grew among the Japanese photographers, and they began to present works experimenting with such techniques. Among them, a work by eighteen-year-old Yamamoto Kansuke conveying feelings of high tension and exaltation of the time by collaging newspaper articles reporting disarmament and depression with sexual icons of lips and a leg wearing a high heel [089] was pioneering.

Kaigai chōgenjitsu shugi sakuhin ten (Exhibition of foreign surrealist works), which toured various parts of Japan in 1937, further enhanced the photographers' interest in Surrealism. With the excitement of the exhibition lingering on, photographic groups were formed. Avant-Garde Image Group was founded in Osaka in 1937, Avant-Garde Photography Association in Tokyo in 1938, Nagoya Photo Avant-Garde in 1939, and Société IRF in Fukuoka also in 1939. These groups held exhibitions and photo sessions, and through camera magazines, they discussed Surrealist photographs beyond the frameworks of local groups.

Amano Ryūichi, who took part in the Avant-Garde Image Group in Osaka, pursued new photographic expressions by, for example, devising "autograms" [093–094] employing transparent fluids. Nagoya Photo Avant-Garde derived from Nagoya Avant-Garde Club, which was founded by Yamanaka Chirū, the poet who introduced Surrealism from abroad, and Shimozato Yoshio [040, 099], who attempted not only painting but also photography. One member, Sakata Minoru [097–098], served as a theoretical leader by discussing photography in photography magazines and books. The works by Ueda Shōji [092], who ran a photo studio in Tottori, and Hisano Hisashi [091] of the Société IRF in Fukuoka are each characterized by humorous compositions placing objects within a landscape peculiar to the location where they lived.

The photographers' experimental attempts on Surrealism are considered to have peaked from 1937 to around 1939. During the period of militarism, photographers were required to cooperate in the war by taking practical photographic records etc., and it became difficult to hold exhibitions of avant-garde photographs or publish books of that kind. (HS)

D89
『夜の噴水』
1号、1938年11月、個人

D90
『夜の噴水』
2号、1939年2月、個人

山本悍右と『夜の噴水』

山本悍右（本名・勘助）はシュルレアリスムの手法を写真にいち早く取り入れた。名古屋の写真材料を扱う商店を営む一家に生まれた山本は、一〇代からフランス語に親しみ、詩作も行っていた。日本におけるシュルレアリスムの紹介者のひとりで名古屋在住の山中散生とは詩誌『Ciné』を通じて出会い、山本はシュルレアリスムへの関心を深めていく。彼はこの頃、写真でシュルレアリスムを実践することの可能性を感じたという。[★1]

山本の関心は当初コラージュへ向かい、一九三二年に一八歳で《ある人間の思想の発展・・・靄と寝室と》[089]を発表した。軍縮や恐慌を伝える新聞の上に、女性の唇や脚を切り抜いた写真が貼り付けられたこの作品は、戦争の靴音が聞こえ始めた日本の社会の混乱と狂乱の時代が表れているようだ。

山本は『カイエ・ダール』をはじめとする海外の出版物を取り寄せ、日本に居ながら直接シュルレアリスムを学ぼうとした。一九三七年に名古屋の丸善画廊で開催された海外超現実主義作品展は彼のシュルレアリスムへの関心をより一層高めることになった。連日、展覧会場に通った山本はシュルレアリスムの思想を伝えるための雑誌の必要性を痛感し、翌年にシュルレアリスム詩誌『夜の噴水』[D89–90]を編集・発行した。一九三八年から翌年にかけて四号発行されたこの雑誌は、山本が選んだ手漉き和紙を使い、限定で発行された。そこにはエリュアールの詩の翻訳やダリが描いたロートレアモンの肖像が掲載され、山中や北園克衛、下郷羊雄らも寄稿した。

山本は写真家としても活躍を続け、三七年にナゴヤアバンガルドクラブの写真部会、三九年にナゴヤ・フォトアバンガルドの結成に参加し、作品は写真雑誌『フォトタイムス』で紹介された。[★2] 写真家仲間でもあった坂田稔は山本について「彼の写真する態度は矢張り臭化銀の詩人と見るべきであらう」と述べている。（HS）

090
山本悍右（勘助）
題不詳（《伽藍の鳥籠》のヴァリエーション）
1940年
名古屋市美術館

Yamamoto Kansuke
Untitled (variant of "Birdcage at a Buddhist Temple")
1940
Nagoya City Art Museum

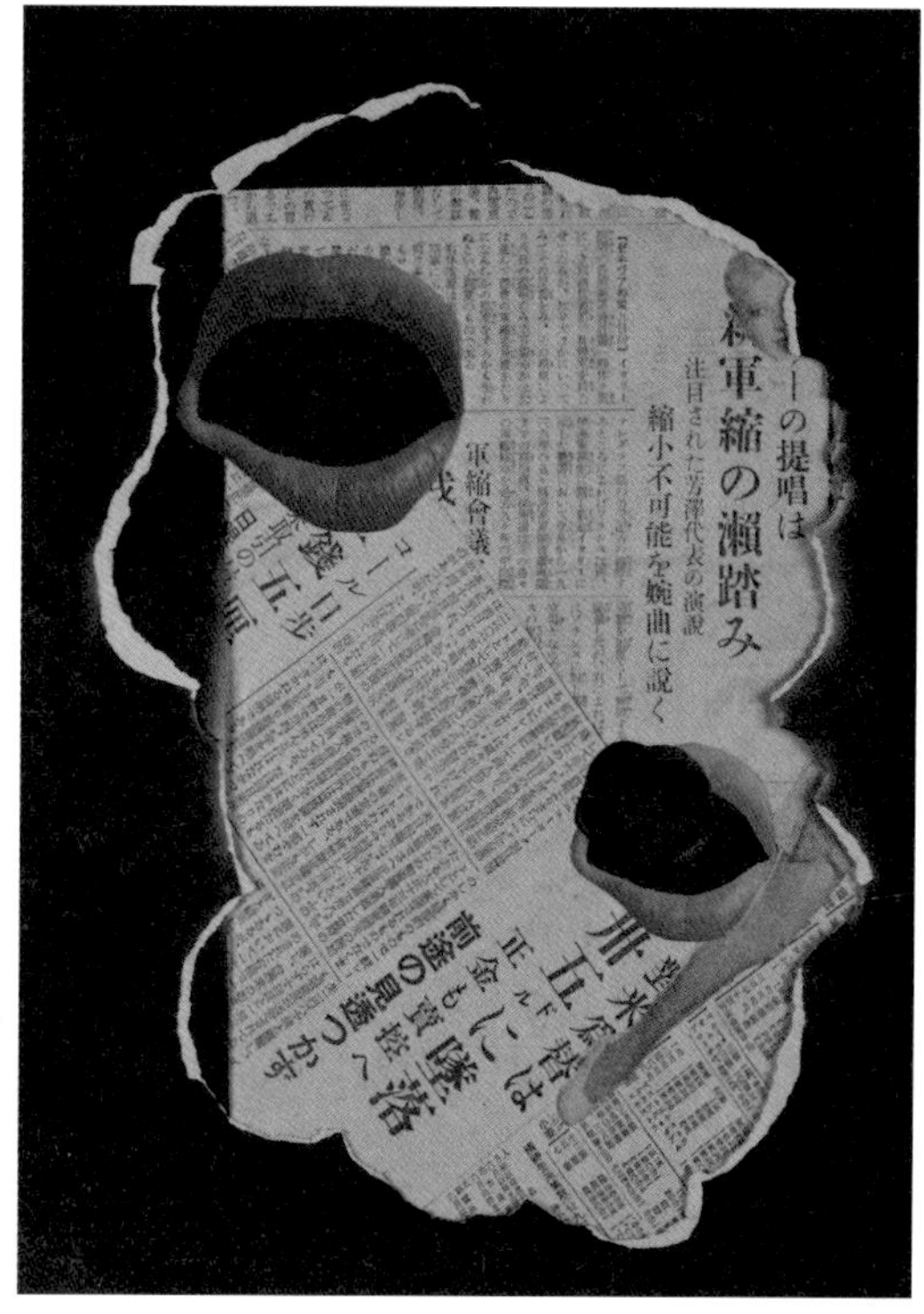

089
山本悍右（勘助）
ある人間の思想の発展・・・・靄と寝室と
1932年
名古屋市美術館

Yamamoto Kansuke
The Developing Thought of a Human····Mist and Bedroom and
1932
Nagoya City Art Museum

ソシエテ・イルフ

ソシエテ・イルフとは福岡で写真を発表していた高橋渡、久野久、許斐儀一郎、田中善徳、吉崎一人、二科会、九室会で活躍していた画家の伊藤研之、工芸家で後にデザイナーとして活躍する小池岩太郎の七名が一九三九年頃から名乗り始めたグループ名である。「古い（フルイ）」をさかさ読みしてイルフと名付けたことから明らかなように、彼らは新しい芸術への探究心を共有していた。[★1] それぞれに仕事を持ちながら福岡の写真クラブに所属していた人々が中心ではあったが、彼らは「芸術上の美を探求し、行動する」ことを目的に集まっていたため、写真展の開催に限らず、琉球漆器の展覧会、山下清が通ったことで知られる千葉の八幡学園の児童たちの展覧会などを開催している。

高橋が「ソシエテ・イルフはローカリティを主張する」と述べているように、福岡の彼らの写真作品は高橋《無題》[図1]や許斐《海の墓標》[図2]のように福岡周辺で撮影されたモダンでありながら、彼らに身近な海を舞台にしたものが多い。久野は結核療養のために暮らしていた海辺の街、宗像郡津屋崎町（現在の福津市）を舞台に創作活動を行った。とりわけ貝殻は久野を魅了した。自然がつくり上げた幾何学的な模様の美しさをレンズ越しに「発見」した彼は《海のショーウィンドウ》[091]をはじめ貝殻の写真をいくつも残している。久野の貝殻の写真[図3]はイルフの仲間にも驚きを持って受け入れられた。伊藤の《音階》[066]に描かれた貝殻は久野が撮影した貝の拡大写真がもとになっているという。[★2]

ソシエテ・イルフのメンバーは福岡を拠点に活動をしつつ、カメラ雑誌『フォトタイムス』で特集されるなど積極的に発信を行い、名古屋の坂田稔を招いた講評会を開くなど盛んに活動を行った。[★3] しかし、高橋と久野の逝去、そして小池の転勤、伊藤の転居などにより四〇年を境にグループでの活動が見られなくなった。（HS）

図1
高橋渡《無題》
1939年
個人

図2
許斐儀一郎《海の墓標》
1939年
個人

図3
久野久《題不詳》
1938–46年頃
個人

091
久野久
海のショーウィンドウ
1938 年
福岡市美術館

Hisano Hisashi
Display Window of Sea Life
1938
Fukuoka Art Museum

092
植田正治
コンポジション
1937 年
東京都写真美術館

Ueda Shōji
Composition
1937
Tokyo Photographic Art Museum

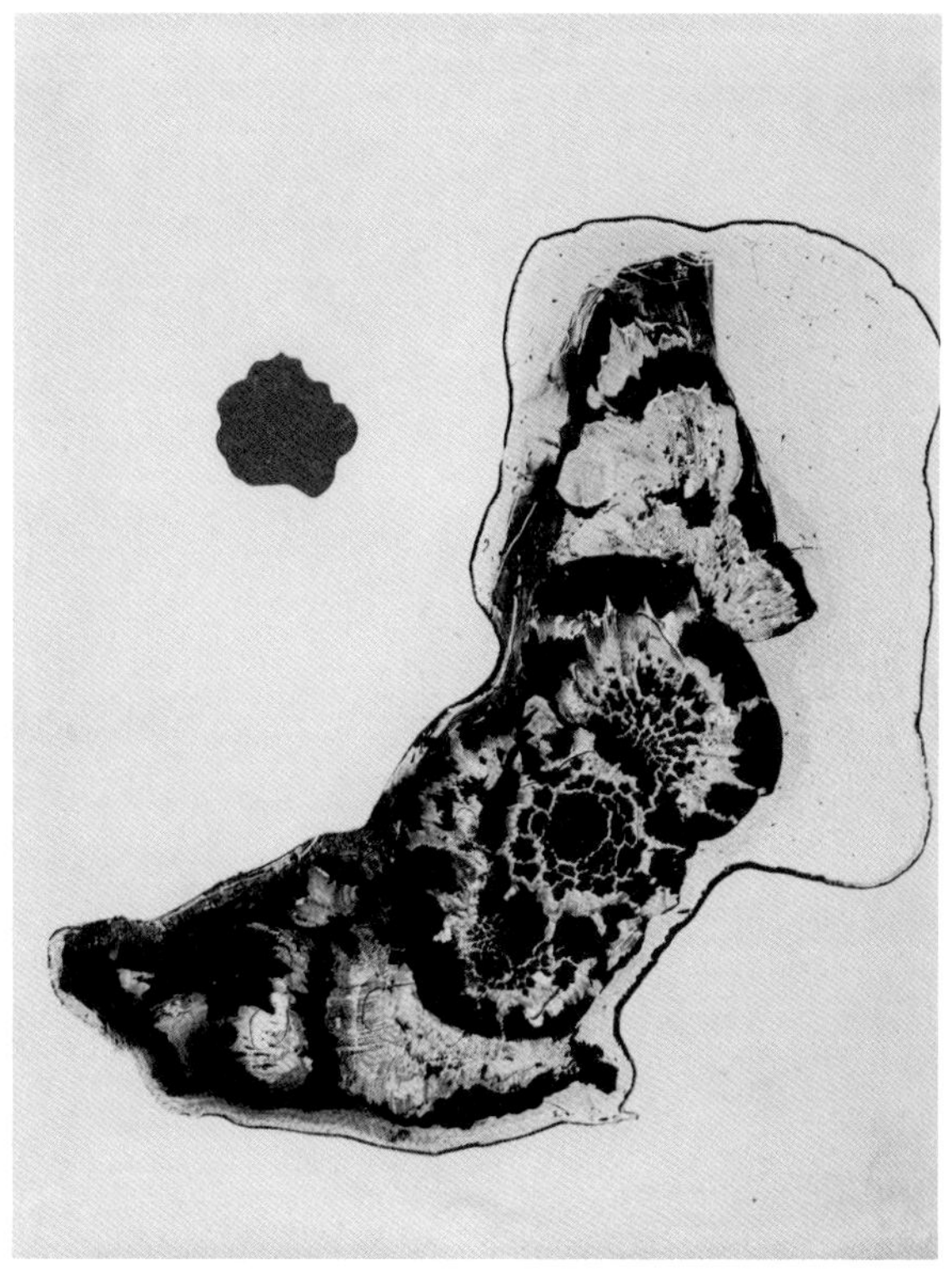

093

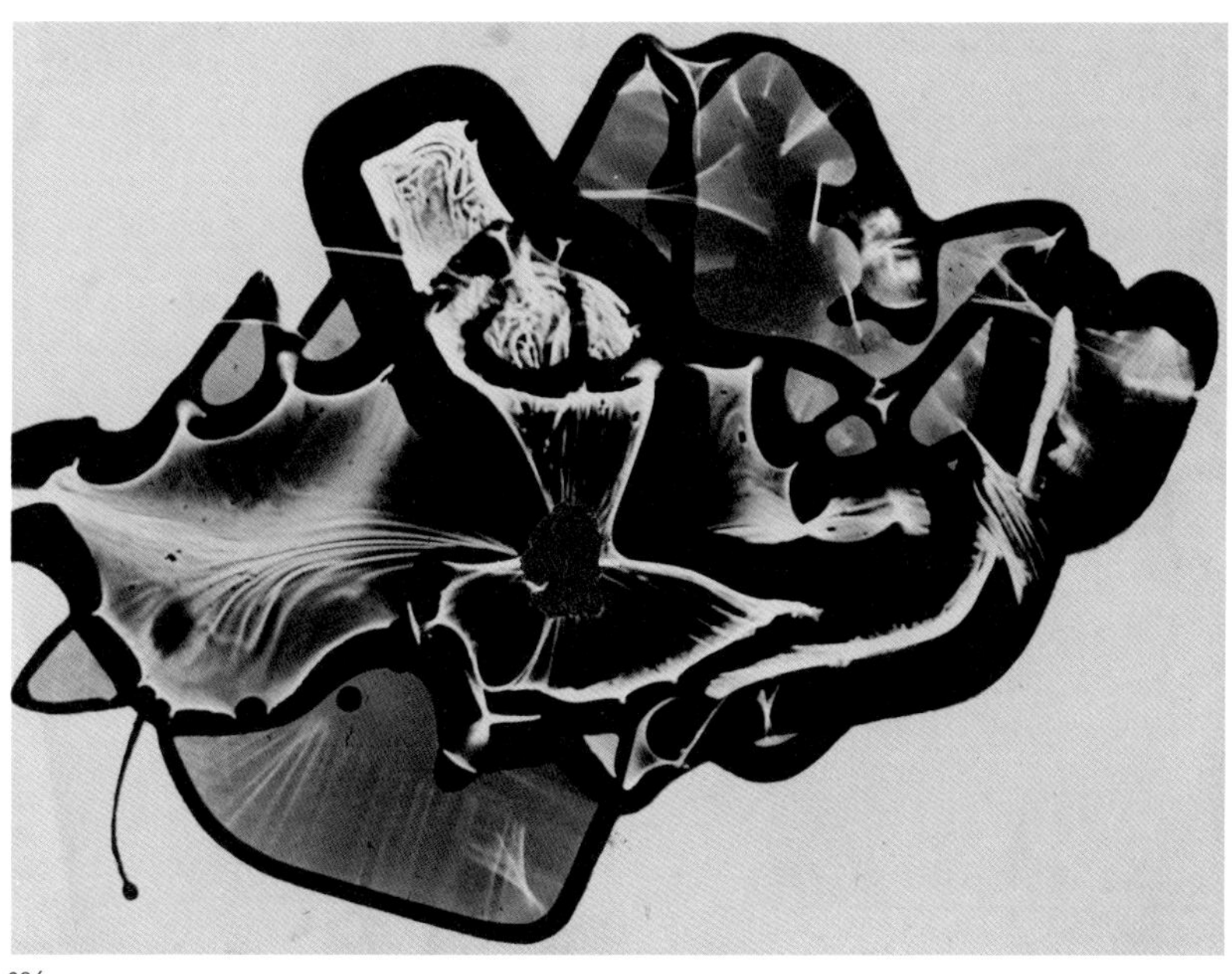

094

094
天野龍一
オートグラム 代謝
1938年
東京都写真美術館

Amano Ryūichi
Automatic Photogram, Metabolism
1938
Tokyo Photographic Art Museum

093
天野龍一
オートグラム 細胞
1938年
東京都写真美術館

Amano Ryūichi
Automatic Photogram, Cell
1938
Tokyo Photographic Art Museum

096

095

096
平井輝七
風
1938年
東京都写真美術館

Hirai Terushichi
Wind
1938
Tokyo Photographic Art Museum

095
平井輝七
月の夢想
1938年
東京都写真美術館

Hirai Terushichi
Fantasies of the Moon
1938
Tokyo Photographic Art Museum

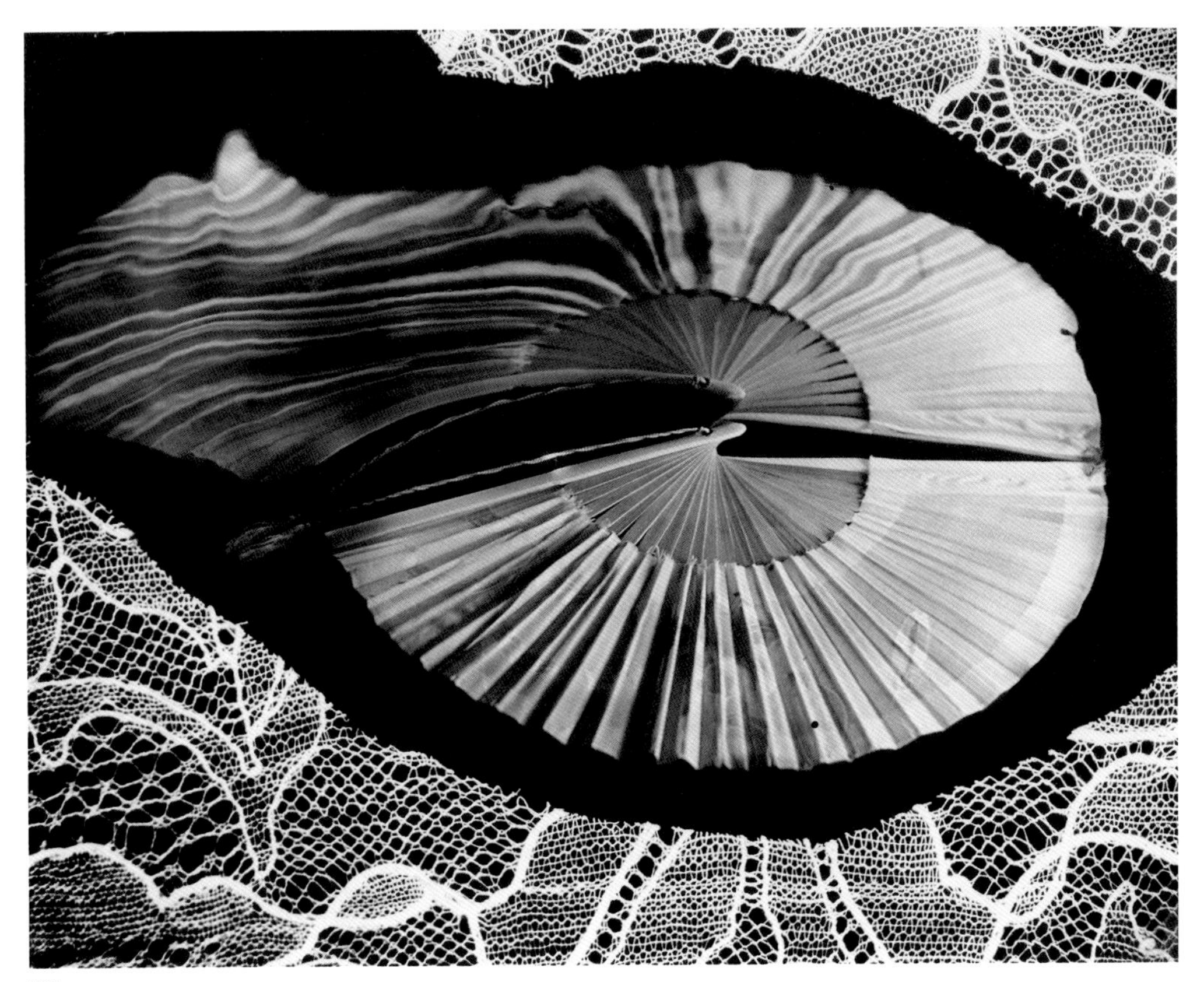
097

097
坂田稔
眼球が逃げる
1938年
個人（名古屋市美術館寄託）

Sakata Minoru
The Eyeball Is Getting Off
1938
Private collection (Deposit to Nagoya City Art Museum)

098
坂田稔
危機
1938年
個人（名古屋市美術館寄託）

Sakata Minoru
Crisis
1938
Private collection (Deposit to Nagoya City Art Museum)

098

下郷羊雄（しもざとよしお） 超現実主義写真集『メセム属』

下郷羊雄が一九四〇年三月、限定二百部の私家版として刊行した超現実主義写真集『メセム属』は、戦前の日本において出版された唯一のシュルレアリスム写真集とされる。[★1]「メセム属」とは、一般に「メセン」として知られる多肉植物の総称であり、特異なかたち、ときにエロティックな表情も見せるこの植物自体が写真集のテーマである。

リング綴じの本は両開きになっており、左開きの表紙にはフランス語でタイトル等が記され、下郷自身の作品が、扉頁の他一〇点収録される [099, 1–10]。日本語の題名がある反対側から表紙をめくると、下郷を含む前衛写真家とメセン愛培家の仲間による写真が一〇葉にわたり掲載されている [099, A–J]。

下郷は、一九三五年に東京で開催した個展が契機となって新造型美術協会に加わり、名古屋を拠点に画家として活動していた [040]。一九三六年五月頃からこの植物の魅力にとりつかれ、精力的な収集を開始。愛好家の専門誌『シャボテン』にも関わり、翌年初めには名古屋カクタスクラブを結成する一方、画家としてメセンをモチーフや発想源とした絵画を制作する。写真集を着想したのも同じ頃であり、フランスの美術雑誌『カイエ・ダール』（一九三六年一—二号）のシュルレアリスト編集によるオブジェ特集を三六年七月に見たのがきっかけであることが下郷の日記からわかる。[★2] それからおよそ四年後に構想を実現したのだった。

メセン属を「超現実的オブジェ」と見なす下郷のこの植物への執着と追求には、サルバドール・ダリの唱えた「可食的な美」としてのオブジェ観への共鳴が指摘されている。[★3] 写真集は「第一義的には超現実主義の純芸術目的のため」の刊行だが「植物学者やシャボテン趣味家の側からの喝采をも期待しないではない」と下郷は写真集に記した。芸術的な視点からいち早くこれを評した瀧口修造は、いくつかの写真に見られる技巧よりもむしろ「冷酷なほどの客観視」を求める自説を記している。[★4]（HY）

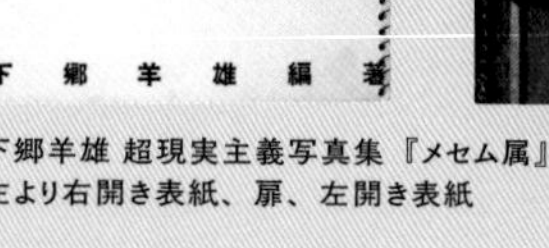
下郷羊雄 超現実主義写真集『メセム属』
左より右開き表紙、扉、左開き表紙

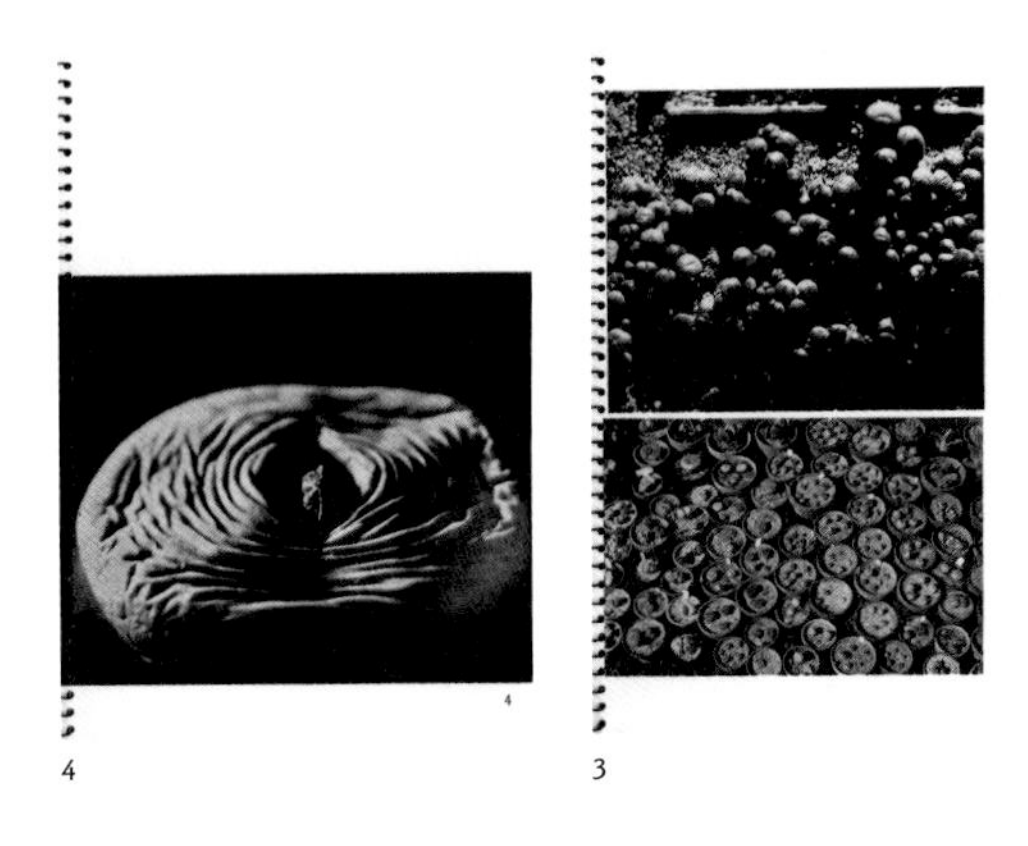

4

3

2

1

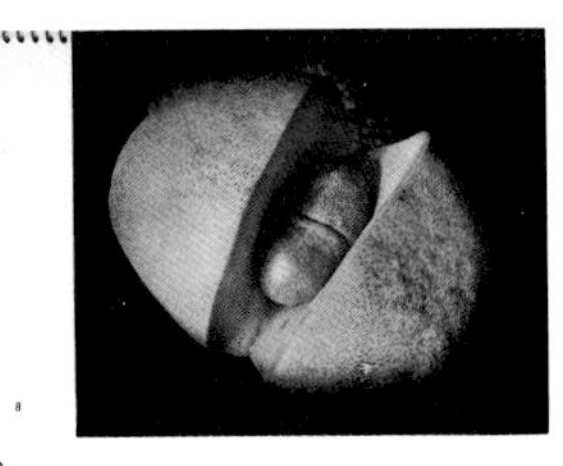

8

7

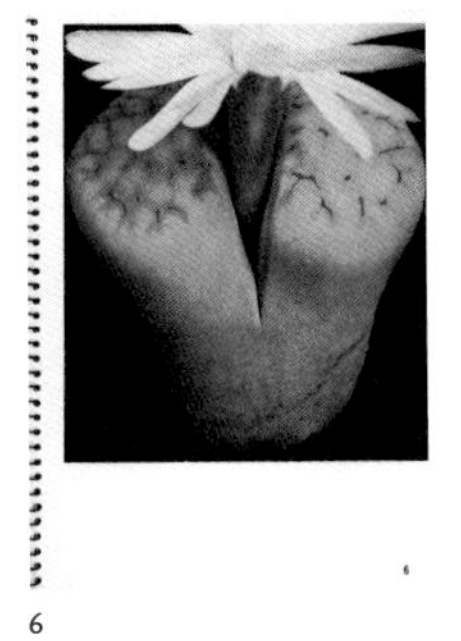

6

5

9

9

10

10

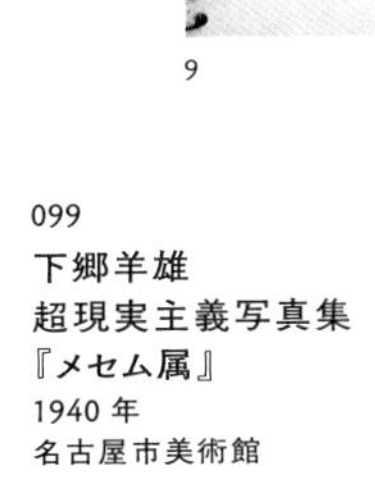

099
下郷羊雄
超現実主義写真集
『メセム属』
1940年
名古屋市美術館

Shimozato Yoshio
Genus Mesemb.
[Mesembryanthemum]:
Surrealist Photography Collection
1940
Nagoya City Art Museum

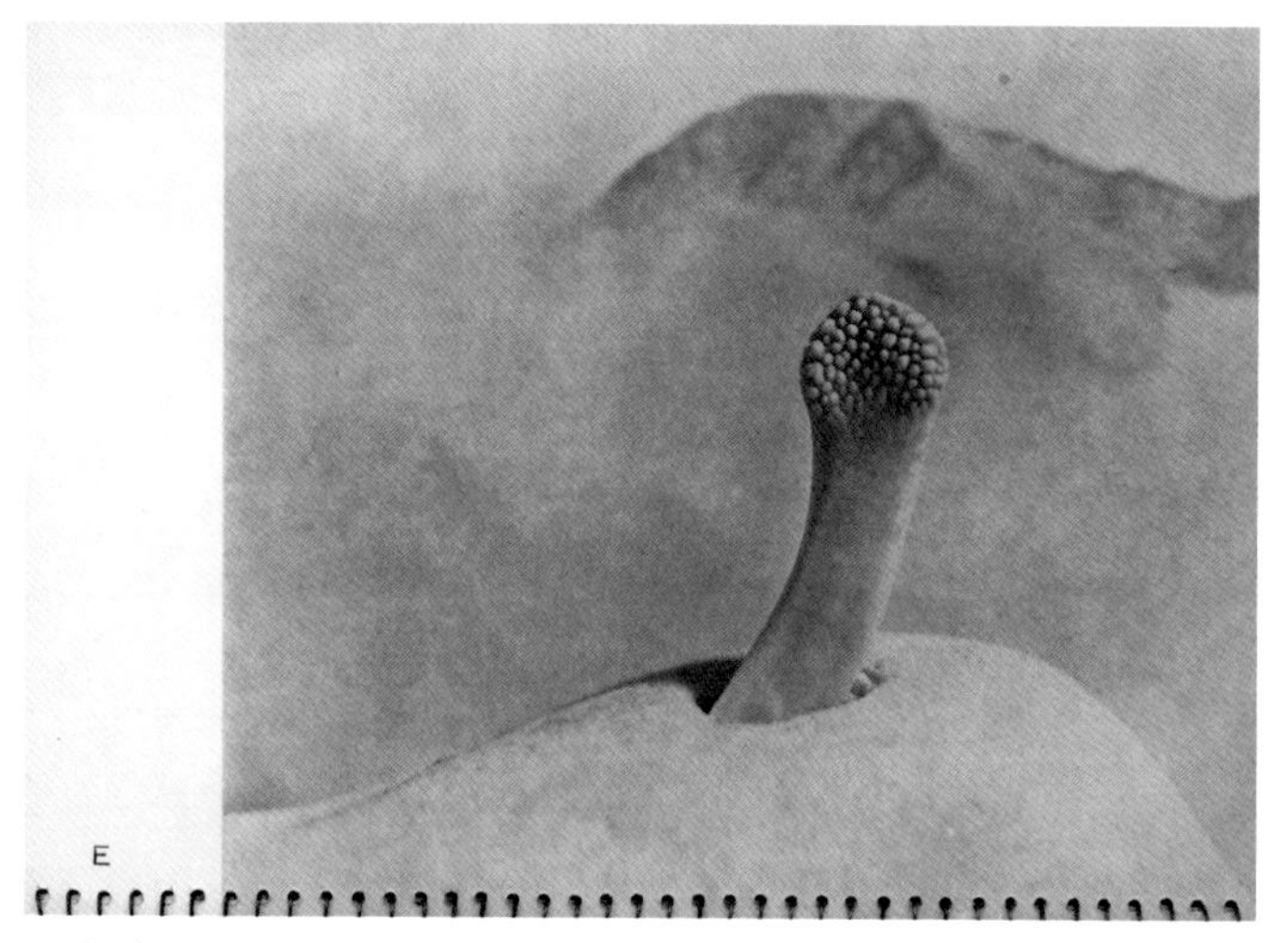

E　稲垣泰三

I　佐藤泰平

099 続き

超現実主義写真集『メセム属』

Genus Mesemb.
[Mesembryanthemum]:
Surrealist Photography Collection

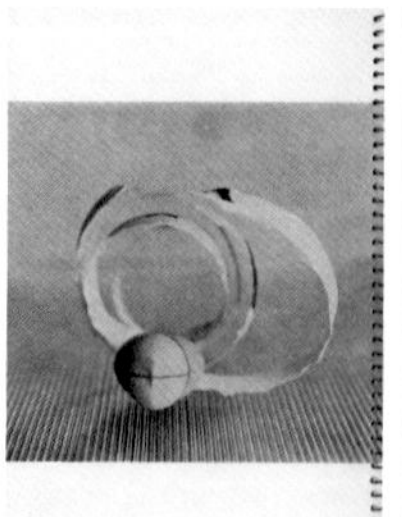

B 坂田稔

A 下郷羊雄

F 田島二男

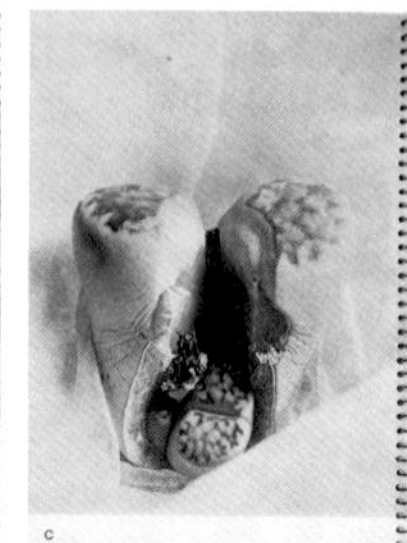

C 佐藤泰平

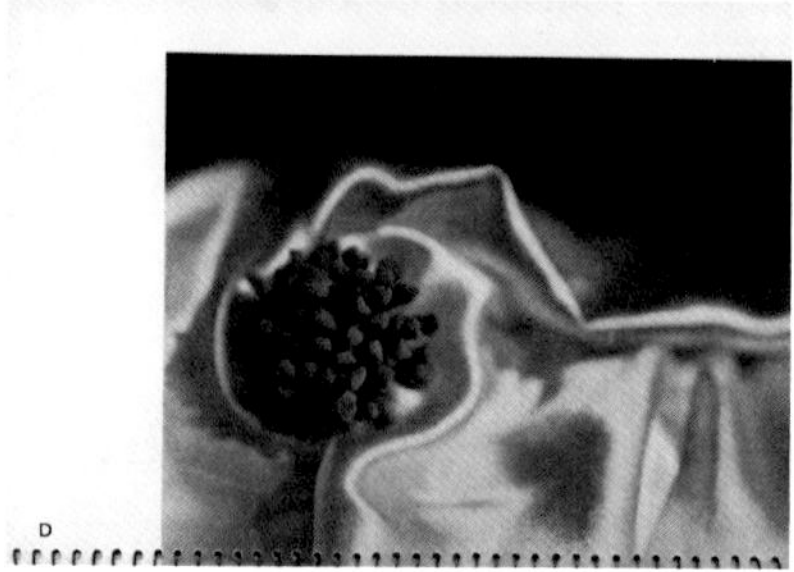

D 坂田稔

G 佐野季雄

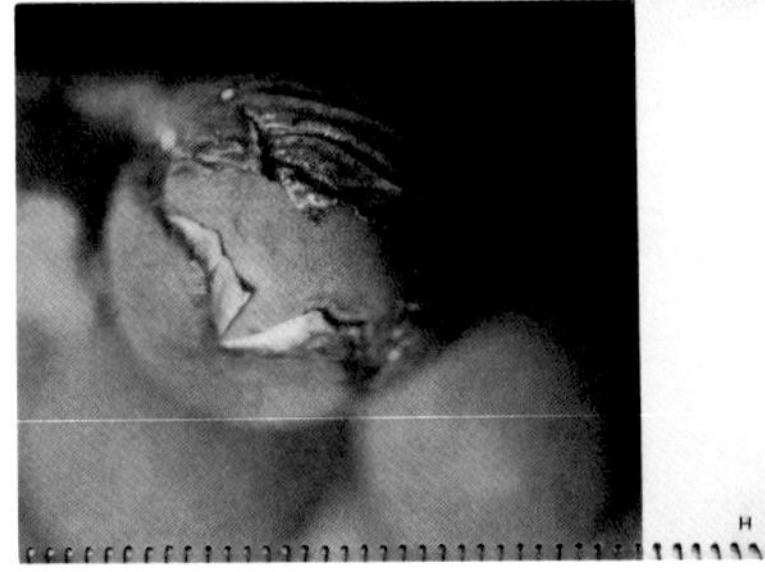

H 田島二男

忘却からの召喚——作品の現存しない画家たちをめぐって

大谷省吾

はじめに

本展は、シュルレアリスムの影響を受けた日本の画家たちについて包括的に回顧する久々の展覧会である。しかしながら、ご覧いただく作品群は実際に当時、制作・発表されたうちの、ほんの氷山の一角でしかないことを忘れてはならない。

シュルレアリスムは一九三〇年代の日本で若手画家たちに熱狂的に支持され、その影響を受けたおびただしい数の作品が描かれたが、その多くは戦災で失われ、また多くの画家が戦死したため、戦後の検証と再評価には時間がかかった。その端緒となる一九六〇年の「超現実絵画の展開」展（国立近代美術館）に際して瀧口修造は「この展覧会を機会に、そのうちの多少とも超現実的な傾向を帯びた遺作を探ろうとしたが、その所在さえ定かでなく、また多くは失われている」(1)と述懐している。

その後、「現代美術のパイオニア」展（瀬木慎一、北川フラム企画、東京セントラル美術館、一九七七年）、「東京モンパルナスとシュールレアリスム」展（尾崎眞人企画、板橋区立美術館、一九八五年）、「日本のシュールレアリスム 1925-1945」展（山田諭企画、名古屋市美術館、一九九〇年）などで作品の発掘が進んだとはいえ、後二者の図録が多数の失われた作品の図版を参考として掲載しているのは、まさにそうしなければ、当時の運動の全体像を示すことができなかったからに他ならない。しかしそうした配慮をもってしても、今回のような回顧的な展覧会が開かれるたびに、作品の残っている画家と、そうでない画家との間の、認知度の格差は広がっていくのではないか。そこで、いくらかでも展覧会を補足しようと、作品の現存が確認できない画家に焦点をあてたのが本稿である。忘れられてほしくない画家は数多いけれども、紙幅の都合上、ここでは涙をのんで三人に絞って紹介する。

瀧口（鈴木）綾子（一九一一―一九九八）

シュルレアリスムを日本に紹介するにあたって最も重要な役割を果した詩人・美術評論家の瀧口修造。その夫人である瀧口（旧姓鈴木）綾子が、戦前は前衛画家として注目を浴びていたことは案外知られていない。一九四五年五月二五日の空襲でそれまで制作した作品を失い、戦後もついに筆をとることがなかったためである。しかし戦前の雑誌等にいくつか掲載されているモノクロ図版からは、繊細な抒情性と、周到に象徴的意味を織り込んだ物語性を見て取ることができる。忘却されてはならない画家の筆頭としてまずは彼女を挙げたい。

鈴木綾子は一九一一年九月二〇日に山形県米沢市に生まれた。父親は商工省で染織関係の仕事に携わっていた。熊谷高等女学校を卒業後、画家を志し一九三二年には第二回独立展に初入選を果たしている。しかし一九三四年の第四回独立展会期中に、会員推薦および授賞方法の不公平を批判して友人たちと独立不出品同盟を結成、彼らと新たに新造型美術協会を結成した。創立メンバーは彼女の他に池ノ内篤人、内藤外次、藤田鶴夫、今井滋、成田重文、島津純一、長谷川善四郎、内田慎蔵、神戸政輔、野口道方、ゲオルギ・ヘミング、中野政行である。

この新造型美術協会は、日本で最初にシュルレアリスムを標榜したグループとして特筆される。一九三五年一月に第一回展を開催し、一九三七年までに七回の展覧会を開催、四冊の機関誌を刊行した。この機関誌に瀧口修造は山中散生とともにシュルレアリスムに関するテキストを寄稿し、グループを理論的に支えた。その縁で瀧口は鈴木綾子と知り合い、二人は一九三五年一二月一四日に結婚している。

図1｜瀧口綾子《風景》1935年『Dictionnaire abrégé du surréalisme』1938年掲載

瀧口は彼女が第二回新造型美術協会展（一九三六年一月七日―一八日、東京府美術館）に出品した《風景》［図1］の図版を、パリのシュルレアリストたちに送り、これが一九三八年にパリで刊行された『シュルレアリスム簡約辞典』（Dictionnaire abrégé du surréalisme［D39］）に掲載された[2]。縦長の画面は上下に二分割され、上半分は暗く、下半分は明るい。扉が描かれていることから暗い上半分は家であると思われ、その家の壁から伸びる繊細な白い手は明らかに女性のものである。一方、画面左下にはリボンが、蝶のようにひらひらと、画面の外へ飛び去ろうとしている。閉鎖的な上半分と開放的な下半分との対比が印象的である。白い手は手袋のようにも見えるが、飛び去るリボン（蝶）を追っているようにも見える。ここには、家（家庭）に縛られつつも自由に社会へ出て行こうと願う、葛藤する女性芸術家の心情が象徴的に託されているといえないだろうか。[3] 一九三〇年代半ば、女性が前衛画家として活動することがきわめて困難だった時代にあって、[4] この心情は現在の想像を超えた切実さをはらむ。

彼女はその後、一九三九年に美術文化協会の結成に参加するが、戦時下に前衛芸術に対する弾圧が進み、一九四一年四月五日に夫の瀧口修造が、同協会のリーダー福沢一郎とともに治安維持法違反の疑いで検挙されてしまう。その際、瀧口宅を訪れた特高の刑事は、四月二七日から始まる第二回美術文化展のために彼女が描き上げていた《こま》についても、執拗に制作意図を質問したという。[5] 彼女は結局、この作品を出品せず、翌一九四二年に同協会を退会、上述の通り一九四五年に空襲でそれまで描いた作品を失っている。

小林孝行（一九一五—一九三九）

小林孝行の作品はおぞましい。瀧口修造は「昔の地獄図を眺めるやうなグロテスク」[6] と評し、「昇華された詩的透明性が欲しい」と注文をつけたけれども、おそらく小林は自らの抱える懊悩をそのまま画布に定着させることを、あえて選んだのだろう。その異様な切迫感は、小さなモノクロ図版を通してさえも、現在の私たちの心を抉る。

小林孝行は一九一五年七月七日に横須賀に生まれた。府立八中在学中の一九三二年、弱冠一七歳で第一九回二科展に初入選。一九三六年頃からシュルレアリスムの影響を受け、二科展に出品していた栃木宗三郎、鈴木進平らとグループ「唯型」を結成して一九三七年四月に第一回展、一九三八年四月に第二回展を銀座紀伊國屋で開催した。また一九三七年末から翌年にかけて銀座のサロン・ルウエの大壁画を制作したという。

彼はまた雑誌『アトリヱ』一九三七年六月の特集「前衛絵画の研究と批判」にはグループ「唯型」を代表して一文を寄稿し、「我々は旧時代の純粋に絵画的であらうとする事の無意味さ、不自然さを十分に痛観してゐるが故に、所謂絵画的なものゝ本性を稀薄にしても文学、映画等々の他の進歩的な芸術にも接近して、個々の機能を比較検討し互に滲透する事によつて逆に新たな絵画独自の道を発見し得る」[7] と主張している。

小林はその後、一九三八年一一月には二科会内部の前衛画家たちによる九室会の結成に参加したが、それから程なく一九三九年一月一三日、真鶴の海に身を投げた。まだ二三歳の若さであった。自殺の理由については「何か非常に複雑した問題が家庭にあつて精神的に不幸だつたらしい」[8] とされるが、詳細は不明である。

小林の没後、一九三九年三月八日—一〇日に銀座紀伊國屋で遺作展が開催された。三つ折の目録が残されており、九室会の顧問でもあった東郷青児が追悼文を記している。その中で「ダリと鎬を削り合ひさうな気概の見へる青年だつた」[9] という記述があるが、あわせて掲載された八点の作品図版からも、地平線のある荒涼とした大地の前で繰り広げられる柔らかく変形した物体の構成に、ダリの強い影響を認めることができるだろう。しかし《悼ましき並行線的事実》［図2］に見られるような、断片化した人体が次々と溶け合うように連結した異様なイメージには、彼固有の懊悩が重く響いているように感じられる。その懊悩の内実は、残念ながらもう確かめるすべがない。

豊藤勇（一九〇九―一九四五？）

豊藤勇は日本における前衛美術運動のなかで少なくとも二つ、重要な役割を果している。ひとつは宮崎でくすぶっていた画家、杉田秀夫にシュルレアリスムを吹き込み、瑛九として生まれ変わるきっかけを与えたこと、もうひとつはJ・T・ソビーの「ピカソ以後」を抄訳し雑誌『アトリヱ』で紹介したことである。

豊藤勇は一九〇九年徳島県に生まれた。(10) 関西学院に学び、絵画サークル「弦月会」に入る。(11) ここで二年先輩の吉原治良に出会った。一九二九年に卒業し、福岡と神戸を拠点に活動。同年第一六回二科展に初入選、その後、独立美術協会が設立されると発表の場を移して一九三一年の第一回展から出品した。そこで福沢一郎の感化を受け、シュルレアリスムに関心を示す。そしてその関心を、宮崎の杉田秀夫に伝えるのである。豊藤勇の弟の武夫が宮崎で医者をしながら趣味で絵を描き、杉田の主宰するグループ「ふるさと社」の一員でもあったことから、二人を仲介したらしい。同じく「ふるさと社」の一員で、後に瑛九の評伝を記す山田光春に宛てた一九三五年一一月一〇日の杉田の書簡には次のようにある。

「豊藤勇と夜明けまで夢中でしやべつてしまつた。（中略）豊藤との話はすべてシユルレアリスムの事であつた。古典へのトウヒせざること。すなはちシユルレアリズムを論ずること。（中略）独立にてシユルレアリスムを本気で関心の対象としてゐるのは福沢一郎以外ない事。ことにこのごろの福沢のデッサンのスゴイこと」(12)。

この直前、一九三五年一一月一日—五日に福沢は、清水登之、鈴木保徳とともに「満蒙土産小品展」を銀座青樹社で開催し、あわせて素描集を出版しているので、豊藤の念頭にはこれがあったかもしれない。そこでの福沢の素描は、満洲に取材しつつも自在なデフォルメがなされたものであった。山田によれば、杉田はこれより約一年前からすでに「細いペンの先から生まれるオートマチックな線に超現実的なイメージを託そうとしていた」(13)というが、豊藤との出会いは杉田にとって、シュルレアリスムに対する考えを「一段と

図2｜小林孝行《悼ましき並行線的事実》1938年
『小林孝行遺作展覧会』目録、1939年3月掲載

明確にする機会」[14]だったとも述べている。そしてこの後、杉田は一九三六年初頭に突如「フォト・デッサン」を集中的に制作して上京、長谷川三郎と外山卯三郎に見出されて、瑛九の名前で華麗な画壇デビューを果たすことになる。また一九三六年四月の銀座紀伊國屋での個展に続き、六月には大阪・三角堂でも個展を開くが、その際に瑛九を吉原治良に引き合わせたのも豊藤だった可能性が高い。

豊藤はまた J・T・ソビーの「ピカソ以後」を翻訳紹介したことでも知られる。原著は一九三五年に刊行されており、ピカソのキュビスムが絵画から文学的要素を取り去ったことへの反動として、その後の世代に生じた二つの傾向であるネオ・ロマンティシズムとシュルレアリスム、とりわけサルバドール・ダリを紹介する内容であった[15]。豊藤は『アトリヱ』一九三六年一二月号に前者を、一九三七年一月号に後者を抄訳し、後者では、ダリの作品図版を一〇点掲載している。前年の瀧口修造「サルウァドル・ダリと非合理性の絵画」(『みづゑ』一九三六年六月)等とともに、日本にダリの流行をもたらすのに一役買った文献といってよい。

豊藤自身の作品として、最もシュルレアリスムに接近したとみられる一点を挙げておきたい。《童貞女受胎》[図3]である。一九三六年七月一五日―一八日に大阪の今橋画廊で開催された個展への出品作で、有機的な曲線をもつ形態とともに、歯車やバネ、ねじれたリボン状の物体が組み合わされて描かれている点は瑛九のフォト・デッサンとの共通性を感じさせる。一方で画面下部には砂を混ぜたようなざらざらした画肌が確認でき、物質性の強調への関心も見て取れる。そしてまた題名からは、ブルトンとエリュアールによる同名の詩集が想起される。同書は山中散生の翻訳でボン書店から一九三六年五月に刊行され、ただちに発禁処分を受け、性的記述を伴う箇所を削除してあらためて刊行されている[16]。豊藤の作品はこの詩集にいちはやく反応して描かれたものといえるだろう。

この絵を発表する直前、豊藤は瑛九の妹との婚約が破談となり、それ以後、瑛九とは疎遠になったらしい。山田光春によれば「勇はその後東京に画室を建てて移り、結婚して三児の父となって幸福な生活に入っていたが、昭和十八年に従軍画家として中支北支に赴いた後に召集されて一兵卒としてソ満国境に行き、そのまま ついに帰らなかった」といい、「国境附近で脱走を図って頭に銃弾を受けて即死した[17]」と伝え聞くという。

おわりに

こうして三人の活動をたどると、彼らがシュルレアリスムから触発を受けながらも、それぞれ表したかった固有の主題があったらしいことが

図3｜豊藤勇《童貞女受胎》1936年 『アトリヱ』13巻8号、1936年8月掲載

朧げに見えてくる。彼らの作品を実際に見てみたかったと少しでも感じていただけたら幸いである。他にも歴史の闇に埋もれさせるには惜しい画家は少なくないので、機会があれば引き続き紹介に努めていきたい。そしてまた、「作品が現存しない」ということは証明しうるものではなく、「その作家の作品なら私が持っている／○○にあるのを知っている」という方も、もしかしたらいらっしゃるかもしれない。この展覧会を契機として実際に作品が発見されたら、望外の喜びである。埋もれた作家の発掘に終わりはないのである。

（おおたに・しょうご／東京国立近代美術館副館長）

（1）瀧口修造「日本における超現実絵画の展開」『超現実絵画の展開』展図録、国立近代美術館、一九六〇年四月、三頁

（2）同辞典には瀧口綾子の他に日本人画家の作品として今井滋、下郷羊雄、大塚耕二の作品も掲載された。

（3）瀧口綾子の作品としては他に《スプウンの奇蹟》（一九三六年）にも同種の主題が読み取れる。大谷省吾「瀧口修造と瀧口綾子」『東京国立近代美術館研究紀要』二三号、二〇一九年三月、三三—三四頁を参照。

（4）一九三〇年代に前衛美術を志し挫折した女性画家の悲劇的な例を追った研究として、以下もあわせてお読みいただきたい。コウオジェイ・マグダレナ「自己に忠実に生きようとした画家——船越三枝子」『近代画説』二九号、二〇二〇年一二月、九三—一〇五頁。

（5）瀧口修造「マグリットの「不思議な国」」『シュルレアリスムと画家叢書「骰子の7の目」月報』一号、河出書房新社、一九七三年一〇月。

（6）瀧口修造「唯型第二回展」『みづゑ』三九九号、一九三八年五月、四八六頁。

（7）小林孝行「前衛作家として」『アトリヱ』一四巻六号、一九三七年六月、七七頁。

（8）東郷青児「この頃のこと」『阿々土』二五号、一九三九年四月、二六頁。また「小林孝行遺作展」（『日本学芸新聞』一九三九年四月五日七面）には、「幼にして母に死別、父は四歳の時ピストル自殺をとげたと聞く」とある。

（9）東郷青児「（題名なし）」『小林孝行遺作展覧会』目録、銀座紀伊國屋画廊、一九三八年三月。

（10）『阿波画人名鑑』徳島県教育会出版部、一九六八年七月、五三—五四頁。

（11）大谷省吾「瑛九は現実をいかに捉えようとしたか」シンポジウム〈具体〉再考 第二回「1930年代の前衛」二〇一七年一二月三日、大阪大学総合学術博物館（https://www.museum.osaka-u.ac.jp/2017-11-01-11923/）。豊藤と弦月会との関係の確認については加藤瑞穂氏の協力を得た。

（12）『瑛九 1935-1937 闇の中で「レアル」をさがす』展図録、東京国立近代美術館、二〇一六年一一月、一二七頁。

（13）山田光春『瑛九　評伝と作品』青龍洞、一九七六年六月、一〇〇頁。

（14）同一一六頁。

（15）James Thrall Soby, *After Picasso*, Dodd, Mead and Company, New York, 1935. 同書が当時の日本に及ぼした影響については以下を参照。伊藤佳之ほか『超現実主義の1937年　福沢一郎『シュールレアリズム』を読みなおす』みすず書房、二〇一九年二月、二三九—二五六頁。なお、豊藤の文章としては他に「シュル・レアリズム絵画に於ける文学的反動」（『アトリヱ』八巻六号、一九三一年六月、一七—三一頁）がある。豊藤は出典を明記していないが、今回の調査でE. Tériade, Documentaire sur la jeune peinture IV - La réaction litteraire, *Cahier d'art*, feb. 1930, pp.69-77 の翻訳であることが判明した。ソビーといいテリアーデといい、シュルレアリスム絵画に象徴的物語性を見ようとするものであり、これらの文献を選択し訳そうとしたところに豊藤の関心のありようを見てとることができよう。

（16）黒沢義輝『山中散生書誌年譜』丹精社、二〇〇五年一〇月、五七—六一頁。

（17）山田、前掲『瑛九　評伝と作品』、一四九頁。

第六章　戦後のシュルレアリスム

Chapter 6.
Postwar Surrealism

6

第二次世界大戦は多くの命を奪い、戦災などにより多くのものが失われた。終戦を自宅や疎開先で迎えた画家、戦地で強烈な体験をした画家、戦後もシベリアなどに抑留され、数年後に復員した画家もいた。日本全体が混乱し、食糧難に見舞われ、生活の立て直しもままならぬ人も多くいるなか、GHQによる占領が始まり、自由、民主主義の名の下に美術界の活動も復活した。

前衛美術を標榜した美術団体についても、美術文化協会は一九四五年、再建された二科会は四六年に展覧会を再開した。また、美術文化協会の一部の会員が脱退して新たに前衛美術会が結成され、美術団体連合展やアンデパンダン方式の展覧会の実施、団体の枠を超えて画家たちが参加した日本アヴァンギャルド美術家クラブの誕生など画家たちの活動が盛んになった。

シュルレアリスムに関してはGHQによるプレスコードはあるものの、美術展では戦争末期に取り締まりの対象となっていたような作品の発表が可能になった。海外の美術情報についてもアメリカなどを経由して得ることができるようになり、復刊した美術雑誌ではアメリカやヨーロッパの状況、ダリをはじめとする画家たちの様子が伝えられた。

戦前にシュルレアリスムに接触した画家たちは目まぐるしく変化する日本の社会に向き合い、戦前に学んだ手法や発想を用いて描いた。佐田勝は空襲で被害を受けた建物をデカルコマニー風の技法を用いて無機質に描いた[100]。阿部展也[104]や浜田知明[112–113]は従軍体験をもとに人体を象徴的に表現している。早瀬龍江[108]や片谷瞹子[107]の作品は、戦後社会における女性の在り方などの新たな問題を提起している。また、大塚睦[106]、山下菊二[111]、高山良策[114]らによる同時代の事件や社会問題をテーマにした作品は「ルポルタージュ絵画」とまとめられることが多いが、それらのモチーフの選択や描き方の発想の根源にはシュルレアリスムがあるといえよう。（HS）

World War II claimed many lives, and a lot was lost in war damage. While some artists were at home or in evacuation when the war came to an end, there were others who had undergone drastic experiences at the front and those who were still detained in Siberia and elsewhere after the war and were demobilized several years later. The entire country was in chaos, food was scarce, and many people were unable to rebuild their life. Amid such circumstances, occupation by the GHQ began, and activities in the art world, too, were resumed in the name of freedom and democracy.

As for art groups advocating avant-garde art, the Bijutsu Bunka Association resumed exhibitions in 1945, and the Nika Association in 1946. Artists became active again. For example, some members of the Bijutsu Bunka Association seceded and formed a new group called Zen'ei Bijutsu-kai (the Avant-Garde Art Society). *Bijutsu Dantai Rengō ten* (Joint exhibition of art associations) and several independent-style exhibitions were held, and Japan Avant-Garde Artists' Club was formed by artists beyond the framework of the art group to which each artist belonged.

As far as Surrealism was concerned, although there was a press code set by the GHQ, it became possible to present works which had been subject to control at the last stage of the war at art exhibitions. Information on overseas art could be obtained via the US etc., and art magazines which had resumed publication conveyed the situations in the US and Europe together with news of Dalí and other artists.

Faced with a whirlwind of changes in the Japanese society, artists who had come into contact with Surrealism before the war painted pictures employing methods and ideas they had learned before the war. Sata Katsu painted buildings destroyed in air raids inorganically employing a decalcomania-like technique [100]. Abe Nobuya [104] and Hamda Chimei [112-113] expressed the human body symbolically based on their experiences of serving in the war. The works by Hayase Tatsue [108] and Katatani Aiko [107] present further issues on the status of women in the postwar society. While works by Ōtsuka Mutsumi [106], Yamashita Kikuji [111], and Takayama Ryōsaku [114] addressing incidents and social issues of the time as their theme are often referred to collectively as "reportage painting," the idea at the root of their choices of motif and methods of drawing can be traced to Surrealism. (HS)

100
佐田勝
廃墟
1945 年
板橋区立美術館

Sata Katsu
Ruin
1945
Itabashi Art Museum

101
鶴岡政男
鼻の会議
1947年
群馬県立近代美術館

Tsuruoka Masao
Meeting of Noses
1947
The Museum of Modern Art, Gunma

図1
岡本太郎《コントルポアン》
1935年

図2
岡本太郎《傷ましき腕》
1935-36年
（図1ともに『OKAMOTO』より）

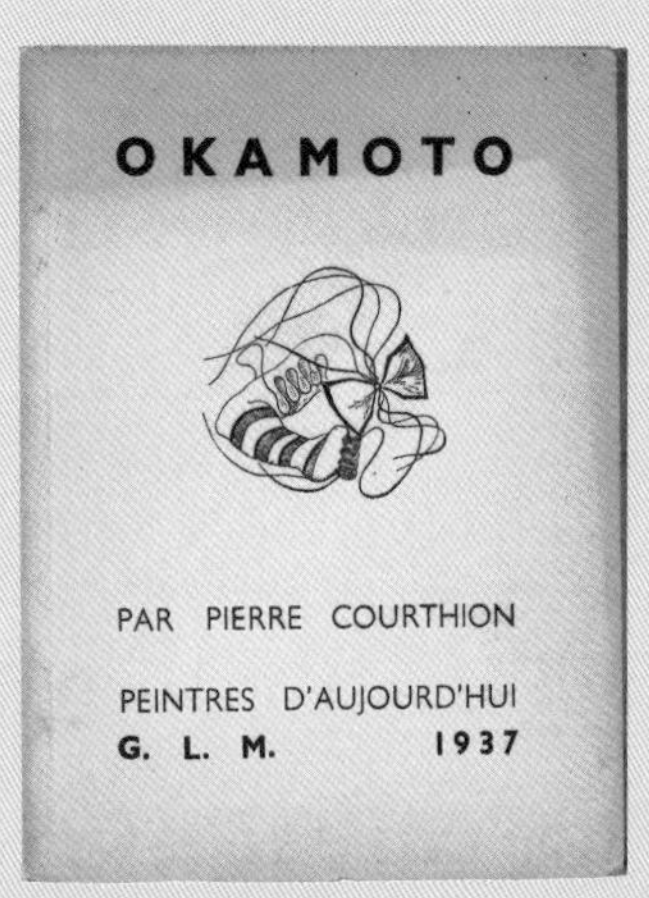

D91
ピエール・クルチオン
『OKAMOTO』
G. L. M.、1937年、個人
（Pierre Courthion, *OKAMOTO*, Peintres d'aujourd'hui）

岡本太郎（おかもとたろう）——フランス体験と帰国後

岡本太郎は、フランスでシュルレアリスムの活動に参加した唯一の日本人である。一九三〇年からフランスに滞在し、一九三三年、抽象作家が集結したグループ、アプストラクシオン・クレアシオンに参加、さらに画家クルト・セリグマンとネオ・コンクレティスム（新具体主義）を提唱した。セリグマンは一九三六年に訪日して個展を開催、抽象とシュルレアリスムを統合するような作品や主張が話題を呼んだが、この滞在は岡本が手配したものであった。

岡本自身も抽象的作風から具象的モチーフの導入へと向かい［図1］、戦前の代表作《傷ましき腕》［図2］に結実する。この絵がアンドレ・ブルトンの目にとまり、一九三八年一月、パリのボザール画廊でのシュルレアリスム国際展に出品された。ブルトンらからグループへの参加を勧められたが、閉ざされた組織に属する気になれなかったと岡本はのちに述懐する。[★1]

だが、別のところでは、これとは異なる理由を語っている。それは、当時、ブルトンと決裂していたジョルジュ・バタイユに強い連帯感を覚えていたから、というものだ。[★2]親交のきっかけは、バタイユが諸派と共闘した「コントル＝アタック（反撃）」の集会に、エルンストに誘われて訪れたことであった。彼の社会学研究会に通い、秘密結社「アセファル」に参加したことは、強烈な体験として後年、自身も語り、近年の研究でも重視されている。[★3]

一九四〇年、帰国した岡本は翌年、滞欧作を公開して好評を得るが、召集され中国大陸に従軍、収容所生活を経て一九四六年に復員した時には滞欧作はすべて自宅とともに焼失していた。《憂愁》［102］はこうした状況のなか描かれたものである。この絵と同名の詩では、旗を「わが悲しみのあかし」「ぬぐひ去ることの出来ない／不幸のあかし」と捉え「右から左のこめかみにかけて／一旗—又一旗」[★4]と記しており、この絵は自らの頭部に白旗が並ぶ失意のイメージと解釈できよう。（HY）

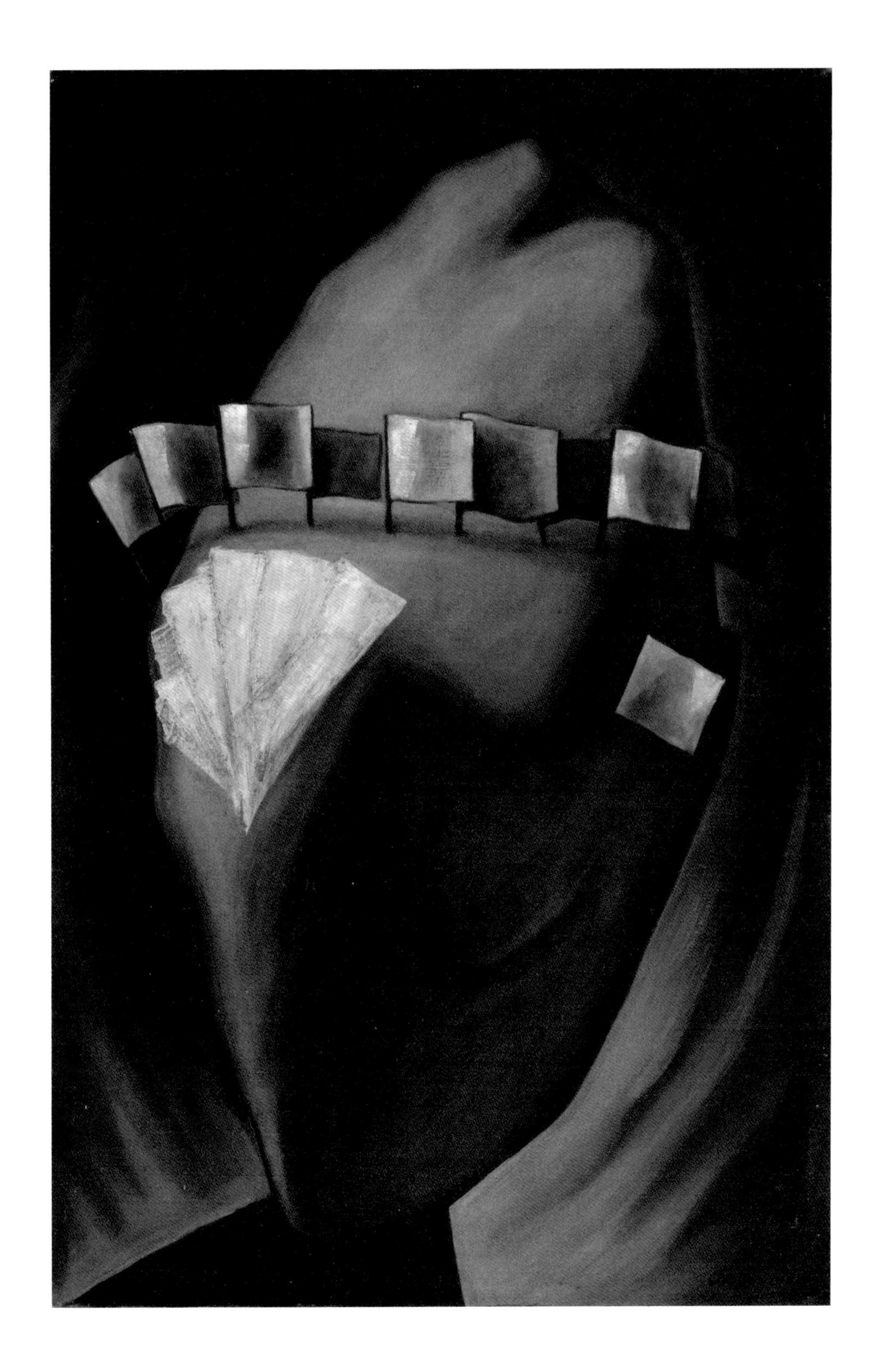

102
岡本太郎
憂愁
1947年
一般財団法人草月会
（東京都現代美術館寄託）
第32回二科展

Okamoto Tarō
Gloom
1947
Sogetsu Foundation (Deposit to Museum of Contemporary Art Tokyo)

古沢岩美とシュルレアリスム

東京美術学校教授の岡田三郎助の自宅で書生をしながら絵を学んでいた古沢岩美の関心をシュルレアリスムへと向けたのは、一九三二年の巴里・東京新興美術展覧会と池袋での前衛画家たちとの出会いであった。古沢は光風会展などに風景画を出品していたが、巴里・東京新興美術展覧会の一般公募部門の目録によると《白暮》が入選した。同作は街に溢れていた失業者を描いた作品だという。[★1] 彼は同展に通い詰め、ピカソやレジェ、デ・キリコ、タンギーなど前衛画家たちの作品に夢中になった。これまで学んできた絵画とは異なる作品に衝撃を受けた古沢は岡田邸を飛び出し、池袋のアトリエ村にたどり着いた。そこで寺田政明に出会い、彼の紹介で日本のシュルレアリスムの主導者とされる福沢一郎や靉光、麻生三郎らの画家を知り、自身もそれを試みるようになった［図1］。

古沢は「今まで習い憶えた印象派やフォービズムのテクニックをすべて捨てようと悩みに悩んだ」と回想するが、絵画の技術はシュルレアリスム風の作品でも活かされた。[★2]《破風土》［図2］は、まだ見ぬ中国大陸を夢想して描いたようだ。画面には日本が侵略を進めていた中国大陸から連想される事物が強風に煽られる様が描かれている。中央で跳び上がるように描かれた馬はドラクロワやジェリコーなどの古典絵画を思い浮かべながら描いたという。[★3]

古沢は中国大陸で終戦を迎え、捕虜生活を経て一九四六年に復員した。彼は東京の焼け野原をルネサンス絵画に描かれた廃墟に重ね合わせ、街角に立つ娼婦たちを飛べない天使と名付けてスケッチし、油彩画に仕上げた［図3］。四七年の《女幻》［103］には、椅子に置かれた女性の頭部、遠景には彼が仮住まいをしていた千住のお化け煙突が描かれている。女性は前を見つめ、戦後の混乱にも動じない強い意志が感じられる。戦後、古沢はシュルレアリスムの発想をヒントに、エロスと戦争体験をテーマに描き続けた。（HS）

図1
古沢岩美《蒼暮》
1937年（再制作1982年）
板橋区立美術館

図2
古沢岩美《破風土》
1940年
絵葉書

図3
古沢岩美
《飛べない天使（おうむ）》
1948–94年
板橋区立美術館

103
古沢岩美
女幻
1947年
板橋区立美術館
美術文化秋季展

Furusawa Iwami
Mirage of Woman
1947
Itabashi Art Museum

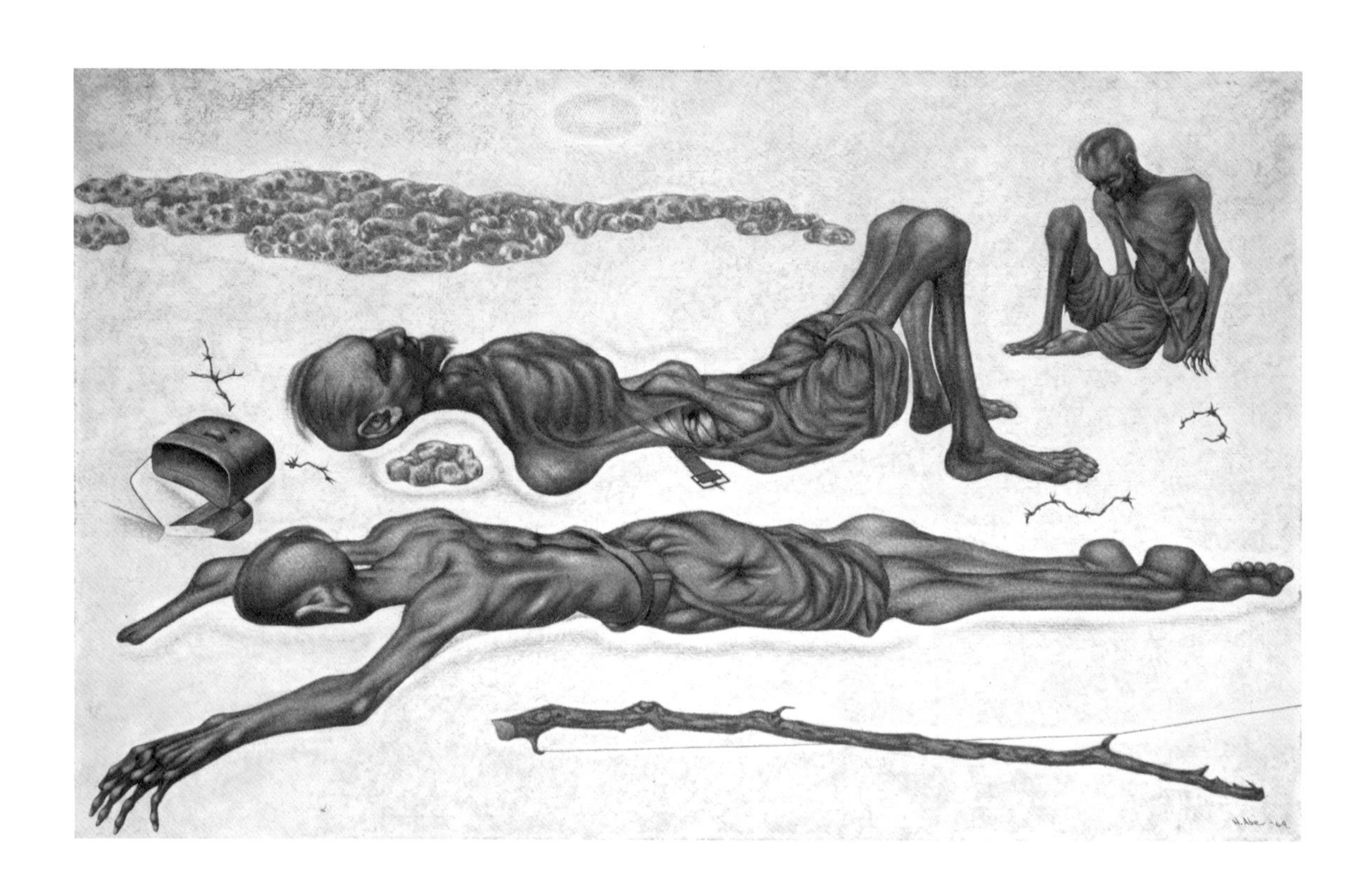

104
阿部展也（芳文）
飢え
1949 年
神奈川県立近代美術館
第 3 回美術団体連合展

Abe Nobuya (Yoshibumi)
Hunger
1949
The Museum of Modern Art,
Kamakura & Hayama

105
眞島建三
遍歴
1945 年
名古屋市美術館

Majima Kenzō
Wanderings
1945
Nagoya City Art Museum

106

大塚睦
ハンスト
1949 年
板橋区立美術館
第 3 回前衛美術展

Otsuka Mutsumi
Hunger Strike
1949
Itabashi Art Museum

107

片谷暧子	Katatani Aiko
狭き尾根	*Narrow Ridge*
1951 年	1951
板橋区立美術館	Itabashi Art Museum
第 5 回女流画家展	

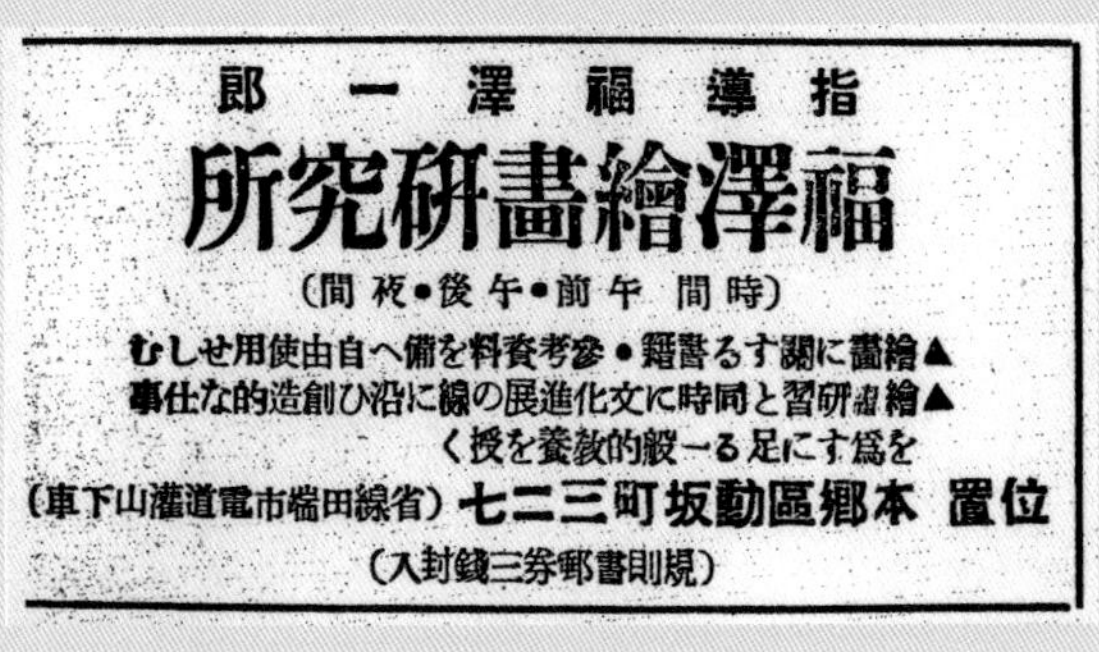

指導 福澤一郎

福澤繪畫研究所

(時間 午前・午後・夜間)

▲繪畫に關する書籍・參考資料を備へ自由使用せしむ
▲繪畫研習と同時に文化進展の線に沿ひ創造的な仕事を爲すに足る一般的教養を授く

位置 本郷區動坂町三二七(省線田端市電道灌山下車)

(規則書郵券三錢封入)

図2
福沢絵画研究所広告、『日刊美術通信』
1940年1月12日

図1
福沢絵画研究所夏期講習会集合写真
1937年8月、個人

福沢絵画研究所

福沢絵画研究所は一九三六年一〇月一日に福沢一郎が本郷の自宅の一部を改修して開いた画塾で、ここには年齢や性別にかかわらず学びたい人々が集まり、石膏デッサン、自由制作などを行った[★1][図1]。日本におけるシュルレアリスムの主導者として知られていた福沢と美術や文化について語り、彼の蔵書を自由に見ながら制作ができる環境は当時の前衛美術を志す若者にとって魅力的だった。ここには山下菊二、早瀬龍江、白木正一、片谷暖子といった画家を志す若者たち、杉全直や大塚睦らの東京美術学校の学生、藤沢典明や箕田源二郎をはじめとする美術教育者、紙芝居「黄金バット」の作者として知られる加太こうじ、戦後に学芸員として活躍した本間正義をはじめとする東京帝国大学の絵画研究会の学生などさまざまな人々が各地から集まった[★2]。

当時も画塾を主宰する画家たちはいたが、東京帝国大学文学部に学んだ後、フランスに留学するものの美術学校に籍を置くこともないまま画家として活躍した福沢は異色であった。文学者や思想家とも交友を持ち、自らも絵画論を展開した福沢は研究所を単なる技術習得の場所ではなく、幅広く芸術一般を知り、議論できるような複合的な場所にしたかったのだろう。それを裏付けるのが瀧口修造をはじめとする評論家や美術史家を招いた講演会の開催であり、四〇年の『日刊美術通信』に掲載された生徒募集記事の「絵画研究と同時に文化進展の線に沿ひ創造的な仕事を為すに足る一般的教養を授く」という文言である[図2]。

福沢絵画研究所は既存の美術教育の枠組みを超えた、理想の学び場を作るという希望に満ちた計画であったが、四一年に福沢が治安維持法違反の嫌疑によって拘束されたことにより閉鎖されてしまった。しかしながら福沢、そして研究所に通った人々が戦後日本の美術、教育、文化など幅広いフィールドで活躍したことを考えると福沢絵画研究所が果たした役割は大きい。(HS)

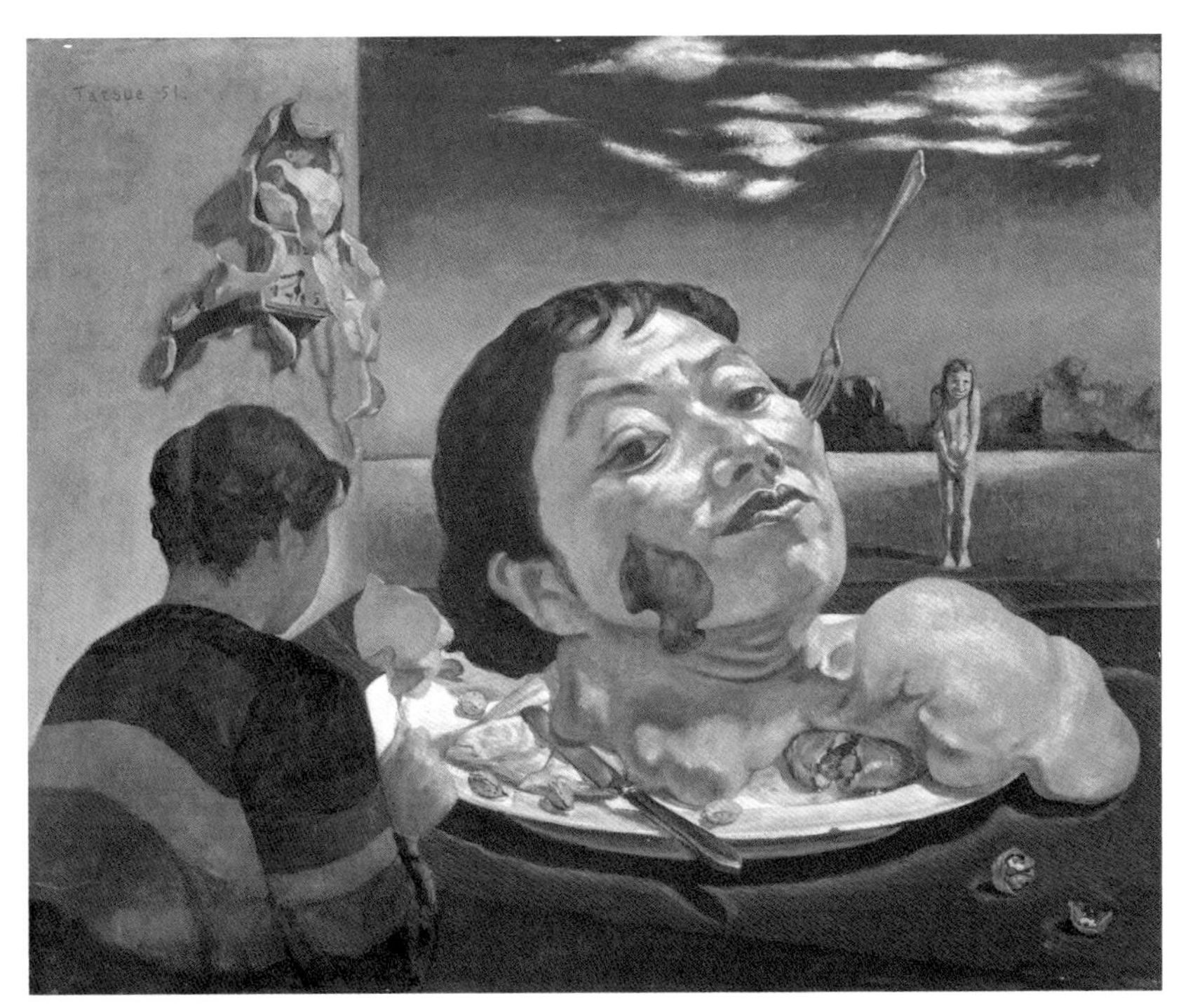

108

109

109
白木正一
追憶
1952 年
板橋区立美術館

Shiraki Shōichi
Remembrance
1952
Itabashi Art Museum

108
早瀬龍江
自嘲
1951 年
板橋区立美術館
第 11 回美術文化展

Hayase Tatsue
Self Scorn
1951
Itabashi Art Museum

110
堀田操
断章
1953 年
板橋区立美術館
第 2 回サロン・ド・ジュワン

Hotta Misao
Fragments
1953
Itabashi Art Museum

114
高山良策
矛盾の橋
1954年
板橋区立美術館
第2回平和美術展

Takayama Ryōsaku
Contradictory Bridge
1954
Itabashi Art Museum

山下菊二の「ルポルタージュ絵画」

戦前にシュルレアリスムの影響を受けた画家たちは、戦時下の経験と敗戦後の現実のなかで、シュルレアリスムを否定的媒介とした絵画を模索し始める。福沢絵画研究所で学び美術文化展に出品していた山下菊二もまた、凄惨な経験を強いられた中国戦線から帰還の後、自己の加害者意識や人間や社会の暗部と対峙し続けるための過酷な創作活動を開始する。

「美術家の見た日本のすがた」や「非テーマ的テーマ展」を掲げて開催された第一回ニッポン展に山下が出品したのは、戦後「ルポルタージュ絵画」の代表作として知られる《あけぼの村物語》［図1］であった。地主の経済的圧迫により自死する老婆とその無残な死体に取り付く孫娘、地主による活動家の暗殺という山梨県曙村（現・身延町）で実際に起こった複数の惨事がモンタージュされた画面には、因習や伝承を敷衍したことによる土俗的な雰囲気が漂う。こちらを見つめる赤犬や鶏、魚の生命力に比して、痛めつけられた人体はグロテスクなまでに物質的である。曙村の取材は、桂川寛や尾藤豊、島田澄也、入野達弥、勅使河原宏と参加した小河内村文化工作隊の活動の後、下丸子文化集団・丸山照雄の案内によって行われた。★1 美術と政治を分離しない山下の態度が、「曙村の事件」のルポルタージュであることを超え、日本の現実を炙り出す絵画世界の構築へと導く。

《新ニッポン物語》［11］もまた、複数のイメージをモンタージュすることで、グロテスクで滑稽な画面を創造する。日米相互防衛援助協定（一九五四年）を暗示する「MSアベニュー」の道標が置かれた世界で、黒毛の動物が黄毛の動物の頭部を掴む。赤い唇の下には隠語「YELLOW STOOL」（黄色い淫売）の文字がスタンプされている。《あけぼの村物語》に満ちた暗く陰湿な雰囲気とは異なり、アメリカおよびその支配下にある日本への強烈な風刺には、倒錯した「明るさ」が漂う。連合国軍による占領期間（一九四五―五二年）は終結したものの、米軍の駐留はその後も続いていた。（ST）

図1
山下菊二《あけぼの村物語》
1953年、東京国立近代美術館 ★2

111
山下菊二
新ニッポン物語
1954年
日本画廊
第2回平和美術展

Yamashita Kikuji
The Tale of New Japan
1954
Gallery Nippon

図 1
浜田知明《驢馬》
1944 年 ★5

浜田知明　萌芽期の軌跡

戦後、個性的な銅版画で国際的にも高い評価を得た浜田知明。その長きにわたる活動の萌芽期ともいえる戦前戦中の動向やシュルレアリスムとの関わりも近年、明らかになりつつある。[★1] 一九三三年、故郷の熊本に巡回した巴里新興美術展を一五歳の浜田は見ている。美術への強い関心と才能は、翌年の上京と東京美術学校への飛び級での入学につながる。

在学中に佐田勝らとグループ「デ・ザミ」を結成して活動し、この頃、雑誌に掲載されたサルバドール・ダリ《内乱の予感》を見たことが、「生涯の方向を左右する」決定的な出会いであったと浜田はのちに語る。[★2] まもなく制作した最初の版画作品とされる《聖馬》[085]は、食肉処理場で命を奪われる馬を磔刑図として表したものだ。

卒業とともに浜田は入隊、大陸に派遣される。軍隊生活の過酷で悲惨な体験が、戦後に開花する浜田の芸術の原点となり、その表現を突き動かす主動因であったことはよく知られる。だが、おそらく写実的に描いても充分に表現できないほどの、いわば現実を超えた異常な経験は、ダリの影響も指摘できるような人体の歪曲や変形、幻想的なヴィジョンによってはじめて表せたのかもしれない。

一九四三年に一時復員した際、第五回美術文化展に《驢馬》[図1]という油彩画を出品、中国の民衆や軍隊における自分自身を驢馬の姿に託した暗い画面は、「戦争画の時代」なのに「シュルレアリスムの影響が残っている」と仲間から指摘されたという。[★3]

浜田が「初年兵哀歌」と題するシリーズをはじめ、彼を世に知らしめた銅版画群を次々と生み出すのは一九五〇年以降である。《人》[112]は「戦っている人間」を表し、《初年兵哀歌—風景（一隅）》[113]は「中国の民家の前に死体が転がって」いる実際に見た光景をもとにしたようだが、[★4] 銅版技法の効果とともにシュルレアリスティックな語法が経験や心情、訴えを、より普遍的な表現に結晶させている。（HY）

112

113

113
浜田知明
初年兵哀歌
──風景（一隅）
1954年
熊本県立美術館

Hamada Chimei
Elegy for a New Conscript: Landscape (A Corner)
1954
Kumamoto Prefectural Museum of Art

112
浜田知明
人
1951年
熊本県立美術館

Hamada Chimei
Man
1951
Kumamoto Prefectural Museum of Art

115
小山田二郎
手
1950 年代後期
府中市美術館

Oyamada Jirō
Hand
late 1950's
Fuchu Art Museum

Essay

シュルレアリスムと「日本的なもの」をめぐって

速水豊

はじめに　古賀春江と三岸好太郎

川端康成がノーベル賞受賞記念講演「美しい日本の私」において、旧友、古賀春江［003、004］の思い出を、その名は言わず語ったことはよく知られる。道元、明恵、良寛らの歌を引きながら、日本人古来の自然観、死生観について説くこの講演のなかで、芥川龍之介とあわせて挙げられる「これも若く死んだ友人、日本での前衛画家の一人」への短い言及はやや唐突でもある。ただし、ここで語られたのは、古賀の芸術ではなく、「仏教の寺院に生まれ、仏教の学校を出た」この画家の、西洋の考え方とは異なる死生観であった[1]。講演のこの箇所は、自身の三五年前の有名なエッセイ、画家の死の直後に書かれた「末期(まつご)の眼」を顧みたものだが、確かにその文章でも川端は古賀の芸術を「仏法のをさな歌」という言葉で言い表していた[2]。

広く国外に向けて日本の美や精神について発信することを自ら任じた日本人文学者の、やや場違いともとれる前衛画家についての想起は、本人が意識していたかは別として、世界に向けたあるメッセージを持たざるをえない。それは、「日本では前衛画家でさえ仏教の精神を持っていた」というメッセージである。

古賀春江が浄土宗の寺院の息子であり、仏教系の大学にも一時通ったことは確かである。そしてその芸術に仏教的なテーマが見られることも、一九二〇年代初め頃の《観音》《埋葬》《涅槃》といった作品に明らかだ。しかし、これは一時期にとどまり、仏教との関わりにおいて古賀を論じたヴェラ・リンハルトヴァも仏教的主題は初期の一九一九―一九二四年に限られるとしている[3]。

だが、複数の主要な古賀研究が、後年における、彼のいわゆるシュルレアリスム時代のある文章に、仏教的な思惟を見ることで一致している。それは、彼が自らのシュルレアリスム観をまとまったかたちで表明した唯一の文章「超現実主義私感」の末尾のくだりである。

「純粋の境地――情熱もなく感傷もない。一切が無表情に居る真空の世界、発展もなければ重量もない、全然運動のない永遠に静寂の世界！／超現実主義は斯くの如き方向に向つて行くものであると思ふ」[4]（／は原文では改行）。

古川智次、中野嘉一の先駆的な古賀論、近年の呉景欣（ウー・ジンシン）の研究においてもこの一節は、古賀の仏教的な心性の表れと解釈されている。[5]だが、ここで付言したいのは、古賀の論述においてこの「純粋の境地」へ向かう理念、つまり、実感の世界を消滅させ、自我をも消滅させる「消滅への機構としての超現実主義」の理念には、西脇順三郎の理論の浸潤があることだ。古賀の執筆当時、この主義の名を題した唯一の書であった西脇の『超現実主義詩論』[D14]を見れば、古賀が西脇の「純粋芸術における消滅のメカニスム」の論理をほぼ同じ術語を用いて援用していることがわかる。[6]

とはいえ、古賀の文章が受け売りであると言いたいわけではなく、研究者たちの仏教的心性の表れの指摘に反対したいのでもない。むしろここで問いたいのは、初期の作品に現れ、その後、潜在していたかもしれない仏教的観念が、超現実主義との接触によって古賀の言説において浮上したのではないか、つまり、シュルレアリスムが仏教的なものを召喚したのではないか、ということだ。川端の講演のメッセージとは逆に、「前衛画家でさえ」ではなく、シュルレアリスムに反応した前衛であったがゆえに、古賀は仏教的と捉えうる世界観を表明したのではないだろうか。

同様のことが感受されるのは三岸好太郎においてである。三岸は巴里新興美術展に強い影響を受け、さまざまな前衛手法を一九三三年、ほぼ一年にわたって試みた後、翌年の最後の独立展出品において《海と射光》[021]をはじめとする蝶と貝殻をモチーフとした作品群を発表し、ここでシュルレアリスムに最も接近する。

当時、理論的な文章も書いていた三岸だが、この時の作品や信条をシュルレアリスムという言葉で記したものはない。日本の超現実主義絵画の「記念碑的な作品」[7]とされる《海と射光》を含む出品作に関して、三岸は「西欧の精神を生かし同時に東洋精神の」「虚無的な精神を呼吸しようとした」ものと説明し、同じ文章のなかでこの東洋精神を「古池や蛙……の俳句に見る精神」と言い換えたのだった。[8]

この前年、おそらくモダニズム建築の観察から、彼は西洋と東洋の弁証法とも言うべき思考を記し始めていた。[9]この東洋精神にも関わる思考がシュルレアリスム的絵画を生んだのだろうか。あるいは、ここでもシュルレアリスムとの接触が、東洋的日本的な思惟を召喚したのか。

実のところ、古賀と三岸のいずれも早すぎる逝去から三、四年後の一九三七年、二人とともに日本のシュルレアリスム的表現を先駆し、その運動のリーダーと目された画家によって、二人の場合のように曖昧で暗示的なかたちではなく、明示的にシュルレアリスムと日本的なものの類似性が表明されることになる。本稿は、福沢一郎［010, 030］のこの表明をめぐる考察である。

1 「超現実主義と日本的なもの」

福沢一郎の文章「超現実主義と日本的なもの」は、シュルレアリスムについて日本人によって書かれた最初の包括的な著作『シュールレアリズム』［D26］の第八章である[10]。「俳句は五七五調の簡潔なリズムの中に広大無辺の感情を表現するものであるが、その方法に於て極めて超現実主義的なものを持つてゐる」。これまで幾度も引用されたこの文で始まる、俳句にデペイズマンを見出す有名なくだりの後、章の前半では、俳諧史の変遷とともにこれを大成した芭蕉の作風の確立と変転が論じられる。後半では、室町時代から広まった盆石とより近年の水石についてシュルレアリスムのオブジェと比較して語り、さらに龍安寺の石庭と大徳寺大仙院の庭を評したあと、最後に、これら室町以来の生活文化に通底する禅の精神が「一種の超現実的精神」であるとして、その思想と今日的な課題に論及してこの章は終わる。

だが、本書において福沢が示した日本的東洋的なものは、それだけにとどまらない。扉ページには日本の和菓子の写真［図1］が掲示され、別ページに菓子の象徴と擬態、禅との関係を記した短い解説が付く。口絵には「偏執狂の家と内部」と題して、あの二笑亭の写真がページ大に掲載される。その他、本文には言及のない、近世の刷り物から取られたと思われる戯画、浮世絵版画、中国の符咒図(ふじゅず)、一式飾りの図など、いわゆるダブル・イメージや見立て、幻想的要素を持つ日本、東洋の図版が第八章のみならず、他のページにも挿入されている。

福沢の著書のなかでも独創的なこの第八章は、これに注目したヴェラ・リンハルトヴァが一九八七年に全文を仏訳、解題を付して刊行したのをはじめ、一九三〇年代におけるシュルレアリスムと日本との関係が考究されるなかで採り上げられ、論じられてきた[11]。

まず述べておきたいのは、こうした「類似の指摘」が近代日本において繰り返された言説のあるタイプを踏襲していることである。西洋の新しい芸術が日本に知られ始めた時、それを日本の既存のもの、伝統的なものとの類似において語るということは、それまでにもあった。ポスト印象派や表現主義の絵画が知られた時に、それが南画に似ているという言説が多数現れ、またインターナショナル・スタイルと概括されるようなモダニズム建築が紹介されると、日本

図1｜福沢一郎『シュールレアリズム』1937年、扉

のある種の伝統建築がその類似において再認識されるという現象が起こった。[12]

西洋の新しいものと日本の古いものとの類似を指摘するこうした言説が興味深いのは、これが単なる東西文化の比較ではない動機なり意図なりを含むからだ。この言説は、西洋から到来した未知のものを理解、説明するよすがとなり、日本の古いものを再発見、再認識するきっかけにもなる。二つを同一視して日本の先見性を主張し、ナショナリスティックなイデオロギーに接続されることも起こりうる。では、福沢の場合はどうであったか。

右に挙げた、西洋近代絵画と南画、モダニズム建築と古建築についてのケースと較べた場合、福沢の本が挙げる類似するものの種類の多さにまず目が引かれよう。ジャンルや媒体も異なる多様な日本的（東洋的）なものが、文章のみならず、扉や口絵、挿絵も使って西洋の芸術流派を紹介する本としてはやや過剰なまでに示されている。

むろんこれらはあくまでも福沢にとってシュルレアリスムと結びつけうる日本的なものであって、その厳密な類似の正否はさだかではなく、また、挙げられたものが本当に日本的なものであるかどうかも今のところ問わないでおく。そのうえであえて概括的にいえば、この多種多様さはシュルレアリスム自体の性格によるとまずはいえるだろう。つまり、運動自体が多様な文化領域におよぶものであったとともに、シュルレアリスムは何よりも西洋近代の実証主義や合理主義、理性の優位への強い反抗であったことだ。そして、前衛であるにもかかわらず過去の全面的な否定を主張せず、当初から過去の芸術を祖先として動員するとともに、空間的な視野の拡張によって西洋圏外の文化、思想にも積極的に親近者を求めた。したがって大雑把な前提として、日本の前近代に類似するものを見出すことは必ずしも不自然ではなかったであろう。逆にいえば、明治以降、西洋近代の摂取に努力してきた日本にとってこの運動は逆行を示していたかもしれない。

2　長谷川と瀧口の「類似の指摘」

こうした前提をふまえたうえで、だが、福沢のこの「類似の指摘」についても、その動機や意図を当時の状況から考えるべきである。驚くべきことに、この本が刊行された一九三七年頃に、シュルレアリスムと日本的なものの類似を述べる発言が、他の論者からも一斉に現れている。先行研究でも挙げられている、その主なところを見てみよう。

この年の二月、『みづゑ』に発表された長谷川三郎「前衛美術と東洋の古典」は、福沢と並ぶ前衛の指導的画家の執筆であるゆえに重要であろう。この記事では冒頭で、西洋前衛絵画を過去の中国絵画と並置して共通点を示したジョルジュ・デュテュイの本を紹介し、その後、現在の前衛の二潮流、シュルレアリスムと抽象が、過去の日本では併存していたという大胆な発言がなされる。つまり、シュルレアリスムのオブジェと同様のものが、日本の床の間や違い棚に置かれる石、貝、磨かれた木の根などに見出されるとし、さらに茶道具や花入、その源である禅哲学にも言い及ぶ[13]。

より重要なことに、ほぼ同じ時期、瀧口修造がやはりシュルレアリスムと日本の近代以前の芸術との類似を語っていた。三七年を中心にその前後、たびたびこの種の発言が見られるが、その論調は長谷川と較べるとより慎重であり、日本のものとシュルレアリスムの安易な同一視を避けるかのように、「超現実（性）」「幻想」「象徴」といった言葉で日本のものを語る。語り方にも時期による推移があるので、ここでは時系列にごく簡単に発言をまとめてみよう。

最初にその種の言説が現れるのは一九三六年五月の記事であり、ここで瀧口は、芭蕉の革新性に言及し、そこに「「超現実」を認めやうとするのは性急すぎるであらう」としながらも、「超現実」という視点から「日本の文化芸術史を繙いてみたいと思ふ」と抱負を語る[14]。九月のエッセイ「詩と絵画について」では、西洋における詩と絵画の関係をたどり、シュルレアリスムの方法をオブジェにいたるまで挙げたあと、日本の詩と絵の関係を回顧し、「生花、盆石、盆栽等に現はれた祖先の対象観念への創意性」に注意をうながす[15]。

一九三七年から、より多くの文章のなかにこの類似への言及が見られるようになる。たとえば、三七年四月の一文では、西洋の象徴詩に近いものを芭蕉が実現していたと述べ[16]、五月の『海外超現実主義作品集』[D34]の「緒言」は、日本の「国土が生産した芸術的遺産の中に、優れた超現実の萌芽と欲求とを見出す」と述べ、文章を締めくくる[17]。

この年の秋頃から発表される文章の特徴は、「幻想」という言葉でこの類似が括られることである。一〇月の記事では「幻想的芸術」の再考を唱えたあと、「吾々の象徴文学」としての俳諧について「無意識の要素が、これほど純粋に作用した例を見ない」とする[18]。一一月の「幻想についての感想」では「幻想」ということが歴史的に多くの関連物を想起させると述べ、「さび」「あはれ」「いき」といった特質を持つ茶器や石庭などを「あへて日本の幻想的芸術と呼びたい」という[19]。

同じ一一月のエッセイ「幻想芸術の機能」では、これまでの文章では付加的に触れられていたこのテーマが、中心的な話題となる。ここでは、瀧口が最近、龍安寺の石庭を訪れ、また、世阿弥の花伝書を読んで受けた感動が分析され、それらに現代の浅薄なレアリスムを克服する幻想の要素を指摘し、同様に、シュルレアリスムの自然のオブジェの物質と幻想の同一性がより高度なレアリテとして作用すると論じる[20]。

一九三八年に入るとこの種の発言は少なくなる。ただ、四月に発表した「前衛芸術の諸問題」には、従来よりも強い口調が感じられる。各国のシュルレアリスムにそれぞれ特色があるように、日本においても「もつと地についた追求」をすべきとして、日本の過去の芸術における「超現実性」を指摘する。日本民族が「超現実性」に近い観念をもったのは、禅の「一種の詩的弁証法」を摂取して以降、世阿弥の能、俳諧連歌の創造においてであり、とくに俳諧の詩的飛躍力、観念連合の新しい世界は「超現実性」に通じると主張する。(21)

最後は六月『アトリヱ』の記事「狂花とオブジエ」［図2］だが、これは東西の美術図版を並置する図版中心のページの解説で、八大山人と西洋の抽象画を並べた長谷川三郎の記事と併載される。瀧口は江戸期の生け花の書『抛入狂花園（なげいれきょうかえん）』の図とシュルレアリスムのオブジェの図版を並置し、生け花を世阿弥の「花」の概念とひっかけて語り、この生け花の図とオブジェの形の酷似に驚くと述べる。(22)この記事を最後に瀧口のこの種の発言はなぜかほとんど見られなくなってゆく。

3　日本主義

なぜ一九三七年にこうした「類似の指摘」が一斉になされたのか。日本の古いものに着目するこれらの言説は、戦争へと向かう当時の日本の状況が背景としてあり、これと関連づけて論じられてもきた。満洲事変が起こり、弾圧のなかで左翼運動が壊滅した後、およそ三〇年代半ばから、日本的なもの、あるいは日本主義と呼べるものへの関心が各方面で高まりを見せ、それは諸芸術の領域におよんだ。たとえば、松本竣介が編集する随筆雑誌『雑記帳』は三七年二月に「日本的なもの〻明日」という特集を組み、福沢一郎もこれに寄稿している。福沢は「日本的なものがしきりに吟味されるのは、勿論時勢の風潮による。左翼から遠ざかつた振子は右翼に近づいてゐる」と述べ、別の寄稿者、今和次郎は「課題の与え方が、十年前ならば、百年後の将来は？　とか言ふのが至当であつたのだつたが、この頃は、日本的なものの……と言ふ風に趨勢が変つてしまつた」と記す。(23)

美術界においても「日本的なもの」がたびたび話題になり、とくに福沢が所属していた独立美術協会において一九三四、五年より日本的傾向や日本主義の主張が、会員たちのなかから強く現れたことを伊藤佳之が詳述する。福沢の著書とその前後の発言も分析した伊藤は、戦時色を増す社会背景において多く論じられるこの「日本的」というテーマに、福沢は批判的態度を表

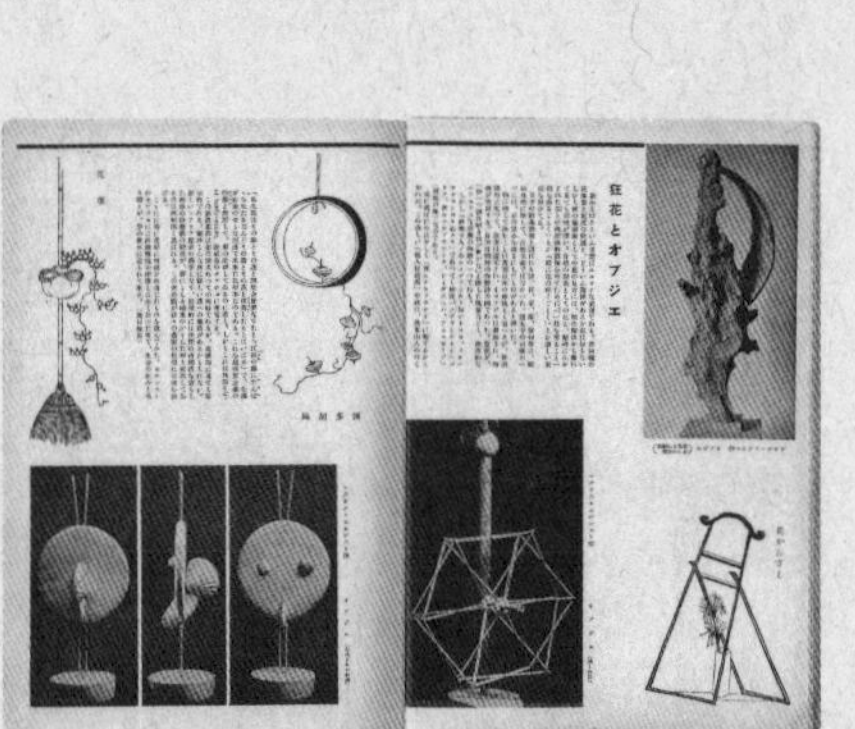

図2｜瀧口修造「狂花とオブジエ」『アトリヱ』1938年6月号

明しつつも、結局は取り組まざるをえなかった印象があると述べ、また、その発言が前衛に対する無理解への反論であった点も指摘する。[24]

日本主義が高まる情勢においては、外来の芸術であるシュルレアリスムのなかに日本的な要素の存在を主張することは、この芸術の擁護になりえただろう。大谷省吾も、シュルレアリスムと日本の伝統芸術を結びつける諸論に二つの目的があるとし、そのひとつを「国粋化を強める社会的風潮の中で、ヨーロッパの模倣と見なされがちな前衛美術を、日本の伝統と結びつけることは、弁護上のひとつの方便であった」と説く。[25]小沢節子も瀧口のこの種の発言を「シュルレアリスムに対する無理解に一矢を報いよう」としたものとし、しかし前衛芸術の安易な日本主義化を危惧したことが、瀧口がこの議論をさらに展開しなかった理由であるとつけ加える。[26]

大谷は、伝統への着目のもうひとつの目的として、「シュルレアリスムの観点から日本の伝統を見直し」「新たな日本美術の可能性を見出」すことを挙げ、長谷川や須田国太郎、瀧口の同主旨の発言を引用する。[27]確かに先に挙げた三八年の瀧口の論文「前衛芸術の諸問題」では、各国のシュルレアリスムの「気候(クリマ)的な相異乃至特色」を述べて、日本でもシュルレアリスムの「もつと地についた追求」が必要という文脈から、過去の日本の芸術が振り返られている。[28]つまり伝統から摘出される「超現実性」は、日本の風土に即したシュルレアリスムの追求に寄与するものとして論じられている。

「類似の指摘」は、すべてがそうではないにせよ、日本独自のシュルレアリスムあるいは「新たな日本美術」の追求という意図も含んでいたことは確かであり、これも場合によっては右傾化する当時の社会状況と関係づけうるであろう。瀧口の言説を分析したヴァンサン・マニゴは、単なる移植ではない「日本のシュルレアリスム」をめざす瀧口が、日本の過去の芸術における「超現実性」に着目し、日本の特殊性や独自の追求をとりわけ重視、尊重することで、ブルトン的シュルレアリスムのインターナショナリズムに背理し、時代の圧力のなかで一九四〇年には、国家のナショナリズムに沿う意見へと向かったとする。[29]

日本主義的な言辞は戦争の拡大に伴うさらなる統制や抑圧によって、まもなく社会のあらゆる言論を敗戦の時まで支配するのであるから、三〇年代のその顕著な強まりは、そこへ向かう予兆あるいは過程と見なせよう。だが、結果からさかのぼってこの時代の「日本」にまつわるすべての発言、表現を、同調であれ反発であれ日本主義との関係からのみ説明することは妥当性を欠く恐れがある。とりわけ、なぜ一九三七年に「類似の指摘」が一気に現れたのか、という問いには、日本の思想状況とは異なる要素にも目を向けるべきであろう。

4 シュルレアリスムの動向

この点で、平芳幸浩が、瀧口の「超現実主義の日本的伝統」への言及を、「時局への妥協的対応である以上に、論理的必然性から導出されてきた可能性が高い」と論じ、その言説に、英米におけるシュルレアリスムの国際的展開において持ち出される論理との相同性を指摘していることは興味深い。[30] 先に挙げた、瀧口が初めて日本の伝統との関連に触れた文章、三六年五月の「超現実性の測定」を改めて見れば、この件を論じる直前に、このテーマへの関心を惹起したきっかけを彼自身が明瞭に記しているのに気づく。「最近僕は英国の新詩人デヴィツド・ガスコインの「超現実主義小論」を読んでみて、彼が英国に於ける超現実の伝統とでもいへるものとして、ルイス・キヤロル、ヤング、スウイフト、あるいはシエイクスピアにまで及んでゐるのに接した。勿論、日本でかゝる例を求めるとしたら……人は幾多の疑問と、そして興味ある問題に逢着するであらう[31]」。

一九三五年一一月にロンドンで出版されたガスコインの著書は、シュルレアリスムに関する英語圏で初めての概説書であったが、瀧口が言及するのはその最終章である。ここでガスコインは、シュルレアリスムが英国民の気質にはそぐわないという意見に抗して、イギリスにはシュルレアリスムの伝統があると述べ、シェークスピアらの名を挙げたのである。[32] ちなみに福沢が著書の第一章の末尾で超現実主義と日本のものとの繋がりをほのめかすくだりは、同書のこの部分の参照、影響が明らかだ。[33]

ガスコインは、一九三五年の『カイエ・ダール』誌でも「英国最初のシュルレアリスム宣言」を発表し、ここでも先駆者として過去の英詩人らを列挙していた。[34] さらに、ロンドンでの国際シュルレアリスム展をきっかけに一九三六年に刊行されたハーバート・リード編『シュルレアリスム』では、リードが英文学史の全面的な見直しを提案し、バラッドやシェークスピア、ナンセンス文学などの再評価を語った。[35] 瀧口は、イギリスでの運動を紹介する記事でこの二つの文献も引用し、そこに見られる伝統との繋がりを評価しつつ、日本について次のように述べる。「私はこの事実をもつてこの国の新しい芸術運動が、従来殆んど伝統と切断されて追求されがちであつたことに対する焦眉の反省としたいのである[36]」。

瀧口の関心を自国の「超現実性」へと差し向けたイギリスの動向に続き、一九三六年一二月からニューヨーク近代美術館で「ファンタスティック・アート、ダダ、シュルレアリスム」展が開催される。アルフレッド・H・バー・ジュニアが企画し、流派としてのシュルレアリスムのみならず、一五世紀から近現代にいたるさまざまな作品を「幻想的芸術」の名のもとに集めたこの大展覧会の図録［D38］が、福沢の著書の典拠にもなったことは、伊藤佳之らの調査に明らかだ。[37] とくに第三章「超現実主義の先駆」にそれは顕著だが、ここで述べたいのは福沢が同書に載せた、日本、東洋のさまざまなイメージへの影響である。

よく知られるように、バーが出品、掲載した夥しい作品群には、過去の絵画の諸例のみならず、近現代の風刺画やディズニーによるアニメーション原画、子どもの絵や精神病者の作品、工芸品や幻想的建築の写真など、通常の美術の範疇を越えた多様さがあった。半年余り後、福沢が自らの本のために選出した、過剰なまでの、ときには猥雑で滑稽な、日本、東洋のイメージ群は、これに対する果敢で機知に富んだ福沢ならではのレスポンスだったのではないか。アルチンボルド的なものに対しては騙し絵風浮世絵や一式飾りで答え、風刺画に対しては近世の戯画で、工芸品へは和菓子で応答し、そして、自身も書いているように二笑亭はシュヴァルの理想宮のカウンターパートに外ならない。

瀧口も当時、ニューヨークの展覧会に言及しているが、この企画における過去のさまざまな芸術とシュルレアリスムとの結びつけについて、ブルトンの『通底器』の一節を引いてこれに留保をつける意見を記している。[38] バーのコンセプトに反対したブルトンが展覧会に関与しなかったことも瀧口は知っていたと思われる。[39] だが、先に示したように、三七年後半、瀧口が日本の芸術を「超現実」と呼ばず「幻想(的)芸術」という言葉を用いて論じ始めたことには、やはりこの展覧会からの影響を見ないわけにはいかない。

もうひとつ、「類似の指摘」の誘因となった動向として、オブジェの台頭を挙げたい。周知のようにオブジェには一九一〇年代からのデュシャンらの先駆的例があり、シュルレアリスム運動のなかでも『革命に奉仕するシュルレアリスム』や『ディス・クォーター』誌に載ったダリのオブジェ論は日本にも届き、後者は瀧口が一九三五年に訳している。[40] だが、より幅広い射程を持つコンセプトとして、オブジェが広く知られた契機は一九三六年にあった。それは、民族の仮面や数学オブジェ、ファウンド・オブジェクトなども並べた五月のシャルル・ラットン画廊での「オブジェのシュルレアリスム展」であり、日本への影響においてより重要なのは、これに合わせてシュルレアリストらが編纂した『カイエ・ダール』のオブジェ特集号であろう。[41]

注目すべきは、ブルトンらのテキストと多数の図版を収めたこの特集が、オブジェの領域を通常の美術の枠組みを越えて広く拡張し、かつその種類を列挙して提示したことである。先に挙げた論文「前衛美術と東洋の古典」を長谷川に書かせたきっかけのひとつはこの特集号にあったと推測される。というのも、長谷川はこの論文に先立つ三七年一月の『南画鑑賞』のエッセイで、『カイエ・ダール』の記述に倣って「objets naturels(自然物)objets trouvés(発見物、掘出物)objets ready made(既成物)objets interprétés(解釈された物体)」などを挙げ、写生や技巧を拒否する芸術家の精神を指摘した後で、このような態度を茶道や花道の精神に近いものとし、「今之を詳論してゐられないのを遺憾とする」と書いていたからだ。[42]

この特集を受けて、「日本におけるオブジェの紹介としてはもっとも早い時期のもの」[43]とされる山中散生の記事「OBJET SURRÉALISTEの問題」[44]など、オブジェは日本でも紹介された。シュルレアリスム運動におけるオブジェの台頭、あるいはむしろオブジェ概念の拡張は、日本人に日本の伝統的なものとの外形的な類似をすぐさま気づかせるものであったようである。まさにこの類似から、三八年に瀧口はエッセイ「狂花とオブジエ」を書き、[45]福沢は勅使河原蒼風と対談する。[46]ついでにいえば、こうした動向は、生け花という伝統芸術における刷新と発展にも寄与したようだ。

5 相互浸透？

以上のように、「類似の指摘」の噴出は、直近のシュルレアリスムの動向に対する機敏な応答でもあった。だがここで、こうした言説に関して別の観点から指摘しておきたいことがある。それは、日本のシュルレアリスムを日本的なものとの関連から初めて細かに論じたリンハルトヴァが、トリスタン・ツァラと高橋新吉に関して「相互浸透（l'osmose）」という言葉で説明したような現象についてである。[47]

改めて見れば、福沢が著書『シュールレアリズム』第八章の本文で論じている「日本的なもの」は、実のところ、俳句と禅（および禅に関わる文化）のほぼ二つのみといってよい。注意すべきは、このいずれに対してもヨーロッパのシュルレアリストの関心がわずかながらおよんでいたことだ。

俳諧は、フランスでも早くから紹介されてはいたが、仏詩人の創作を伴う俳諧熱の高まりが一九二〇―一九二四年に、つまりシュルレアリスムの台頭期にあったことを、リンハルトヴァはその編著の序文で述べている。[48]そこでは、ポール・エリュアールやグループ「大いなる賭（Le Grand jeu）」に参加するロジェ・ジルベール＝ルコントがこの時期に発表した俳諧詩についても論じられているが、エリュアールの俳諧制作については一九二九年の『詩と詩論』において日本でも紹介され、後に瀧口もこれに一度ならず言及している。[49]

禅仏教については、ツァラの一九二二年の講演における仏教への言及（「ダダはいささかも現代的ではない。むしろ、ほとんど仏教的な無関心の宗教への回帰である」[50]）が、これまでの研究でたびたび引用され、日本のダダの先駆者、高橋新吉の禅仏教への傾倒ともあわせて、禅とダダは一方的な影響としてではなく相互性あるいは思想の相似性において論じられてきた。[51]

シュルレアリスム運動においても仏教への言及があるが、[52]とくに禅宗に関していえば、ブルトンとエリュアールが編纂した『シュルレアリスム簡約辞典』[D39]の三つの項目がこれに関係する。一九三八年刊のこの本は、福沢の著書より後のものだが、「禅(zen)」という見出し語で『臨済録』の一節がそのまま引用されるとともに、「舟(bateau)」「貴重な(précieux)」の項でも禅の公案と見られるものがそれぞれ語義として挙げられている。[53] 近年、渡邉郁美の研究[54]により、これらの典拠が、エミール・スタイニルベル＝オーベルランと松尾邦之助が一九三〇年にパリで刊行した『日本仏教諸宗派』[55]であることが明らかとなっており、ブルトンと交流もあった松尾が、シュルレアリスムと「日本的なもの」の日仏の相互関係に関与があったと見られる点はとりわけ興味深い。[56] また、ブルトンの戦後における、禅の思想を支持する発言についても江原順が採り上げ、その発言における陰陽思想と禅との混同に、ブルトンの理解の不十分さを指摘している。[57]

シュルレアリストたちの俳句と禅へのこれらのわずかな関わりは、一部の例外を除けばとても「相互浸透」とは言いがたく、また十分な理解を欠いたものでもあろうが、福沢や瀧口の「類似の指摘」が牽強付会（けんきょうふかい）でないことを証しているともとれよう。だが、ここで問いたいのはそのことではない。

俳句、そして禅は、現代においてもとりわけ国外にも知られる「日本的なもの」といえようが、ここで着目したいのは、その西洋における注目や導入が、二〇世紀における前衛の勃興と軌を一にしているように見えることである。これは偶然ではないだろう。西洋の芸術家はおそらく西洋近代が形成してきた芸術観において、それに反するもの、あるいはそれと異質なものとして俳句や禅を見出したのであり、これらは前衛が台頭するような文脈において再解釈された「日本的なもの」であったのではないか。そして、さらにいえば、瀧口や福沢の禅や俳句への注目にも、何よりもこの西洋近代の視点の浸透を見るべきではないだろうか。

ここでは俳句と禅の近代における評価の変遷について詳述する準備はない。しかし、日本においても当時、これらはいわば西洋近代の観点から再評価されていた、あるいは、されつつあったと見てよいだろう。俳句については、鈴木貞美が論じるように一九二〇年代に芭蕉を象徴主義の観念にもとづき称揚する再評価熱が盛り上がった。[58] これはたとえば野口米次郎が芭蕉を英米で紹介して影響を与えたとされる際の俳句評価のあり方に同調するものだ。[59] 先に引用したように、瀧口が「類似の指摘」において、芭蕉や俳諧を、「象徴詩」「象徴文学」と関連づけ、あるいはそう呼んでいたことが思い起こされる。[60]

一方、近代日本で仏教を知識人が評価するようになったのは、それが近代西洋に対抗するための原理として見出されたからであり、そのこと自体も西洋から得られた認識であったと柄谷行人は述べる。[61] 禅宗についていえば、まさにこの当時、西洋社会にも向けた鈴木大拙を中心とした禅の理論的な講説と普及が進行中であった。それが西洋近代哲学の概念に沿うかたちで提示された神秘思想としての禅であり、欧米で普及した禅思想は伝統的な禅宗とは異なるものであったという指摘もある。[62] 福沢が著書で禅について述べるなかで、野狐禅（やこぜん）を非難し、禅の「鍛錬の仕直し」、「近代科学による補強工作が行はれる事が必要」と述べ、田辺元の論文を引用して主張するのは、やはり西洋近代の視野からの禅の再定義以外のものではない。[63]

福沢や瀧口が挙げる俳句や禅が、近代の日本において西洋近代の観点から新たに見出されたもの、あるいは西洋的な文脈によって再解釈、再評価されつつあった「日本的なもの」であったことは看過できない。そこには西洋的な視点が浸透しており、彼らの発言は、日本よりもむしろ西洋もしくはシュルレアリスムへの理解をより多く示すものであったとさえいえよう。彼らの「類似の指摘」は突飛なものではなく、かといって自然なものでもなかった。そこで採り上げられた「日本的なもの」は、類似が指摘できるような西洋近代あるいは前衛の脈絡のなかに、あらかじめ変換、編入されていたのではないか、と問うてみるべきである。

6　福沢の絵画実践

最後に、一九三七年の「類似の指摘」に関して美術史的に無視できない問題について検討したい。それは、この言説と福沢の絵画制作の関係である。

先に述べたように、一九三八年の瀧口の伝統への言及は、日本的なものを導入したシュルレアリスムの将来の進展を意図していたように見える。だが、瀧口はその実践のあり方に極めて慎重であり、小沢節子が強調するように、「芸術精神を後退せしめるような伝統論」を排すべきとし、「狭隘（きょうあい）な東洋性の主観的尺度」や安易な伝統論を拒否していた。[64] より早い三六年の文章でも「日本絵画の直面する日本画と洋画との矛盾」を解決する実験が超現実主義によってなされるべきとしながらも、「それは新日本主義といつた洋画的表現の中に、日本画的モチイフを置き換えることや、単に西欧的な新古典主義を踏襲することによつては到底成就されない」といい、当時の独立展などにおける日本主義や復古的なクラシシズムを批判する。[65] おそらく瀧口は、表面的なモチーフや手法だけによるのではない、より本質的、根本的な次元での西洋と日本の「対立の超克」[66] を念頭に置いていたと思われる。

では、福沢はどうであったか。著書の第八章の後半の一部は『みづゑ』三七年八月号のエッセイ「禅と超現実主義」をもとにしているが、そこには単行本に採用されなかった次のような記述がある。「しかし一言付け加へて置きたいのは、過去のものは一切過去のものであつて、それ自身取り上げられても深海の怪魚の如く内臓を吐いて死んでしまふだけで何にもならない。吾々の仕事が所謂禅画や旧来のオブジエに逆戻りしたら、ミイラ取りがミイラである。何の意味もない[67]」。伊藤佳之は、一九三〇年代初めからの福沢作品に見られる日本的なモチーフを分析しつつ、福沢が「シュルレアリスムという芸術思想を日本のそれと比較検討した成果を作品に導入しようとしたわけではない」とし、「論客としての認識はあくまで芸術思想の理解に止まり、画面上にまで波及することはなかった」と述べる[68]。

福沢の「日本的なもの」についての言説を作品と直結させて論じるのはおそらく誤りであろうが、むろん両者は無関係ではない。ここでは、福沢の「類似の指摘」において、私の考えでは彼の絵画実践に密に関わる二つの点のみ簡単に記しておきたい。

ひとつは、福沢の俳句への関心のあり方である[69]。著書における福沢の俳句に関する記述を見れば、はじめにそのデペイズマンの効果の指摘があるだけで、その後は俳句史の変遷や芭蕉の業績に紙幅を割いているのがわかる。とりわけ注目したいのは、彼が、貞門から談林、そして蕉風へと至る史的展開を、二〇世紀の前衛、とくにダダ、シュルレアリスムへの展開とアナロジカルに捉えていることだ。「貞徳によつて俳諧は卑俗ではなくなつたが、同時に無気力になり、逞しい精神力を欠くに至つた。談林風の俳諧は、これに対する反抗運動として起つた」。「しかしそれは一層晦渋怪奇狼藉粗野を極めた。そして自由と溌溂さとの反面に、ダダ的放埒さと無政府的気分に充満してゐた。故にこの現象は丁度ダダの破壊の中から、超現実主義が肯定的積極的要素を取つて立上つた様に、次の時代の芭蕉の正風の為に、必要なテーゼとして存在しなければならなかつた理由である[70]」。ここには貞門をダダ以前の既存の諸流派になぞらえ、談林をダダに、芭蕉をシュルレアリスムにたとえる一種の弁証法的な史的記述がある。

興味深いのは、福沢がこのアナロジーを美術の将来への進展にもあてはめて考えていたらしきことである。指摘されるように、福沢が俳句に言及したのは一九三七年が初めてではない[71]。ここで注目したいのは三四年の「らく書」というエッセイであり、ここで福沢は、芭蕉が俳言（俗言）や滑稽を止揚して俳句に自由を与えたが、それは談林風の自律のない自由とは異なるとし、「シュールレアリズムが更に新しい展開を必要とするならば、それは従来の不規則放逸な滑稽や卑俗の中に於ける浸潤から浮かび上つて、それを考慮しつつも、なほ次第に特殊な階段にまで進み出でる事である」と書く[72]。

ここでは詳述を避けるが、福沢は自らのそれまでの作品の主題の奇矯さや辛辣な諧謔や風刺を、談林にたとえていたと思われるふしがある。つまり、ここで彼は、自らの作品をも振り返って将来への決意を述べているのではないか。著書において俳句の記述を締めくくる次の一文も、こうした視点から読む必要がある。「超現実主義の後に来るものが何であるにしても、吾々は芭蕉によつて暗示された道に深い注意を払はねばならないだらう」[73]。福沢は、自らの制作も含めた未来の絵画実践におけるシュルレアリスムを越えた地点を、俳諧史とのアナロジーによって思考しうることを提言しているのである。

もうひとつ、福沢の実践に関わることとして注目したいのは、彼が書いていることではなく、むしろ書いていないことである。本文や数々の図版で多種の「日本的なもの」を網羅的にまで挙げた著作において実は欠けているものがある。それは日本、東洋の書画である。

長谷川三郎が論文「前衛美術と東洋の古典」で、デュテュイの本を紹介したことは先に触れたが、その記事の挿図八点もこの本からの転載であった。一九三六年に刊行されたデュテュイの『中国の神秘主義と近代絵画』[74]は、パリにおける中国書画展を機に中国の伝統的な絵画、画家、画論を紹介し、西洋とは異なる思想や表現を、現代の西洋絵画との類似に着目して論じたものである。そこでは中国の画論を引いてシュルレアリスムの自動記述との類似を述べるだけでなく、マッソンやミロの作品と中国絵画との類似を、両者の図版を並置して論じている。

この本については、長谷川だけでなく瀧口も当時、論文のなかで言及していた[75]。さらに本書は、後に国際的に影響を及ぼす鈴木大拙の書『禅仏教と日本文化へのその影響』(一九三八年初版)でも採り上げられ、大拙はデュテュイが東洋の画法を自動記述(automatic writing)にたとえた部分を引用し、それを気韻生動を意味する言葉(rhythmic movement of the spirit)によって説明することになる[76]。福沢がデュテュイの本を知らなかったとは信じがたく、また、禅とその文化について紙幅を費やした福沢が、茶の湯、盆石、庭園などに言及しながら禅に関わる芸術として必ず挙げられる東洋の書画に触れないのは、意図的な排除としか考えられない[77]。このことは、日本的なものへの福沢のある種の批判のみならず、シュルレアリスムに対する部分的な忌避をも示唆する点で興味深い。

以前に論じたので詳述しないが、福沢は帰国直後から日本人の絵画が平面的で構築性に欠けると非難し、気韻生動式から抜けられない日本の洋画を嘆いていた[78]。たとえば、著書を上梓した三七年の文章でも、日本でフォーヴィスムが時代を風靡したのは、それが「いはば西洋の南画」だからであり、「日本人が幼少の時より南画的薫陶や考へ方に馴らされてきた結果」であると述べ、理智的でなく「無智的なものが随伴し勝ち」な日本の絵画を難じる[79]。

そして、すでに幾度も指摘されているように、福沢は、シュルレアリスムのオートマティスムに対しても、おおよそ一貫して否定的な見解を示した。私の考えでは、それはオートマティスムが、デュテュイや大拙も述べるような類似ゆえに「無智的な」日本の絵画環境に同化してしまい、西洋において持ちえたその意義を失効してしまうと見えたからだと思われる。[80] シュルレアリスムと日本的なものの類似を指摘しながらも、西洋近代の理性への反逆であるオートマティスムが気韻生動式の日本的自然に埋没してしまうことに、画家としての福沢は抗わねばならなかったのではないか。福沢の絵画実践に関わるこの信念は、「超現実主義と日本的なもの」という文章において、見えないかたちで示されているように思える。

おわりに　北脇昇

日本のシュルレアリスムの指導的立場にあった福沢や瀧口による「類似の指摘」はより若い前衛画家たちに影響力を持ったに違いなく、彼らの幾つかの発言や行動にその跡をうかがうこともできよう。[81] だが、彼らの絵画実践も含め、そこで採られた「日本的なもの」が、ますます支配的になりゆく日本主義的な状況への同調なのか、あるいは瀧口が唱えたような日本に根ざしたシュルレアリスムへの試みなのか、それともその両方なのか、にわかに見極め難く、個々のより細かな検証が必要である。

この論点において最も重要視すべき画家のひとりが北脇昇［045, 088］である。福沢や瀧口の発言とほとんど時をおかずして開始され展開された北脇の数々の著述と絵画実践は、西洋のみならず、日本、東洋の幅広い領域の典拠にももとづき、かつそれらを結びつけ融合させてもいた。その言説と作品を丹念に分析、解読した大谷省吾の研究[82]や、より踏み込んだ解釈も提示する近年のヴァンサン・マニゴの浩瀚な論考[83]など諸研究によれば、時期や深度に異論はあれ、戦時体制が進むある時から、北脇の言説と作品には軍国主義国家のイデオロギーが浸潤していた。もしそうであるなら、本論の文脈でいえば、そこにおける「日本的なもの」とは、近代に見出されたどころか、わずか数年の極めて短期間に確定され喧伝され支配的となった「日本的なもの」であったことになる。

だが、諸研究が同時に明らかにしているのは、いうまでもなく北脇の芸術的な革新であり、あるいはそこにこそ瀧口が「類似の指摘」において提唱しようとしたプログラムにかなう実践がありえたのではないか。ここでは簡単に二つの要点のみ挙げたい。ひとつは図式絵画［088］における易経の卦という、これまでにない絵画言語の導入である。数学や幾何学にもとづく抽象図形の象徴機能を探求していた北脇にとって、卦の符号は、最も単純な形とデジタルな規則にもとづく禁欲的な外貌を持ちながら、神羅万象を指す深遠で多義的な、他にない象徴記号でありえただろう。そしてもうひとつは、論文「図画復興」において説かれた、近代絵画の概念をはるかに超越した「図画」という新たな絵画概念の提唱である。[84]

付言しておきたいのは、この独創的な絵画言語の導入と絵画概念の提唱が二つの別のものではないということだ。易に最初に言及した三九年の論文で北脇が河図・洛書の図を掲示したことを思い起こしたい。[85]「図画」概念の根拠として彼が繙いた張彦遠（ちょうげんえん）『歴代名画記』における「画の源流」の説を見れば、河図・洛書は易の起源であるとともに画の起源でもあったことがわかる。[86]つまり北脇は絵画への探求を、その東洋における伝説的な起源にまで遡行することによって、西洋由来の近代絵画あるいはシュルレアリスムを異なった次元へともたらすことを試み、かつそれを提唱したのである。

（はやみ・ゆたか／三重県立美術館館長）

（1）川端康成「美しい日本の私」（一九六八年）『川端康成全集第二八巻』新潮社、一九八二年。

（2）川端康成「末期の眼」（『文藝』一巻二号、一九三三年一二月号）『川端康成全集第二七巻』新潮社、一九八二年。

（3））Věra Linhartová, 'L'amidisme de la Terre pure et le Surréalisme dans l'œuvre de Koga Harue,' *Pleine marge*, no. 21, juin 1995, p. 12.

（4）古賀春江「超現実主義私感」『アトリヱ』七巻一号、一九三〇年一月。

（5）古川智次編『近代の美術三六　古賀春江』至文堂、一九七六年、七〇頁。中野嘉一『古賀春江　芸術と病理〈パトグラフィ双書一一〉』金剛出版、一九七七年、一六〇頁。Chinghsin Wu, *Parallel Modernism: Koga Harue and Avant-Garde Art in Modern Japan*, University of California Press, 2019, p. 126.

（6）拙著『シュルレアリスム絵画と日本――イメージの受容と創造』日本放送出版協会、二〇〇九年、一三八頁。大谷省吾『激動期のアヴァンギャルド――シュルレアリスムと日本の絵画一九二八―一九五三』国書刊行会、二〇一六年、七一―七二頁。

（7）山田諭「「視覚詩」の世界――《海と射光》」水沢勉編『日本の近代美術一〇　不安と戦争の時代』大月書店、一九九二年、四四頁。

（8）三岸好太郎「ロマンチズム　蝶と貝殻の弁」（広島、ピカソ画廊・佐渡久士宛書簡　一九三四年六月二三日）匠秀夫編『感情と表現』中央公論美術出版、一九八三年、七一頁。

（9）拙稿「三岸好太郎の前衛思想――前衛画家の弁証法」『兵庫県立美術館研究紀要』六号、二〇一二年。

（10）福沢一郎『シュールレアリズム〈近代美術思潮講座第四巻〉』アトリヱ社、一九三七年、一八五―一九八頁。

（11）Věra Linhartová, *Dada et surréalisme au Japon*, Publications orientalistes de France, 1987. 本稿でも参考にした主な研究に以下のものがある。大谷省吾「シュルレアリスムと日本の伝統――矢崎博信の俳諧論を中心に」『現代芸術研究（筑波大学芸術学系 五十殿研究室）』三号、一九九九年。同「シュルレアリスムと俳諧――表現の〈近代〉はいかに問い直されたか」五十殿利治、河田明久編『クラシック モダン――一九三〇年代日本の芸術』せりか書房、二〇〇四年。伊藤佳之「「日本的なるもの」と福沢一郎――前衛芸術の擁護者は、どのように「日本」と向き合ったか」『群馬県立館林美術館 研究紀要』二号、二〇〇五年。Vincent Manigot, *Universalité et surréalisme: le peintre Kitawaki Noboru (1901-1951) et les avant-gardes japonaises*. Art et histoire de l'art. Université Sorbonne Paris Cité, 2018. Français. NNT: 2018USPCF001. tel-01843134. 伊藤佳之、他『超現実主義の一九三七年――福沢一郎『シュールレアリズム』を読みなおす』みすず書房、二〇一九年。

（12）この二つの「類似の指摘」については以下において論じた。拙稿「南画と洋画のディアレクティーク?!」『南画って何だ?! 近代の南画――日本のこころと美』兵庫県立美術館、二〇〇八年。同「モダニストの日本美」『「モダニストの日本美――石元泰博「桂」の系譜」パンフレット』三重県立美術館、二〇一八年。
(13) 長谷川三郎「前衛美術と東洋の古典」『みづゑ』三八四号、一九三七年二月。
(14) 瀧口修造「超現実性の測定」（『翰林』四巻五号、一九三六年五月）『コレクション瀧口修造一一』みすず書房、一九九一年。以下、瀧口のテキストからの引用は主に初出の文献にもとづく。
(15) 瀧口修造「詩と絵画について」（『新造型』三号、一九三六年九月）同前。
(16) 瀧口修造「貝殻と詩人」（『蝋人形』八巻四号、一九三七年四月）『コレクション瀧口修造一二』みすず書房、一九九三年。
(17) 瀧口修造「緒言」（『みづゑ臨時増刊 海外超現実主義作品集（Album surréaliste）』一九三七年五月）同前。
(18) 瀧口修造「シュルレアリスムとは何か？（一）」（『蝋人形』八巻一〇号、一九三七年一〇月）同前。
(19) 瀧口修造「幻想と芸術」（原題「幻想についての感想」『動向』三号、一九三七年一一月）同前。
(20) 瀧口修造「幻想芸術の機能」（『DESEGNO』五号、一九三七年一一月）同前。
(21) 瀧口修造「前衛芸術の諸問題」（『みづゑ』三九八号、一九三八年四月）同前。
(22) 瀧口修造「狂花とオブジエ」（『アトリヱ』一五巻七号、一九三八年六月）同前。
(23) 福沢一郎「日本的なもの、明日」、今和次郎「建築に於ては」『雑記帳』二巻二号、一九三七年二月。
(24) 伊藤佳之「『日本的なるもの』と福沢一郎」前掲論文、一五一―一六頁および八頁。
(25) 大谷省吾「シュルレアリスムと日本の伝統」前掲論文、三六―三七頁。
(26) 小沢節子『アヴァンギャルドの戦争体験――松本竣介、瀧口修造 そして画学生たち』青木書店、一九九四年、二三三頁。
(27) 大谷省吾「シュルレアリスムと日本の伝統」前掲論文、三七頁。
(28) 註21に同じ。
(29) Vincent Manigot, *Universalité et surréalisme*, op. cit., pp. 171-187.
(30) 平芳幸浩「瀧口修造の一九三〇年代――シュルレアリスムと日本」『美学』二四三号、二〇一三年。
(31) 註14に同じ。
(32) David Gascoyne, *A Short Survey of Surrealism* (1935), Preface by Dawn Ades, Introduction by Michel Remy, Enitharmon Press, 2003, p. 94.
(33) 福沢一郎『シュールレアリズム』前掲書、六六―六八頁。
(34) David Gascoyne, 'Premier manifeste anglais du surréalisme (fragment),' *Cahier d'art*, no. 5-6, 1935, p. 106.
(35) Herbert Read, 'Introduction,' Herbert Read ed., *Surrealism* (1936), Faber, 1971.
(36) 瀧口修造「英国と超現実主義」（『三田文学』一二巻九号、一九三七年九月）『コレクション瀧口修造一二』前掲書。
(37) 伊藤佳之、他『超現実主義の一九三七年』前掲書。
(38) 瀧口修造「超現実主義の現代的意義」（『アトリヱ』一四巻六号、一九三七年六月）『コレクション瀧口修造一二』前掲書。
(39) 'Chronologie 1924-1939,' *André Breton: La beauté convulsive*, Centre Georges Pompidou, 1991, p. 230.
(40) Salvador Dalí, 'Objets surréalistes,' *Le Surréalisme au Service de la Révolution*, no. 3, 1931. Salvador Dalí, 'The Object as Revealed in Surrealist Experiment,' *This Quarter*, Vol. V, No. 1, September 1932. サルヴァドォル・ダリ「シュルレアリスムの実験に現はれた対象」瀧口修造訳、『詩法』二年三号、一九三五年三月。
(41) *Cahiers d'art*, no. 1-2, 1936.
(42) 長谷川三郎「表意・具意への道（写生と写意の問題より）」『南画鑑賞』六巻一号、一九三七年一月。
(43) 黒沢義輝編『コレクション・日本シュールレアリスム六 山中散生・一九三〇年代のオルガナイザー』本の友社、一九九九年、四六五頁。
(44) 山中散生「OBJET SURRÉALISTE の問題」『新造型』三号、一九三六年九月。
(45) 註22に同じ。
(46) 勅使河原蒼風、福沢一郎「対談 華道とオブジエ」『アトリヱ』一五巻一〇号、一九三八年八月。この対談については次の論考を参照。五十殿利治「華道とオブジェ――勅使河原蒼風と福沢一郎の対談（一九三八年）をめぐって」五十殿利治・河田明久編『クラシック モダン――一九三〇年代日本の芸術』前掲書。
(47) Věra Linhartová, 'L'amidisme de la Terre pure et le Surréalisme dans l'œuvre de Koga Harue,' op. cit., p. 11.
(48) Věra Linhartová, 'Avant-propos: La poésie européenne à l'heure japonaise,' *Dada et surréalisme au Japon*, op. cit. フランスにおける俳句受容については次の研究も参照。金子美都子『フランス二〇世紀詩と俳句――ジャポニスムから前衛へ』平凡社、二〇一五年。
(49) 北川冬彦「ポオル・エリュアル（世界現代詩人レヴィウ）」『詩と詩論』第四冊、一九二九年六月、二一二―二一三頁。瀧口修造「ポオル・エリュアル」（『新潮』三三巻五号、一九三六年五月）『コレクション瀧口修造一一』前掲書。同「前衛芸術の諸問題」（註21に同じ）。
(50) トリスタン・ツァラ「ダダについての講演」（一九二二年）『ダダ宣言』小海永二、鈴村和成訳、竹内書店新社、一九七〇年、一三〇頁。
(51) たとえば、次の研究を参照。Ko Won, *Buddhist Elements in Dada: A Comparison of Tristan Tzara, Takahashi Shinkichi, and Their Fellow Poets*, New York University Press, 1977.
(52) たとえば、『シュルレアリスム革命』三号におけるアントナン・アルトー執筆と言われるダライ＝ラマ、仏教諸派への公開書簡。'Adresse au Dalaï-Lama,' 'Lettre aux écoles du Bouddha,' *La Révolution surréaliste*, no.3, 1925, p. 17, 22.
(53) André Breton, Paul Eluard, 'Dictionnaire abrégé du surréalisme,' André Breton, *Œuvres complètes II*, Gallimard, 1992, pp. 854, 793, 835. これらの項についての考察が次の論文でなされている。與謝野文子「『シュルレアリスム簡約辞典』における禅からの引用」鈴木雅雄編『シュルレアリスムの射程 言語・無意識・複数性』せりか書房、一九九八年。
(54) 渡邊郁美「『シュルレアリスム簡約辞典』における「禅」の項の出典について」『Les Lettres françaises』（上智大学フランス語フランス文学会紀要編集委員会）四二号、二〇二二年。

(55) Émile Steinilber-Oberlin, Kuni Matsuo, *Les sectes bouddhiques japonaises: histoire, doctrines philosophiques, textes, les sanctuaires*, G. Crès, 1930. 引用元の該当箇所はそれぞれ「禅」の項は一四六―一四七頁、「舟」「貴重な」の項は一八六頁。

(56) 松尾邦之助は、ブルトンとともに一九三二年の巴里新興美術展の組織に携わった（江川佳秀「松尾邦之助――日仏文化交流と美術批評」『美術批評家著作選集第八巻 松尾邦之助』ゆまに書房、二〇一一年）。また、松尾は芭蕉らの俳諧の翻訳も刊行している。*Haïkaï de Bashô et de ses disciples*, Traduction de Kuni Matsuo et Steinilber-Oberlin, Institut international de coopération intellectuelle, 1936. 和田桂子編『ライブラリー・日本人のフランス体験第九巻 ジャポニスムと日仏文化交流誌』柏書房、二〇一〇年に復刻。また、同叢書の第七巻、土屋忍編『松尾邦之助 長期滞在者の異文化理解』二〇一〇年も参照。

(57) J. E. (Jun Ebara), 'ZEN,' *Dictionnaire général du Surréalisme et de ses environs*, sous la direction d'Adam Biro et René Passeron, Presses Universitaires de France, 1982, p. 433.

(58) 鈴木貞美「「日本文学」という観念および古典評価の変遷――万葉、源氏、芭蕉をめぐって」『国際日本文化研究センター共同研究報告 文学における近代――転換期の諸相〈日文研叢書二二〉』国際日本文化研究センター、二〇〇一年。ちなみに福沢が著書の俳句に関する記述においてその書を参考にしたと記す小宮豊隆は、鈴木によればこの再評価の中心的な推進者である太田水穂の芭蕉俳句研究グループのメンバーであった。

(59) 堀まどか「芭蕉俳諧は究極の象徴主義？――野口米次郎が開けたパンドラの箱」鈴木貞美、岩井茂樹編『わび・さび・幽玄――「日本的なるもの」への道程』水声社、二〇〇六年。

(60) 註16、註18に同じ。

(61) 柄谷行人「第三部 仏教とファシズム」『定本 柄谷行人集5 歴史と反復』岩波書店、二〇〇四年、二二六頁。

(62) ロバート・H・シャーフ「禅と日本のナショナリズム」菅野統子、大西薫訳『日本の仏教4 近世・近代と仏教』法藏館、一九九五年。

(63) 福沢一郎『シュールレアリズム』前掲書、一九七―一九八頁。この点において、アリシア・ヴォルクが、この田辺元の引用や一九四一年末の福沢の西田哲学への言及を挙げながら、福沢と西田幾多郎との思想的近似を指摘していることも肯ける。西田哲学あるいは京都学派の思想には禅的思想の西洋哲学概念による理論化という側面があるからである。Alicia Volk, *In Pursuit of Universalism: Yorozu Tetsugorō and Japanese Modern Art*, University of California Press, 2010, pp. 216-217.

(64) 小沢節子『アヴァンギャルドの戦争体験』前掲書、二三三頁。

(65) 瀧口修造「現代芸術と象徴」（原題「超現実主義の前衛的意義」『エコルド東京』一号、一九三六年九月）『コレクション瀧口修造一一』前掲書。ヴァンサン・マニゴがこの発言を根拠に、瀧口が「新日本主義」を標榜したとするのは不適当である。Vincent Manigot, *Universalité et surréalisme*, op. cit., pp. 172, 205-206, 460.

(66) 大谷省吾「シュルレアリスムと日本の伝統」前掲論文、三七頁。

(67) 福沢一郎「禅と超現実主義」『みづゑ』三九〇号、一九三七年八月、二八頁。

(68) 伊藤佳之「「日本的なるもの」と福沢一郎」前掲論文、一五頁。

(69) この件については次の拙論でも論じた。拙稿「福沢一郎――俳諧史のアナロジー」『現代の眼（東京国立近代美術館ニュース）』六三一号、二〇一九年四月。

(70) 福沢一郎『シュールレアリズム』前掲書、一八七頁。

(71) 俳句に言及した最初期のものとして以下の文献が挙げられる。福沢一郎「画題に関して」『独立美術』三号、一九三二年一二月。

(72) 福沢一郎「らく書」『独立美術クロニツク』一二号、一九三四年三月、五〇―五一頁。

(73) 福沢一郎『シュールレアリズム』前掲書、一九二頁。

(74) Georges Duthuit, *Mystique chinoise et peinture moderne*, Chroniques du jour, 1936. 本稿執筆にあたっては同年刊行の英語版（*Chinese Mysticism and Modern Painting*, Chroniques du jour, Zwemmer）を参照した。

(75) 註38に同じ。

(76) Daisetz Teitaro Suzuki, *Zen Buddhism and its Influence on Japanese Culture*, The Eastern Buddhist Society, 1938, p. 26. 大拙によるこのデュテュイ経由の中国画論の引用における解釈の変転については以下を参照。島尾新「「禅の拡張」寸見――鈴木大拙、世阿弥、ジョン・ケージ」『美術フォーラム21』三八号、二〇一八年一一月。

(77) わずかに東洋画に触れている部分として、第八章では「禅画といふと仙厓和尚式の糞だとか髑髏だとかいふものに持つて行く様では、到底禅に拠る啓示は得られさうもない」と非難の対象として言及されている。また、「第七章 描かれた人間」では人間像を描く伝統が東洋にはなかったことを論じて東洋画について述べている。福沢一郎『シュールレアリズム』前掲書、一八八頁および一八二―一八四頁。

(78) 拙著『シュルレアリスム絵画と日本』前掲書、二〇五―二〇九頁。

(79) 福沢一郎「日本画と洋画」『美術時代』一巻一号、一九三七年九月、八頁。

(80) 拙著『シュルレアリスム絵画と日本』前掲書、二〇九―二一一頁。

(81) ここでは顕著な例として矢崎博信が俳句とシュルレアリスムに関する思索を重ね、記述していたことのみ挙げたい。ただし矢崎がこの問題に関心を持ったのは時期的に早く、福沢や瀧口の影響とは言い切れないことを大谷省吾が指摘している。大谷省吾「シュルレアリスムと日本の伝統」前掲論文、三六頁。

(82) 『北脇昇展』東京国立近代美術館、他、一九九七年。大谷省吾「第五章 シュルレアリスムから「図式」絵画へ 北脇昇」『激動期のアヴァンギャルド』前掲書、同「『ニッポン新聞』にみる北脇昇の思考の軌跡（前編）、（後編）」『東京国立近代美術館研究紀要』二五、二六号、二〇二一、二〇二二年など。

(83) Vincent Manigot, *Universalité et surréalisme*, op. cit.

(84) 北脇昇「図画復興」『美術文化』六号、一九四一年四月。

(85) 北脇昇「相称と非相称」『美術文化』一号、一九三九年八月。

(86) 張彦遠『歴代名画記1』〈東洋文庫三〇五〉長廣敏雄訳注、平凡社、一九七七年、四―五頁。北脇自身も「図画復興」（前掲）でこのことに触れている。

矛盾の絵画——土地の記憶と接続する

清水智世

はじめに

西洋的合理主義への反抗であるがゆえに、西洋の伝統や宗教と深く切り結んだシュルレアリスム。西洋的思考と文化のなかで展開したシュルレアリスムという異質なものとの対峙を通して、日本に生まれ住む画家たちもまた、絵画および人間存在について考え、既成の価値観からの逸脱をめざした。西洋とは異なる社会的背景と特殊な状況下におけるシュルレアリスムとの出会いは、やがて「日本的」ないしは「東洋的」な雰囲気を漂わせる一部の絵画作品を生み出すことになる。そしてその傾向は、「古都」としての地位を有する京都で生み出された作品に、より顕著に現出する。

京都における「超現実主義派」の拠点となったのは、独立美術京都研究所である。指導的役割を担っていたのは「写実主義」(1)について思考し続ける画家、須田国太郎であった。「地味なやうで強烈な、凄愴味のある色彩と勁健な筆触、その瑰奇突兀(かいきとっこつ)な表現は多くの亜流をすら生むに至つてゐる」(2)という須田は、一九三七年、雑誌『美之國』に「超現実主義に及ぼす日本の特殊性」という文章を発表する。「幻想性に勝つた東洋芸術、ひいては、我日本の特殊的な芸術上の形式は、超現実者に強い共鳴を与へるものがあることは予想される」と述べたうえで、次のように続ける。

> 日本的なるが為だけではない。日本的なることを超現実主義的に見出すことが必要である。勿論見出すこと、それ自体独創的なものを要するのだ。その見出すこと、それは、見出す者を必要とする、日本の特殊性といふものが超現実主義に何物かを与へるとすればそれは既に新たなる日本的となつてゐることを意味する。この意味に於てのみ超現実主義に於て日本的なるものは、その特殊性を発揮し得るのだ。(3)

須田自身は、終生シュルレアリスム的表現を手がけることは無かった。しかしながら「所謂超現実主義と雖も芸術的真を把握せんとする点に於て決して他に後れるものでない(4)」と言ってはばからない須田の蔵書の片隅には、ブルトンの『シュルレアリスム宣言・溶ける魚』(Manifeste du surréalisme: Poisson soluble [D1]、一九二四年)や『シュルレアリスムと絵画』(Le surréalisme et la peinture、一九二六年)[D4]をはじめとする、貴重なシュルレアリスム関連資料が含まれている(5)。

絵具を削ぐことで複雑かつ強靭な絵肌を生む須田の作品を「描いた画ではなく、消した画だ(6)」と評し崇敬していたのは、独立美術京都研究所の開設に尽力した画家、北脇昇である。須田の影響を強く感じさせる画風から一転、一九三七年頃を起点にシュルレアリスム的表現を開始した北脇は、「伝統」や「超現実主義絵画」について次のように述べる。

> 近頃伝統の問題がいろいろ論じられておるが、伝統もその現実との矛盾面に於てこそ進歩と発展の可能を見出し得るものと思ふ。伝統の偉大さを知つておる人は多い。然し真にこれを生す人は少い。(中略)画家の中にも古いもの等多く知つて居れば直ぐいい画が描ける様に思つてゐる人がある。技術、従つて芸術の本質を知らざるの甚しいものと云ふ可きだろう。
>
> 大変脱線したが、絵画に於てこの本質的機能に思切つて徹底したものは超現実主義絵画を置いて他になかろう。これこそは矛盾の絵画そのものである(7)。

徐々に「超現実主義」へと傾斜した北脇は、「千軍の夢にまどろんでゐ」る「京都洋画壇(8)」への憤懣を起爆剤に、相反する概念とそこに生じる矛盾をも包含する「矛盾の絵画」の探求と模索を開始した。

その北脇と「ガクガクの議論(9)」を交わしていたのが、「生え抜きのシュール・レアリスト(10)」と目された画家、小牧源太郎である。「此の国シュールの模倣性は徹底して分析学を究明しない点にある(11)」と明言する小牧の思想とそこから導かれた絵画世界は、一見したところ北脇のそれとは大きく異なっている。一方で、自己や人間の精神を執拗に分析し続ける小牧もまた、「知性の混乱」に陥る若い芸術家たちの解決の先に「伝統」があると述べていた(12)。

「ある民族・集団・社会において、古くから受け継いで行われてきている有形無形の様式・風習・傾向。またそれらを受け伝えること(13)」を意味する伝統は、社会や国家を統合し、さまよえる者をアイデンティティの確立へと導く指標でもある。ゆえに、容易に民族的ナショナリズムと結びつく。左翼運動が活発化する一方で、民族主義的で国粋主義的な傾向が高まりを見せる一九三〇年代の日本において、「日本的なること」や「伝統」を「発見」することは、日本(東洋)

と西洋の文化的異質性や、日本の「先見性」を強調することと不可分の関係にあった。

「伝統」や「日本的なること」を「超現実主義的に見出」す流れの中で、北脇と小牧は、石庭や易、仏教や民俗学というきわめて難解なモチーフを発見し、手探りのなかで独自の思想と絵画世界を創り出していく。本論では、京都における「特異」なる画家、北脇と小牧の、主に一九三〇年代後半から四〇年代初頭の絵画と言葉を通して、非論理的で曖昧なる「伝統」や「日本的なること」が跳躍する様を確認すると同時に、困難な時代状況とともに導かれた「超現実主義絵画」の可能性について考える。シュルレアリスムの興隆、弾圧から衰退へと至る流れのなかで、シュルレアリスム的表現からの乖離を余儀なくされたときにこそ、より一層その影響の本質が露呈するということもあるだろう。

1　一九三〇年代、「超現実主義」と京都

京都のシュルレアリスムをめぐる動向について、小牧源太郎は次のように言及している。

> 京都は東京より相当遅れてシュルレアリスムがはやり出したのであるが、それも独立美術京都研究所に所属するほんの一部の人達に過ぎなかった。（中略）北脇昇兄がシュルレアリスムをやり出したのが三七年、丁度私が独立に初入選した年だ。彼はその頃、今井憲一、高木四郎の両君と三人でシュルレアリスムの研究会をつくり、如何に従来の写実的画風から転進するかを模索していた。画因的な意味で最もシュルレアリスム的だったのは松崎政雄君で、彼はいち早く精神分析的テーマを取りあげ「力士孤独」でオナニーに悩んでいる青年を、集団制作「浦島物語」（三七年）で胎児に還元された浦島が、乙姫の乳を吸っている等の絵を描いている。(14)

一九三七年、北脇昇は第七回独立展に《独活》[045]《断層》、第二回京都市展に《章表》《新偶像説》、第三回新日本洋画協会展に《空の訣別》《空港》等を出品し、「超現実主義派」としての軌跡を開始した。同じく小牧もまた、《夜》（第七回独立展）や《民族系譜学》（第二回京都市展）[044]の制作を通して、「おのれ自身のシュールレアリズムの確立」(15)という内なる目標を見出していく。

独立美術京都研究所の指導者として、「超現実主義派」へと傾斜する画家たちの後ろ盾となっていた須田国太郎は、同年、『アトリヱ』（一九三七年六月）の特集「前衛絵画の研究と批判」（以下、前衛特集号）[D40]では「超現実は奇異のみにつながる芸術運動に終らないことを切望して止まない」(16)とする一方で、『美交』に発表した「超現実主義の

否定」では「出現以来すでに十数年を経過し、実績にも、理論にも芸術史上の一つの存在として動かぬものとなつてきたことは事実である」[17]と述べる。批判し突き放すのではなく冷静に状況を判断する須田の存在が、北脇や小牧、今井憲一や松崎政雄ら「超現実主義派」といわれた独立美術京都研究所の画家たちを支え後押しした[18]。

一方、京都市立絵画専門学校（現・京都市立芸術大学）で教鞭をとり京都の日本画革新に尽力してきた中井宗太郎は、同じく『アトリヱ』の前衛特集号で次のように述べている。

> 超現実主義、抽象主義等の絵画を私は前衛とは認めない。それ等は前衛どころか寧ろ後衛的のものと思ふ。何故なら、超現実派にしろ抽象派にしろ、現実の客観性よりも、主観的な恣意の観念に美を感じる。正と不正の葛藤、動乱と不安の坩堝である現実の世相に向つて、積極的にこの混乱を克服することをせず、云はゞ自己陶酔にわづかに安住の足溜りを見出した、現実の否定と云ふよりも、退嬰の結果に他ならないと思ふ[19]。

「超現実主義絵画」に対する反応の大半が、中井の批判以上に苛烈なものであったことは想像に難くない[20]。そこには、「超現実主義」と「抽象主義」に代表される「前衛絵画」と「前衛作家」の姿勢に対する嫌悪と違和感がにじみ出ている。

では、独立美術京都研究所や新日本洋画協会によるシュルレアリスムの実験が始まる以前、巴里新興美術展が巡回する一九三〇年代初頭の京都において、「超現実主義」はどのように紹介されていたのだろうか。新聞や美術雑誌、書籍、もしくは書簡といったさまざまなメディアを考慮する必要があるものの、ここでは主に当時の京都で刊行されていた少部数の文芸誌を通して、シュルレアリスムをめぐる「感情」や「空気」の一端を確認していきたい。

先述の中井がたびたび論考を寄せていたのが、京都市立美術工芸学校及び京都市立絵画専門学校の校友会誌『美』[21]である。信濃橋洋画研究所設立メンバーのひとり、黒田重太郎は、一九三〇年五月の『美』に発表した「若き仏蘭西絵画の現状に関する私記」の中で、「日本では昨今の事のやうに、物珍らしさうに持て囃してゐるシュールレアリズムも最う本場ではそろそろ山が見え出して来たらしい。『非絵画的な』一部分を、この連中がどう始末をつけるかと云ふ事が、向ふでもかなり問題になつてゐるらしいから」[22]と記し、「若き仏蘭西絵画」の現状を報告する。のちに巴里・東京新興美術同盟の「客員」として展覧会の開催に尽力する川路柳虹も、一九二九年一二月の『美』に「滞欧雑記」を掲載し、シュルレアリスムを冠した画廊を訪れたにもかかわらず、「その名の如きシュルレアリズムの作品のなかつた」[23]ことを伝えていた。川路は翌年刊行の『最近美術の動き』（アトリヱ社）では、「シュル・レアリスムの運動も現在では消滅している」と断じるに至る。[24] 中井正一の論考「絵画の不安」とともに、モホイ＝ナジの作品《ネガティフ》、花や法螺貝のレントゲン写真を掲載していた号（二四巻七号、一九三〇年七月）も見受けられるが、いずれにせよ、日本の画家の間でシュルレアリスム的表現がその兆しを見せ始めた時期に、多くの日本画家を輩出する京都で唯一の市立の美術学校による校友会誌は、すでにシュルレアリスムの「終わり」を告げていた。当時の絵画専門学校には「西洋画科」が正式の教科としては設置されていなかった。

須田と深い関わりがあった同人誌『美・批評』もまた、シュルレアリスムに対する関心は希薄である。[25] だが一九三一年一〇月の『美・批評』に掲載された徳永郁介による展評「院展・二科展・構造社展」は、当時の「超現実主義派」の「機械主義」的傾向に対する批判として重要である。

> 超現実派をフロイドの精神分析にかけることの当否は問はない。ただ私は、超現実派の中に機械への思慕を見る。何としかし、自然有機物との類似を示してゐることだらう（古賀春江、阿部金剛その他第九室の人々）。機械への思慕は実は原始植物への思慕ではなかつたらうか。（中略）機械への思慕と云ふ意味に於て、彼等は確かに現代を反映するものであらう。しかし彼等は機械の中に労働者のうめきのあることを知らない。更に機械の静的な一面をのみしか知らない。彼等にとつて機械は死の如く夢の如く静かである。[26]

徳永は、二科展の第九室にある「超現実派」が「現代を反映」することを評価しつつも、彼らがプロレタリアートを「知らない」ことへの物足りなさを伝える。のちに『美・批評』一八号から寄稿者として加わった蓮實重康もまた、『アトリヱ』の前衛特集号で「大衆の社会の中に眼を見開き彼等の生活が捉へ得る様に意図する時こそ、新しき絵画は生れるであらう」[27]と、シュルレアリスムが社会から浮いていることについて批判することになる。『美・批評』から続く『世界文化』は、主にフランスやスペインの人民戦線運動やドイツの反ファシズム運動と、そこに連動する形で起こる新しい文化を紹介する目的で編集された同人誌であり、『美・批評』同様にシュルレアリスムに関する関心は低い。同人の中ではフランス文学者の新村猛と三浦忠雄が、レジスタンス運動に加わったルイ・アラゴンの動向に着目した記事を掲載している。[28]

フランスの「超現実主義」が下火であると伝えられた時期を経て、「前衛どころか寧ろ後衛的のものと思ふ」[29]と揶揄される一九三七年の京都で、独立美術京都研究所に所属する画家たちはシュルレアリスムの実験を開始し、海外超現実主義作品展は京都朝日会館に巡回した。展示を見た人々の反応をタブロイド紙『土曜日』[30]に掲載した北脇は、「一九二四年マニフエストをあげて以来、今日まで既に十余年を経て居り、尚発展道程を辿っているものだが、単なる酔狂やたわ事ではなく、行詰つたわれわれの世紀に何か一つの血路を与へるものと見ることが出来よう」[31]と「超現実主義」への期待を込める。[32]独立美術京都研究所における「超現実主義派」のひとりである今井憲一は、『京大俳句』[33]（一九三七年一一月号）［図1］の表紙でデカルコマニーの実験を試み、扉絵には地平線のある風景を描くことで、新興俳句の勢いに共振した。

海外超現実主義作品展（京都展）の会期中には、山中散生や瀧口修造による座談会のほか、須田と中井正一も講演を行っている。[34]『美・批評』と『世界文化』『土曜日』のいずれにも関与した中井は、『アトリヱ』の前衛特集号で「彼等は基礎的な積極的な否定をもたずして、只現実を拒否だけして、ゐる人達です」「スペインでピカソが行動してゐる行動が示す様に、それが根の降りた否定に腰をすえるか、只現実拒否に浮くか、この数年が、それを決定的なものとして示すでせう」[35]と、「彼等」に対する辛辣な批判を述べているが、独立美術京都研究所の「超現実主義派」たちの眼前では何を語ったのだろうか。

かつて中井は、『美・批評』一二号（一九三一年一〇月）に掲載した「日本的なるもの」の中で、次のように述べていた。

所謂日本的なるものが如何なる歴史的類型を経て現在にまじれるか、そしてその凡てに対して、現代が如何なる角度をもつて交渉をもつか。もし歴史の見方そのものが自ら歴史的であるとするならば、現代は現代の日本的なるものを決定すべきである。

美術史は常に自ら美の解釈の歴史的記録に外ならない。国際性を帯びたる現代が今日本的なるものを顧ることは、自から美の新しき解釈を自らの中に見出すことを意味しなければならない。[36]

「日本的なるもの」を通して「美の新しき解釈」を見出そうとする中井や、「日本的なることを超現実主義的に見出すことが必要」[37]だとする須田の言葉を身近に聞いていた北脇は、「超現実主義」に対する批判と「日本的なること」をめぐる言説の間で、どのような「美の新しき解釈」を導いたのだろうか。

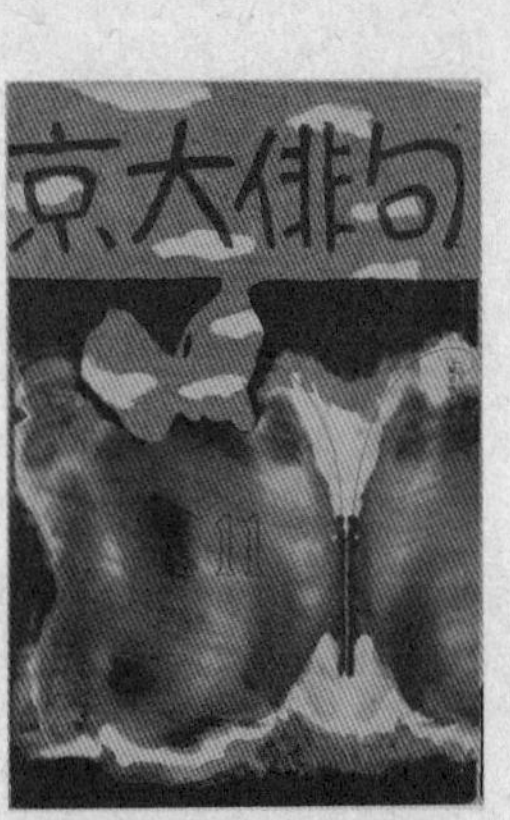

図1｜『京大俳句』5巻11号、1937年11月（表紙・扉：今井憲一）

2 北脇昇の「伝統」
——世界の秩序を「図式化」する

一九三七年、「超現実主義派」に対する批判と冷笑のなかで、京都の「ほんの一部の人たち」[38]によるシュルレアリスムの実験が始まった。翌年、第四回新日本洋画協会展の一角には、集団制作《庭園》の展示とともに、「超現実性観測室」と名付けられた部屋が設けられ、「そのへんで拾ってきた木の腐った欠片やらね。それとかデカルコマニー(転写画)やフロッタージュ(摩擦画)、コラージュ(貼布画)など、シュール・リアリズムの技法は一通り並べ」[39]られたという。実験の多くを発案したのは、「超現実と云ふ言葉は今日、甚だしい誤解の下に置かれてゐて、吾々のそれと一般のそれとの間の誤差を修正」[40]することに逡巡していた北脇である。

北脇の画風と立場の双方に変化が訪れたのは、一九三九年のことである。美術文化協会への参加を決意した北脇は、小牧とともに独立美術京都研究所と新日本洋画協会を離脱した。その後北脇が「小牧源太郎・北脇昇二人展」(一九三九年、京都朝日会館)に出品したのは、《七・五・三構造(龍安寺石庭)》[図2]や《非相称の相称構造(窓)》(東京国立近代美術館)をはじめとする、「図式的」な作品群であった。ここに、幻想的な雰囲気を漂わせる《独活》[045]とは異質な、因数分解や植物学、ゲーテの色彩論や禅宗など多領域への興味関心を駆使した、「新な領域の開拓」[41]が開始する。

北脇は、『美術文化』創刊号に掲載した「相称と非相称」の中で、作品のモチーフとなった龍安寺石庭について次のように述べる。

> 吾々は彼の龍安寺石庭の場合に於ける七五三なる石組の持つ性格を、最も非相称的な日本庭園の代表と考へる基礎に、奇数の奇数和(7+5+3=15)なるものを考慮して見てもいいと思ふのである。尚先に云つた奇数の偶数和に関し、シュールレアリズムの相称的意欲を指摘し度いと思ふのである。[42]

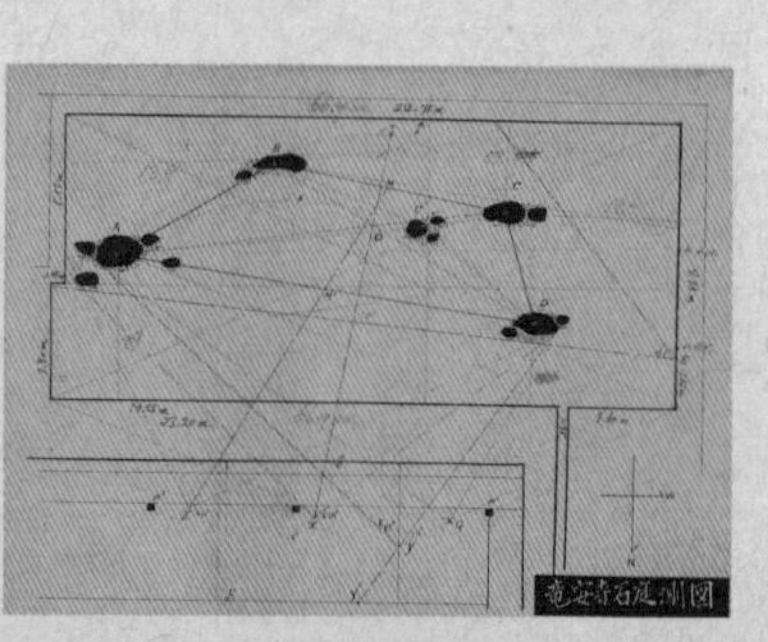

図2｜北脇昇《竜安寺石庭測図》1939年、東京国立近代美術館　＊北脇昇・小牧源太郎二人展に出品された作品《七・五・三構造(龍安寺石庭)》とは異なる。

七五坪の空間に大小一五の石が、五・二(七)、三・二(五)、三の五つに分かれて置かれているのが、龍安寺方丈の石庭である。北脇は、七・五・三(奇数和)の石組から成る「非相称的」な石庭に対して、「非相称的」な外形をしたダリ作品に、「奇数の偶数和」的な「相称的意欲」を見る。福沢一郎が著書『シュールレアリズム』の第八章「超現実主義と日本的なもの」の中で、龍安寺の石庭と大徳寺大仙院の庭園について言及していたが[43]、抽象化された自然としての龍安寺石庭をモチーフに描き(書き)分析することは、福沢に対する北脇なりの返答でもあっただろう。[44] 須田の師、深田康算の後任として京都帝国大学で教鞭をとる植田寿蔵の論文「ある石庭の視覚構造」[45]や、長谷川三郎の古典を巡る言説の影響も受けていた北脇にとって、石庭を解明することは、「前衛作家」として取り組むべき喫緊の課題であった。

「吾々のそれ（＊超現実主義）と一般のそれとの間の誤差を修正」[46]するべく尽力していたことと、奇数と偶数、龍安寺の石庭と「シュールレアリズム」、非相称と相称について論じる文章や描かれた絵画作品との間には、大いなる矛盾と飛躍が横たわっている。だがそれは「日本的なることを超現実主義的に見出す」ための試みのひとつであり、石庭や数字を通して「相称と非相称」について思考することが、「相称と非相称は対立的であるよりも相補的である」[47]という、その後北脇の制作活動及び考え方の核となるべきものを導くことになる。北脇にとっての「相称と非相称」とは、単に視覚的なものではなく、世界を構成する秩序を意味する。その秩序を簡易明瞭に可視化することこそが、北脇のめざすべき「新な領域の開拓」であり、「前衛」と「伝統」の接合点である。北脇が影響を受けた高山岩男もまた、その著書『文化類型学』で「我々は日本文化一般の一つの基本特性として、簡潔性を挙げることができる」[48]と述べていた。

そこで北脇の新たなモチーフとなるのは、占いの書物であるとともに儒教の経典として知られる「易」である。易への興味関心は、すでに前述の「相称と非相称」の中に現出していた。文中に掲載された「河図」と「洛書」［図3］の図版は、江戸時代の書物『易経集註』の序目からとられたもので、奇数と偶数が、白と黒の丸と互いを繋ぐ線とで「図式化」されている。北脇の興味は「一方は他方を、他方は又一方をそれぞれ相関的に成立せしめるもの」[49]としての奇数＝陽＝白と、偶数＝陰＝黒の相関関係にある。北脇の「図式」絵画を詳細に分析しその可能性を探求し続ける大谷省吾は「北脇が易経を用いたのは、自然現象の法則を捉え、そこから想像力を膨らませて社会の理想的な在り方を図式化するためだったと考えることができる」[50]と述べている。

それから二年後の一九四一年、北脇が第二回美術文化展に出品したのは「周易」を冠した作品三点であった。『易経集註』にある八卦の図「文王八卦次序」と古帝王・伏羲の「伏羲八卦方位」、周の文王の「文王八卦方位」を写した印画紙が方位に忠実に「コラージュ」された《周易解理図（八卦）》［図4］、易の基幹となる陰＝坤＝地と陽＝乾＝天の循環をまさに易簡に「図式化」した《周易解理図（乾坤）》、そして光を認識する人間の目（レンズ）とともに「泰否」を

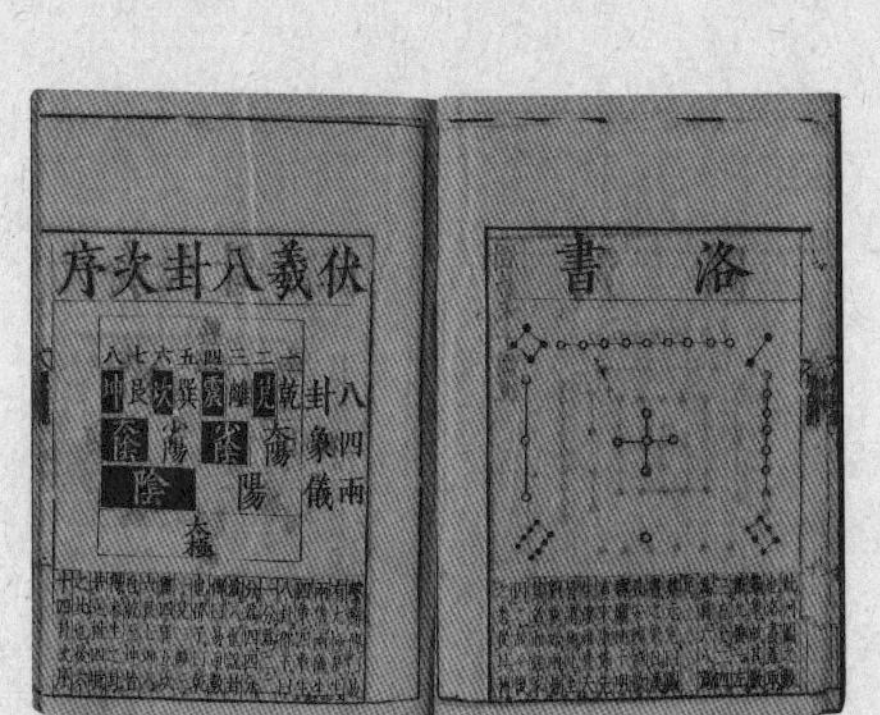

図3｜「洛書」（右記の『易経集註』より）

示す卦が描かれた《周易解理図（泰否）》[088]である。《周易解理図（泰否）》を解く鍵もやはり「相称と非相称」の中にある。

吾々はレンズの中点の両側を考へたが、勿論具体的にはその両側を同時に見る事は出来ない。これも量子論の相補性と対照し得ると思うが、その意味でダリの遠近法も謂はば古典的概念（意識界の）を用いて無意識界を表さうとしてゐるものであり、相補的に於て寧ろ大いに相称意欲を示すものと云へない事はない。重複影像も右のやうなものゝ所産と理解する事も決して無理ではなからうと思ふ。(51)

光の屈折を調整しながら見る世界＝意識と、「同時に見る事は出来ない」もうひとつの世界＝無意識。ダリのダブルイメージについての言及はいかにも唐突であるが、北脇にとってはそうではない。易・東洋とゲーテの色彩論や形態学・西洋の双方をひとつの画布に「図式化」した北脇の脳裏には、「レアリズムとシュールレアリズムとの相補性も抽象派と具象派の相補性も理解出来る」(52)ような「矛盾の絵画」の可能性が広がっていたのだろう。「天地交わりて万物通ずる」(53)ことを表す「泰」と「天地交わらずして万物通ぜざる」(54)ことを表す「否」が循環する世界に、屈折する光のような「矛盾」を包含しながら、円（陽）と、円に内接する正三角形が相互に出現する。円の内側では、中心点を機軸に、白い絵具の渦巻線が永遠の軌跡を刻印し続けている。

三点と同時期に描かれたのが、上意下達下意上通という新体制下における理想的状態を表した《周易解離図（巽兌）》である。「美術の国防国家体制は『大我』を発揮する体制でなくてはならない」(55)と禅の用語をもとに思考する北脇にとって、美術家の統制を目的として結成された日本美術及工芸統制協会と日本美術報国会もまた、単なる「『小我』の集団」であり、「画壇と云はれるものは謂はばそう云ふものの恐る可き集積」(56)に過ぎなかった。

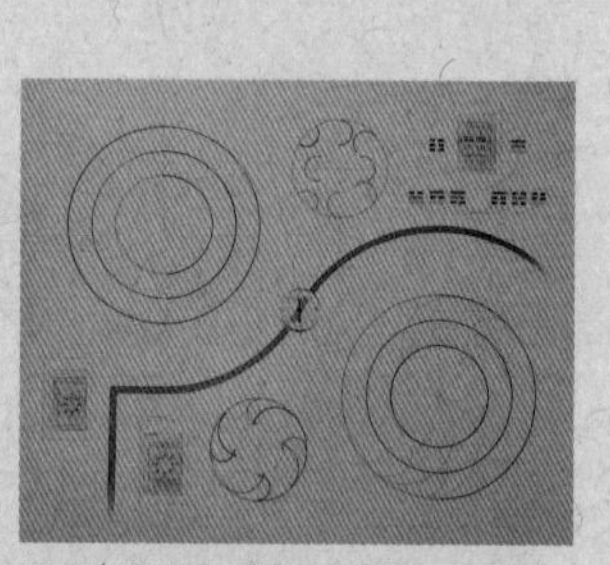
図4｜北脇昇《周易解理図（八卦）》1941年、東京国立近代美術館

3　小牧源太郎の「伝統」
——欲望の生理は俗信と結びつく

北脇が全三点の「周易解理図」を出品した第二回美術文化展に、小牧源太郎もまた《形象石》と《鳥紋図形》（発表時は「鳥文図形」）、《迷文図形》（発表時は「図形」）、《涅槃》の出品を試みた。だが、福沢と瀧口修造が検挙・拘束された所謂「シュルレアリスム事件」直後の混乱によって、《形象石》は会員同士の相互審査により出品を否決される。ヨハン・ベリンガーの“Lithographiæ Wirceburgensis”（一七二六

年）に掲載された贋作の化石から着想を得て「化石ヲ化石トシテ意識シナイ形象石ノ世界」[57]を導いた《形象石》であるが、描かれた紋様が陸軍大学校の卒業徽章に類似するためか、それとも対の石棒が性的なものを予感させるからか、出品拒否となった理由は推測の域を出ない。だが何よりもここでは、その曖昧さを認識しておくことこそが重要であろう。

第二回美術文化展から約二カ月後の一九四一年七月、小牧は「不動図」や「如来」と題した小品二点を完成させた。《不動図》の制作意図について、小牧は次のようなメモを残している。

> 昭和十六年（一九四一）美術文化第二回展ヲ終エテカラ佛教的ナモチーフ又ハ素材ニヨッテ作画ヲ意図シタ。勿論所謂佛画ヲ絵クノガ真ノ意図デハナク一見佛画（所謂宗教画）ノ如ク見エテモ、余ノ哲学観念タル造型人間学ノ諸原理ヲカゝル外皮ノモトニ於イテ表現スル事ガ真ノ意図デアル[58]。

一九三〇年代後半から幼虫や胎児、臓物に羊膜、女性器といった原初的な形態と胎内世界を描きながら「余ノ哲学観念タル造型人間学」、つまり矛盾する原理の統合を模索してきた小牧は、以後五年間、全三一点の「一見佛画ノ如クニ見」える「仏画的なもの」を描き続けることになる。一九四一年一二月頃、「多少仏教教理は識っていたが、古美術については全く無知であった」[59]という小牧は、川勝政太郎の史迹美術同攷会や源豊宗の天平会に入会、田村吉永の大和国史会や大和聖地顕揚会が主催する見学会にも参加し、本格的に仏教や古美術について学び始めた。全一七部におよぶ『史迹・美術資料ノート』（一九四二―四六年）には、研究会の講義録、近畿地方の神社仏閣や史跡、博物館の見学内容が、伽藍配置や仏像の模写を交えながら丹念に記録されている。

だがその『史迹・美術資料ノート』中に、他とは明らかに異質な頁がある。ノート第二部の「稲荷神社」の訪問について記録した頁である。一九四三年一月一七日、小牧が訪れた稲荷神社とは、全国に三、四万にも及ぶという稲荷神社の本宮、京都の伏見稲荷大社である。当日は「此の日寒いにも拘はらず正月の事とて、参詣人多く、繁華街の雑踏に似」ていたという。ページ全体に大きく描かれたのは「雪が降ったり、止んだりする、シャガンで写す、同夜八時炬燵にて仕上ぐ」という狐の石像と、「木を薄く切って組合せて作る、稲荷前の見世物店にて買ふ」たという「稲荷のオブジェ」である［図5］。「稲荷のオブジェ」とは開運招福を願う竹細工「お神酒（みき）の口（すず）」[60]のことを指す。「台に影をうつし、炬燵にて写す」「此のオブヂェの影は実に形態的に美しい」と記録されているとおり、小牧が惹かれたのは神酒口の実体ではなく、その影であった。曲線の交差によって形成された左右対称のシルエットが、影絵の幻想性に惹かれていた小牧の創作意欲を強く駆り立てたのだろう。[61]「造型上からも、民俗学的にも注意すべきもの多し。他日研究すべし」と描くべきモチーフを見出した興奮を記録している。小牧のスクラップブックには、「宇迦之御魂神」と書かれた伏見稲荷大社の護符が丁寧に貼付されている。[62]

しかしながら、当時の小牧が描くべきは「佛画」という「外皮」の下に表現された絵画であり、稲荷神や狐、神酒口をモチーフとする「民俗学的なもの」ではない。小牧が伏見稲荷大社を訪れた一九四三年に「仏画的なもの」の最後の大作として描かれたのは、極彩色が印象的な《双身如意輪像》[図6]であった。

第一手を頬にあて、第二手は宝珠を、第三手は念珠を持つ右半身と、第一手を台座に置き、第二手は蓮花を、第三手は法輪を持つ左半身で構成された白色の「如意輪観音像」。その背中合わせに在るのは、左右が反転した黒色の「如意輪観音像」である。対の仏像が剣を間に挟み同じ蓮弁に趺坐し、如意輪観音像を示す複数の梵字が、「双身如意輪像」から放たれる身光に逆行しながら、頭光が形成する円（胎）を目掛けて突き進む。白と黒の「双身」が手を置くのは、インドの『阿毘達磨倶舎論』に書かれた創造上の高峰「須弥山」である。[63]もちろん須弥山上に趺坐する「双身如意輪像」なる仏像は存在しない。《双身如意輪像》はいかなる意味においても仏画ではなく、「一見佛画ノ如クニ見」える「仏画的なもの」に他ならない。

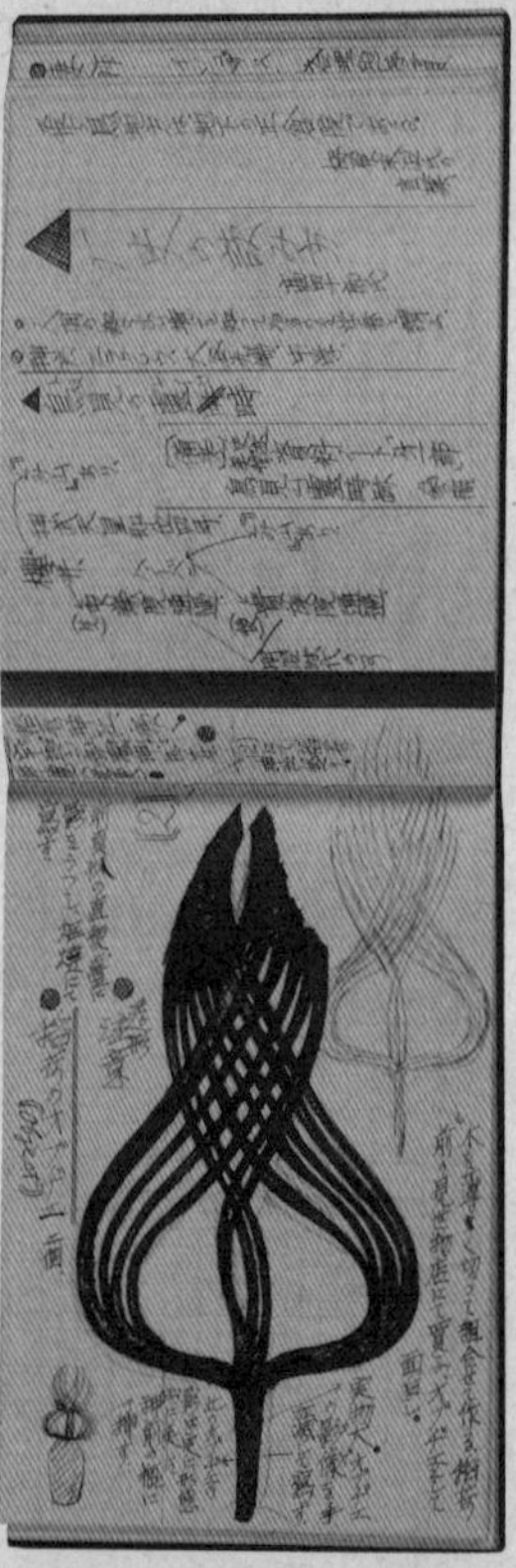

図5｜小牧源太郎『史迹・美術資料ノート第2部』1943年、市立伊丹ミュージアム

岡本梓は、残された素描をもとに「トレーシングペーパーを使って反転させることで左右対称に二対描いているが、あえて肌の色だけが変えられている」ことを明らかにすると同時に、「北方と南方の仏像、あるいは異なる人種を想像させ、ただの仏教美術にとどまらない意味を与えている」[64]と指摘する。当時小牧は、「我々の佛教像を造型的に、より複雑にし、発展させる為めには、そして南北の佛教美術を高度に綜合する為めにも、この際南方美術を徹底的に研究し、把握されねばならない[65]と思はれる」と南進政策に意義を見出す発言をしていた。[66]だが同時に、次のようにも述べている。

特に佛教像を画く場合、「超現実」は色々の点で近親関係を持つ。その事は天部像や、明王部像等を観れば、明かである。かのマックス・エルンストが、確かラマ教の佛教像の顔を彼

> れの絵の一部分に——それは樹木の瘤に佛顔をはめこんで画いてゐたと記憶してゐる。又邪教的と謂はれるものは、其の全部が本能感情の生まな露出に外ならない。[67]

小牧は、人間の「本能感情の生まな露出」を、淫祠邪教に分類された信仰の「神像」のみならず、「佛教像」においても見出している。それは、仏像に内包された淫祠邪教的なものの「発見」であると同時に、福沢が『シュールレアリズム』の第八章「超現実主義と日本的なもの」で触れていた「オブジェも淫祠邪教になると甚だ奇々怪々であり、且つ性的象徴が多い[68]」という発言への共感と応答でもあるだろう。

小牧の創造した「双身如意輪像」は、「双身」かつ「相背」で蓮辧に趺坐する。その意味は、毘沙門天と吉祥天の二天が合体した双身毘沙門天から紐解くことも可能であろうか。一双なるものへの熱い関心を双身の像容に見る山本ひろ子は、鎌倉時代末の天台宗の書『渓嵐拾葉集（けいらんしゅうようしゅう）』を読み解きながら、二身で一対の「双身」かつ「相背」の双身毘沙門天について次のように述べている。

> 多聞天は天部の諸尊の中でも浄刹に引導し無上菩提を約束するという「出世の事」を主る尊とされる。一方、吉祥天は、世俗の福報などの「世間法」の主である。世間法と出世間法。それは表面的には相反するため、二天は「相背」する形をとるが、実は両者は不二一体であって、出世の無上菩提を祈願すれば、自然に世間の服徳も成就すると説く。[69]

相反するものの総合に対する強い意志が「双身」として表れたのが《双身如意輪像》である。つまり本作からは、北方と南方の仏教美術の合体ということだけではなく、「仏画」という「外皮」の深層にある、「性的」な「本能感情」の露出を垣間見ることも可能であろう。それはまた、シュルレアリスムを受容し仏教美術を探求するなかで小牧が到達した、近代合理主義とは乖離する超自然的で現世利益的な「生まな」信仰の世界でもあった。

《双身如意輪像》以後、「描画材料の買置きは充分であったが、警防団員として空襲のたびに出動していたため制作時間がとれなく[70]」なったことにより大作を断念した小牧は、「精神的解放感」を覚えたという敗戦後も、引き続き「仏画的なもの」を描き続ける。

おわりに

一九三八年六月に検挙、一年半に及ぶ拘束期間に社会との断絶を余儀なく

図6｜小牧源太郎《双身如意輪像》
1943年、市立伊丹ミュージアム

された和田洋一は、「暗い谷間」といわれる当時の社会状況について次のように言及する。

暗い谷間というと、その前後に高い峯があって、その中間のくぼみのように思われるのだが、私の実感としては、底知れぬ深い谷間へずるずるとすべり落ちてゆく時代、途中でふみとどまろうとしても、足もとがくずれてゆく、はいあがるというようなことはとてもできない、一人ひとりがもがいても歎いても、結局はみんながずるずるとすべり落ちてゆく、そして事実地獄まですべり落ちていった、という時代、破局への一方的傾斜の時代、奈落の底への地すべりの時代だったという気がする。(71)

同志社大学予科教授であった和田は、『世界文化』の同人でもあった。独立美術京都研究所とも関係のあった、同じく『世界文化』同人の中井正一は、「表面合法を装ふも其の真目的は所謂人民戦線戦術に依り共産主義社会の実現を企図しつつ活動し居るものなること判明(72)」したとして、新村猛や真下信一、禰津正志のほか『学生評論』、『土曜日』の関係者らとともに、すでに逮捕されていた。「底知れぬ深い谷間へずるずるとすべり落ちてゆく時代」のなかで、「千載の皇都(73)」を拠点とする北脇と小牧は、さまざまな反対概念と矛盾の間で思考し続けることで、非論理的な曖昧さこそが魅力だったはずの「日本的なること」や「伝統」を、敢えて分析・抽出し、自身の制作へと落とし込んでいった。あらゆる矛盾をも包含せんとする意志の軌跡に、北脇の禅的な「図式」絵画と、小牧の密教的な「仏画的なもの」は存在している。(74)もちろん彼らの導く不可解で異質な絵画世界は、国策に沿う「外皮」を伴っていたとしても、時局が要請する表現の形では無い。曖昧さを許容せず解明を強要する彼らの作品は、当時も今も変わらずに孤独である。

戦後、瀧口修造が「あの時代の一人の画家の状況を同時にまた時代そのものを、なにか冷やっとした実感の『謎』として示したものはなかったように思う(75)」と評した作品のひとつに、一九四七年、北脇が第七回美術文化協会展に出品した《自我像》(発表時は「蓋然の像」)[図7]がある。北脇と思しき人物の奥に描かれたのは、赤いサイコロと不思議な線で結ばれた、まるでヤジロベエのような「人物」である。サイコロは賽子であり、「人物」は、あの世とこの世の分岐点にいる賽の神(道祖神)であろうか。《自我像》はやがて《クオ・ヴァディス》(一九四九年)となり、薄緑色の背景の中に在る「後ろ姿の人物」が、右と左を分かつ岐点に佇む。

敗戦後も「制作上に急変はなかった」という小牧に制作上の変化

図7｜北脇昇《自我像》
1947年、東京国立近代美術館

が訪れたのは、一九四七年のことである。不動明王の光背のみを独立させて描いた《迦楼羅炎(かるらえん)(A)》と《迦楼羅炎(B)》に続き、《稲荷図No.1》[図8]を皮切りとする全四点の「稲荷図」シリーズが描かれた。神酒口と狐の尾をまとう種銭(狐火)の、対の形態が屹立し、散華の向こう側には地平線が復活する。戦時下に見た「稲荷のオブジェ」から、「生まな」人間存在や古層の記憶を求めて「民俗学的なるもの」へと傾斜する、小牧の「戦後」が始まった。

(しみず・ともよ/京都府京都文化博物館学芸員)

図8|小牧源太郎《稲荷図No. 1》1947年、京都国立近代美術館

(1) 須田国太郎の卒業論文(京都帝国大学文科大学哲学科)のタイトルは「写実主義」(一九一六年)であり、その後の画業は「リアリズム」を獲得する軌跡でもあった。
(2) 黒田重太郎『京都叢書6 京都洋画壇の黎明期』高桐書院、一九四七年、二二〇頁。
(3) 須田国太郎「超現実主義に及ぼす日本の特殊性」『美之國』四二一号、一九三七年一二月、六三頁。
(4) 須田は「もし芸術的真を追求することが写実主義の目的であるならば写実主義はすべての芸術に共通すべき芸術的態度である、特に写実主義をこれに限る必要もなく、その可能もない、芸術的真が必しも現実的真を意味しないからである。所謂超現実主義と雖も芸術的真を把握せんとする点に於て決して他に後れるものでない筈である」と述べている(須田国太郎「写実主義の存在理由」『みづゑ』三六三号、一九三五年五月、三二二頁。
(5) 須田の蔵書(和書一七九一部二三五六冊、洋書一六二一部一七九五冊)は出身の京都大学に寄贈されている(『京都大学文学部美学美術史研究室 須田文庫目録』京都大学文学部図書室、一九七一年)。
(6) 島田康寛「須田国太郎の人と芸術」、京都国立近代美術館編『須田国太郎展』京都新聞社、一九八一年、一六頁。
(7) 北脇昇「技術より見た矛盾の絵画」『ニッポン新聞』一九三七年一一月頃(月日不明、小牧源太郎 スクラップブック、市立伊丹ミュージアム蔵)。
(8) 乃母流(北脇昇)「京都洋画壇を爆撃するもの」『TOILE 独立美術京都研究所機関紙』五号、一九三七年七月、八頁。
(9) 福沢一郎「福沢一郎が推す小牧源太郎」『藝術新潮』三六八号、一九八〇年八月、二六頁。
(10) 今井憲一「京都におけるシュール・リアリズム」『京都市美術館ニュース』四三号、一九六二年一〇月八日、二頁。
(11) 小牧源太郎「アトリエの中から」『ニッポン新聞』一九三八年頃(月日不明、小牧源太郎 スクラップブック、市立伊丹ミュージアム蔵)。
(12) 小牧源太郎「知性と芸術家たち」『ニッポン新聞』一九三九年(月日不明、小牧源太郎 スクラップブック、市立伊丹ミュージアム蔵)。
(13) 『学研国語大辞典』学習研究社、一九八〇年、一三五五頁。
(14) 小牧源太郎「私のシュルレアリスム」『みづゑ』七七二号、一九六九年五月、二九頁。
(15) 福沢一郎が、小牧の制作に対する信条について述べた言葉である(福沢一郎「福沢一郎が推す小牧源太郎」前掲書、二六頁)。
(16) 須田国太郎「超現実主義絵画の史的意義」『アトリヱ』一四巻六号、一九三七年六月、一一頁。
(17) 須田国太郎「超現実主義の否定について」『美交』六号、一九三七年一一月、四頁。
(18) 一九三八年一〇月一四日、第四回新日本洋画協会展の下見をした須田は「オブジェ中々面白きものあり」と日記に記している(「須田国太郎の日記と作品調査」、岡部三郎『叢書・京都の美術一 須田国太郎 資料研究』一九七九年、京都市美術館、一一〇頁)。
(19) 中井宗太郎「前衛絵画批判」『アトリヱ』一四巻六号、三〇一三一頁。
(20) 日本画家の田口壮は堂本元次(塩谷元次)宛ての書簡(一九四三年七月二〇日)の中で「五六年前の油絵の前衛作家など言はれ

てたテイノー児達のやつてた仕事」と述べ、「前衛作家」たちを批判している（松尾敦子「塩谷元次あて田口壮書簡　翻刻」『生誕一〇〇年記念　堂本元次』京都府立堂本印象美術館、二〇二三年、六〇頁）。

(21) 一九〇九年から一九三一年まで続いた校友会誌である。

(22) 黒田重太郎「若き仏蘭西絵画の現状に関する私記」『美』二四巻五号、一九三〇年五月、芸艸堂、八四頁。

(23) 川路はかつて京都市立美術工芸学校で学んでいた（川路柳虹「滞欧雑記」『美』二三巻六号、一九二九年一二月、一三四頁）。

(24) 川路柳虹「最近巴里画壇概観」『最近美術の動き』アトリエ社、一九三〇年、九頁。

(25) 京都帝国大学文学部哲学科教授・深田康算の死後、『深田康算全集』全四巻（各巻の巻頭に付された深田の肖像画は須田国太郎による）の刊行に尽力した中井正一や富岡益五郎、徳永郁介、長廣敏雄らが刊行したのが『美・批評』であり、三号には、発刊記念の講演会に登壇した須田の「新たに見出されたる美の諸相」が再録されている。二七号の後記には、須田からの印刷費寄付に対する御礼が述べられているが、須田は金銭面においても雑誌運営への協力を惜しまなかった。一九三三年五月の瀧川事件（京大事件）をもって一年間の休刊を余儀なくされていた『美・批評』（全三二号）を引き継いで一九三五年二月に刊行されたのが『世界文化』（全三四号）である。

(26) 徳永郁介「院展・二科展・構造社展」『美・批評』一二号、一九三一年一〇月、七二—七三頁。

(27) 蓮實重康「前衛絵画批判」『アトリヱ』一四巻六号、二六—二七頁。

(28) 新村は、『世界文化』（「現代仏蘭西文学論」、第一年九・一〇号、一九三五年一〇月、三三頁）以外に『同志社派』でも、アラゴンの『Pour un réalisme socialiste（社会主義レアリスムのために）』（一九三五年）の引用から始まる「超現実主義から現実の社会へ」を掲載し、アラゴンとマヤコフスキーについて言及しつつ、政治と芸術の二元論に対する違和を伝えている（新村猛「超現実主義から現実の社会へ」『同志社派』二巻一号、一九三六年一月、一七—一八頁）。また、一九三六年の『世界文化』（第二年一八号）の「世界文化情報」では、京大出身の画家・三雲祥之助が「サルヴドール・ダリ Salvador Dalí、ミロ Miro　キリコ Chirico 等はミロが可也り判然と後者に属するといへる他は果して立体派か超現実派か分明出ない」といった、「超現実派」の「現状」について伝えている（三雲祥之助「最近のパリ画壇」『世界文化』第二年一八号、一九三六年六月、五八—五九頁）。

(29) 中井宗太郎「前衛絵画批判」前掲書、三一頁。

(30) 一九三六年七月に創刊された、月二回発行のタブロイド判全六頁の新聞である。斎藤雷太郎が発行する『京都スタヂオ通信』（一九三五年五月刊行、全一一号）を改題することで刊行が実現。時事問題を扱うための有保証を引き継ぐためであり、『土曜日』は一二号から始まる。目標としていたのはフランスの人民戦線機関紙『Vendredi（金曜日）』であった。京阪神の書店や喫茶店で販売され、平均で四千部、多いときは八千部の売り上げがあったという。経営は斎藤が行い、能勢克男や中井正一が巻頭言を書いた。編集は三人で行い、社会欄は能勢、文化欄は新村猛、文芸時評は辻部政太郎、映画欄は清水光、音楽欄は長廣敏雄が担当した。表紙絵は、当時二科会に所属していた伊谷賢蔵が、題字や挿画は独立美術京都研究所の小栗美二が担当した。一九三七年一一月八日、斎藤、中井らが検挙されたことで、四四号で終刊となる。

(31) 乃母流生（北脇昇）「シュール・レアリズム作品展より」『土曜日』三六号、一九三七年七月五日、六頁。

(32) 山田諭によれば、北脇のスクラップブックには三木清の「一日一題」（『読売新聞』夕刊）や中井正一による『土曜日』の巻頭言が貼付されていたという（山田諭「『矛盾の絵画』から『図式機能』へ——北脇昇研究ノート」『日本の抽象絵画』読売新聞社・美術館連絡協議会、一九九二年、八一頁）。

(33) 一九三三年、平畑静塔らによって創刊された、京都における新興俳句運動の中心誌である。今井がさまざまな手法を駆使した意欲的な表紙絵を提供していたが、一九四〇年二月一四日以降、関係者が次々と検挙され、『京大俳句』は廃刊に追い込まれた。

(34) 「北脇昇年譜」『北脇昇展』東京国立近代美術館・京都国立近代美術館・愛知県美術館、一九九七年、一五〇頁。

(35) 中井正一「前衛絵画批判」『アトリヱ』一四巻六号、三二頁。

(36) 中井正一「日本的なるもの（その一）」『美・批評』一二号、一九三一年一〇月、三四頁。

(37) 須田国太郎「超現実主義に及ぼす日本の特殊性」前掲書。

(38) 小牧源太郎「私のシュルレアリスム」『みづゑ』七七二号、一九六九年五月、二九頁。

(39) 「作家放談　第二二回　洋画家　小牧源太郎氏」『経済ジャーナル』一八巻一〇号、一九七六年一〇月、三九頁。

(40) 北脇昇「超現実性観測室に就て」『四回新日本洋画協会展目録』一九三八年一〇月。

(41) 『美術文化』創刊号における「現代の前衛美術を如何に進めてゆきたいか」という設問に対して、北脇は「耕作された土にものを『作る』ばかりが作る事の総でないやうに、新な領域の開拓、これこそ前衛美術の本領ではないだらうか。吾々はこの意味で前衛美術は『作る』ことより先づ『拓く』ことに専念す可きと信ずる」と述べている（『美術文化』創刊号、一九三九年八月、一一頁）。

(42) 北脇昇「相称と非相称」『美術文化』創刊号、同前、九頁。

(43) 福沢一郎『シュールレアリズム』アトリヱ社、一九三七年、一九四、一九六、二〇九頁。

(44) 今江秀史によれば「白砂敷きに砂紋を引いたり石を据えたりする事例は、『都林泉名勝図会』などによれば江戸時代の中期以降に認められ」るもので、「龍安寺方丈の大庭が室町時代から石庭であったことは、きわめて特別なことだった」という（今井秀史『京都発・庭の歴史』世界思想社、二〇二〇年、六九頁）。今井は、北脇が寄宿していた廣誠院の調査も行い、「廣誠院の庭には、自然の山中で見られるような滝から水溜まり、渓流へと流れる関係と、実際の水の流れる向きが逆になるという不自然な点が見られる」「江戸時代の島や林泉が数々の名所の景色を合成した非現実的なものとするならば、廣誠院の島は超現実的」ともいえると指摘している（同右、一四〇—一四三頁）。

(45) 北脇が読んだのは『哲学研究』（一九三九年三・四月号）に掲載された「或る石庭の視覚的構造」だったという（北脇昇「相称と

非相称」前掲書、九頁）。論文は『視覚構造』（弘文堂、一九四一年）に収められている。

(46) 北脇昇「超現実性観測室に就て」『四回新日本洋画協会展目録』前掲目録。

(47) 北脇昇「相称と非相称」前掲書、九頁。

(48) 高山岩男『文化類型学』弘文堂、一九三九年、一九〇頁。

(49) 北脇昇「相称と非相称」前掲書、八頁。

(50) 大谷省吾『激動期のアヴァンギャルド』国書刊行会、二〇一六年、三〇〇頁。

(51) 北脇昇「相称と非相称」前掲書、九頁。

(52) 同前。

(53) 「周易上経」、高田真治・後藤基巳訳『易経（上）』岩波書店、二〇二一年、一五六頁。

(54) 同前、一六二頁。

(55) 北脇昇「美術新体制の具体的形態」『ニッポン新聞』一九四一年五月頃（小牧源太郎／スクラップブック、市立伊丹ミュージアム蔵）。

(56) 同前。

(57) 小牧源太郎『絵画諸論』市立伊丹ミュージアム蔵（小牧が一九三九年から記したノートで、表紙には「史迹と美術、資料ノート、別冊第一部　聴講筆記」と記載されている）。

(58) 同前。

(59) 小牧源太郎「正と負の系譜」『美術ジャーナル』三九号、一九六三年四月、四三頁。

(60) 小牧は長野で制作された神酒口を複数所蔵していた。本来は自立せず、徳利に挿して神棚に備えるためのものである。小牧は「伏見稲荷にも類似のものがある」、「民間信仰に通ずる一種の呪物としての意味を持」つと述べている（『小牧源太郎展―非合理の美を求めて』伊丹市立美術館、一九八八年）。

(61) 小牧はスクラップブックに「影絵映画」の切り抜き（京洛映画劇場の広告）を貼付している。そこには「影絵の幻想性、平面と立体、この問題重要」、「影絵の幻想性　注意スベシ」と書き込まれている（小牧源太郎／スクラップブック、市立伊丹ミュージアム蔵）。

(62) 吉野裕子は、伏見稲荷大社の御神符にある宇迦之御魂大神（稲荷神）の文字と一対の蛇と狐の画を「祭神の変遷の時間的推移を画いているもの」と述べ、狐神の前身は蛇神であったとする（吉野裕子「伏見稲荷大社祭神考」『朱』四〇号、一九九七年三月、一六四頁）。

(63) 小牧は「須弥山（光明山）に手を按ず。と謂ふ。本図は手と光明山と離れてしまった。其の点充分考慮の余地あり」とノートに記している（小牧源太郎『絵画諸論』前掲書）。「光明山」とあるのは、須弥山の別名「妙高山」のことだろうか。

(64) 岡本梓『小牧源太郎　生きとし生けるもの』伊丹市立美術館、二〇一二年、七二頁。

(65) 小牧源太郎「南方美術と画家への課題」、掲載紙不明、一九四三年二月頃（小牧源太郎／スクラップブック、市立伊丹ミュージアム蔵）。

(66) 一九四三年一月六日、恩賜京都博物館（現京都国立博物館）で山中商会の山中松次郎が所蔵するタイの仏頭を見ている。そこには仏頭のデッサンとともに「重要注意」の文字が記録されている（小牧源太郎『史迹・美術資料ノート』第二部、一九四三年、市立伊丹ミュージアム蔵）。

(67) 同前。

(68) 福沢一郎『シュールレアリズム』前掲書、一九三頁。

(69) 山本ひろ子「異類と双身」『現代哲学の冒険四　エロス』岩波書店、一九九〇年、一二七―一二八頁。

(70) 「小牧源太郎―年譜」『小牧源太郎・シュルレアリスムの実証《貌》』講談社、一九八七年、二一九頁。

(71) 和田洋一『灰色のユーモア』理論社、一九五八年、四頁。

(72) 『復刻版　社会運動の状況九　昭和十二年』三一書房、一九七二年、八〇頁。

(73) 「日本文化と京都」展（一九四〇年一〇月五日―二二日、大礼記念京都美術館）に際して刊行された目録の「はしがき」より（『紀元二千六百年奉祝「日本文化と京都」大展観目録』京都市史編纂事務局、一九四〇年、一頁）。

(74) 当時北脇が寄宿する廣誠院の住職は臨済宗仏通寺派管長の山崎益洲であった。山崎は「天皇に帰一することによって、仏教的な悟りを得ることができる」（新野和暢『皇道仏教と大陸布教』社会評論社、二〇一四年、一〇一頁）と説いているが、北脇は山崎から思想的な影響も受けていただろう。「軍神」杉本五郎は山崎の教えを受けたひとりとして知られている（市川白弦『日本ファシズム下の仏教』エスエヌ出版会、一九七五年）。

(75) 《自我像》と《クオ・ヴァディス》の双方について言及した部分（滝口修造「クオ・ヴァディス」『美術ジャーナル』四五号一九六三年、四〇頁『北脇昇一三回忌遺作展』青木画廊、一九六三年九月）。

シュルレアリスムと画家たちの戦争・戦後体験

弘中智子

はじめに

一九四五年一一月、終戦から約二カ月半の荒廃のさなか、美術文化協会はいち早く展覧会活動を再開した。「美術文化自由新作展」の名称からは、戦中の抑圧から解放され、新しい時代の美術を自由に創造していく会の強い意志が感じられる。戦前の出品者の中には将来を嘱望されながらも戦争のために命を奪われた画家、終戦を戦地で迎えたため抑留中であった画家もいたが、同会は戦後も前衛美術、とくにシュルレアリスムをリードする団体として批評家たちからも期待されていた。しかし、戦地にいた画家たちも復員し、会員が出揃った四八年の第八回展では、過去の古いシュルレアリスムの殻から抜け出せていない作品が多く見られると批評家たちから指摘されている。[1]確かに出品作の図版を見ると、浮遊し絡みつくオブジェなど戦前から変わらぬモチーフが描かれたものが複数出品されている。そうしたなかで批評家の植村鷹千代(うえむらたかちよ)が、現実に対して「大胆につき破ろうとする積極的な精神をみせ、すでにその方法の端緒をつかんでいる」画家として挙げたのが福沢一郎と古沢岩美であった。彼らは戦前から日本のシュルレアリスム絵画をリードする存在として高く評価され、キャリアが確立していた画家である。しかし、他の若い世代の画家たちの作品を当時の批評のように単純にシュルレアリスムから抜け出せていないと片付けてしまってよいのだろうか。

評論家の瀧口修造は五〇年の文章、「新人について」の中で、画家たちの間に「ジェネレーションの問題」があることを指摘している。[2]戦中に表現の「形成期」にあった「今日の三十代の作家」たちは「形成期において思う存分に意欲をのばしえなかった」というのだ。実際、福沢よりも一六歳若く、同じ美術文化協会に参加した杉全直は晩年に「戦中・戦後の苦しい生活」が「何もかもを中途半端で終らせてしまった」自身の制作に繋がっているのだろうかと画業を振り返っている[3]。同じ会に出品し、戦中をともに体験した画家であっても、いつ形成期を迎えたのかということが前衛画家たちの戦後を左右した。とくに形成期にあたる時期を戦地で過ごした画家たちの体験は、その後の作品の展開に大きく影響している。画家たちは派遣された場所や待遇による違いはあるものの、上官の命令には絶対服従であって、戦闘や行軍に従事する生活は画家志望の青年の抱く自由な精神からは遠くかけ離れたものであった。また、死を覚悟して赴いた戦場で彼らが見たもの、感じたことは想像を絶するものであったに違いない。

そのような若い世代の画家たちが戦後、どのようにシュルレアリスムを展開させたのか。ここでは、福沢よりもひとまわり年下で同じ美術文化展に出品し、戦地体験がある古沢岩美、杉全直と山下菊二を例に戦中から戦後にかけてのシュルレアリスムの展開をみていく。日本においてシュルレアリスムは戦前で終わったとする見方もある。しかし、杉全が戦後の制作について「戦争中禁止となった超現実主義の手法を再び呼び起こし、戦中戦後の激動をもりこみ、何かをはきだしたいと願った」と述べているように、若い世代の画家たちは戦前に出会ったシュルレアリスムの手法を使い、戦後にそれぞれの答えを導き出そうとしていた。さらにその後、彼らが作風をさまざまに展開させた際も制作の根底にはシュルレアリスムがあったことを作品や証言をもとに検証する。

1　福沢一郎（一八九八―一九九二）

本人が否定していたにもかかわらず、今でも福沢一郎が日本のシュルレアリストといわれるのは、彼が三一年に発表した作品群が日本の画壇に与えた衝撃の大きさゆえであろう。ブルトンが「シュルレアリスム宣言」を発表した二四年、彫刻を学ぶためにパリを訪れた福沢は次第に画家を志すようになった。滞在中にブルトンやシュルレアリストたちと交友を持つことはなかったが、彼は帰国直前にエルンストのコラージュ作品に着想を得た絵画を三〇点以上も描いた。福沢はエルンストと同じように科学雑誌の挿絵から引用した人物や実験道具を異なる文脈に配置して描き、意味ありげなタイトルを付して三一年に独立展で発表した。

帰国後の福沢は、《マルクスをやるです》《海底宝探し》などの作品において題材を和歌や同時代の事件や社会問題といった日本のものに求めた。それらは、コラージュの手法に加え、社会批判などの意味が込められた斬新な作品であったため、若い画家たちの間に流行した。さらに、福沢は制作と並行して美術雑誌や書籍を通じてシュルレアリスムの「否定によって真理を求める」精神を広めていった[4]。

福沢は、そうしたシュルレアリスムの精神を持ち続けつつも、三五年頃から表現方法を変えていく。彼はフランス文学者の小松清が提唱する行動主義に共鳴し、絵画にヒューマニズムの思想を取り入れようと考えた。また、ちょうどその頃、福沢は満洲を旅してその土地に生きる人々の姿に接するうちに、より人間の内面に迫り、その本性を描き出そうとし始める。この時期に描かれた人間像の多くは裸で普遍的な存在として粗い筆致で描かれ、伝統的な裸体像のように美を象徴したものとはかけ離れている。福沢はコラージュ的な表現を脱して、人物像を通じ人間存在の本質的な部分を、批判を含め表現し始めたのだ。彼の代表作のひとつ、三六年に発表した《牛》［図1］のほころびかけたハリボテのような二頭の牛は、理想郷といわれた満洲の実像を象徴している。その背後では、現実に目を背ける愚かな人間たちが戯れている。

　表現が変化していたにもかかわらず、美術界ではシュルレアリストと目されていた福沢は四一年に治安維持法違反の嫌疑で検挙され、約半年間拘束された。その後、福沢は四四年末、陸軍報道部員としてフィリピンへの従軍の勧告を受けるが、東海大地震のために赴くことができず、終戦を疎開先の軽井沢で迎えた。

　戦後、福沢は四六年に《世相群像》［図2］、そして四八年に《敗戦群像》（発表時《敗戦の記念碑》・群馬県立近代美術館）を発表した。いずれも神話の世界に登場するような裸の人物が寄り添い、折り重なる様子が描かれている。同時期に福沢はダンテの『神曲』の地獄篇に着想を得たシリーズを展開しており、そこにも体を寄せ合い、神や自然に対し抗する手段を持たない脆弱な存在として、人間の姿が描かれている。彼はこのシリーズについて、ダンテの作品の世界に準え「ひどい悲惨な時代を今の日本が現実に体験しているんじゃないかというつもり」で描いたと語った。(5) その制作意図は批評家たちに好意的に受け止められた。土方定一は四七年の「福沢一郎論」で人体を描いた作品に触れながら福沢について「彼の絵画精神に一致した個性的な主題を持っている」と評した。それは先に引用した、植村が四八年の美術文化展出品作に与えた評価につながっている。

　福沢の戦中、戦後作品の一貫性については瀧口や土方が次のように指摘している。瀧口は展覧会評のなかで《世相群像》について「戦前のスタイルを取戻した物であり、この作家の独自な

図1｜福沢一郎《牛》1936年、東京国立近代美術館

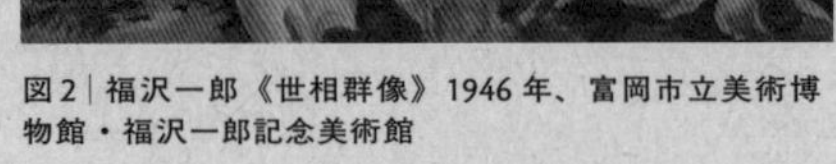

図2｜福沢一郎《世相群像》1946年、富岡市立美術博物館・福沢一郎記念美術館

人間把握の健在」が認められる作品だと述べた。[6] 土方もまた満洲事変以後、福沢の作品は「少しも変わっていない」という。[7] 瀧口は福沢の作品が「人間性の危機を描く」ものだと主張し、土方は福沢について「自己の精神的な体験を画面のうへに絵画的に表現」しようとしていると述べた。どちらにせよ、福沢の作品は自己を含めた人間の危機を表現したものだった。

四七歳で終戦を迎えた福沢は、フランスでシュルレアリスムに出会い、三〇代前半でそれを試みた。その後の三六年、彼が三八歳の時には《牛》に象徴される作品でシュルレアリスムの精神を引き継ぎつつ、独自の表現を確立した。そのため、瀧口のいう表現の形成期に福沢は戦争の混乱の影響を受けることはなかった。福沢はその後も世界各地の人々や高度成長期を迎えた日本の社会を生きる人々に目を向け、人間を描き続けた。

2　古沢岩美（一九一二—二〇〇〇）

一九二八年、佐賀から画家になる一心で上京した古沢岩美は、東京美術学校教授の岡田三郎助宅で書生をしながらアカデミックな絵画を学んでいた。その古沢が前衛絵画に関心を持つきっかけとなったのは、三二年に行われた巴里・東京新興美術展の一般公募の部に自身の作品が入選したことである。彼は出品者用の優待券で何度も展覧会を訪れ、ピカソ、レジェ、タンギーといった画家たちの作品の虜になった。[8] 前衛の道に進むことを決意した古沢は岡田邸を出て、いわゆる池袋モンパルナスと呼ばれる界隈に移り住んだ。この地では彼とほぼ同年代の靉光や寺田政明らが暮らしており、彼らはシュルレアリスムを志向した絵画を次々に制作していた。その様子を目の当たりにした古沢は焦りを感じ、これまでの技法を捨てるつもりで前衛表現に邁進した。

一九三八年、古沢は《地表の生理》［図3］を発表した。地平線が強調された背景に植物や人体の一部、崩壊した建物が描かれている。その制作背景には前年に勃発した日中戦争があったという。[9] モチーフを組み合わせ、時代の危機感を表現する方法は福沢の作品に通じる。この作品について評論家の柳亮は「フラマン的な過多の懊悩が腥い風を送って来る絵」、そして画家の高畠達四郎は「北欧画家が能くやる腸描写や妖怪趣味」と評し、ともに「悪趣味」「賛成できない」などと述べている。[10] これらの指摘のように、岡田の制作を間近に見て学んでいた古沢の描写力にはそれが空想のものであったとしても生理的に訴えかけてくるような説得力があった。その後、美術文化協会の創立に参

図3｜古沢岩美《地表の生理》1937年（1947年再制作）
富岡市立美術博物館・福沢一郎記念美術館

加した古沢は四〇年の第一回展に《破風土》を出品した。中央には飛び上がる二頭の馬、周囲に建物などの瓦礫が散乱し、人間が風に飛ばされ、地面に打ち付けられるなど、さまざまな要素がコラージュされている。訪れたことのない大陸を思い浮かべながら描いたというこの作品は、戦争によってすべてが破壊された後の世界を予見していた。[11] 実際、古沢はこれらの作品を戦地で思い出したという。彼は四三年、三一歳の時に召集を受け、従軍し中国大陸に派遣された。そこで、現地の人々や仲間の兵士が無惨な死を迎え、街や村全体が潰滅した状況を彼は何度も目にした。四四年十月、湖南省南部の衡山に駐留していた時に書いたメモに古沢は「私の足もとにはかつての作品がころがっている。或意味ですでに描かれた分野です」と記した。古沢によるとこれは「かつて私が『地表の生理』などの一連の作品を描いた事」を指しているという。[12] 腥い、悪趣味と言われた《地表の生理》に描いた光景は、皮肉にも数年後、兵士となった古沢の目の前に広がっていたのである。

終戦を中国大陸で迎えた古沢は、一年の捕虜生活を経て復員し、四六年六月に再び上京した。焼け野原になった東京の街は、古沢にとって衝撃的だった。とりわけ彼が悔やんだのは、戦後に発表しようと出征前に描きためた作品を焼失したことであった。それらについて古沢は「焼けただれた老婆」「毛の抜けかかった痩犬」「蛇や虫達は水面から出ているあらゆるものに蝟集してゐて、遠くの街は炎に包まれ」た様子などが描かれたものだったと証言する。[13] これらの作品は、古沢がそれまでに画集で見てきたゴヤやドラクロワなどの作品図版や戦地から送られてくる報道写真などからイメージを膨らませて描いたものであろう。それらは《破風土》よりも凄惨で生々しい作品だったと想像される。「当時の私の試作の中では、現実と空想とが昼と夜とを取り違へたほどに混交し、次から次へと私に描くことを何ものかが迫ってゐた」というほどに、戦争の影は従軍前の古沢をすでに追い詰めていたのだ。

古沢が従軍前に想像していたもの、戦場で目にしたもの、復員後に見た東京の街の荒廃した様子は、ひとつとなって戦後の古沢の表現に組み込まれていく。四七年に発表した《黄昏》には、地平線の強調された大地に彼が戦地で見たという、ほとんど骨と化した人間の肉を食べる痩せた犬が描かれている。[14]

そして四八年の美術文化展で古沢は《飛べない天使（みみづく）》［図4］を発表した。これは焼け野原になった東京の街を背景に、派手な化粧をして客引きに立つ娼婦たちをさまざまな鳥の姿に変容させて描いた連作である。地平線の強調された風景にモチーフが組み合わせて描かれた構図は戦前と変わらないが、古沢の戦後作に現れた戦地での実体験を通した生々しさ、人間の暗部を捉えたような力強さが本論冒頭に紹介した展覧会評での高い評価に繋がっていたと考えられる。

また、戦地で出会った「慰安婦」たちの姿も古沢は繰り返し描いた。[15] 四九年に古沢が発表した《なぐさめもだえ》(板橋区立美術館)の画面右に大きく描かれた裸婦は古沢によると「慰安婦」をヒントにしたという。[16] 写実的に描かれた裸婦は見るものに生理的に迫ってくる。この作品について、批評家の今泉篤男は「低俗な興味で人目をひくかもしれないが、これでは美術におけるいい意味のエロティシズムをも殺している」と批判した。[17] それに対し古沢は「慰安婦」に対する独自の見解を展開させつつ「現実は空想を絶することがあります」と反論した。加えて古沢は「この現実の矛盾と混乱のなかで、くわだてることのできる美の主題は、矛盾であり、エロでありグロである。われわれはこれに正面から対決しているのだ」と主張した。[18] 古沢は戦前にも女性のヌードを描くことはあったが、戦後は「慰安婦」や街の娼婦たちといった性の対象となる女性たちの体毛や血管までをもリアルに描いた。時にはカストリとも評された古沢の作品には、いつまでも戦争のきな臭さが満ち溢れており、それゆえに戦後を生きる人々の記憶を生々しく刺激していた。

戦前・戦後と古沢は、人々が視線を逸らしてしまうような戦争の実態や戦後の混乱を描いてきた。それは彼が戦前に身につけた、岡田から学んだ描写力とシュルレアリスムのコラージュの手法があったからこそ可能であった。終戦時に三三歳だった古沢は、福沢よりもひとまわりほど若い世代である。しかし「古沢岩美の絵というのは、戦前に一つあったわけ。僕は非常にスタートが早かった」と自身が回想しているように、古沢は戦前に一度画風を確立させることができた。[19] それは古沢の従軍が次に紹介する画家たちよりも遅く、彼がシュルレアリスムを試み始めて五年が経過していたことも関係するだろう。

3 杉全直(一九一四—一九九四)

東京生まれの杉全は、一〇歳の時に父を亡くし、母の故郷の姫路に移り住んだ。進学した姫路中学校では絵画の基礎を学び、時には美術教師の自宅で行われた研究会に参加してフォーヴィスム、シュルレアリスムなどについても話を聞いていたという。その後、杉全は三三年に東京美術学校に入学し、翌年からは帝展審査員としても活躍した小林万吾の教室で学び始めた。

学生時代の杉全が夢中になったのはシュルレアリスムである。学校ではアカデミックな絵画を学ぶ杉全であったが、「官学にあきたらない異端の徒」であった。[20] 彼は「現実の奥にあるもの」を描くシュルレアリスムの手法に興奮し、それを試みた。[21] なかでも「のりうつるほど」

図4|古沢岩美《飛べない天使(みみづく)》1948年、個人

夢中になったエルンスト作品や、ダリが偏執狂的批判的方法と名付けた、あるイメージが別のものへと変容していくような技法からは大きな影響を受けたという。[22] また、学生時代の杉全はシュルレアリスムを志向する同級生らとともに福沢の話を聞きに行くこともあり、福沢の作品にも関心を寄せた。杉全は福沢の作品の「いろんなものが総合」された様子、つまりコラージュ的な表現に惹かれ、それをヒントにしたと語っている。[23]

杉全は三八年に《跛行》[059]を発表した。地平線が強調された大地の上に岩にも建物にも見えるモニュメントが描かれ、それらは不釣り合いなほど細い松葉杖で支えられている。画面右にも地面に突き刺さった巨大な松葉杖があり、そこから白い布のようなものが垂れ下り、その脇ではピンク色のドレスを身につけ、輪になって踊るような人々が小さく描かれている。褐色の大地や溶けかかったモニュメントなどは、ダリの《記憶の固執》（ニューヨーク近代美術館）などから影響を受けたものだろう。この作品について杉全は「軍国主義の世の中」で、国家に保護され押し流される人々がいた、その「世の中の跛行の状態」を描いたと述べた。[24]《跛行》は杉全がモチーフを組み合わせ、戦争へと突き進む時代の「現実の奥にあるもの」を描いた、最初期の作品といえるだろう。

杉全の作品は従軍、その後の病気療養を経て変わっていく。三九年四月に召集を受けた彼は満洲へ派遣され測量作業に携わった。しかし、肋膜炎を患い四〇年九月に送還、広島の陸軍病院にて治療を受け四一年三月に退院した。杉全が退院直後の第二回美術文化展に出品しようと描いたのが《死と少女》[図5]である。縦長の画面中央に素足を重ねるようにして立ち、左手で半分顔を覆いつつこちらを見つめる少女の姿が描かれている。背景には大地にそびえ立つ山、前景には仰向けに倒れている人の姿のようなものが描かれており不穏である。杉全が「満洲の殺伐たる風景の印象から描いた」というこの作品は、福沢が逮捕された直後の展覧会においてふさわしくないものとして会員同士の事前検閲の際にはじかれる程に強烈な印象を残した。[25] このような表現へ至ったのは、彼が満洲の凍てつく大地、その地で見たオオカミに食いあさられた死体、自らの体を蝕んだ病などの恐怖を体験したからであろう。[26]

図5｜杉全直《死と少女》1941年、現存せず

不出品の憂き目に遭った杉全は、シュルレアリスム風でなければ、厭戦的でもない作品の発表を続けていく。「戦争中の若者」を描いたという四二年の《土塊》（富岡市立美術博物館・福沢一郎記念美術館）では、大きな岩の下で坊主頭の若者たちが列をなしている。[27] 墓石のようにも見える彼らの頭上に配置された大きな岩は、軍隊組織などさまざまなものに押さえつけられた若者が身体的、精神的に抑圧を受けて

いた様子を暗示しているようだ。彼らの横には枯れていく植物も描かれており、それは杉全によると「人も果物も死んで土に還る」ことを示したという。若い命が失われていく、戦争の虚しさが表現されている。

また、杉全が戦中から手がけ、戦後になって発表したと考えられる作品がある。[28] 四六年に発表した《涸れた泉》(東京都現代美術館)では、《土塊》で描かれたものによく似た巨大な岩を年老いた男女が両脇から覗き込んでいる。二人は壺のようなものを持っているが、いずれも空っぽのようだ。「活力がうしなわれ、二人で問答をしている」様子を描いたというこの作品を、瀧口は「戦争の一つの記念碑だ」と評した。[29] 空っぽの壺、涸れた泉は、人の命も営みもあらゆるものが失われた戦争の空虚さを象徴しているのだろう。杉全は再度召集を受けることはなかったが、彼の兄と弟は従軍し、四四年に相次いで戦地で亡くなっている。《涸れた泉》が戦争の記念碑に見えるのは、彼がここで描くぽっかりと穴が空いてしまったような喪失感を多くの人々が共有していたからではないだろうか。《土塊》そして《涸れた泉》をもって、杉全は戦争という現実の裏側を描いた。

その二年後、四八年の《赤い蛇》[図6]で杉全は一転して、数人の裸婦と複数の大蛇、果物や花などさまざまなものを組み合わせ画面いっぱいに描いている。陽の光を浴びたように明るく、華やかな色彩が大半を占めるが、画面右側は暗い影が覆い尽くし、右下には仰向けに倒れる痩せ細った人々の姿が確認できる。暗い影に覆い尽くされた戦中から、明るい戦後へと世の中が変わっていったことを示すのであろう。しかし、光を浴びる女性たちの体内は歯車のように噛み合う骨格や機械部品のようなもので構成され、植物で埋め尽くされている。この混沌とした画面の彼方此方に見え隠れするのは、緑や赤で描かれた蛇の姿である。旧約聖書でアダムに禁断の木の実を食べるように誘惑したのは蛇であった。人々を取り囲む蛇は、戦後、価値観が大きく転換するなかで人間はどう生きるべきかという根源的な問題を投げかけているように見える。この作品では一見、華やかなようでも複雑に絡み合う問題を孕んだ戦後日本の社会が抱える光と闇が幻想的に表現されている。瀧口もまた、この頃の杉全の「戦後の現実直視のなかから生まれた作品群」の中に一層、シュルレアリスム的な雰囲気の作品を見出すことができると高く評価した。[30] しかし、同じ年に《赤い蛇》が発表されていることから、戦後においてもシュルレアリスムの展開はあったとみえる。当時の批評家たちが指摘した若い世代が過去から抜け出せていないという批評には当ては

図6｜杉全直《赤い蛇》1948年、東京都現代美術館

まらないといえよう。

杉全は、戦前シュルレアリスムを試み初めて三年足らずのうちに召集を受けて従軍したため、制作を中断させされ、さまざまに展開させることができぬままに戦後を迎えた。それだけに彼は、終戦直後にシュルレアリスムの技法を呼び起こし、納得のいく作品を作りたいと必死になっていたという。(31)しかし、彼はこの頃の作品について「むなしいもの」だったと振り返っている。その理由について杉全は「現実がはるかに超であるため」に、シュルレアリスムの方法が形骸化されてしまったことに気がついたからだと述べている。(32)だが、杉全の思いとは裏腹に、《赤い蛇》に象徴されるこの時期の作品は、日本のシュルレアリスムのひとつの結実ともいえるだろう。

その後、シュルレアリスムだけでは表現し得ない現実に対峙するため、杉全は「外界から受ける何かを極度に避け、内面の混沌」に立ち向かう発想に至った。(33)《赤い蛇》以後、約一〇年をかけて杉全は次第に人体を単純化させ、形を解体して描いていく。その結果、自分の欲する形として表出してきたのがきっこう(六角形)であった。六二年の《きっこう》(兵庫県立美術館)は、画面いっぱいに白と青できっこうの形が表現されている。杉全は、きっこうの形は純粋抽象に使われる三角形、四角形、円とも違う、三角と四角の接合により成立する形だと述べている。「私の画面に六角形が誕生するまで全く六角形など予想もしなかった」と杉全は語るが、幼い頃に親しんだ六角凧、そして蜂の巣や水仙の花といった身近な自然の形態にもその形があったと振り返る。(34)また、彼は過去の作品について「人間の体を〝く〟の字にまげたり、手や足をまげたりしたことがあった」として、その結果が六角形になったのではないかと自身で推測している。(35)振り返ってみると、《跛行》の踊る人々や《涸れた泉》に描かれた年老いた人々、《赤い蛇》の裸婦も〝く〟の字に曲げられた形で描かれている。人体からある形を見出して描くという方法は、抽象画家たちの方法に通じるところがあるのかもしれないが、杉全の最終目的は、その形を描くことではなかった。彼はきっこうを描くことで「自己の内面が直接画面に浮かび、次々とある未知の世界が湧きおこり、不明への挑戦に驚喜した」という。(36)杉全が画面に浮かび上がらせることに成功した「自己の内面」は、彼が学生時代に夢中になったシュルレアリスムの手法で描いた「現実の奥にあるもの」と言い換えることもできるだろう。

戦前の日本では従来、西洋の伝統的な絵画である自然主義的な考えに基づいた絵画が一般に知られ、杉全も美術学校で学んできた。彼が三六年、二二歳の時に出会ったシュルレアリスムは、矛盾だらけの戦中・戦後の時代を描くのにふさわしい手法であった。しかし、杉全は、シュルレアリスムから得たものを様々に展開させる時間もないまま三九年、二五歳で従軍した。復員後はシュルレアリスムが弾圧されていたためにスタートは遅れたが、彼は戦後にシュルレアリスムを自分のものとし、その核にあるものを起点としたからこそ、自分の作品を展開させることができたのである。

4　山下菊二（一九一九—一九八六）

徳島県に生まれた山下菊二は、美術の授業が多いことを理由に香川県立工芸学校（現・香川県立高松工芸高等学校）に進学するほど、少年時代は描くことに夢中であった。在学中に制作された《高松所見》（徳島県立近代美術館）は、時間と空間の異なるモチーフを組み合わせた作品で、彼が一〇代の頃からすでに前衛志向であったことがわかる。

山下は一度就職したものの、描くことを諦めきれずに東京美術学校師範科への進学を条件として三八年九月に上京した。受験準備のための画塾を探す際に美術雑誌の広告で見つけたのが、福沢が主宰する画塾、福沢絵画研究所であった。山下は福沢の三六年の発表作《牛》が「下手くそな感じがするのに凄く打って来るものがあり、自由奔放」であることに惹かれて福沢に師事することを決めたという[37]。研究所には全国各地から福沢に学びたいと希望する年齢や性別、職業も異なる人々が集まり、朝から晩まで自由に制作を行っていた。研究所で山下が衝撃を受けたのは、先輩たちがエルンストやダリの作品をもとに自由に発想を展開させて絵を描いていることだった。彼もまたエルンストやダリの「あの衝撃的で大火傷でも負わされそうな異形の絵」に熱中した[38]。さらに山下が夢中になったのは、シュルレアリスムの先駆けともされる、ヒエロニムス・ボスの作品だった。福沢の蔵書に入っていた画集の中の、ボスの《悦楽の図》や《愚者の船》などの作品のイメージは、山下の頭から離れることがなかったという。

山下が研究所に通い始めて一年半も経たぬうちに描いたのが《簡単ニ寒サ解放ス》である。グラフ雑誌などから引用したであろう、雪山とオーロラ、イヌイットの人々の姿が組み合わせて描かれている。それは、研究所の先輩たちと同様にエルンストや福沢のコラージュの手法を使ったものであった。最初の作品とはいえ、ここには時代の閉塞感も反映されている。画面に背中を向け、拳を上げる人物は戦争のプロパガンダポスターを連想させ、風を避けようと帽子を目深にかぶる人物は何かに耐えているようだ。山下は戦争による先行きの見えない状況を、当時はまだ未開の地域とされていた北極に重ねて描いたのかもしれない。

一九三九年一二月から約三年間の従軍生活は、山下の人間に対する考え方を一変させ、生涯をかけ戦争と向き合うきっかけとなった。彼は台湾で訓練を受けたのち、中国大陸南部に派遣された。この場所は戦線としては比較的戦闘が少なかったようだが、「絶対命令によって統一された軍隊」では初年兵や捕虜、現地に暮らす人々に対する暴力的な行為が横行し、「殺されなきゃ殺される」日々だったという。[39]なかでも山下が戦後、繰り返し語っているのは、脱走した捕虜の処刑が山下を含めた兵士たちの「度胸試し」として執行された時のことである。[40]体を土に埋められ、頭だけが出た捕虜の鼻や耳をシャベルで切り落とすことを命じられた山下は、その場から逃げ出したいと思う一方、それを命ずる下士官の視線からも逃れられずにいた。彼のシャベルは捕虜から外れたが、下士官が捕虜の耳を切り落とした際に「わたしの何ものかが切り落とされたような気がした」と述べている。山下はその時に自身が「傍観者的な立場で加害者であった」と振り返り、そこで「精神的な死」を迎えたと語った。[41]山下の過酷な戦争体験は、彼の人間観を変え、描くテーマを明確化させた。

一九四二年一二月に山下は除隊となり、再び東京で絵を描き始めた。しかし、その頃には太平洋戦争は激化し、アメリカ軍による本土空襲も始まっていた。山下が従軍直前まで学んでいた福沢絵画研究所はすでに閉鎖されていた。美術界では聖戦美術展、大東亜戦争美術展など「戦争画」の展覧会が中心となり、四三年には画材・絵具も統制、配給制になるなど、従軍前ほどの自由もなかった。当時について山下は晩年「そんなにまでして画材の配給を受けて絵を描く必然があったのだろうか」と自問している。[42]それは戦地で「精神的な死」を経験したにもかかわらず、戦争に反対するならば命を投げ出してでも戦う勇気を持てなかった自分の「中途半端な態度」が辛かったからだと考えられる。そのようななかで四三年に山下は《日本の敵米国の崩壊》（発表時《人道の敵米国の崩壊》）［図7］を発表した。ここには、サングラス姿の男性、星条旗、ハリウッド俳優のベティ・デイビスと思わしき女性の姿など、アメリカを連想させるさまざまなモチーフが組み合わされている。題名通りに解釈するとアメリカの物的、文化的な豊かさが崩壊しようとする様が描かれているのだろう。しかし、この作品では《日本の敵米国の崩壊》というタイトルを隠れ蓑にして日本がアメリカに産業、技術、文化の面で到底及ばないことを逆説的に描いているのではないか。混沌とした画面には、山下の行き場のない気持ちが満ちているようだ。この作品に山下が体験した直後の戦場での出来事が描かれていないのは、いうまでもなく時局柄それが許されなかったからである。

そして戦後、四七年に山下は美術文化協会を脱退し、同会から分派した前衛美術会に参加した。そのため、先に挙げた美術文化協会出品作に対する批評に山下は該当しない。そして四八年、彼は一〇点のペン画による連作《マルドロールの歌 四》［図8］を発表した。この作品で山下は、シュルレアリスムの手法を使いながら自身の戦

図7｜山下菊二《日本の敵米国の崩壊》（発表時《人道の敵米国の崩壊》）、1943年、日本画廊

地体験と向き合った。『マルドロールの歌』は一八六九年にロートレアモンが完成させた散文詩で「解剖台の上のミシンと蝙蝠傘の偶然の出会いのように美しい」というシュルレアリスムの常套句とされる一文で知られている。人間の悪や暴力が主題となっているこの詩は、あまりにも背徳的な内容であるために出版ができず、のちにブルトンやスーポーが「再発見」した。日本でも三二年に部分訳が出版され、福沢絵画研究所に通う人々の間で話題となった。山下の「一九三九年」と表紙に書かれたノート（徳島県立近代美術館）にはその翻訳が自身の手で書き写されている。山下のペン画に描かれた墓地、鳥、少女、犬、森はロートレアモンの詩『マルドロールの歌』からインスパイアされたものであろう。加えて作品には、手榴弾のようなものが握られた手、追いかけてくる影、ナイフを持つ人影、箱に収められた死者など戦地を思わせるものが描かれている。山下は暴力と憎悪が蔓延る戦地に『マルドロールの歌』の世界を見出したのだろう。黒い線のみで描かれたこの作品では、人や獣、植物などがコラージュされているというよりも、渾然一体となって描かれている。それにより、不条理な戦争とそこに渦巻く人間の本性が象徴的に表現されているのだ。

　そして、五三年頃より山下は事件や社会問題の渦中にいる人間を題材にするようになる。彼はこの頃、ダム建設反対運動を支援する「山村工作隊」として奥多摩にある小河内ダムの建設現場で活動を行っていた。労働争議、基地闘争などの現場に足を運び、取材をもとに描く「ルポルタージュ絵画」の全盛期であった。山下は当時入党していた共産党の思想に触れたことも相俟って、絵画の目的を明確化させていく。山梨県で起きた地主と住人たちによる抗争をテーマにした五三年の《あけぼの村物語》（東京国立近代美術館）で山下は、事件を目撃した村人を赤犬の姿で描いた。また、在日米軍基地周辺での性暴力の問題などを描いた五四年の《新ニッポン物語》［三］では、日本の淫売を意味する言葉の書かれた布を首につけた猿のような獣に巨大な犬のような獣が襲い掛かる様子を描いている。その発想源となったのは、彼が研究所で知ったボスの作品と戦地での体験であった。

　先にも紹介した、戦地での非人道的な行為を目にした山下の脳裏にはボスの絵が浮かんできたという。ボスの絵に描かれた「足の上に直接首がのっかっていたり、フライパンでいためつけられたり、人間が美味しそうな豚の丸焼きのようにされる」様子と目の前に広がる兵士たちの行為が山下には重なって見えた[43]。軍隊という組織が「人間が人間としての存在から遠く離れ」させるものに思えたのだ[44]。《マルドロールの歌》でもみら

図8｜山下菊二《マルドロールの歌 四》
1948年、徳島県立近代美術館

れるように、戦場や権力のもとで本能のままに行動する人間は、すでに獣との境がつかない存在であった。それゆえに彼は人間を異形の姿をした犬や猿の姿に変えて描いた。動物の姿に変えられた人間は匿名の存在である。山下はあけぼの村や基地周辺の街を背景に動物たちが繰り広げる暴力行為は日本のどこにでも起こりうるものだとして、さまざまな社会問題を浮き彫りにしていく。暴力的な行為や戦争の根源には差別の問題があると考えた山下にとって、差別も大きなテーマになっていった。

山下は三八年、一九歳で福沢絵画研究所に入り、翌三九年から三年間を戦地で過ごした。そのため、戦前にシュルレアリスムを学び、展開させることができたのはたった一年であった。その後、彼が復員した四二年にはシュルレアリスムを試みることは不可能であったため、四五年、二六歳から自由に制作を再開することができた。山下は杉全のように戦中・戦後の体験を、現実を超えたものとはせず、その根底にある人間性を描くことを選んだ。松川裁判、安保闘争、ベトナム戦争など国内外の事件や戦争、そして彼の出身地である徳島の風俗を含めた日本の閉鎖的なムラ社会の問題と対峙し、シュルレアリスムのコラージュの手法を基点にして描き続けたのだ。山下は土着的な特有のシュルレアリスムを確立したと言って良いだろう。

山下は晩年、自身の制作について次のように述べている。

絵の中の思想―私は何者だという反問。そのことで、福沢一郎に学ぶところが大でした。ダリやエルンストを知ったのも驚愕でしたが。美術文化から前衛美術協会に移っても、私の思考するのは、人間として生きるには、美術や文化、社会、政治形態はどうあるべきかという連関したものになるのは必然でしょう。[45]

この発言が裏付けるように、山下が問題を描き出す時には、いつも青年期に衝撃を受けたシュルレアリスムがあり、師である福沢の絵画があった。

おわりに

日本におけるシュルレアリスムの展開を振り返るとき、戦争や戦中の弾圧によってその試みが途絶えたといわれることが多くあった。また、終戦から数年のうちに美術雑誌で展開されるシュルレアリスム絵画に対する批評は冒頭に紹介したように芳しいものではなかった。しかし、本稿で紹介してきた福沢、古沢、杉全、山下の作品を確認していくと、戦中、戦後とシュルレアリスムの精神を引き継ぎ、それぞれに展開させていたことがわかる。

古沢、杉全、山下は福沢よりもひとまわり以上年下の画家で、二〇代でシュルレアリスムに出会ったその衝撃は強烈なものであった。従軍までに五年の猶予のあった古沢に対して、杉全と山下はシュルレアリスムに触れて数年のうちに従軍をしたため、戦争を経てようやくシュルレアリスムに向き合うことができた。彼ら二人は戦前の手法だけに留まることはしなかった。新たな技法や思想にふれ、自身の絵画を開拓していったのである。杉全は「外界」と切り離して対象を抽象化させていき、山下は「ルポルタージュ絵画」を描き、戦争の根底にある問題や、自身の加害について見つめ直した。もちろん、二人の絵画に対する考え方やテーマは全く違ったものである。しかし、絵を描くことは「人間としての自己矛盾を抛げ出し、相反するものをぶつけ、同存させ戦わせる」ことだと考えた杉全と、描くことは「自分が戦争中にやってきたことに対する自己変革のひとつの手段」だと考える山下の追求したものは似通っている。[46]それは、彼らがシュルレアリスムや福沢の作品に読み取れる、人間とは何かという根源的な問題に立ち向かう姿勢に賛同し、造形をそれぞれに深化させつつ描き続けたからだろう。彼らと同世代の画家であり、本展で紹介する小山田二郎、高山良策、浜田知明、堀田操らもまた、戦前にシュルレアリスムに出会い、従軍などを経て、戦後になってさまざまに作品を展開させた画家たちである。

一九三〇年頃に新たな前衛表現としてもたらされたシュルレアリスムは、ヨーロッパで起こった総合芸術のように展開することはなく日本では限定的なものであった。それは、コラージュの手法をはじめとする造形的な部分である。しかし、人間の本質を捉えようとするその精神は、戦争という極限的な状況と対峙することによって、切実な問題として表現されていった。つまり、日本のシュルレアリスムは形骸化されることなく、戦後も試み続けられたのである。

（ひろなか・さとこ／板橋区立美術館学芸員）

(1) 土方定一「美術評」『朝日新聞』一九四八年六月二九日、(古沢岩美スクラップブック、板橋区立美術館)。植村鷹千代「文化 消極的抵抗 美術文化評」『東京新聞』一九四八年六月二七日二面。若山光郎「シュールレアリズムの今後に期待する」『美術文化新聞』一三八号、一九四八年七月二五日、二面。

(2) 瀧口修造「新人について」『アトリヱ』二八二号、一九五〇年七月、一七—一八頁。

(3) 杉全直「一九六〇年代と私」『現代の眼』三二五号、一九八一年一二月、六—七頁。

(4) 福沢一郎「近代絵画の技法」『世界美術』創刊号、一九四九年七月一日、一三頁。

(5) 「講演会抄録 福沢一郎『私とシュルレアリスム』」『福沢一郎展 このどうしようもない世界を笑いとばせ』展覧会カタログ、二〇一九年三月、東京国立近代美術館、一四〇—一四一頁。

(6) 瀧口修造「二科会員展・美術文化展をみて 〝前衛美術ノート〟」『自由美術』一九四六年八月、三三頁。

(7) 土方定一「福沢一郎論」『みづゑ』五〇一号、一九四七年六月、二五—二九頁。

(8) 古沢岩美「美の放浪二一 巴里・東京新興美術展」『古沢岩美美術館月報』二一号、一九七七年二月、六頁。

(9) 古沢岩美(表紙絵解説)『古沢岩美美術館月報』二〇号、一九七七年一月、表紙。

(10) 柳亮「戦時美術界の鼓動」『アサヒグラフ』一九三八年三月三〇日号、一五頁。高畠達四郎「独立展評」『美術』一三巻四号、一九三八年四月、一九頁。古沢岩美「美の放浪二九 懊悩過多」『古沢岩美美術館月報』一九七八年一月、六頁。

(11) 古沢岩美(表紙絵解説)『古沢岩美美術館月報』二九号、一九七七年一一月、表紙。

(12) 古沢岩美「美の放浪六〇 戦血染黄沙」『古沢岩美美術館月報』四六号、一九七九年五月、三頁。

(13) 古沢岩美「明日の絵画の夢」『自由美術』五号、一九四六年一〇月、一九頁。

(14) 古沢岩美「美の放浪六一 蒼黝い野犬」『古沢岩美美術館月報』四六号、一九七九年五月、四頁。

(15) 古沢の「慰安婦」に対する考えは彼独自のもので、本論で議論できる余裕はない。北原恵「古沢岩美の描いた『慰安婦』——戦争・敗戦体験と主体の再構築」『インパクション』一六九号、二〇〇九年。池田忍「描かれた戦場の性暴力——いま、敗戦後の『戦争画』をどのように見るのか」『ジェンダー史叢書 第四巻 視覚表象と音楽』明石書店、二〇一〇年、ほかを参照のこと。

(16) 古沢岩美(表紙絵解説)『古沢岩美美術館月報』六二号、一九八〇年九月、表紙。

(17) 今泉篤男「文化 発想の類型化 美術文化展評」『東京新聞』一九四九年三月一二日、夕刊、二面。

(18) 古沢岩美「ありがたきかな四面楚歌」『みづゑ』五二五号、一九四九年八月、四四—四六頁。

(19) 古沢岩美、高田敏子、瀬木慎一、大谷昭雄、北川フラム(座談会)「古沢岩美美術館開館にあたって」『古沢岩美美術館月報』一九七五年六月、三頁。

(20) 日向裕「加藤太郎と私 異色の画家その二」『画家』二号、一九六八年、三六頁。

(21) 杉全直、峯村敏明(対談)「作家と語る 杉全直とその作品」『みづゑ』九三二号、一九八四年九月、五八頁。

(22) 杉全直、天野一夫(聞き手)「杉全直氏に聞く」『杉全直展』展覧会カタログ、姫路市立美術館、O美術館、一九八七年、一〇二頁。

(23) 杉全直、峯村敏明(対談)、前掲書、同頁。

(24) 『杉全直展』展覧会カタログ、姫路市美術館ほか、一九九九年、二五頁。「東京芸術大学退官記念 杉全直展」(一九八〇年)で杉全が自作解説をしたものを宝田善氏がまとめたもの。

(25) 杉全直、天野一夫(聞き手)「杉全直氏に聞く」、一〇三頁。

(26) 杉全直「思い出の画帳 満州の大原野」『読売新聞』一九六四年一〇月一一日、二一面。

(27) 『杉全直展』展覧会カタログ、姫路市美術館ほか、一九九九年、二八頁。

(28) 《涸れた泉》は一九四六年作とされているが、杉全直、天野一夫(聞き手)「杉全直氏に聞く」前掲書、一〇三頁では、「昭和一九年ごろの作」で「シュールの絵が発表できなかったこともあり、制作年と発表年とがずれている場合があります」と答えていることから、一九四四年頃から着手し、四六年に発表した作品だと考えられる。

(29) 瀧口修造「杉全直小論」『杉全直展』展覧会カタログ、一九六〇年一〇月、日本橋白木屋。

(30) 瀧口修造「二科会員展・美術文化展をみて 〝前衛美術ノート〟」、前掲書。

(31) 杉全直「きっこうに憑かれて」『現代の眼』二二四号、一九七三年七月、五頁。

(32) 同前。

(33) 同前。

(34) 杉全直「キッコウの声」『芸術新潮』一三五号、一九六一年三月、六三頁。

(35) 杉全直「〝キッコウ〟の魅力」『東京新聞』夕刊、一九六一年五月二三日、八面。

(36) 杉全直「キッコウの声」前掲書。

(37) 山下菊二「絵と人生」『点』三号、一九八四年、四頁。

(38) 山下菊二「私の好きな一点 逆転せよ〈愚者の船〉」『現代の眼』三七五号、一九八六年二月、六頁。

(39) 山下菊二「一枚の絵 ヒエロニムス・ボッシュ『十字架を負うキリスト』」『みづゑ』七七八号、一九六九年一一月号、六四頁。

(40) 山下菊二「差別を覗く穴」『映画運動誌 眼』四号、一九七〇年一月、五〇—五二頁。「作家訪問 山下菊二」『絵具箱からの手紙』三四号、一九八六年六月、六—七頁。

(41) 山下菊二、編集部(対談)「戦中作家は何を考えているか?(五)戦争体験の思想化」『美術グラフ』一五巻四号、一九六六年四月、二二頁。

(42) 「作家訪問 山下菊二」『絵具箱からの手紙』前掲書、一〇頁。

(43) 山下菊二「一枚の絵 ヒエロニムス・ボッシュ『十字架を負うキリスト』」前掲書。

(44) 同前。山下菊二、宮滝恒雄(対談)「アトリエでの対話 あらそいを見つめる眼」『指』二三〇号、一九七〇年九月、一七—

一八頁。

(45) 山下菊二「画家であることよりも」『アート・トップ』三二号、一九七六年二月、一六〇頁。

(46) 杉全直「ある道程　描写絵画から抽象の世界へ」『絵画の技法と絵画のゆくえ』美術出版社、一九五九年、七六頁。山下菊二「わが内なる戦争体験　内在する傷痕」『日本美術』一九七五年八月、四一頁。

作家略歴（五十音順）

靉光（あいみつ 一九〇七—一九四六）
広島県に生れる。本名は石村日郎。一九二三年、大阪の天彩画塾に通う。この頃から靉川光郎、靉光を使いはじめる。二六年、二科展入選。三八年、《風景》（眼のある風景）が独立賞受賞。美術文化協会や新人画会の結成に参加。四四年、応召。発病し四六年、上海の病院で亡くなる。

浅原清隆（あさはら・きよたか 一九一五—一九四五）
兵庫県に生れる。一九三四年、帝国美術学校入学。翌年、二科展入選。同級生とグループ「表現」を結成し、学内の映画研究会でも活動。三七—三九年、独立展に出品。創紀美術協会ついで美術文化協会の結成に参加するが、出征し、戦地ビルマで行方不明となる。

麻生三郎（あそう・さぶろう 一九一三—二〇〇〇）
東京に生れる。太平洋美術学校などに学ぶ。一九三五年、日本超現実主義作家展に出品。三六年、エコルド東京に参加。三八年に渡欧した後、美術文化協会の結成に参加。戦後は国内外の展覧会に出品しながら、武蔵野美術学校・武蔵野美術大学で教鞭をとった。

阿部金剛（あべ・こんごう 一九〇〇—一九六八）
岩手県に生れる。慶應義塾大学中退。一九二五年、渡仏。二年後に帰国し、二八年初個展、翌年、東郷青児と二人展開催。この年の二科展初入選作がシュルレアリスム風と話題になる。三〇年『シュールレアリズム絵画論』刊行。戦後も二科展を中心に活動した。

阿部展也（芳文）（あべ・のぶや 一九一三—一九七一）
新潟県に生れる。本名は芳文。独学で絵を学び、一九三二年、独立展出品。三九年、美術文化協会創立に参加。四一年、フィリピンに渡り陸軍報道部の仕事に従事する。戦後はサンパウロ・ビエンナーレへの出品など国際的な活動を展開する。六二年からローマに定住。

天野龍一（あまの・りゅういち 一九〇二—一九九五）
大阪府に生れる。一九一九年頃から写真を始め、三六年頃からオートグラムの技法を考案。三八年、大阪のアマチュア写真家による前衛写真団体「丹平写真倶楽部」に参加。戦後も丹平写真倶楽部の中心メンバーとして活躍しつつ、新しい写真の表現を模索し続けた。

飯田操朗（いいだ・みさお 一九〇八—一九三六）
兵庫県に生れる。旧制姫路中学卒業後、一九三一年、第一回独立展に出品。福沢一郎に私淑し、三三年頃よりシュルレアリスム風作品を発表。三五年出品作により独立賞受賞。グループ飾画に参加。前衛画家として将来を期待されるが、結核のため二八歳で亡くなる。

石井新三郎（いしい・しんざぶろう 一九一五—一九九六）
新潟県に生れる。一九三七年、帝国美術学校図案科に入学し、のちに西洋画科に転科。学友たちと「絵画」を結成。四二年に応召。戦後は出版業に携わり、挿絵などを手がけた。日本デザイナー学院で教鞭をとった。

石田順治（いしだ・じゅんじ 一九一六—一九四〇）
山口県に生れる。一九三五年、東京美術学校入学。グループ虹人への参加を経て、新浪漫派美術協会の結成に参加。卒業直後の四〇年に敗血病で逝去。

石丸一（いしまる・はじめ 一八九〇—一九九〇）
徳島県に生れる。京都帝国大学医学部卒業後、大阪で開業。同時に信濃橋洋画研究所で学ぶ。二七年、全関西洋画展に出品。翌年、二科展に出品。三一年、ロボット洋画協会の結成に参加。三八年、九室会の活動にも参加。関西の前衛絵画を牽引したひとりである。

伊藤久三郎（いとう・きゅうざぶろう 一九〇六—一九七七）
京都府に生れる。一九二八年、京都市立絵画専門学校（日本画）卒業後、上京。翌年、二科展入選。三三年、新油絵の結成に参加。三八年、九室会に参加。四四年、戦況の悪化で帰郷。戦後は行動美術協会の結成に参加、京都における抽象画の先駆となる。

伊藤研之（いとう・けんし 一九〇七—一九七八）
福岡県に生れる。早稲田大学で仏文学を学ぶ傍ら、一九三〇年協会研究所に通う。その後、福岡に戻り二科展に出品、九室会に入会。ソシエテ・イルフに参加。一九四〇年から四六年まで上海で活動したのち、戦後も福岡で制作を続けた。

糸園和三郎（いとぞの・わさぶろう 一九一一—二〇〇一）
大分県に生れる。一九二七年に上京し、独立美術研究所などで学ぶ。三四年に「飾画」を結成。その後、創紀美術協会、美術文化協会に参加。四三年に新人画会を結成。戦災で戦前の作品を焼失。戦後は自由美術家協会展などに出品。七七年には飾画を復活させた。

井上覚造（いのうえ・かくぞう 一九〇五—一九八〇）
大阪府に生れる。神戸高等商業学校卒業後、信濃橋洋画研究所に学ぶ。一九三〇年、二科展に出品。三三年、「新油絵」の結成に参加。三八年、九室会の結成に参加。戦後も二科会で活躍する他、インド・ビエンナーレなど、国際的にも活躍の場を広げる。

井上長三郎（いのうえ・ちょうざぶろう　一九〇六―一九九五）
兵庫県に生れる。幼少期に両親とともに大連に渡る。一九二四年に上京し、太平洋画会研究所で学ぶ。独立展に加え、大連の五果会展にも出品。三八年より四〇年までフランス滞在。美術文化協会、新人画会に参加。戦後は自由美術家協会で活躍した。

今井憲一（いまい・けんいち　一九〇七―一九八八）
京都府に生れる。一九二八年、津田青楓洋画塾に学ぶ。二九年、二科展入選。三三年、独立美術京都研究所に参加。新日本洋画協会の活動に尽力。北脇昇らとシュルレアリスム研究会を催す。戦後は独立美術京都研究所の再開に参加、京都市立美術大学で教鞭をとる。

今井大彭（いまい・だいほう　一九一一―一九八三）
東京に生れる。本名は康雄。東洋大学卒。一九三六年に帝国美術学校で結成された美術グループ「動向」に参加するが、帝国美術学校の学生ではないと考えられている。戦後は美術文化協会、二科会に参加した。

植田正治（うえだ・しょうじ　一九一三―二〇〇〇）
鳥取県に生れる。一九三二年上京。オリエンタル写真学校を卒業後、郷里で写真館を経営。写真誌への発表で頭角を現し、三〇年代末から複数の人物を配置する演出写真を制作。その虚構性と幻想性は戦後の鳥取砂丘を舞台にした作品に開花し、国内外で評価された。

瑛九（えいきゅう　一九一一―一九六〇）
宮崎県に生れる。本名は杉田秀夫。日本美術学校やオリエンタル写真学校で学ぶ。三六年、新時代洋画展に参加、『眠りの理由』を刊行し、「瑛九」と称す。翌年、自由美術家協会に参加。戦後はデモクラート美術家協会の結成に参加、銅版や石版にも創作の場を広げる。

大塚耕二（おおつか・こうじ　一九一四―一九四五）
熊本県に生れる。熊本で巴里新興美術展を見る。一九三四年に上京し、帝国美術学校に進学。三五年に「表現」を結成。学内の映画研究会に参加。独立展に出品する。四一年に応召し満洲へ渡る。四四年にフィリピンに派遣され、四五年に戦死した。

大塚睦（おおつか・むつみ　一九一六―二〇〇二）
佐賀県に生れる。一九二二年、朝鮮全北に移住、同地の中学校を卒業。三二年、川端画学校に通う。翌年、東京美術学校入学。三九年、独立展に出品。同期生と新浪漫派協会を結成。四〇年、美術文化展に出品。戦後は、前衛美術協会の結成に参加する。

岡田徹（おかだ・てつ　一九一四―二〇〇七）
愛知県に生れる。一九三二年、滋賀県立長浜農学校卒業後、名古屋に移る。三七年、ナゴヤアバンガルドクラブの創立に参加。翌年、独立展に出品。三九年、美術文化協会に参加。四一年に応召後、家宅捜索を受け作品等没収。戦後は美術文化協会への出品を続ける。

岡本太郎（おかもと・たろう　一九一一―一九九六）
神奈川県に生れる。一九二九年渡仏。抽象団体アプストラクシオン・クレアシオン参加の後、三八年、シュルレアリスム国際展に参加、バタイユとも交友。四〇年帰国。戦後、対極主義を提唱、モニュメントや壁画の制作、多数の著述など、多方面に活躍した。

小川原脩（おがわら・しゅう　一九一一―二〇〇二）
北海道に生れる。一九三〇年に東京美術学校に進学。三六年に福沢一郎のアトリエを訪れ、エコルド東京に参加。三八年に創紀美術協会、翌年に美術文化協会に参加。四一年に出征するが病のため翌年解除。戦後は美術文化協会を脱退し、故郷で活動した。

小山田二郎（おやまだ・じろう　一九一四―一九九一）
父の赴任先の中国に生れ一歳で東京へ移る。帝国美術学校在学中、グループ「アニマ」を結成。独立展、美術文化展に出品。戦後は自由美術家協会会員となり、日本アンデパンダン展にも出品。五九年、団体を離れ、以後個展で発表。病苦のなか異形の人物像を多く描いた。

片谷瑷子（かたたに・あいこ　一九一八―二〇〇九）
神奈川県に生れる。本名は愛子。女子美術専門学校に入学するが、中退し、一九三七年頃より福沢絵画研究所に学ぶ。戦後は美術文化協会、女流画家協会で作品を発表。六三年頃からは木版画制作に転じ、片谷美香の名で発表をした。

桂ゆき（かつら・ゆき　一九一三―一九九一）
東京に生れる。本名は雪子。一九三一年、東京府立第五高等女学校を卒業後、中村研一に師事。三三年、アヴァンガルド洋画研究所に通う。三八年、発起人として九室会の結成に参加。戦後は、女流画家協会の結成に参加、前衛絵画に取り組む女性画家の先駆であり続けた。

北園克衛（きたぞの・かつえ　一九〇二―一九七八）
三重県に生れる。本名は橋本健吉。一九二〇年上京。二四年頃より新興美術運動に関わり、詩、絵画の制作、前衛誌の編集を行う。シュルレアリスム詩の運動を起こし、三五年からは芸術誌『ＶＯＵ』を主宰。グラフィック・デザイン、造型詩や映像も手がけ、海外の詩人とも交流した。

北脇昇（きたわき・のぼる　一九〇一―一九五一）
愛知県に生れる。一九一九年、同志社中学中退の後、鹿子木孟郎の画塾に学ぶ。一九三〇年、津田青楓洋画塾に入る。三三年に独立美術京都研究所を、三五年に新日本洋画協会を設立。創紀美術協会と美術文化協会の結成に参加。戦後も京都の前衛芸術を牽引する。

古賀春江（こが・はるえ　一八九五―一九三三）
福岡県に生れる。中学中退後、上京し、日本水彩画会で活動。一九二二年二科展に出品し受賞、以後同展に出品。前衛グループ「アクション」に参加。前衛的スタイルを変転し、二九年よりシュルレアリスム的画風に移行して注目される。病のため三八歳で没。

小牧源太郎（こまき・げんたろう　一九〇六―一九八九）
京都府に生れる。龍谷大学と大谷大学を中退、立命館大学に進む。一九三五年、独立美術京都研究所に入所、新日本洋画協会の活動に参加。三七年、独立展に出品。創紀美術協会と美術文化協会の結成に参加。戦後は民俗学的モチーフで独自の絵画世界を深化させる。

斉藤長三（さいとう・ちょうぞう　一九一〇―一九九四）
山形県に生れる。東京高等工芸学校に入学。一九三〇年協会ついで独立展に入選、戦後も同展に出品を続けた。一九三四年、糸園和三郎らとグループ飾画を結成、三八年、創紀美術協会創立に参加。シュルレアリスム的作風から戦後は風景表現の追求へと転換した。

坂田稔（さかた・みのる　一九〇二―一九七四）
愛知県に生れる。中学卒業後、大阪勤務時に浪花写真倶楽部に入会。一九三四年、名古屋で写真店開設。三七年、下郷羊雄らとナゴヤアバンガルドクラブを、二年後ナゴヤ・フォトアバンガルドを結成。前衛写真の推進者として写真誌に作品や論考を多数発表した。

佐田勝（さた・かつ　一九一四―一九九三）
長崎県に生れる。一九三四年に東京美術学校に入学。在学中にデ・ザミを結成。三九年に新浪漫派協会、美術文化協会に参加。四七年に自由美術家協会会員となる。五一年には日本ガラス絵協会を設立し、代表を務めた。

島津純一（しまづ・じゅんいち　一九〇七―一九八九）
長野県に生れる。一九一五年頃に家族で上京し、上野に暮らす。二六年から太平洋画会研究所に通う。三〇年に一九三〇年協会展、翌年より独立展に出品。三四年に新造型美術協会の結成に参加した。戦後は美術文化協会、新象作家協会などに参加した。

下郷羊雄（しもざと・よしお　一九〇七―一九八一）
愛知県に生れる。一九二八年、京都の津田青楓洋画塾入塾。三二年、自宅に同塾名古屋研究所開設。三五年、東京での個展が契機となり新造型美術協会に加入。三七年、ナゴヤアバンガルドクラブを結成。前衛写真も手がけた。戦後、美術文化協会会員となる。

白木正一（しらき・しょういち　一九一二―一九九五）
愛知県に生れる。一九三二年に名古屋の安藤洋画研究所で学んだ後、三五年に上京し、独立美術研究所、福沢絵画研究所に通う。三八年にナゴヤアバンガルド展、三九年に美術文化展に出品。五八年に妻の早瀬龍江と共に渡米し制作に励んだ。

杉全直（すぎまた・ただし　一九一四―一九九四）
東京に生れ、一〇歳から姫路に住む。一九三三年東京美術学校入学。三七年グループ貌を結成。独立展で受賞、ついで美術文化協会結成に参加。戦前のシュルレアリスム的作風から戦後は抽象表現を追求し、国際展にも出品。東京藝術大学教授も務めた。

十河巌（そごう・がん　一九〇四―一九八二）
兵庫県に生れる。一九二四年、関西学院高等商業学校に入学。吉原治良や竹中郁と絵画部「弦月会」に参加。朝日新聞大阪本社入社後、四四年から特派員としてジャワ新聞社勤務。四六年、大阪朝日会館館長就任。人脈を生かしコンサートや演劇を提供し、機関誌『DEMOS』を編集する。

高井貞二（たかい・ていじ　一九一一―一九八六）
大阪府に生れ、少年期に神戸、和歌山と転居。一〇代の頃から信濃橋洋画研究所などで学び、一九三〇年、二科展入選、以後出品を続けた。三八年、九室会結成。戦後、行動美術協会設立に参加したが、五一年退会。渡米してニューヨークを拠点に活動した。

高松甚二郎（たかまつ・じんじろう　一九一二―一九九四）
栃木県に生れる。独立美術研究所で学んだ後、一九三四年に飾画を結成。三七年に日本工房に入社。戦中は満洲に滞在し、報道工作隊美術班に参加。五三年に日本に引き揚げ、帰国後はデザインの仕事に携わった。七七年に飾画を復活させた。

高山良策（たかやま・りょうさく　一九一七―一九八二）
山梨県に生れる。一九三一年に上京、製本工場などに勤務しつつ独学で絵を学ぶ。三八年、応召。四〇年、クロッキー研究所や福沢絵画研究所で学ぶ。四三年、東宝航空教育資料製作所勤務。戦後は円谷プロのウルトラシリーズなどで怪獣造形を手がけながら、絵画制作を続ける。

多賀谷伊徳（たがや・いとく　一九一八―一九九五）
福岡県に生れる。独学で油彩画を学び、一九三八年に主線美術展入選。同郷の寺田政明を頼り上京し、池袋に住む。独立展、美術文化展に出品。三九年に応召し、台湾、ビルマ等に派遣され、四三年除隊。戦後は福岡を拠点に制作、国内外の展覧会へ出品した。

瀧口修造（たきぐち・しゅうぞう　一九〇三―一九七九）
富山県に生れる。一九三一年、慶應義塾大学卒業。在学中にブルトン『超現実主義と絵画』を翻訳。三〇年代半ば頃から美術批評活動を開始。『近代芸術』や『ダリ』『ミロ』を刊行。四一年、治安維持法違反の嫌疑で検挙。戦後はタケミヤ画廊で新人発掘の企画を担う。

土屋幸夫（つちや・ゆきお　一九一一―一九九六）
広島県に生れる。東京高等工芸学校卒業。一九三二年から独立展に出品。三七年、グループ飾画に加入し、その後、創紀美術協会、美術文化協会の発足に加わる。ダリ的な描写にもとづく絵画のみならずオブジェも制作。戦後、日本アヴァンギャルド美術家クラブに参加。

鶴岡政男（つるおか・まさお　一九〇七—一九七九）
群馬県に生れる。一五歳の時、太平洋画会研究所に入る。一九二八年、一九三〇年協会展入選。同志で洪原会ついでNOVA美術協会を結成、三一—三七年同会展に出品。四三年、新人画会を結成。戦後、辛辣、飄逸に変形した人物像を、自由美術展などで発表した。

寺田政明（てらだ・まさあき　一九一二—一九八九）
福岡県に生れる。一九二八年に上京し、太平洋美術学校などで絵を学ぶ。独立展や九州の展覧会へも出品。三三年に池袋のアトリエ村へ転居。NOVA美術協会、エコルド東京、創紀美術協会、美術文化協会などへ参加。戦後は国内外の展覧会へ出品した。

東郷青児（とうごう・せいじ　一八九七—一九七八）
鹿児島県に生れ五歳で東京へ移る。一九一五年の初個展で前衛表現が注目され、翌年、二科展で受賞。二一—二八年滞仏、二九年の二科展ではシュルレアリスムの出現と話題になる。以後、独特の女性像を確立。九室会結成では顧問となり、戦後は二科会を主導した。

永井東三郎（ながい・とうざぶろう　一九一四—二〇〇九）
京都府に生れる。上京し、一九三四年帝国美術学校入学。在学中に「表現」に参加。フィンガー・ピクチャーやオブジェなども発表する。三八年、前衛写真協会に参加。独立美術展、美術文化展に出品。四〇年、家業を継ぐために帰郷した。

長末友喜（ながすえ・ともき　一九一六—一九四九）
福岡県に生れる。一九三六年に福岡県立八幡工業学校を卒業し、翌年、応召し中国に派遣される。三八年に除隊。八幡製鉄所勤務の傍ら絵を描き、四〇年に美術文化展に初入選。戦後は八幡市美術協会設立に参加。四九年に心臓麻痺のため逝去した。

中原實（なかはら・みのる　一八九三—一九九〇）
東京に生れる。一九一八年、米ハーバード大学歯学科卒業後、フランスで軍医として勤務、前衛美術の影響を受け絵画を制作。帰国後、アクション展などに出品、画廊九段の開設や新興美術団体の組織、芸術理論の執筆など、多方面で先鋭的な活動を展開した。

難波架空像（香久三）（なんば・かくぞう　一九一一—一九九六）
岡山県に生れる。一九三三年、関西大学を卒業後、大阪の中之島洋画研究所で学ぶ。三七年、二科展に出品。翌年、九室会に参加する。戦後は二科会に復帰せず、行動美術協会の創立に参加する。世の中や人間を風刺する、社会性の際立った作品を発表し続ける。

西脇順三郎（にしわき・じゅんざぶろう　一八九四—一九八二）
新潟県に生れる。慶應義塾大学卒業。一九二二年に渡英。二五年帰国し母校教授となる。二七年、瀧口修造ら周囲に集う詩人と初の超現実主義詩集『馥郁タル火夫ヨ』を刊行、二九年『超現実主義詩論』発表。代表作は『Ambarvalia』。詩人、英文学者として戦後も活動。

長谷川宏（はせがわ・ひろし　一九一六—一九九九）
埼玉県に生れる。一九三四年に帝国美術学校入学。在学中に「表現」を結成。学内の映画研究会に参加。独立展、美術文化展に参加。卒業後、北京近代科学図書館に就職。四六年の帰国後は高校や図書館に勤務。埼玉の郷土史研究にも貢献した。

浜田知明（はまだ・ちめい　一九一七—二〇一八）
熊本県に生れる。旧姓は高田。一九三四年、東京美術学校入学。三七年、グループ「デ・ザミ」結成。卒業後、入隊し大陸に従軍。一時復員し美術文化展に出品するも再び応召。戦後、銅版画を始め、過酷な戦争体験にもとづく「初年兵哀歌」連作などで海外でも評価された。

浜田浜雄（はまだ・はまお　一九一五—一九九四）
山形県に生れる。帝国美術学校在学中から二科展に入選、一九三八年よりグループ「絵画」の展覧会を開催、ダリ風の不穏な幻想風景を発表。四四年応召、終戦後シベリア抑留。五一年に個展を開催。大辻清司らとグラフィック集団を結成し、デザインも手がけた。

浜松小源太（はままつ・こげんだ　一九一一—一九四五）
秋田県に生れる。一九三〇年に秋田師範学校を卒業後、小学校教諭をしながら地元の展覧会へ出品。三五年に新造型美術協会展に出品。同年に上京し、エコルド東京、創紀美術協会、美術文化協会に参加。四三年に従軍し、四五年にビルマで行方不明となる。

早瀬龍江（はやせ・たつえ　一九〇五—一九九一）
北海道に生れる。一九二二年に上京し、女子英学塾を卒業。川端画学校、独立美術研究所、福沢絵画研究所で学ぶ。三六年、エコルド東京に参加。四〇年より美術文化展に出品。五八年に夫の白木正一とともに渡米し絵画や立体の制作に励んだ。

原田直康（はらだ・なおやす　一九〇三—一九七三）
岡山県に生れる。一九二八年、東京美術学校を卒業したのち、太平洋画会に出品をしながら東京や大阪などで教鞭をとる。三七年より二科展に出品。三八年に九室会の結成に参加。戦後に上京し、二科会に出品を続けた。

久野久（ひさの・ひさし　一九〇三—一九四六）
福岡県に生れる。一九二七年頃より写真撮影を始め、三四年に福岡写友会に参加。三六年に福岡ローライ倶楽部を設立。同年、全関西写真連盟撮影競技に入選。写真雑誌に写真や写真論を投稿。三九年、ソシエテ・イルフに参加。四六年に腎不全のため逝去した。

平井輝七（ひらい・てるしち　一九〇〇—一九七〇）
大阪府に生れる。中学卒業後、写真を始める。大阪のアマチュア写真家の団体「浪華写真倶楽部」や「丹平写真倶楽部」に参加する。一九三八年、アヴァンギャルド造影集団を結成した。フォトモンタージュや彩色を施した写真で、独特な幻想的世界を現出させた。

平岡潤（ひらおか・じゅん　一九〇六―一九七五）
三重県に生まれる。明治大学卒業後、入隊。一九三六年、白日会出品。翌年から自由美術展にデカルコマニーなどを出品し受賞。動員され大陸に駐留。一時帰還し四二年『詩集茉莉花』を出版、中原中也賞受賞。再召集され南島に派遣。戦後は郷土史研究などを行う。

福沢一郎（ふくざわ・いちろう　一八九八―一九九二）
群馬県に生まれる。東京帝国大学入学、彫刻も学ぶ。一九二四―三一年滞仏し、絵画を制作。三一年の独立展で日本にシュルレアリスムを導入、前衛運動の主導者となる。三九年、美術文化協会結成。四一年検挙され約半年拘留。戦後は国際展にも出品、幅広く活躍した。

藤田鶴夫（ふじた・つるお　一九〇二―一九五七）
兵庫県に生まれる。一九二一年、兵庫県立工業学校を卒業。同年、神戸で個展開催。一九三〇年協会展、独立美術協会展等に出品。三四年、新造型美術協会を結成し、中心メンバーとして活動を行うが、同会は三八年に解散。戦後は美術文化展などで作品を発表。

古沢岩美（ふるさわ・いわみ　一九一二―二〇〇〇）
佐賀県に生まれる。一九二八年に上京し、岡田三郎助宅の書生をしながら本郷絵画研究所に学ぶ。創紀美術協会、美術文化協会に参加。四三年に応召、四六年に復員。戦後は日本アヴァンギャルド美術家クラブに参加。戦争とエロスをテーマに社会や人間を描き続けた。

堀田操（ほった・みさお　一九一一―一九九九）
長野県に生まれる。上京し、中島飛行機に勤務。一九三九年頃より福沢絵画研究所に通う。四二年に召集を受け、シベリア抑留を経て四七年に復員。五二年に眞島建三らとサロン・ド・ジュワンを結成。アートクラブや戦後に暮らした大宮の美術展にも出品した。

前田藤四郎（まえだ・とうしろう　一九〇四―一九九〇）
兵庫県に生まれる。一九二三年、神戸高等商業学校に入学。二九年、春陽会展に出品。三〇年頃から三紅会や羊土社、黄楊、艸園会など複数の版画や洋画のグループに参加。版画と写真を組合せたシュルレアリスム的表現の先駆であり、戦後も様々な版画技法を試みた。

眞島建三（まじま・けんぞう　一九一六―一九九四）
愛知県に生まれる。一九三八年上京し、福沢絵画研究所で学ぶ。美術文化展に第一回から三回展まで出品。四四年応召、呉海軍航空隊に配属、原爆投下後の救護にあたる。五二年、米倉壽仁らとサロン・ド・ジュワン結成。戦後は「原始言語」シリーズなどを制作。

松崎政雄（まつざき・まさお　一九一二―没年不詳）
京都府に生まれる。八笑亭とも呼ばれる。一九二九年、平安中学を卒業。独立美術京都研究所に入所。三五年、独立展に出品。同年、朝日新聞社京都支局新社屋（朝日会館）の壁画制作に参加。戦後は無所属となり児童画の指導をするも、六一年頃から療養生活となる。

三岸好太郎（みぎし・こうたろう　一九〇三―一九三四）
北海道に生まれる。一九二一年上京。二三年より春陽会展に出品し受賞。三〇年、独立美術協会の結成に参加。巴里新興美術展に刺激され、フォーヴィスムから前衛的表現に移行。三四年の独立展で蝶と貝殻のシリーズを発表するが、病のため三一歳で亡くなる。

村瀬静孝（むらせ・しずたか　一九一一―一九九五）
京都府に生まれる。一九三一年に帝国美術学校入学。学内の演劇研究会に参加した。三二年に巴里・東京新興美術展覧会に出品。三四年、学友らとＪＡＮを結成。戦後は森永製菓の宣伝部に勤務し、社報の発行に携わった。

森堯之（もり・たかゆき　一九一五―一九四四）
徳島県に生まれる。一九三四年、帝国美術学校入学。三六年、グループ「表現」を結成、八回展まで毎回出品。三七年から独立展にも出品。美術文化協会結成に参加。フィンガー・ピクチャーやオブジェの他、写真も手がけ日本工房で活動。四一年に応召、戦病死した。

諸町新（もろまち・しん　一九一二―一九三六）
一九三三年、第三回ＮＯＶＡ美術協会展に出品。当時は牛込区に在住。三四年、三五年のＮＯＶＡ美術協会展にも出品するが、三六年に逝去した。

矢崎博信（やさき・ひろのぶ　一九一四―一九四四）
長野県に生まれる。諏訪中学時代から絵を発表、一九三三年、帝国美術学校入学。三五年、グループ「アニマ」発足、翌年「動向」を結成して東京報告絵画展開催。独立展に出品。卒業後、郷里で制作するが、三度目の出征の際、乗っていた輸送艦が攻撃を受け死去。

山鹿正純（やまが・まさずみ　一九一四―一九三八）
三重県に生まれる。一九三三年、帝国美術学校入学。三五年、グループ「アニマ」結成に参加。翌年秋には矢崎博信らとグループ「動向」を結成し「報告絵画」を提唱。渡欧しパリに滞在、三八年、帰国途上で体調を崩し、神戸に帰港後、大阪の病院で亡くなる。

山路商（やまじ・しょう　一九〇三―一九四四）
新潟県に生まれる。三歳から一七歳まで旧満洲に暮らす。大連の洋画研究所に通う。二七年、第一回全関西洋画展に出品。三〇年、二科展出品。三二年に広島洋画協会を結成。四一年に検挙、半年後に保釈されるも拘留中に結核に冒され、四〇歳で死去。原爆で作品や資料の多くを失う。

山下菊二（やました・きくじ　一九一九—一九八六）
徳島県に生れる。一九三二年、香川県立工芸学校入学。三八年上京、福沢絵画研究所に学ぶ。三九年に召集。四〇年、美術文化展入選。戦後は日本美術会や前衛美術会の結成に参加、東宝争議や山村工作隊を体験する。制作を通して軍隊の非人間性や社会を告発し続ける。

山中散生（やまなか・ちるう　一九〇五—一九七七）
愛知県に生れる。本名は利行。一九二三年、名古屋高等商業学校入学、在学中に名古屋のモダニズム詩誌『青騎士』に参加。二九年、『Ciné』創刊。『Hommage à Paul Éluard』や『L'échange surréaliste』を刊行、「日本のシュルレアリスム運動の推進者」と呼ばれる。

山本悍右（勘助）（やまもと・かんすけ　一九一四—一九八七）
愛知県に生れる。本名は勘助。写真商の家に生れる。一九三一年、独立写真研究会を結成。三八年に『夜の噴水』を刊行。三八年に青憧社を結成し、機関誌『CARNET BLEU』を刊行。ナゴヤ・フォトアバンガルドに参加。戦後も写真や詩を発表した。

山本敬輔（やまもと・けいすけ　一九一一—一九六三）
兵庫県に生れる。旧制姫路高校を中退して上京。一九三四年より二科展に出品。翌年から小野里利信らの黒色洋画展に参加。シュルレアリスム風絵画から純粋抽象へ転じ、三八年、高橋廸章らと絶対象派協会を結成、九室会を発足。戦後は二科展に大作を出品した。

山本正（やまもと・せい　一九一五—一九七九）
岡山県に生れる。一九三一年、京華中学在学時に独立展に出品。三四年、四軌会（翌年、飾画）の結成に参加。三六年、応召。三八年、創紀美術協会の創立に参加。四三年から四六年までジャワ島に滞在。五六年から一年間のヨーロッパ留学の後、抽象を描き始めた。

山本昌尚（やまもと・まさなお　一九一五—一九七九）
東京に生れる。一九三四年、帝国美術学校に入学。在学中にジュンヌ・オムを結成。四一年には学友たちと共に青年美術集団を結成した。

吉井忠（よしい・ただし　一九〇八—一九九九）
福島県に生れる。一九二六年、福島中学卒業後上京、太平洋画会研究所に通う。二八年に帝展、三六年に独立展入選。同年エコルド東京参加。三六年から翌年にかけて、渡欧。帰国後、創紀美術協会と美術文化協会の結成に参加。戦後は制作や旅を通して社会や歴史を問い続けた。

吉加江京司（清）（よしがえ・きょうじ　一九〇九—一九九三）
宮崎県に生れる。一九三二年、津田青楓洋画塾に学ぶ。翌年、独立美術京都研究所に入所、新日本洋画協会の活動にも参加。三八年、独立展に出品。四〇年、美術文化展に出品。四五年、宮崎に疎開。戦後は宮崎美術協会の設立に参加、母と子をテーマに制作を続ける。

吉川三伸（よしかわ・さんしん　一九一一—一九八五）
愛知県に生れる。一九三〇年上京し、三岸好太郎に師事。三七年、岡田徹らとグループ「トルピ」を結成後、ナゴヤアバンガルドクラブ発足に合流。独立展に出品。福沢絵画研究所に通い、美術文化展にも出品する。四一年、検挙、拘束。戦後は主に名古屋で活動。

吉原治良（よしはら・じろう　一九〇五—一九七二）
大阪府に生れる。一九二四年、関西学院高等商業学部に入学。上山二郎に学び、阪神間の美術家グループ「艸園会」に参加。三四年、二科展入選。三八年、九室会結成の中心的役割を果たす。戦後は具体美術協会の指導者として尽力。円をモチーフとした表現を探求し、国際的に活躍する。

米倉壽仁（よねくら・ひさひと　一九〇五—一九九四）
山梨県に生れる。名古屋高等商業学校で山中散生と交友。最初、二科展に、三五年から独立展に出品、翌年個展を開催。三七年、詩集を刊行、阿部芳文との二人展、飾画展に出品。創紀美術協会、美術文化協会結成に参加した。五一年、サロン・ド・ジュワンを創立。

六條篤（ろくじょう・あつし　一九〇七—一九四四）
奈良県に生れる。一九二五年、天理外国語学校に入学。二八年、信濃橋洋画研究所に通う。三〇年、独立展に出品。短歌や詩の制作にも励み、三三年、歌集『左手の漂影』などを刊行。奈良美術家連盟展や奈良県美術協会展への出品を続けるが、三八歳で病没。

渡辺武（わたなべ・たけし　一九一六—一九四五）
埼玉県に生れる。一九三四年、帝国美術学校に入学。在学中にジュンヌ・オムを結成。三九年、P・C・L・（現・東宝映画）美術部に入社。美術文化展に出品。四一年、学友たちと共に青年美術集団を結成した。四四年に従軍し、四五年に沖縄で戦死した。

関連年表

本年表は「シュルレアリスムと日本」展に関するものを中心に主要なものを掲載した。
年表作成にあたっては、参考文献に挙げた書籍や展覧会図録を参照した。
海外の事項については太字で記した。

年	美術史・社会一般	本展関連事項
1924 大正13年	2月 『アトリヱ』創刊 3月 『フォトタイムス』創刊	5月 福沢一郎、渡仏 10月 **アンドレ・ブルトン「シュルレアリスム宣言」発表** 12月 **『シュルレアリスム革命』創刊**
1925 大正14年	3月 普通選挙法成立 4月 治安維持法公布	11月 **最初のシュルレアリスム展（ピエール画廊、パリ）** 西脇順三郎、イギリスから帰国
1926 大正15／昭和元年	5月 東京府美術館開館 一九三〇年協会結成	
1927 昭和2年	5月 第一次山東出兵	11月 『薔薇・魔術・学説』創刊 12月 『馥郁タル火夫ヨ』刊行
1928 昭和3年	2月 最初の普通選挙実施 3月 三・一五事件 6月 改正治安維持法公布	2月 **ブルトン『シュルレアリスムと絵画』刊行** 9月 『詩と詩論』創刊 11月 『衣裳の太陽』創刊
1929 昭和4年	4月 四・一六事件 10月 帝国美術学校創立 この年、世界恐慌始まる	1月 東郷青児・阿部金剛二人展 9月 第一六回二科展　古賀春江、阿部金剛、東郷青児らの超現実主義風の作品発表 11月 西脇順三郎『超現実主義詩論』刊行 12月 岡本太郎が渡欧
1930 昭和5年	4月 一九三〇年協会解散 11月 大原美術館開館	1月 『アトリヱ』超現実主義研究号刊行／『LE SURRÉALISME INTERNATIONAL』刊行 6月 ブルトン、瀧口修造訳『超現実主義と絵画』刊行 阿部金剛『シュールレアリズム絵画論』刊行 11月 独立美術協会、NOVA美術協会結成

1931
昭和6年

9月 満洲事変
第四回プロレタリア美術大展覧会
11月 日本プロレタリア文化連盟（コップ）結成

1月 福沢一郎、第一回独立展でマックス・エルンストのコラージュに着想を得た滞欧作三七点を発表
6月 福沢一郎、帰国
9月 『古賀春江画集』『阿部金剛画集』『東郷青児画集』刊行
12月 ロボット洋画協会結成

1932
昭和7年

3月 コップ大弾圧／満洲国建国宣言
5月 五・一五事件
6月 警視庁に特別高等警察部設置を公布
10月 『美術新報』創刊
戸坂潤ら「唯物論研究会」創立大会

12月 巴里・東京新興美術展覧会（翌年にかけて「巴里新興美術展覧会」として、以後、大阪、京都、福岡、熊本、大連、金沢、名古屋を巡回）

1933
昭和8年

1月 ヒトラー、ドイツ首相に就任
2月 小林多喜二、検挙され虐殺される
3月 日本、国際連盟脱退を通告
5月 瀧川幸辰京大教授に休職発令（京大事件）

3月 『福沢一郎画集』刊行
7月 津田青楓が検挙・拘束され、その後津田青楓洋画塾解散
9月 古賀春江、逝去／アヴァンガルド洋画研究所設立
10月 独立美術京都研究所設立

1934
昭和9年

2月 福島繁太郎コレクション展
3月 プロレタリア美術家同盟解散
溥儀、満洲国皇帝となる

4月 独立美術協会内紛起こり、不出品者により新造型美術協会結成
6月 JAN結成
7月 三岸好太郎、逝去／飾画結成

1935
昭和10年

2月 美濃部達吉の天皇機関説問題
3月 ドイツ、ベルサイユ条約を破棄
5月 帝国美術院改組の発表
帝国美術学校同盟休校事件
帝国美術学校より分裂した
9月 多摩帝国美術学校が認可される

1月 **国際シュルレアリスム展**（コペンハーゲン）
4月 第一回アニマ展（銀座紀伊國屋）
5月 **国際シュルレアリスム展**（カナリア諸島・テネリフェ）
6月 日本超現実主義作家展（日動画廊）
新日本洋画協会結成
7月 『VOU』創刊

1936
昭和11年

2月 二・二六事件
7月 新制作派協会結成
8月 ベルリン・オリンピック
11月 日独防共協定

1月 第二回新造型美術協会展でダリの素描展示／第一回表現展（銀座紀伊國屋）
3月 エコルド東京結成／クルト・セリグマン来日、個展開催（銀座三越）
4月 アヴァン・ガルド芸術家クラブ結成／瑛九『眠りの理由』刊行
6月 **国際シュルレアリスム展**（ロンドン）
9月 『L'échange surréaliste』刊行／動向第一回東京報告絵画展（銀座伊東屋）
10月 福沢一郎、福沢絵画研究所開設／吉井忠、渡欧／飯田操朗、逝去
12月 **ファンタスティック・アート、ダダ、シュルレアリスム展**（ニューヨーク近代美術館）

年	美術史・社会一般	本展関連事項
1937 昭和12年	4月 第一回文化勲章に岡田三郎助、藤島武二、竹内栖鳳、横山大観 7月 盧溝橋事件、日中戦争勃発 ドイツ、ミュンヘンで頽廃美術展 11月 日独伊三国防共協定調印	2月 自由美術家協会結成 6月 海外超現実主義作品展（銀座日本サロン、以後、京都、大阪、名古屋、福井を巡回） 岡本太郎『OKAMOTO』刊行（パリ）／京都青年美術家クラブ結成 大阪にてアヴァンギャルド造影集団結成 8月 福沢一郎『シュールレアリズム』刊行／吉井忠、帰国 9月 第三回新日本洋画協会展（大礼記念京都美術館）で集団制作《浦島物語》を発表 11月 第一回貌油絵展（銀座紀伊國屋）／瀧口修造・阿部芳文『妖精の距離』刊行
1938 昭和13年	2月 唯物論研究会解散 3月 石川達三『生きてゐる兵隊』発禁 4月 国家総動員法公布 6月 大日本陸軍従軍画家協会結成 8月 火野葦平「麦と兵隊」『改造』に発表 11月 第二次近衛声明 東京帝室博物館本館開館（現・東京国立博物館） この年、従軍する画家・彫刻家が増加	1月 第一回ジュンヌ・オム展／**国際シュルレアリスム展**（パリ）**岡本太郎出品** **『シュルレアリスム簡約辞典』**刊行 4月 エコルド東京解散／創紀美術協会結成／歴程美術協会結成 7月 創紀美術協会京都前哨展（京都朝日会館） 7月頃 前衛写真協会結成 9月 瀧口修造『近代芸術』刊行 10月 九室会結成／第一回創紀美術展（銀座青樹社） 11月 山本悍右『夜の噴水』創刊／ナゴヤアバンガルドクラブ結成 12月 第一回絵画展（銀座紀伊國屋）
1939 昭和14年	4月 藤田嗣治、中村研一ら陸軍美術協会結成 映画法公布 5月 ノモンハン事件 7月 国民徴用令公布／第一回聖戦美術展 9月 ドイツ、ポーランドに進軍、 第二次世界大戦勃発	この頃、ソシエテ・イルフ結成 1月 瀧口修造『ダリ』刊行 2月 ナゴヤ・フォトアバンガルド結成 4月 杉全直、従軍し満洲へ（病気のため40年に送還） 5月 美術文化協会結成 6月 新浪漫派協会結成 7月 福沢一郎『エルンスト』刊行 9月 小川原脩、個展（銀座資生堂ギャラリー） 10月 北脇昇・小牧源太郎二人展（京都朝日会館） 12月 山下菊二、従軍し中国大陸へ（42年除隊）／浜田知明、一度目の従軍で中国大陸へ
1940 昭和15年	6月 ドイツ軍、パリ占領 7月 第二次近衛文麿内閣、新体制運動を推進 9月 日独伊三国同盟調印 10月 大政翼賛会発会／紀元二六〇〇年奉祝美術展覧会	1月 **国際シュルレアリスム展**（メキシコ） 3月 下郷羊雄 超現実主義写真集『メセム属』刊行／石田順治、逝去 4月 第一回美術文化展 8月 岡本太郎、フランスより帰国

1941
昭和16年

- 1月　座談会「国防国家と美術——画家は何をすべきか」『みづゑ』
- 3月　国家総動員法改正、治安維持法改正公布
- 5月　大日本航空美術協会結成
- 7月　第一次美術雑誌統合、『新美術』、『生活美術』など八誌に統合／第二回聖戦美術展
- 12月　日本軍、ハワイ真珠湾攻撃、太平洋戦争勃発

- 4月　福沢一郎、瀧口修造　治安維持法違反の嫌疑で検挙
  美術文化協会「国民美術の創成」を発表
- 11月　福沢一郎、瀧口修造　執行猶予となり釈放される
  名古屋の吉川三伸、広島の山路商ら検挙される
- 12月　阿部芳文、写真班員として従軍しフィリピンへ（四六年復員）

1942
昭和17年

- 4月　戦争記録画制作のため陸軍省派遣の画家が戦地へ出発／東京など本土初空襲
- 5月　戦争記録画制作のため海軍省派遣の画家が戦地へ出発／日本文学報国会創立
- 6月　日本軍、ミッドウェー海戦に敗退
- 8月　大東亜美術協会結成
- 12月　大東亜戦争美術展

- 1月　岡本太郎、従軍し中国大陸へ（四六年復員）
- 5月　第三回美術文化展
- 9月　美術文化秋季小品展（銀座三越）
- 10月　**国際シュルレアリスム展（ニューヨーク）**

1943
昭和18年

- 5月　日本美術及工芸統制協会結成
  日本美術報国会結成／アッツ島の日本軍全滅
- 9月　イタリア無条件降伏
- 10月　第二次美術雑誌統合、翌年から、『美術』『制作』の二誌のみとなる
- 12月　学徒出陣（第一陣出発）
  第二回大東亜戦争美術展

- 2－3月頃　新人画会結成
- 7月　古沢岩美、従軍し中国大陸へ（四六年復員）
- 9月　美術文化協会「空の精兵を描く」展（新宿三越）

1944
昭和19年

- 1月　日本美術及工芸統制協会が資材配給査定制を断行
  大都市に疎開命令発令
- 9月　美術展覧会取扱要綱が発表、秋の公募展は中止

- 2月　矢崎博信、トラック島沖で戦死
- 5月　靉光、召集され中国大陸へ
- 6月　山路商、病死
- 9月　森堯之、ビルマで戦病死
- 10月　二科会解散を決議、その後美術団体の解散が相次ぐ
- この年、小川原脩、作戦記録画制作のため報道部員として中国大陸へ

年	美術史・社会一般	本展関連事項
1945 昭和20年	3月 東京大空襲 4月 陸軍美術展開催／米軍、沖縄本島に上陸 5月 ドイツ、無条件降伏 8月 広島、長崎に原爆投下／ポツダム宣言受諾 終戦の詔書を玉音放送／ＧＨＱ設置 9月 降伏文書調印／ＧＨＱのプレスコード発令 10月 宮田重雄が「美術家の節操」を投稿 日本共産党結成 11月 文展は日展として新発足することが決定	5月 浅原清隆、ビルマで行方不明 6月 渡辺武、沖縄で戦死 7月 大塚耕二、フィリピンで戦死 10月 二科会再建 11月 行動美術協会結成 美術文化協会自由新作展（日動画廊） 福沢一郎、個展（日動画廊） 12月 日本女流美術家協会展（日本橋三越）
1946 昭和21年	1月 ＧＨＱによる公職追放などの命令 5月 極東国際軍事裁判開廷 11月 日本国憲法公布	1月 靉光、上海で戦病死 4月 日本美術会が結成される 6月 自由美術家協会再建 伊藤久三郎ら、京都人文学学園絵画部（行動美術京都研究所）の活動に参加 この年、リアリズム論争起こる。高山良策、山下菊二の勤務する東宝で労働争議が始まる
1947 昭和22年	4月 労働基準法、独占禁止法公布／第二紀会結成 5月 日本国憲法施行	4月 美術文化協会を脱退した丸木位里、山下菊二ら前衛美術会結成 5月 第一回前衛美術展 6月 第一回美術団体連合展 7月 国際シュルレアリスム展（パリ） 9月 日本アヴァンギャルド美術家クラブ結成 12月 日本美術会主催第一回日本アンデパンダン展
1948 昭和23年	1月 『美術手帖』創刊／北美文化協会結成 8月 大韓民国成立 9月 朝鮮民主主義人民共和国成立 11月 極東軍事裁判で東條英機ら有罪判決	1月 岡本太郎ら、夜の会発足 2月 日本アヴァンギャルド美術家クラブ第一回モダンアート展 3月 パンリアル結成
1949 昭和24年	1月 法隆寺金堂炎上 4月 北太西洋条約調印／東京藝術大学設立 7月 下山事件、三鷹事件 8月 松川事件 10月 中華人民共和国成立	2月 読売新聞社主催第一回日本アンデパンダン展 6月 日本美術家連盟結成

1950 昭和25年

- 4月　京都市立美術専門学校、京都市立美術大学と改称
- 6月　朝鮮戦争勃発
- 7月　金閣寺焼失／レッドパージ始まる

- 1月　九室会再結成
- 9月　モダンアート協会結成

1951 昭和26年

- 2月　サロン・ド・メェ（日仏交換現代美術展）開催（東京）
- 9月　対日平和条約、日米安全保障条約調印
- 10月　神奈川県立近代美術館開館
- 第一回サンパウロ・ビエンナーレ展開催

- 4月　デモクラート美術家協会結成
- 6月　サロン・ド・ジュワン結成
- 9月　瀧口修造ら実験工房を結成
- 12月　北脇昇、逝去

1952 昭和27年

- 1月　『美術批評』創刊
- 4月　GHQ廃止発表
- 12月　国立近代美術館開館

- 6月　山下菊二、山村工作隊に参加
- 11月　吉原治良ら現代美術懇談会（ゲンビ）結成

1953 昭和28年

- 2月　NHKテレビ東京で放送開始
- 4月　内灘闘争起こる
- 7月　朝鮮戦争休戦協定調印

- 3月　青年美術家連合結成
- 12月　「抽象と幻想　非写実絵画をどう理解するか」展（国立近代美術館）

1954 昭和29年

- 3月　ビキニ水爆実験、第五福竜丸被災
- 6月　自衛隊法と防衛庁設置法公布

- 8月　吉原治良を代表に具体美術協会結成
- 11月　小牧源太郎、アルファ芸術陣の結成に参加

1955 昭和30年

- 3月　第一回京都アンデパンダン展開催
- 4月　アジア・アフリカ会議
- 5月　砂川闘争始まる／ワルシャワ条約調印
- 12月　原子力基本法公布

主要参考文献

戦後に出版された主な単行書と展覧会図録等を記した。個々の作家についての文献は割愛した。

- 国立近代美術館『超現実絵画の展開』一九六〇年。
- 鶴岡善久『日本超現実主義詩論』思潮社、一九六六年（新装版一九七〇年）。
- 中村義一『日本の前衛絵画 その反抗と挫折――Kの場合』美術出版社、一九六八年。
- 本間正義編『近代の美術 三 日本の前衛美術』至文堂、一九七一年。
- 中野嘉一『前衛詩運動史の研究――モダニズム詩の系譜』大原新生社、一九七五年（沖積舎、二〇〇三年）。
- 東京国立近代美術館編『シュルレアリスム展』東京国立近代美術館、一九七五年。
- 浅野徹『原色現代日本の美術 第八巻 前衛絵画』小学館、一九七八年。
- 鶴岡善久『シュルレアリスムの発見』湯川書房、一九七九年。
- 瀬木慎一『現代美術のパイオニア――黎明期の群像』美術公論社、一九七九年。
- 『シュルレアリスム読本二 シュルレアリスムの展開』思潮社、一九八一年。
- 尾崎眞人編『東京モンパルナスとシュールレアリスム』板橋区立美術館、一九八五年。
- 中野嘉一『モダニズム詩の時代』宝文館出版、一九八六年。
- Věra Linhartová, *Dada et surréalisme au Japon*, Publications orientalistes de France, 1987.
- 名古屋市美術館編『名古屋のフォト・アヴァンギャルド』名古屋市美術館、一九八九年。
- 北海道立函館美術館、北海道立三岸好太郎美術館編『蝶の夢・貝の幻 一九二七――一九五一 昭和前期の日本超現実主義』北海道新聞社、一九八九年。
- 名古屋市美術館編『日本のシュールレアリスム 一九二五――一九四五』日本のシュールレアリスム展実行委員会、一九九〇年。
- 大岡信、他監修『コレクション瀧口修造』全一三巻、別巻一、みすず書房、一九九一――一九九八年。
- 水沢勉編『日本の近代美術 一〇 不安と戦争の時代』大月書店、一九九二年。
- 小沢節子『アヴァンギャルドの戦争体験――松本竣介、瀧口修造そして画学生たち』青木書店、一九九四年（新装版二〇〇四年）。
- 澤正宏、和田博文編『日本のシュールレアリスム』世界思想社、一九九五年。
- 姫路市立美術館編『飯田操朗と前衛の時代』姫路市立美術館、朝日新聞社、一九九六年。
- 澤正宏、和田博文編『都市モダニズムの奔流――「詩と詩論」のエスプリヌーボー』翰林書房、一九九六年。
- John Clark, *Surrealism in Japan* (Occasional paper of the Japanese Studies Centre; no. 28), Monash Asia Institute, 1997.
- Miryam Sas, *Fault Lines: Cultural Memory and Japanese Surrealism*, Stanford University Press, 1999.
- 和田博文監修『コレクション・日本シュールレアリスム』全一五巻、本の友社、一九九九――二〇〇一年
  - 第一巻『シュールレアリスムの詩と批評』（和田博文編）
  - 第二巻『シュールレアリスムの美術と批評』（五十殿利治編）
  - 第三巻『シュールレアリスムの写真と批評』（竹葉丈編）
  - 第四巻『西脇順三郎・パイオニアの仕事』（和田桂子編）
  - 第五巻『瀧口修造・ブルトンとの交通』（澤正宏編）
  - 第六巻『山中散生・一九三〇年代のオルガナイザー』（黒沢義輝編）
  - 第七巻『北園克衛・レスプリヌーボーの実験』（内堀弘編）
  - 第八巻『竹中久七・マルクス主義への横断』（高橋新太郎編）
  - 第九巻『古賀春江・都市モダニズムの幻想』（速水豊編）
  - 第一〇巻『阿部金剛・イリュージョンの歩行者』（大谷省吾編）
  - 第一一巻『福沢一郎・パリからの帰朝者』（滝沢恭司編）
  - 第一二巻『三岸好太郎、吉原治良・抒情のコスモロジー』（平井章一編）
  - 第一三巻『米倉寿仁、飯田操朗・世界の崩壊感覚』（平瀬礼太編）
  - 第一四巻『瑛九、下郷羊雄・レンズのアヴァンギャルド』（山田諭編）
  - 第一五巻『シュールレアリスム基本資料集成』（和田博文編）。
- 杉原聡、菅野洋人編『グループ〈貌〉とその時代展』『JEUX D'ESPRIT』郡山市立美術館、二〇〇〇年。
- 大谷省吾編『地平線の夢――昭和一〇年代の幻想絵画』東京国立近代美術館、二〇〇三年。
- 青木茂監修、東京文化財研究所編『近代日本アート・カタログ・コレクション 〇八二 美術文化協会』（大谷省吾解説）ゆまに書房、二〇〇四年。
- 五十殿利治、河田明久編『クラシック モダン――一九三〇年代日本の美術』せりか書房、二〇〇四年。
- 黒沢義輝『山中散生書誌年譜』丹精社、二〇〇五年。
- 鶴岡善久『日本シュルレアリスム画家論』沖積舎、二〇〇六年。
- 群馬県立館林美術館編『夢のなかの自然――昭和初期のシュルレアリスムから現代の絵画へ』群馬県立館林美術館、二〇〇六年。
- 鶴岡善久編『コレクション・都市モダニズム詩誌 第三巻 シュールレアリスム』ゆまに書房、二〇〇九年。
- 速水豊『シュルレアリスム絵画と日本――イメージの受容と創造』日本放送出版協会、二〇〇九年。
- 弘中智子、高木佳子編『二〇世紀検証シリーズ No.2 福沢一郎絵画研究所――進め！日本

のシュルレアリスム』板橋区立美術館、二〇一〇年。
- 弘中智子、高木佳子編『二〇世紀検証シリーズNo.3　池袋モンパルナス展――ようこそ、アトリエ村へ!』板橋区立美術館、二〇一一年。
- 天野知香、河本真理編『日仏美術交流シンポジウム シュルレアリスムの時代――越境と混淆の行方』日仏美術学会、二〇一二年。
- Majella Munro, *Communicating Vessels: The Surrealist Movement in Japan, 1923-1970*, The Enzo Press, 2012.
- 大谷省吾『激動期のアヴァンギャルド――シュルレアリスムと日本の絵画一九二八―一九五三』国書刊行会、二〇一六年。
- 黒沢義輝『日本のシュルレアリスムという思考野』明文書房、二〇一六年。
- 五十殿利治『非常時のモダニズム――一九三〇年代帝国日本の美術』東京大学出版会、二〇一七年。
- 弘中智子『戦時下を中心とした日本におけるシュルレアリスム絵画の展開について』博士論文、一橋大学、二〇一八年、https://hermes-ir.lib.hit-u.ac.jp/hermes/ir/re/29745/lan020201800101.pdf.
- Vincent Manigot, *Universalité et surréalisme: le peintre Kitawaki Noboru (1901-1951) et les avant-gardes japonaises*. Art et histoire de l'art. Université Sorbonne Paris Cité, 2018. Français. NNT:2018USPCF001. tel-01843134.
- 伊藤佳之、他『超現実主義の一九三七年――福沢一郎『シュールレアリズム』を読みなおす』みすず書房、二〇一九年。
- Chinghsin Wu, *Parallel Modernism: Koga Harue and Avant-Garde Art in Modern Japan*, University of California Press, 2019.
- ポーラ美術館学芸部編『シュルレアリスムと絵画――ダリ、エルンストと日本の「シュール」』公益財団法人ポーラ美術振興財団 ポーラ美術館、二〇一九年。
- Jelena Stojković, *Surrealism and Photography in 1930s Japan: The Impossible Avant-Garde*, Routledge, 2020.
- Atsuko Nagaï et Martine Monteau, "Échanges avec le Japon," *A littérature-action*, no. 9, Marsa Publications Animations, 2020.
- 忠あゆみ編『ソシエテ・イルフは前進する――福岡の前衛写真と絵画』福岡市美術館、二〇二二年。
- 速水豊、他編『ショック・オブ・ダリ――サルバドール・ダリと日本の前衛』三重県立美術館、諸橋近代美術館、中日新聞社、二〇二二年。
- ルッケル瀬本阿矢『シュルレアリスムの受容と変容――フランス・アメリカ・日本の比較文化研究』文理閣、二〇二一年。
- 弘中智子、清水智世編『さまよえる絵筆――東京・京都 戦時下の前衛画家たち』みすず書房、二〇二一年。
- Stephanie D'Alessandro, Matthew Gale, *Surrealism Beyond Borders*, The Metropolitan Museum of Art, 2021.
- Atsuko Nagaï avec la collaboration de Martine Monteau, *Un jour ce silence renversera la table: Anthologie de la poésie surréaliste japonaise 1925-1945*, Collection surréAlismes, Mars-A, 2022.
- 東京都写真美術館編『アヴァンガルド勃興――近代日本の前衛写真』国書刊行会、二〇二二年。

註・挿図典拠

序章

14頁

★1 和田桂子編『コレクション・日本シュールレアリスム四　西脇順三郎・パイオニアの仕事』本の友社、一九九九年。

★2 内堀弘編『コレクション・日本シュールレアリスム七　北園克衛・レスプリヌーボーの実験』本の友社、二〇〇〇年。

★3 鶴岡善久『日本超現実主義詩論　新装版』思潮社、一九七〇年。

★4 鶴岡善久編『コレクション・都市モダニズム詩誌　第三巻　シュールレアリスム』ゆまに書房、二〇〇九年。

★5 『復刻版「衣裳の太陽」』田村書店、一九八七年。

17頁

★1 ジョン・ソルト『北園克衛の詩と詩学──意味のタペストリーを細断する』田口哲也監訳、思潮社、二〇一〇年。

★2 同前、八六─一三一頁。

★3 『マダム・ブランシュ　総目録』トアハウス、二〇一一年。

第一章

29頁

★1 「超現実主義批判」『アトリヱ』七巻一号、一九三〇年一月、七三頁。

★2 大谷省吾『激動期のアヴァンギャルド──シュルレアリスムと日本の絵画一九二八─一九五三』国書刊行会、二〇一六年、三六─八四頁。

★3 速水豊『シュルレアリスム絵画と日本──イメージの受容と創造』日本放送出版協会、二〇〇九年、四三─四六頁。

★4 中野嘉一『前衛詩運動史の研究──モダニズム詩の系譜』沖積舎、二〇〇三年、三三四頁。

★5 『阿部金剛画集』第一書房、一九三一年。

★6 森山秀子、他編『古賀春江の全貌──新しい神話がはじまる。』東京新聞、二〇一〇年。

32頁

★1 速水豊『シュルレアリスム絵画と日本──イメージの受容と創造』日本放送出版協会、二〇〇九年、七九─八三頁。

★2 速水豊編『コレクション・日本シュールレアリスム九　古賀春江　都市モダニズムの幻想』本の友社、二〇〇〇年、二二六─二六八頁。

★3 古賀春江「超現実主義私感」『アトリヱ』七巻一号、一九三〇年一月。古賀春江『写実と空想』古川智次編、中央公論美術出版、一九八四年に収録。

★4 Chinghsin Wu, *Parallel Modernism: Koga Harue and Avant-Garde Art in Modern Japan*, University of California Press, 2019.

★5 森山秀子、他編『古賀春江の全貌──新しい神話がはじまる。』東京新聞、二〇一〇年。

37頁

★1 速水豊『シュルレアリスム絵画と日本──イメージの受容と創造』日本放送出版協会、二〇〇九年、一四一─一八三頁。大谷省吾『激動期のアヴァンギャルド──シュルレアリスムと日本の絵画一九二八─一九五三』国書刊行会、二〇一六年、八五─一〇二頁。

★2 Louis Figuier, *Les Merveilles de la science ou Description populaire des inventions modernes*, Furne, Jouvet, t.1, n.d., p. 597.

★3 福沢一郎「新形式論（承前）」『独立美術』二号、一九三二年一一月。

★4 大谷省吾、他編『福沢一郎展　このどうしようもない世界を笑いとばせ』東京国立近代美術館、二〇一九年。

第二章

42頁

★1 開催に至る経緯、展示内容、反響、歴史的意義については、五十殿利治「モダニズムの展示──巴里新興美術展をめぐって」『非常時のモダニズム──一九三〇年代帝国日本の美術』東京大学出版会、二〇一七年、二〇二─二三一頁を参照。

★2 速水豊『シュルレアリスム絵画と日本──イメージの受容と創造』日本放送出版協会、二〇〇九年、二二五─二三〇頁。

★3 瀧口修造「シュルレアリズム十年の記」『アトリヱ』一七巻一号、一九四〇年一月。

★4 『アトリヱ』一〇巻一号、一九三三年一月。

★5 『洋画研究』二号、一九三三年六月。

★6 Jacques Dupin, Ariane Lelong-Mainaud, *Joan Miró: Catalogue raisonné. Paintings, Volume I: 1908-1930*, Daniel Lelong, Successió Miró, 1999.

45頁

★1 兵庫県立近代美術館編『画家たちの関西　洋画壇物語　一八九〇─一九四〇』日本経済新聞社・兵庫県立近代美術館、一九八九年。平井章一「阪神間における抽象絵画動向」『日本の抽象絵画』読売新聞社・美術館連絡協議会、一九九二年。『阪神間モダニズム』淡交社、一九九七年。金井紀子『関西学院の美術家　知られざる神戸モダニズム』神戸市立小磯良平記念美術館、二〇一三年。

★2 平井章一「一九三〇年代の大阪におけるヨーロッパ前衛絵画の受容と展開──石丸一と吉原治良を中心に」『昭和期　美術展覧会の研究』東京文化財研究所、二〇〇九年。

★3 『吉原治良展』吉原治良展委員会、一九七三年。『吉原治良研究論集』吉原治良研究会、二〇〇二年。

48頁

★1 アンドレ・ブルトン、ポール・エリュアール編『シュルレアリスム簡約辞典（復刻版）』江原順編訳、現代思潮社、一九七一年、六頁。

★2 福沢一郎『シュールレアリズム（普及版）』アトリヱ社、一九三八年。

★3 平井章一編『コレクション・日本シュールレアリスム一二　三岸好太郎、吉原治良・抒情のコスモロジー』本の友社、二〇〇一年、一五一─一五三、一九四─一九七頁。

★4 北脇昇「浦島物語─集団制作─」『みづゑ』三九四号、一九三七年一一月、二〇─二一頁。

★5 「集団制作（浦島物語）設計書」『第三回新日本洋画協会目録』一九三七年九月。

52頁

★1 三岸好太郎「蝶ト貝殻（視覚詩）」匠秀夫編『感情と表現』中央公論美術出版、一九八三年、一九四─一九五頁。

★2 速水豊「三岸好太郎とシュルレアリスム」『日仏美術交流シンポジウム　シュルレアリスムの時代──越境と混淆の行方』日仏美術学会、二〇一二年。

★3 三岸好太郎「ロマンチズム　蝶と貝殻の弁」『感情と表現』前掲書、七一頁。

★4 山田諭「「視覚詩」の世界──《海と射光》」水沢勉編『日本の近代美術一〇　不安と戦争の時代』大月書店、一九九二年。

★5 速水豊「三岸好太郎の芸術思想──前衛画家の弁証法」『兵庫県立美術館研究紀要』六号、兵庫県立美術館、二〇一二年。

54頁
★1 牧野研一郎「危機の時代と絵画　1930-1945」『危機の時代と絵画 1930-1945』愛知県美術館、一九九九年、一〇頁。
★2 弘中智子『戦時下を中心とした日本におけるシュルレアリスム絵画の展開について』博士論文、一橋大学、二〇一八年、https://hermes-ir.lib.hit-u.ac.jp/hermes/ir/re/29745/lan0201800101.pdf。
★3 森山啓「井上長三郎」『井上長三郎画集』美術工芸会、一九三七年、頁なし。
★4 『井上長三郎画集』美術工芸会、一九三七年、九頁。
★5 同前、二三頁。

56頁
★1 瀧口修造「星の掌　故飯田操朗君の芸術」『飯田操朗画集』春鳥会、一九三七年。
★2 山田諭「『婦人の愛』をめぐって」『姫路市立美術館だより』四九号、一九九六年一月。
★3 速水豊『シュルレアリスム絵画と日本――イメージの受容と創造』日本放送出版協会、二〇〇九年、二八一―二八四頁。
★4 大谷省吾「作家・作品解説」『地平線の夢――昭和一〇年代の幻想絵画』東京国立近代美術館、二〇〇三年、一二〇―一二一頁。
★5 画集、素描集ともに平瀬礼太編『コレクション・日本シュールレアリスム一三　米倉寿仁、飯田操朗・世界の崩壊感覚』本の友社、一九九九年に復刻。また『飯田操朗と前衛の時代』姫路市立美術館他、一九九六年に全作品目録と主要関連文献の再録がある。
★6 『飯田操朗と前衛の時代』前掲書。

60頁
★1 糸園和三郎、斎藤長三、高松甚二郎、塚原清一、山本正「座談会　青春の灯は消えず」『アサヒギャラリ』八巻三号、一九七八年五月、三三―四二頁。
★2 福沢一郎「『飾畫』展評」『アトリヱ』一一巻一号、一九三四年一月、五七―五八頁。
★3 斎藤長三「糸園和三郎」『みづゑ』七六三号、一九六八年、四〇頁。
★4 糸園和三郎（談）「糸園和三郎が語る『糸園和三郎とその時代』」『糸園和三郎とその時代展』大分県立芸術会館、一九九五年、八頁。
★5 「糸園和三郎特集」『アサヒギャラリ』八巻三号、一九七八年五月、二五頁。
★6 D25『Les Illuminations　飾画』より。

64頁
★1 『みづゑ』三七三号、一九三六年三月、二三―二六頁。
★2 山田諭『コレクション・日本シュールレアリスム一四　瑛九、下郷羊雄・レンズのアヴァンギャルド』本の友社、二〇〇一年。
★3 山田光春『瑛九　評伝と作品』青龍洞、一九七六年、一二一頁。
★4 矢橋六郎「瑛九氏のフォト・デッサン」『みづゑ』三七三号、三五頁。
★5 大谷省吾『激動期のアヴァンギャルド――シュルレアリスムと日本の絵画一九二八―一九五三』国書刊行会、二〇一六年、二七五頁。
★6 同前、二七三頁（山田光春「瑛九伝II」『眠りの理由』二号、瑛九の会、一九六六年八月、二二頁）。
★7 『みづゑ』前掲書。
★8 「自由美術協会展」『みづゑ』三九〇号、一九三七年八月、二二五頁。

第三章

70頁
★1 福沢一郎「人」『みづゑ』三八五号、一九三七年三月、頁なし。
★2 佐波甫「福澤一郎氏とヒューマニズム」『みづゑ』三八五号、一九三七年三月、二七七（三五）頁。
★3 伊藤佳之、ほか『超現実主義の一九三七年――福沢一郎「シュールレアリズム」を読みなおす』みすず書房、二〇一九年を参照のこと。
★4 福沢一郎『シュールレアリズム（近代美術思潮講座第四巻）』アトリヱ社、一九三七年。
★5 『美術新論』七巻四号、一九三二年四月、五五頁。

74頁
★1 島津純一から下郷羊雄宛書簡、一九三七年一月八日消印、個人蔵。
★2 島津純一「年譜」『島津純一画集』私家版、一九八一年、頁なし。この時展示されたダリのデッサンについては『ショック・オブ・ダリ　サルバドール・ダリと日本の前衛』三重県立美術館、諸橋近代美術館、二〇二一年を参照のこと。
★3 山中散生からアンドレ・ブルトン宛書簡、一九三六年一月一七日付、ジャック・ドゥーセ文学図書館（パリ）所蔵、『山中散生書簡資料集』神奈川県立近代美術館、二〇一七年、一六頁。

79頁
★1 瀧口修造「ある日ある時のポルトレイト」『コレクション瀧口修造一一　戦前・戦中篇一』みすず書房、一九九一年、五一五頁。
★2 「瀧口修造氏への四つの質問」『現代詩手帖』一六巻八号、一九七三年八月、一四二頁。
★3 瀧口修造「日本の超現実主義絵画の展開」『みづゑ』六六二号、一九六〇年六月、一〇頁。
★4 瀧口修造『ミロ』アトリヱ社、一九四〇年。

80頁
★1 瀧口修造「米倉、阿部二人展」『みづゑ』三九三号、一九三七年一一月、三六頁。
★2 瀧口修造「詩と絵画について」『新造型』三号、一九三六年九月、一七頁。
★3 瀧口修造「妖精の距離」（広告）『みづゑ』三九三号、一九三七年一一月。
★4 T・Y生（山中散生）「妖精の距離」（ブックレビューより）、『みづゑ』三九四号、一九三七年一二月、二四頁。
★5 福澤一郎「妖精の距離」（ブックレビューより）、同前。
★6 瀧口修造「米倉、阿部二人展」、同前。
★7 『第一九回オマージュ瀧口修造展　阿部展也』佐谷画廊、一九九九年。
★8 瀧口修造「妖精の距離」前掲書。

83頁
★1 黒沢義輝編『コレクション・日本のシュールレアリスム六　山中散生・一九三〇年代のオルガナイザー』本の友社、一九九九年。
★2 山中散生「雑感」『現代詩手帖』一六巻八号、一九七三年八月、一四六頁。
★3 山中散生『シュルレアリスム　資料と回想』美術出版社、一九七一年、一五二頁。
★4 アンドレ・ブルトン、ポール・エリュアール編『シュルレアリスム簡約辞典（復刻版）』江原順編訳、現代思潮社、一九七一年、三〇頁。
★5 鶴岡善久編『コレクション・都市モダニズム詩誌　第三巻　シュールレアリスム』ゆまに書房、二〇〇九年。

84頁
★1 『土岡秀太郎と北荘・北美と現代美術』福井県立美術館、一九八三年。
★2 山中散生「海外超現実主義作品展報告書」『みづゑ』三九〇号、一九三七年七月、四五―四六頁。
★3 山田諭「海外超現実主義作品展」名古屋市美術館編『日本のシュールレアリスム　一九二五―一九四五』日本のシュールレアリスム展実行委員会、一九九〇年、八六頁。
★4 乃母流生（北脇昇）「シュール・レアリズム作品展より」『土曜日』三六号、一九三七年七月五日。
★5 山中散生「海外超現実主義作品展報告書」『みづゑ』前掲書。
★6 同前。
★7 同前。
★8 『土岡秀太郎と北荘・北美と現代美術』前掲書。

92頁
★1 津田青楓「声明書　二科退会に際して」『アトリヱ』一〇巻一〇号、一九三三年一〇月、一七頁。喜多孝臣編『背く画家　津田青楓とあゆむ明治・大正・昭和』芸艸堂、二〇二〇年。
★2 井澤元一『作品ノート No. 2』（一九三四―一九三九年）、京都府蔵（京都文化博物館管理）。
★3 『TOILE 独立美術京都研究所機関紙四号』、一九三五年二月、一一頁。
★4 「ディアローグ三七　小牧源太郎　聞き手＝乾由明」『みづゑ』八一九号、一九七三年六月、八一頁。
★5 今井憲一「京都におけるシュール・リアリズム」『京都市美術館ニュース』四三号、一九六二年一〇月八日、二頁。
★6 同前。
★7 北脇昇「浦島物語―集団制作―」『みづゑ』三九四号、一九三七年一一月、二〇一二頁。

★8 今井憲一「集団制作に就て」『第四回新日本洋画協会展目録』一九三八年一〇月一五―一八日。

94頁

★1 高橋洋一「帝国美術学校の創立と建学の精神」『武蔵野美術大学のあゆみ 1929-2009』武蔵野美術大学出版局、二〇〇九年、八頁。

★2 横地康国（談）「西洋画科教授座談会」『武蔵野美術』創立三〇周年記念特集、一九五八年一二月、三七頁。

★3 永井敦子「アンドレ・マルローと小松清――行動主義をめぐって」永井敦子、畑亜弥子、吉澤英樹、吉村和明『アンドレ・マルローと現代――ポストヒューマニズム時代の〈希望〉の再生』上智大学出版、二〇一一年、二九二―二九四頁。

★4 藤井令太郎談「アトリヱ閑談（14）藤井令太郎先生」『武蔵野美術』一六号、一九五五年六月、七―八頁。

★5 大島浩「矢崎博信作品が生まれた社会背景とその意味」『生誕一〇〇年 矢崎博信展 幻想の彼方へ』茅野市美術館、二〇一四年、九九頁。

★6 小松清「アニマの時代（1）」『美術ジャーナル』一号、一九五九年九月、二一頁。

98頁

★1 長谷川宏「Jean Cocteau の思い出」『行田女子高等学校図書館月報』一九五二年四月、一五頁。

★2 瀧口修造「『表現』第六回展」『みづゑ』一九三七年一二月、三九四号、六一三頁。

★3 無記名「表現展 現代美術に於ける美術の位置（アンケエト）」『帝国美術』九号、一九三九年一二月、五三頁。

104頁

★1 山田諭「ある前衛芸術家の生活と創作――『下郷羊雄日記』より」『名古屋市美術館研究紀要』一号、一九九二年、一八―四九頁。

★2 瀧口修造「『エコオル・ド・東京』第一回展に就て」『みづゑ』三八四号、一九三七年二月。

★3 福沢一郎「東京派展（エコール・ド・トウキョウ）」『美之國』一三巻二号、一九三七年二月、頁なし。

106頁

★1 「マニフェスト」『動向第二回展』目録、一九三七年、行田市郷土博物館。

★2 瀧口修造「動向展について」『みづゑ』三八八号、一九三七年六月、六一〇頁。

★3 姫田眞左久「グループ」『帝国美術』六号、一九三六年一二月、二五頁。

★4 山田諭「動向」名古屋市美術館編『日本のシュールレアリスム 一九二五―一九四五』日本のシュールレアリスム展実行委員会、一九九〇年、一〇八頁。

110頁

★1 日向裕「加藤太郎と私」『画家』二号、一九六八年、新具象研究会、三六頁。

★2 荒城季夫「貌展」『みづゑ』三九四号、一九三七年一二月、六一四（三八）頁。江川和彦「貌第一回展」『美之國』四二二号、一四巻一号、一九三八年一月、八六頁。

★3 杉全直、聞き手・天野一夫「杉全直氏に聞く」『杉全直展』O美術館、一九八七年、一〇二頁。

★4 『JEUX D'ESPRIT』郡山市立美術館、二〇〇〇年、頁なし。

第四章

130頁

★1 大井健地「靉光の見つめたもの」『靉光 青春の光と闇』練馬区立美術館、広島県立美術館、一九八八年、一四〇頁。

★2 菊池芳一郎編『靉光』時の美術社、一九六五年。『靉光 揺れ動く時代の痕跡』徳島県立近代美術館、一九九四年。『靉光と交友の画家たち』広島県立美術館、岩手県立美術館、二〇〇一年。『生誕一〇〇年 靉光展』東京国立近代美術館、宮城県美術館、広島県立美術館、毎日新聞社、二〇〇七年。大谷省吾『激動期のアヴァンギャルド――シュルレアリスムと日本の絵画一九二八―一九五三』国書刊行会、二〇一六年。

134頁

★1 浅原の活動について初めて詳述した研究は、小沢節子『アヴァンギャルドの戦争体験――松本竣介、瀧口修造そして画学生たち』（青木書店、一九九四年）である。また以下の展覧会パンフレットも参照。『浅原清隆とその時代』一九九九年、兵庫県立近代美術館。

★2 瀧口修造「マン・レイはマン・レイである」サラーヌ・アレクサンドリアン、宮川淳訳『シュルレアリスムと画家叢書 骰子の七の目 第六巻 マン・レイ』月報、河出書房新社、一九七五年。

136頁

★1 名古屋市美術館編『日本のシュールレアリスム 一九二五―一九四五』日本のシュールレアリスム展実行委員会、一九九〇年、五六頁。

★2 福沢一郎『シュールレアリズム』アトリヱ社、一九三七年、二〇二頁。

★3 東郷青児「二科評」『アトリヱ』一二巻一〇号、一九三五年一〇月、四二頁。

★4 「九室会」古沢岩美美術館『古沢岩美美術館月報』二五号、一九七七年六月、七五―七七頁。高田美規雄「九室会」『日本の抽象絵画―1910-1945―』読売新聞社、美術館連絡協議会、一九九二年、一〇八頁。

★5 吉原治良「わが心の自叙伝」『吉原治郎展』吉原治良展委員会、一九七三年。

★6 『吉原治良展』吉原治良展委員会、一九七三年。

140頁

★1 速水豊「シュルレアリスム絵画の技法と日本」『美術史歴参 百橋明穂先生退職記念献呈論文集』中央公論美術出版、二〇一三年。

★2 小谷博貞「私史・昭和を送った画学生」『小谷博貞作品集 文集』共同文化社、一九九六年、二三―二五頁。

★3 石崎尚「画家としての平岡潤」『桑名市博物館紀要』一七号、二〇二三年三月。

★4 『北脇昇展』東京国立近代美術館、他、一九九七年。

142頁

★1 瀧口修造「ジュンヌ・オム第一回展」『みづゑ』三九七号、一九三八年三月、二五〇頁。

★2 瀧口修造「『絵画』第一回展」『アトリヱ』一六巻二号、一九三九年二月、九一頁。

★3 浜田浜雄「グループ『絵画』のころ」『みづゑ』七一二号、一九六九年五月、三四頁。

148頁

★1 瀧口修造「影響について」『美術』一四巻一号、一九三九年一月。

★2 大谷省吾「第二部第二章第一節 日本におけるサルバドール・ダリ受容」『激動期のアヴァンギャルド――シュルレアリスムと日本の絵画一九二八―一九五三』国書刊行会、二〇一六年、一四七―一五五頁。

★3 大谷省吾「地平線の夢 序論」『地平線の夢――昭和一〇年代の幻想絵画』東京国立近代美術館、二〇〇三年。

★4 速水豊「遅延とエピデミック――日本におけるダリ受容」『ショック・オブ・ダリ――サルバドール・ダリと日本の前衛』三重県立美術館、諸橋近代美術館、二〇二一年。

★5 『北脇昇展』東京国立近代美術館、他、一九九七年。

★6 『ショック・オブ・ダリ』前掲書。

150頁

★1 吉井忠「ソ連三等列車行」、『政界往来』八巻六号、一九三七年六月、一九一―一九五頁。

★2 吉井忠の日記（一九三七年四月二八日）、個人蔵。

★3 弘中智子「吉井忠のヨーロッパ留学」小泉和子編『画家吉井忠研究』昭和のくらし博物館・画家吉井忠の部屋、二〇一五年、一三頁。

★4 吉井忠「グラデイヴアその他」『美術文化』創刊号、一九三九年八月、二〇頁。

★5 吉井忠「吉井忠展 時代をみつめ続ける精神 自作を語る」『三彩』五三九号、一九九二年九月、七八頁。

152頁

★1 古沢岩美「美の放浪三〇 砂漠の育成」『古沢岩美美術館月報』

三一号、一九七八年二月、頁なし。小牧源太郎「昭和十年代の思い出――初期シュルレアリズム運動について――」『京都市美術館ニュース』九七号、一九七五年九月、二頁。

★2 瀧口修造『阿々土』二五号、一九三九年四月、四八頁。瀧口修造「飾窓のある展覧会」阿部芳文「後書」『みづゑ』一九三九年二月、四〇九号、四六―四八頁。

★3 江川和彦「美術展望台」『みづゑ』一九三八年一二月、二〇六号、六二六―六二八頁。

★4 吉井忠日記、一九三九年二月五日付。

155頁

★1 美術文化協会「美術文化協会の創立に就て」一九三九年五月一七日。

★2 『美術通信』一五一〇号、一九四〇年四月一一日。

★3 大谷省吾『激動期のアヴァンギャルド――シュルレアリスムと日本の絵画一九二八―一九五三』国書刊行会、二〇一六年、二四八―二四九頁。弘中智子「吉井忠の日記（一九三六―一九四五）書起し」『池袋モンパルナス展』板橋区立美術館、二〇一一年、一二一―一二二頁。

★4 美術文化協会「国民美術の創成」一九四一年四月。

★5 同前。

★6 『美術文化』四号、一九四〇年八月。

163頁

★1 小川原脩「岸辺のない川」『美術ペン』二六号、一九七五年九月（再録『小川原脩画集　私の中の原風景』共同文化社、一九九四年、四一頁。

★2 弘中智子、清水智世『さまよえる絵筆　東京・京都戦時下の前衛画家たち』みすず書房、二〇二一年参照のこと。

166頁

★1 『生誕一〇〇年　矢崎博信展　幻想の彼方へ』茅野市美術館、二〇一四年。

★2 大谷省吾「シュルレアリスムと日本の伝統――矢崎博信の俳諧論を中心に」『現代芸術研究』（筑波大学芸術学系　五十殿研究室）三号、一九九九年。

★3 大島浩「疾走する思考絵画……画家：矢崎博信について」『茅野市美術館　研究紀要　二〇〇〇』二〇〇一年、一一―一五頁。

★4 大谷省吾「白夜に夜を見つめた人――矢崎博信の絵画と思想」『生誕一〇〇年　矢崎博信展　幻想の彼方へ』前掲書。

★5 『生誕一〇〇年　矢崎博信展　幻想の彼方へ』前掲書。

★6 同前。

168頁

★1 大谷省吾『激動期のアヴァンギャルド――シュルレアリスムと日本の絵画一九二八―一九五三』国書刊行会、二〇一六年、二九一頁。

★2 中村義一『日本の前衛絵画　その反抗と挫折――Kの場合』美術出版社、一九六八年、一六三―一六四頁。

★3 北脇昇「秩序・構造」『北脇昇・小牧源太郎二人展』目録、一九三九年一〇月。

★4 北脇昇「相称と非相称」『美術文化』創刊号、一九三九年八月、七―九頁。

★5 『北脇昇展』東京国立近代美術館、京都国立近代美術館、愛知県美術館、一九九七年。

170頁

★1 内務省警保局保安課『特高月報』一九四二年四月、二一頁。

★2 鶴岡善久『日本超現実主義詩論』思潮社、一九六六年。小林武雄『詩集　否の自動的記述と一箇の料理人』みるめ書房、一九六七年。

★3 弘中智子「吉井忠の日記（一九三六―一九四五）書起し」『池袋モンパルナス展』板橋区立美術館、二〇一一年、一二六頁。

★4 和田洋一『灰色のユーモア』理論社、一九五八年。

★5 内務省警保局編『社会運動の状況13　昭和十六年』三一書房、一九七二年。腰原哲朗『「リアン」詩史――一九三〇年代』木菟書館、一九八一年。塩谷篤子、藤崎綾『広島のロートレックと呼ばれた男　山路商略伝』溪水社、二〇一四年。

第五章

186頁

★1 山本悍右、後藤敬一郎「写真の美」『中日新聞』一九六七年六月九日、再録『写真展　シュルレアリスト山本悍右　不可能の伝達者』東日本鉄道文化財団、二〇〇一年、一九九頁。

★2 坂田稔「寫眞を推進する人々　山本悍右氏」『フォトタイムス』一九四〇年七月、頁なし。

188頁

★1 『ソシエテ・イルフ　郷土の前衛写真家たち』福岡市美術館、一九八二年、『ソシエテ・イルフは前進する　福岡の前衛写真と絵画』福岡市美術館、二〇二二年に詳しい。

★2 『ソシエテ・イルフは前進する　福岡の前衛写真と絵画』前掲書、四八頁。

★3 坂田稔「旅だより　博多にて」、座談会「イルフの記録」、坂田稔「博多より帰りて」『フォトタイムス』一六巻一二号、一九三九年一二月。

194頁

★1 山田諭編『コレクション・日本シュールレアリスム一四　瑛九、下郷羊雄・レンズのアヴァンギャルド』本の友社、二〇〇一年、三〇三頁。

★2 山田諭「ある前衛芸術家の生活と創作――『下郷羊雄日記』より」『名古屋市美術館研究紀要』一巻、一九九二年、三六頁。

★3 副田一穂「多肉植物と写真――下郷羊雄の可食的オブジェについて」『愛知県美術館研究紀要』二五号、二〇一九年。

★4 瀧口修造「下郷羊雄編著『メセム属』に就て」『フォトタイムス』一七巻六号、一九四〇年六月（前掲『瑛九、下郷羊雄・レンズのアヴァンギャルド』に収録）。

第六章

208頁

★1 岡本太郎「自伝抄」（『読売新聞』一九七六年五月一〇日―一〇月一五日）『岡本太郎の本一　呪術誕生』みすず書房、一九九八年。

★2 岡本太郎「エルンストの死」（『芸術』一九八三年六月）『岡本太郎の本五　宇宙を翔ぶ眼』みすず書房、二〇〇〇年。

★3 酒井健「夜の遺言――岡本太郎とジョルジュ・バタイユ」『ユリイカ』三一巻一一号、一九九九年一〇月。

★4 岡本太郎「憂愁」『綜合文化』二巻七号、一九四八年七月、三二―三三頁。

210頁

★1 古沢岩美「美の放浪二一　巴里・東京新興美術展」『古沢岩美美術館月報』二一号、一九七七年二月、六頁。

★2 古沢岩美「美の放浪二九　懊悩過多」『古沢岩美美術館月報』三〇号、一九七八年一月、頁なし。

★3 古沢岩美（表紙の言葉）『古沢岩美美術館月報』二九号、一九七七年一一月、表紙。

216頁

★1 『日刊美術通信』一九三六年一〇月一日、一面。

★2 『福沢一郎絵画研究所　進め！――日本のシュルレアリスム』板橋区立美術館、二〇一〇年を参照のこと。

220頁

★1 桂川寛『廃墟の前衛――回想の戦後美術』一葉社、二〇〇四年、一六四頁。

★2 山下菊二展実行委員会『山下菊二展』神奈川県立近代美術館、徳島県立近代美術館、宮城県美術館、板橋区立美術館、一九九六年。

222頁

★1 熊本県立美術館編『画家たちの上京物語　坂本善三、大塚耕二、浜田知明の軌跡。』同展実行委員会、二〇一四年。

★2 吉田浩『浜田知明聞書　人と時代を見つめて』西日本新聞社、一九九六年、五六頁。

★3 「浜田知明インタビュー」『画家たちの上京物語』前掲書、二四二頁。

★4 『浜田知明展――版画と彫刻による人間の探求』熊本県立美術館、二〇〇一年、一八頁、三九頁。

★5 『画家たちの上京物語』前掲書。

作品リスト

凡例｜作品情報は以下の順に記載し、制作年および出品歴が不詳のものについては表記を省いた。作品情報は所蔵者から提供を受けた内容を優先して記載した。
作品番号、作者名、作品名、制作年、材質・技法、サイズ（縦×横×奥行き）、所蔵、展覧会（初出品）など
作者名（英）、作品名（英）、制作年（英）、所蔵（英）

第1章

001
東郷青児
超現実派の散歩
1929年
油彩・キャンバス
64.0×48.2
SOMPO美術館
第16回二科展
Tōgō Seiji
Surrealistic Stroll
1929
oil on canvas
Sompo Museum of Art
—
002
阿部金剛
Rien No. 1
1929年
油彩・キャンバス
117.0×91.0
福岡県立美術館
第16回二科展
Abe Kongō
Rien No.1
1929
oil on canvas
Fukuoka Prefectural Museum of Art
—
003
古賀春江
鳥籠
1929年
油彩・キャンバス
111.2×145.0
石橋財団アーティゾン美術館
第16回二科展
Koga Harue
Birdcage
1929
oil on canvas
Artizon Museum, Ishibashi Foundation, Tokyo
—
004
古賀春江
音楽
1931年
油彩・キャンバス
60.0×49.3
一般財団法人 古賀政男音楽文化振興財団
Koga Harue
Music
1931
oil on canvas
Koga Masao Music Foundation
—
005
前田藤四郎
空中曲技
1930年頃
リノカット・紙
71.0×45.0
大阪中之島美術館
第2回三紅会展か
Maeda Tōshirō
Acrobat
c. 1930
linoleum cut on paper
Nakanoshima Museum of Art, Osaka
—
006
前田藤四郎
標本採集
1930年
リノカット・紙
36.6×21.0
大阪中之島美術館
第2回三紅会展か
Maeda Tōshirō
Specimen Collecting
1930
linoleum cut on paper
Nakanoshima Museum of Art, Osaka
—
007
前田藤四郎
TORSEになりたや
1930年頃
リノカット・紙
27.5×24.5
大阪中之島美術館
第2回三紅会展か
Maeda Tōshirō
I Want to Be a Torso
c. 1930
linoleum cut on paper
Nakanoshima Museum of Art, Osaka
—
008
前田藤四郎
銅版画小品構成（1）
1930年
エッチング、着色・紙
8.0×10.5
大阪中之島美術館
第3回三紅会展か
第7回艸園会展か
Maeda Tōshirō
Composition of Small Copper Prints (1)
1930
etching and hand-colored on paper
Nakanoshima Museum of Art, Osaka
—
009
前田藤四郎
銅版画小品構成（2）
1930年
エッチング、着色・紙
7.5×11.5
大阪中之島美術館
第3回三紅会展か
第7回艸園会展か
Maeda Tōshirō
Composition of Small Copper Prints (2)
1930
etching and hand-colored on paper
Nakanoshima Museum of Art, Osaka
—
010
福沢一郎
他人の恋
1930年
油彩・キャンバス
162.1×130.3
群馬県立近代美術館
第1回独立展
Fukuzawa Ichirō
The Love of the Others
1930
oil on canvas
The Museum of Modern Art, Gunma
—
011
中原實
心の噴火口
1933年
油彩・キャンバス
38.0×38.0
東京都現代美術館
第1回第一美術協会展
Nakahara Minoru
The Crater in the Heart
1933
oil on canvas
Museum of Contemporary Art Tokyo

第2章

012
吉原治良
縄をまとう男
1931-33年頃
油彩・キャンバス
99.5×80.0
大阪中之島美術館
個展（1934年）
Yoshihara Jirō
Man Wrapped in Rope
c. 1931-33
oil on canvas
Nakanoshima Museum of Art, Osaka
—
013
吉原治良、井上覚造 他1名
妙屍体（優美な死骸）
鉛筆・紙
19.3×12.9
大阪中之島美術館
Yoshihara Jirō, Inoue Kakuzō, etc.
Cadavre exquis (Exquisite Corpse)
pencil on paper
Nakanoshima Museum of Art, Osaka
—
014
吉原治良、十河巌、井上覚造
他1名
妙屍体（優美な死骸）
鉛筆・紙
12.8×19.3
大阪中之島美術館
Yoshihara Jirō, Sogō Gan, Inoue Kakuzō, etc.
Cadavre exquis (Exquisite Corpse)
pencil on paper
Nakanoshima Museum of Art, Osaka
—
015
吉原治良、十河巌、井上覚造
他1名
妙屍体（優美な死骸）
鉛筆・紙
19.3×12.8
大阪中之島美術館
Yoshihara Jirō, Sogō Gan, Inoue Kakuzō, etc.
Cadavre exquis (Exquisite Corpse)
pencil on paper
Nakanoshima Museum of Art, Osaka
—
016
吉原治良、十河巌、井上覚造
他1名
妙屍体（優美な死骸）
鉛筆・紙
19.3×12.8
大阪中之島美術館
Yoshihara Jirō, Sogō Gan, Inoue Kakuzō, etc.
Cadavre exquis (Exquisite Corpse)
pencil on paper
Nakanoshima Museum of Art, Osaka
—

017
石丸一
卓上風景
1931年
油彩・キャンバス
116.5 × 90.0
大阪中之島美術館
Ishimaru Hajime
View on a Table
1931
oil on canvas
Nakanoshima Museum of Art, Osaka

—

018
高井貞二
煙
1933年
油彩・キャンバス
91.1 × 117.0
和歌山県立近代美術館
第1回新油絵展
Takai Teiji
Smoke
1933
oil on canvas
The Museum of Modern Art, Wakayama

—

019
北園克衛
海の背景 B
1933年頃
油彩・キャンバス
38.2 × 45.8
個人
Kitasono Katue
Background Sea B
c. 1933
oil on canvas
Private collection

—

020
諸町新
ある季節
1933年
油彩・キャンバス
80.3 × 60.6
板橋区立美術館
第4回NOVA展
Moromachi Shin
A Certain Season
1933
oil on canvas
Itabashi Art Museum

—

021
三岸好太郎
海と射光
1934年
油彩・キャンバス
162.0 × 130.8
福岡市美術館
第4回独立展
Migishi Kōtarō
Sea and Sunshine
1934
oil on canvas
Fukuoka Art Museum

—

022
井上長三郎
静物（骨と布）
1935年
油彩・キャンバス
60.8 × 50.0
板橋区立美術館
第5回独立秋季展
Inoue Chōzaburō
Still Life (Bone and Cloth)
1935
oil on canvas
Itabashi Art Museum

—

023
飯田操朗
婦人の愛
1935年
油彩・キャンバス
161.0 × 131.0
東京国立近代美術館
第5回独立展
Iida Misao
Love of Woman
1935
oil on canvas
The National Museum of Modern Art, Tokyo

—

024
六條篤
らんぷの中の家族
1933年
油彩・キャンバス
117.0 × 91.2
奈良県立美術館
第3回独立展
Rokujō Atsushi
Family in a Lamp
1933
oil on canvas
Nara Prefectural Museum of Art

—

025
斎藤長三
わが旅への誘い
1935年
油彩・キャンバス
145.5 × 112.1
練馬区立美術館
第5回独立展
Saitō Chōzō
Invitation to Travel with Us
1935
oil on canvas
Nerima Art Museum

—

026
高松甚二郎
少年
1936年
油彩・キャンバス
49.8 × 60.5
板橋区立美術館
第3回飾画展
Takamatsu Jinjirō
Boy
1936
oil on canvas
Itabashi Art Museum

—

027
山本正
青年
1935年
油彩・キャンバス
145.5 × 112.0
板橋区立美術館
第6回独立展
Yamamoto Sei
Young Man
1935
oil on canvas
Itabashi Art Museum

—

028
山本敬輔
風景
1936年
油彩・キャンバス
116.5 × 91.1
姫路市立美術館
第23回二科展
Yamamoto Keisuke
Landscape
1936
oil on canvas
Himeji City Museum of Art

—

029
瑛九
眠りの理由
1936年
ゼラチン・シルバー・プリント、
10点組
各21.5 × 26.5
府中市美術館
Ei-Q
Reason for Sleeping
1936
gelatin silver print
Fuchu Art Museum

第3章

030
福沢一郎
人
1936年
油彩・キャンバス
130.0 × 161.0
東京国立近代美術館
第7回独立展
Fukuzawa Ichirō
Persons
1936
oil on canvas
The National Museum of Modern Art, Tokyo

—

031
米倉壽仁
ヨーロッパの危機（世界の危機）
1936年
油彩・キャンバス
80.3 × 100.0
山梨県立美術館
個展（1936年）
Yonekura Hisahito
The Crisis of Europe (The Crisis of the World)
1936
oil on canvas
Yamanashi Prefectural Museum of Art

—

032
伊藤久三郎
振子
1937年
油彩・キャンバス
130.3 × 162.7
板橋区立美術館
第24回二科展
Itō Kyūzaburō
Pendulum
1937
oil on canvas
Itabashi Art Museum

—

033
藤田鶴夫
悲劇の眼（凝視）
1936年
油彩・キャンバス
45.3 × 53.0
板橋区立美術館
第2回新造型展
Fujita Tsuruo
Tragic Eye (Stare)
1936
oil on canvas
Itabashi Art Museum

—

034
藤田鶴夫
生活の恐怖
1935年
インク・紙
16.4 × 22.5
板橋区立美術館
『新造型』2号掲載
Fujita Tsuruo
Fear of Life
1935
ink on paper
Itabashi Art Museum

—

035
藤田鶴夫
生活の叫び
1935年
インク・紙
16.3 × 22.5
板橋区立美術館
Fujita Tsuruo
Scream of Life
1935
ink on paper
Itabashi Art Museum

—

036
藤田鶴夫
夏日の黙視
1937年
インク・紙
41.6 × 30.4
板橋区立美術館
『新造型』4号掲載
Fujita Tsuruo

Silent Gaze on a Summer Day
1937
ink on paper
Itabashi Art Museum
—

037
島津純一
女性的パラノイヤ
1937年
インク・紙
38.0 × 28.0
板橋区立美術館
『新造型』4号掲載

Shimazu Jun-ichi
Feminine Paranoia
1937
ink on paper
Itabashi Art Museum
—

038
島津純一
作品1
1937年頃
水彩・紙
25.9 × 36.0
板橋区立美術館

Shimazu Jun-ichi
Work1
c.1937
watercolor on paper
Itabashi Art Museum
—

039
島津純一
作品2
1937年頃
水彩・紙
25.3 × 36.7
板橋区立美術館

Shimazu Jun-ichi
Work2
c.1937
watercolor on paper
Itabashi Art Museum
—

040
下郷羊雄
伊豆の海
1937年
油彩・キャンバス
72.7 × 53.3
名古屋市美術館
第5回新造型展

Shimozato Yoshio
The Sea of Izu
1937
oil on canvas
Nagoya City Art Museum
—

041
阿部展也（芳文）／瀧口修造
詩画集『妖精の距離』
1937年
印刷・紙
各30.2 × 48.4
国立国際美術館

Abe Nobuya (Yoshibumi),
Takiguchi Shūzō
Illustrated Book "Fairy's Distance"
1937
collotype printing
The National Museum of Art, Osaka
—

042
原田直康
悪夢
1937年
油彩・キャンバス
145.8 × 145.8
板橋区立美術館
第24回二科展

Harada Naoyasu
Bad Dream
1937
oil on canvas
Itabashi Art Museum
—

043
山路商
犬とかたつむり
1937年
油彩・キャンバス
80.1 × 116.4
広島県立美術館

Yamaji Shō
Dog and a Snail
1937
oil on canvas
Hiroshima Prefectural Art Museum
—

044
小牧源太郎
民族系譜学
1937年
油彩・キャンバス
145.0 × 112.0
京都市美術館
第2回京都市展

Komaki Gentarō
Genealogy of a Race
1937
oil on canvas
Kyoto City Museum of Art
—

045
北脇昇
独活
1937年
油彩・キャンバス
117.0 × 74.0
東京国立近代美術館
第7回独立展

Kitawaki Noboru
Spikenards
1937
oil on canvas
The National Museum of Modern Art, Tokyo
—

046
今井憲一
球体
1938年
油彩・キャンバス
65.0 × 91.0
京都市美術館
第4回新日本洋画協会展

Imai Ken-ichi
Sphere
1938
oil on canvas
Kyoto City Museum of Art
—

047
松崎政雄
フィンガーペイント
ガッシュ・紙
45.5 × 39.6
京都府（京都文化博物館管理）

Matsuzaki Masao
Finger Painting
watercolor on paper
Kyoto Prefecture (Administrated by The Museum of Kyoto)
—

048
村瀬静孝
ひとで
1934年
油彩・キャンバス
46.0 × 38.5
板橋区立美術館
第1回JAN展

Murase Shizutaka
Starfish
1934
oil on canvas
Itabashi Art Museum
—

049
山鹿正純
作品
1936年頃
油彩・板
18.0 × 14.0
三重県立美術館

Yamaga Masazumi
Work
c. 1936
oil on board
Mie Prefectural Art Museum
—

050
大塚耕二
トリリート
1937年
油彩・キャンバス
112.2 × 145.3
熊本県立美術館
第7回独立展

Otsuka Kōji
Trilithon
1937
oil on canvas
Kumamoto Prefectural Museum of Art
—

051
森堯之
風景
1938年
油彩・キャンバス
41.0 × 32.0
板橋区立美術館
第7回表現展

Mori Takayuki
Landscape
1938
oil on canvas
Itabashi Art Museum
—

052
森堯之
靴
1939年
ゼラチン・シルバー・プリント
行田市郷土博物館

Mori Takayuki
Shoe
1939
gelatin silver print
Gyoda City Museum
—

053
長谷川宏
噴煙・たそがれ
1938年
油彩・キャンバス
60.4 × 72.8
行田市郷土博物館

Hasegawa Hiroshi
Volcanic Smoke at Dusk
1938
oil on canvas
Gyoda City Museum
—

054
長谷川宏
無題
1939年
ゼラチン・シルバー・プリント
行田市郷土博物館

Hasegawa Hiroshi
Untitled
1939
gelatin silver print
Gyoda City Museum
—

055
永井東三郎
作品B
1940年（再制作）
木、他
19.3 × 19.1 × 16.1
板橋区立美術館

Nagai Tōzaburō
Work B
1940 (reproduction)
wood, etc.
Itabashi Art Museum
—

056
麻生三郎
形態A
1937年
油彩・キャンバス
16.0 × 23.1
神奈川県立近代美術館

Asō Saburō
Form A
1937
oil on canvas
The Museum of Modern Art, Kamakura & Hayama
—

057
麻生三郎
形態B
1937年
油彩・キャンバス
18.5×23.8
神奈川県立近代美術館
Asō Saburō
Form B
1937
oil on canvas
The Museum of Modern Art, Kamakura & Hayama

—

058
今井大彭
背徳
1937年
油彩・キャンバス
65.0×50.3
板橋区立美術館
第2回動向展
Imai Daihō
Immorality
1937
oil on canvas
Itabashi Art Museum

—

059
杉全直
跛行
1938年
油彩・キャンバス
97.0×130.3
姫路市立美術館
第2回貌展
Sugimata Tadashi
Limp
1938
oil on canvas
Himeji City Museum of Art

第4章

060
靉光
眼のある風景
1938年
油彩・キャンバス
102.0×193.5
東京国立近代美術館
第8回独立展
Ai-Mitsu
Landscape with an Eye
1938
oil on canvas
The National Museum of Modern Art, Tokyo

—

061
靉光
二重像
1941年
墨・紙
24.5×20.0
広島県立美術館
Ai-Mitsu
Double Portrait
1941
ink on paper
Hiroshima Prefectural Art Museum

—

062
靉光
作品
1941年
墨・紙
24.5×19.7
宮城県美術館
Ai-Mitsu
Work
1941
ink on paper
The Miyagi Museum of Art

—

063
寺田政明
生物の創造
1939年
油彩・キャンバス
162.0×130.5
北九州市立美術館
第9回独立展
Terada Masaaki
Creation of Life
1939
oil on canvas
Kitakyushu Municipal Museum of Art

—

064
吉加江京司（清）
葉（葉脈の構成）
1939年
油彩・キャンバス
91.0×117.0
東京国立近代美術館
第10回独立展
Yoshigae Kyōji (Kiyoshi)
Leaf (Structure of Veins)
1939
oil on canvas
The National Museum of Modern Art, Tokyo

—

065
浅原清隆
多感な地上
1939年
油彩・キャンバス
111.8×144.0
東京国立近代美術館
第9回独立展
Asahara Kiyotaka
This World of Emotions
1939
oil on canvas
The National Museum of Modern Art, Tokyo

—

066
伊藤研之
音階
1939年
油彩・キャンバス
97.0×145.5
福岡市美術館
第26回二科展
Itō Kenshi
Musical Scale
1939
oil on canvas
Fukuoka Art Museum

—

067
桂ゆき
土
1939年
油彩・キャンバス
61.0×50.0
広島県立美術館
第26回二科展
Katsura Yuki
Soil
1939
oil on canvas
Hiroshima Prefectural Art Museum

—

068
難波架空像（香久三）
蒋介石よどこへ行く
1939年
油彩・板
40.8×31.9
板橋区立美術館
第1回九室会展
Namba Kakuzō
Chiang Kai-shek, Where Are You Going?
1939
oil on board
Itabashi Art Museum

—

069
平岡潤
デカルコマニー
1938年頃
黒インク・紙
23.7×15.9
三重県立美術館
Hiraoka Jun
Decalcomania
c. 1938
black ink on paper
Mie Prefectural Art Museum

—

070
平岡潤
デカルコマニー
1938年頃
黒インク・紙
23.6×16.0
三重県立美術館
Hiraoka Jun
Decalcomania
c. 1938
black ink on paper
Mie Prefectural Art Museum

—

071
平岡潤
デカルコマニー
1938年頃
黒インク・紙
23.5×16.0
三重県立美術館
Hiraoka Jun
Decalcomania
c. 1938
black ink on paper
Mie Prefectural Art Museum

—

072
糸園和三郎
無題（デカルコマニー）
1939年
水彩・紙
28.8×22.0
名古屋画廊
Itozono Wasaburō
Untitled (Decalcomania)
1939
watercolor on paper
Nagoya Gallery

—

073
渡辺武
風化
1939年
油彩・キャンバス
116.7×90.9
板橋区立美術館
第4回ジュンヌ・オム展
Watanabe Takeshi
Erosion
1939
oil on canvas
Itabashi Art Museum

—

074
山本昌尚
作品
1939年
油彩・キャンバス
72.5×90.5
板橋区立美術館
第4回ジュンヌ・オム展
Yamamoto Masanao
Work
1939
oil on canvas
Itabashi Art Museum

—

075
石井新三郎
作品
1938年
油彩・キャンバス
65.4×53.4
板橋区立美術館
Ishii Shinzaburō
Work
1938
oil on canvas
Itabashi Art Museum

—

076
浜田浜雄
ユパス
1939年
油彩・キャンバス
52.0×64.0
東京国立近代美術館
第2回絵画展
Hamada Hamao
Upas
1939
oil on canvas
The National Museum of Modern Art, Tokyo

—
077
土屋幸夫
果てしなき餐食
1938年
油彩・キャンバス
37.9 × 45.5
広島県立美術館
創紀美術協会京都前哨展
Tsuchiya Yukio
Endless Dinner
1938
oil on canvas
Hiroshima Prefectural Art Museum

—
078
浜松小源太
世紀の系図
1938年
油彩・キャンバス
145.0 × 112.0
板橋区立美術館
第1回創紀美術協会展
Hamamatsu Kogenda
Genealogy of Century
1938
oil on canvas
Itabashi Art Museum

—
079
吉井忠
二つの営力・死と生と
1938年
油彩・キャンバス
91.2 × 117.0
宮城県美術館
第1回創紀美術協会展
Yoshii Tadashi
Two Driving Forces, Death and Life
1938
oil on canvas
The Miyagi Museum of Art

—
080
長末友喜
季節の貢
1939年
油彩・キャンバス
100.4 × 80.4
北九州市立美術館
第1回美術文化展
Nagasue Tomoki
Tribute of Season
1939
oil on canvas
Kitakyushu Municipal Museum of Art

—
081
多賀谷伊徳
飛翔する前
1939年
油彩・キャンバス
130.5 × 162.0
多賀谷美術館
第1回美術文化展
Tagaya Itoku
Before Soaring
1939
oil on canvas
Tagaya Art Museum

—
082
岡田徹
未熟のリンゴ
1940年
油彩・キャンバス
45.8 × 37.7
岐阜県美術館
Okada Tetsu
Unripe Apple
1940
oil on canvas
The Museum of Fine Arts, Gifu

—
083
吉川三伸
葉に因る絵画
1940年
油彩・キャンバス
45.5 × 52.8
名古屋市美術館
美術文化協会名古屋グループ展
Yoshikawa Sanshin
Painting by Leaves
1940
oil on canvas
Nagoya City Art Museum

—
084
石田順治
作品2
1939年
油彩・キャンバス
81.4 × 116.5
山口県立美術館
Ishida Junji
Work2
1939
oil on canvas
Yamaguchi Prefectural Art Museum

—
085
浜田知明
聖馬
1938年
エッチング、アクアチント・紙
30.3 × 20.9
熊本県立美術館
Hamada Chimei
St. Horse
1938
etching and aquatint on paper
Kumamoto Prefectural Museum of Art

—
086
小川原脩
ヴィナス
1939年
油彩・キャンバス
116.7 × 91.0
板橋区立美術館
個展（1939年）
Ogawara Shū
Venus
1939
oil on canvas
Itabashi Art Museum

—
087
矢崎博信
時雨と猿
1940年
油彩・キャンバス
130.2 × 162.0
宮城県美術館
Yasaki Hironobu
Shower and Monkeys
1940
oil on canvas
The Miyagi Museum of Art

—
088
北脇昇
周易解理図（泰否）
1941年
油彩・キャンバス
90.0 × 116.0
京都市美術館
第2回美術文化展
Kitawaki Noboru
Analysis of Chinese Divination of the Chau Period
1941
oil on canvas
Kyoto City Museum of Art

第5章

089
山本悍右（勘助）
ある人間の思想の発展・・・・靄と寝室と
1932年
ゼラチン・シルバー・プリント、コラージュ（新聞、雑誌）
28.1 × 20.7
名古屋市美術館
Yamamoto Kansuke
The Developing Thought of a Human・・・Mist and Bedroom and
1932
gelatin silver print, collage
Nagoya City Art Museum

—
090
山本悍右（勘助）
題不詳（《伽藍の鳥籠》のヴァリエーション）
1940年
ゼラチン・シルバー・プリント
30.4 × 25.6
名古屋市美術館
Yamamoto Kansuke
Untitled (variant of “Birdcage at a Buddhist Temple”)
1940
gelatin silver print
Nagoya City Art Museum

—
091
久野久
海のショーウィンドウ
1938年
ゼラチン・シルバー・プリント
30.3 × 25.2
福岡市美術館
Hisano Hisashi
Display Window of Sea Life
1938
gelatin silver print
Fukuoka Art Museum

—
092
植田正治
コンポジション
1937年
ゼラチン・シルバー・プリント
22.0 × 23.9
東京都写真美術館
Ueda Shōji
Composition
1937
gelatin silver print
Tokyo Photographic Art Museum

—
093
天野龍一
オートグラム 細胞
1938年
ゼラチン・シルバー・プリント、着彩
37.5 × 28.7
東京都写真美術館
Amano Ryūichi
Automatic Photogram, Cell
1938
gelatin silver print, hand-colored
Tokyo Photographic Art Museum

—
094
天野龍一
オートグラム 代謝
1938年
ゼラチン・シルバー・プリント、着彩
29.7 × 40.0
東京都写真美術館
Amano Ryūichi
Automatic Photogram, Metabolism
1938
gelatin silver print, hand-colored
Tokyo Photographic Art Museum

—
095
平井輝七
月の夢想
1938年
ゼラチン・シルバー・プリント、着彩
39.6 × 32.0
東京都写真美術館
Hirai Terushichi
Fantasies of the Moon
1938
gelatin silver print, hand-colored
Tokyo Photographic Art Museum

—
096
平井輝七
風
1938年
ゼラチン・シルバー・プリント
45.6 × 33.6
東京都写真美術館

Hirai Terushichi
Wind
1938
gelatin silver print
Tokyo Photographic Art Museum
—
097
坂田稔
眼球が逃げる
1938年
ゼラチン・シルバー・プリント
45.8 × 56.4
個人（名古屋市美術館寄託）

Sakata Minoru
The Eyeball Is Getting Off
1938
gelatin silver print
Private collection (Deposit to Nagoya City Art Museum)
—
098
坂田稔
危機
1938年
ゼラチン・シルバー・プリント
30.4 × 25.6
個人（名古屋市美術館寄託）

Sakata Minoru
Crisis
1938
gelatin silver print
Private collection (Deposit to Nagoya City Art Museum)
—
099
下郷羊雄
超現実主義写真集『メセム属』
1940年
書籍、グラビア印刷
18.3 × 12.9
名古屋市美術館

Shimozato Yoshio
Genus Mesemb. [Mesembryanthemum]: Surrealist Photography Collection
1940
book (photogravure print on paper)
Nagoya City Art Museum

第6章

100
佐田勝
廃墟
1945年
油彩・キャンバス
97.0 × 145.0
板橋区立美術館

Sata Katsu
Ruin
1945
oil on canvas
Itabashi Art Museum
—
101
鶴岡政男
鼻の会議
1947年
油彩・キャンバス
33.6 × 45.8
群馬県立近代美術館

Tsuruoka Masao
Meeting of Noses
1947
oil on canvas
The Museum of Modern Art, Gunma
—
102
岡本太郎
憂愁
1947年
油彩・キャンバス
99.0 × 66.3
一般財団法人草月会（東京都現代美術館寄託）
第32回二科展

Okamoto Tarō
Gloom
1947
oil on canvas
Sogetsu Foundation (Deposit to Museum of Contemporary Art Tokyo)
—
103
古沢岩美
女幻
1947年
油彩・キャンバス
116.8 × 91.0
板橋区立美術館
美術文化秋季展

Furusawa Iwami
Mirage of Woman
1947
oil on canvas
Itabashi Art Museum
—
104
阿部展也（芳文）
飢え
1949年
油彩・キャンバス
80.0 × 130.0
神奈川県立近代美術館
第3回美術団体連合展

Abe Nobuya (Yoshibumi)
Hunger
1949
oil on canvas
The Museum of Modern Art, Kamakura & Hayama
—
105
眞島建三
遍歴
1945年
油彩・キャンバス
75.0 × 63.0
名古屋市美術館

Majima Kenzō
Wanderings
1945
oil on canvas
Nagoya City Art Museum
—
106
大塚睦
ハンスト
1949年
油彩・キャンバス
116.7 × 91.0
板橋区立美術館
第3回前衛美術展

Otsuka Mutsumi
Hunger Strike
1949
oil on canvas
Itabashi Art Museum
—
107
片谷曖子
狭き尾根
1951年
油彩・キャンバス
65.0 × 53.0
板橋区立美術館
第5回女流画家展

Katatani Aiko
Narrow Ridge
1951
oil on canvas
Itabashi Art Museum
—
108
早瀬龍江
自嘲
1951年
油彩・キャンバス
65.0 × 80.0
板橋区立美術館
第11回美術文化展

Hayase Tatsue
Self Scorn
1951
oil on canvas
Itabashi Art Museum
—
109
白木正一
追憶
1952年
油彩・キャンバス
45.0 × 53.0
板橋区立美術館

Shiraki Shōichi
Remembrance
1952
oil on canvas
Itabashi Art Museum
—
110
堀田操
断章
1953年
油彩・キャンバス
100.5 × 80.5
板橋区立美術館
第2回サロン・ド・ジュワン

Hotta Misao
Fragments
1953
oil on canvas
Itabashi Art Museum
—
111
山下菊二
新ニッポン物語
1954年
油彩・キャンバス
72.0 × 116.0
日本画廊
第2回平和美術展

Yamashita Kikuji
The Tale of New Japan
1954
oil on canvas
Gallery Nippon
—
112
浜田知明
人
1951年
エッチング、アクアチント・紙
15.2 × 18.7
熊本県立美術館

Hamada Chimei
Man
1951
etching and aquatint on paper
Kumamoto Prefectural Museum of Art
—
113
浜田知明
初年兵哀歌―風景（一隅）
1954年
エッチング、アクアチント・紙
18.7 × 24.0
熊本県立美術館

Hamada Chimei
Elegy for a New Conscript: Landscape(A Corner)
1954
etching and aquatint on paper
Kumamoto Prefectural Museum of Art
—
114
高山良策
矛盾の橋
1954年
油彩・キャンバス
90.8 × 116.7
板橋区立美術館
第2回平和美術展

Takayama Ryōsaku
Contradictory Bridge
1954
oil on canvas
Itabashi Art Museum
—
115
小山田二郎
手
1950年代後期
油彩・板
121.5 × 91.8
府中市美術館

Oyamada Jirō
Hand
late 1950's
oil on board
Fuchu Art Museum

資料リスト

凡例―資料情報は以下の順に記載し、洋書については原題を付した。資料番号、編著者、書名、巻号、出版社、刊行年、所蔵

序章

- D1 アンドレ・ブルトン『シュルレアリスム宣言・溶ける魚』Sagittaire 一九二四年、岡崎市美術博物館（*André Breton, Manifeste du surréalisme: Poisson soluble*）
- D2 『シュルレアリスム革命』七号、一九二六年六月、個人（*La Révolution surréaliste*）
- D3 『革命に奉仕するシュルレアリスム』一号、一九三〇年、七月、個人（*Le Surréalisme au Service de la Révolution*）
- D4 アンドレ・ブルトン『シュルレアリスムと絵画』Gallimard 一九二八年、慶應義塾大学日吉メディアセンター（*André Breton, Le Surréalisme et la peinture*）
- D5 『薔薇・魔術・学説』一年二号、一九二七年一二月、多摩美術大学アートアーカイヴセンター
- D6 『薔薇・魔術・学説』二年二号、一九二八年二月、多摩美術大学アートアーカイヴセンター
- D7 『馥郁タル火夫ヨ』大岡山書店、一九二七年一二月、慶應義塾大学アート・センター
- D8 『衣裳の太陽』一年一号、一九二八年一一月、多摩美術大学アートアーカイヴセンター
- D9 『衣裳の太陽』二年三号、一九二九年一月、多摩美術大学アートアーカイヴセンター
- D10 『詩と詩論』五号、一九二九年九月、個人
- D11 『文学』三号、一九三二年九月、個人
- D12 『VOU』一号、一九三五年七月、板橋区立美術館
- D13 『VOU』二六号、一九三九年四月、三重県立美術館
- D14 西脇順三郎『超現実主義詩論』現代の芸術と批評叢書一四、厚生閣書店、一九二九年、個人
- D15 アンドレ・ブルトン、瀧口修造訳『超現実主義と絵画』現代の芸術と批評叢書一七、厚生閣書店、一九三〇年、個人

第一章

- D16 『アトリヱ　超現実主義研究号』七巻一号、一九三〇年一月、個人
- D17 阿部金剛『シュールレアリズム絵画論』天人社、一九三〇年、個人
- D18 東郷青児『東郷青児画集』第一書房、一九三一年、個人
- D19 阿部金剛『阿部金剛画集』第一書房、一九三一年、個人
- D20 古賀春江『古賀春江画集』第一書房、一九三一年、個人
- D21 マックス・エルンスト『百頭女』Éditions du Carrefour 一九二九年、個人（*Max Ernst, La femme 100 têtes*）

第二章

- D22 巴里新興美術展覧会目録、名古屋市美術館、一九三三年六月、個人
- D23 巴里新興美術展覧会目録、石川県商品陳列館、一九三三年五月、個人
- D24 森口多里編『巴里新興絵画選集』平凡社、一九三三年、個人
- D25 『Les Illuminations　飾画』一九三七年秋、個人

第三章

- D26 福沢一郎『シュールレアリズム』近代美術思潮講座第四巻、アトリヱ社、一九三七年、個人
- D27 福沢一郎『エルンスト』西洋美術文庫第二三巻、アトリヱ社、一九三九年、板橋区立美術館
- D28 新造型美術協会第二回展覧会目録、一九三六年一月、個人
- D29 新造型美術協会機関誌『新造型』二号、一九三六年一月、板橋区立美術館
- D30 新造型美術協会機関誌『新造型』三号、一九三六年九月、個人
- D31 新造型美術協会機関誌『新造型』四号、一九三七年三月、板橋区立美術館
- D32 瀧口修造『近代芸術』三笠全書、三笠書房、一九三八年、個人
- D33 山中散生『L'échange surréaliste』（超現実主義の交流）ボン書店、一九三六年、個人
- D34 『みづゑ 臨時増刊 海外超現実主義作品集　Album surréaliste』三八八号、一九三七年五月、熊本県立美術館
- D35 海外超現実主義作品展（リーフレット）、一九三七年、行田市郷土博物館
- D36 海外超現実主義作品展（目録・銀座 日本サロン）、一九三七年六月、行田市郷土博物館
- D37 『海外超現実主義作品展』（冊子）一九三七年六月、個人
- D38 『ファンタスティック・アート、ダダ、シュルレアリスム』ニューヨーク近代美術館、一九三六年、個人（*Fantastic Art, Dada, Surrealism*, The Museum of Modern Art, New York）
- D39 アンドレ・ブルトン、ポール・エリュアール編『シュルレアリスム簡約辞典』Galerie Beaux-Arts 一九三八年、慶應義塾大学日吉メディアセンター（André Breton, Paul Éluard, *Dictionnaire abrégé du surréalisme*）
- D40 『アトリヱ　前衛絵画の研究と批判』一四巻六号、一九三七年六月、個人
- D41 『ナゴヤアバンガルド』ナゴヤアバンガルドクラブ、一九三八年、個人
- D42 『TOILE　独立美術京都研究所機関紙』一号、一九三三年一二月、個人
- D43 小牧源太郎　スクラップブック『第一巻（正）記録　第一種第一編』一九三六―四九年、市立伊丹ミュージアム
- D44 JAN 第六回展（案内葉書）、一九三七年、行田市郷土博物館
- D45 『L'ANIMA』三号、一九三五年九月、行田市郷土博物館
- D46 MANIFESTE L'ANIMA　第五回展（リーフレット）、一九三六年三月、個人
- D47 『L'EXPRESSION』No.1、一九三六年一月、行田市郷土博物館
- D48 『L'EXPRESSION』No.2、一九三六年五月、行田市郷土博物館
- D49 表現第五回展（目録）、一九三七年六月、行田市郷土博物館
- D50 表現第六回展（目録）、一九三七年一〇月、行田市郷土博物館
- D51 表現第八回展（目録）、一九三八年一二月、行田市郷土博物館

- D52『エコルド東京』一巻一号、一九三六年九月、個人
- D53『エコルド東京』一巻二号、一九三七年一月、板橋区立美術館
- D54『動向』一号、一九三六年九月、行田市郷土博物館
- D55『動向』二号、一九三七年四月、行田市郷土博物館
- D56『DOKO』三号、一九三七年一一月、行田市郷土博物館
- D57『デ・ザミ　Des Amis』二号、一九三七年一一月、行田市郷土博物館
- D58 磁座　第二回作品展（目録）、一九三八年九月、行田市郷土博物館
- D59 貌　第一回油絵展（目録）、一九三七年一一月、行田市郷土博物館
- D60 貌　第一回油絵展覧会（案内葉書）、一九三七年、行田市郷土博物館
- D61 貌　第二回油絵展（案内葉書）、一九三八年、行田市郷土博物館

第四章

- D62『T 映』三号、一九三六年六月、行田市郷土博物館
- D63『帝国美術』七号、一九三七年六月、行田市郷土博物館
- D64『帝国美術』八号、一九三八年七月、行田市郷土博物館
- D65『九室』一号、一九三九年五月、SOMPO美術館
- D66『九室』二号、一九四〇年三月、SOMPO美術館
- D67 ジュンヌ・オム第一回展（目録）、一九三八年一月、行田市郷土博物館
- D68 ジュンヌ・オム第二回展（目録）、一九三八年一〇月、行田市郷土博物館
- D69 ジュンヌ・オム第三回展（目録）、一九三九年五月、行田市郷土博物館
- D70 La Peinture 絵画　第一回展（目録）、一九三八年一二月、行田市郷土博物館
- D71 絵画　第二回展（目録）、一九三九年五月、行田市郷土博物館
- D72 瀧口修造『ダリ』西洋美術文庫第二四巻、アトリヱ社、一九三九年、個人
- D73 吉井忠　日記、一九三六―三七年、個人
- D74 創紀美術第一回展（案内葉書）、一九三八年、行田市郷土博物館
- D75 創紀美術協会　第一回展覧会（目録）、一九三八年一〇月、個人
- D76 創紀美術第一回展（ポスター）、一九三八年、個人
- D77『美術文化』一号、一九三九年八月、板橋区立美術館
- D78『美術文化』二号、一九三九年一二月、板橋区立美術館
- D79『美術文化』三号、一九四〇年四月、板橋区立美術館
- D80『美術文化』四号、一九四〇年八月、板橋区立美術館
- D81『美術文化』五号、一九四〇年一一月、板橋区立美術館
- D82『美術文化』六号、一九四一年四月、板橋区立美術館
- D83『第二回美術文化小品展目録』一九四一年一二月、板橋区立美術館
- D84『美術文化　第三回展集』一九四二年五月、板橋区立美術館
- D85『美術文化　四回展集』一九四三年五月、板橋区立美術館
- D86 新浪漫派スクラップブック、個人
- D87 小牧源太郎　スクラップブック『第一巻　フク副　記録　第二種第一編』一九三七―四七年、市立伊丹ミュージアム
- D88 吉井忠　日記、一九四一年、個人

第五章

- D89『夜の噴水』一号、一九三八年一一月、個人
- D90『夜の噴水』二号、一九三九年二月、個人

第六章

- D91 ピエール・クルチオン『OKAMOTO』G.L.M. 一九三七年、個人 (Pierre Courthion, *OKAMOTO*, Peintres d'aujourd'hui)

謝辞

本展の開催および本書制作にあたり貴重な作品、資料をご貸与ならびに掲載をご承諾くださいました諸機関、個人の皆様、調査段階から格別のご尽力を賜りました関係各位、また、ここにお名前を記すことができませんでした協力者の皆様に心から厚く御礼申し上げます。

石橋財団アーティゾン美術館
大阪中之島美術館
岡崎市美術博物館
神奈川県立近代美術館
北九州市立美術館
岐阜県美術館
行田市郷土博物館
京都市美術館
熊本県立美術館
群馬県立近代美術館
慶應義塾大学アート・センター
慶應義塾大学日吉メディアセンター
一般財団法人 古賀政男音楽文化振興財団
国立国際美術館
市立伊丹ミュージアム
世田谷美術館
一般財団法人 草月会
SOMPO美術館
多賀谷美術館
多摩美術大学アートアーカイヴセンター
東京国立近代美術館
東京都現代美術館
東京都写真美術館
名古屋画廊
名古屋市美術館
奈良県立美術館
新潟県立近代美術館・万代島美術館
日本画廊
練馬区立美術館
姫路市立美術館
広島県立美術館
福岡県立美術館
福岡市美術館
府中市美術館
宮城県美術館
山口県立美術館
山梨県立美術館
和歌山県立近代美術館

秋山尚美
浅井容子
麻生マユ
阿部鷲丸
阿部芳守
安部すみれ
石井むつみ
石田淳子
石田哲朗
石原輝雄
伊藤茉莉
伊藤佳之
井上リラ
猪羽恵一
今井柳子
巌谷國士
植野比佐見
浦上亜樹
浦上たか子
大澤真理子
大谷形子
大谷省吾
大塚崢
岡田芳文
岡部るい
岡本梓
小川絢子
影山侑恵
桂彰成
金澤一志
河村朱音
菊川亜騎
菊屋吉生
北泉剛史
北廣麻貴
北脇道夫
木下紗耶子
倉田麻里絵
呉孟晋
小林公
小堀令子
近藤将人
斎藤郁夫
齊藤雅子
斎藤森生
坂田隆
佐藤玲子
志村正治
下郷正雄
白木幸三
菅原優美子
鈴木紀三雄
杉原聡
杉全泰
春原史寛
副田一穂
十河韶子
高井美奈
髙橋隆二
多賀谷無人
多賀谷哉明
竹葉丈
竹本克子
田所夏子
田中裕紀乃
鎮西芳美
都築千重子
鶴見香織
寺田農
徳江庸行
永井敦子
永井巳知夫
中島啓子
長野裕恵
中原泉
中山真一
中山摩衣子
難波堯子
野田尚稔
野中玲子
橋本スミ子
長谷川牧代
土生和彦
浜田千春
原田岳司
林田龍太
平井章一
平岡容
福沢誉子
藤崎綾
藤村里美
古沢俊美
星野桂三
堀田浅子
真島直子
松川綾子
松山ひとみ
宮本紘視
森川もなみ
森山緑
柳沢秀行
山田隆行
山下理恵
山本新太郎
山本俶生
山本衛士
吉井爽子
吉川了悟
吉原正夫
米倉壽士
（敬称略・五十音順）

展覧会情報

京都府京都文化博物館
二〇二三年一二月一六日［土］～二〇二四年二月四日［日］
主催｜京都府・京都府京都文化博物館

板橋区立美術館
二〇二四年三月二日［土］～四月一四日［日］
主催｜板橋区立美術館・東京新聞

三重県立美術館
二〇二四年四月二七日［土］～六月三〇日［日］
主催｜三重県立美術館・中日新聞社

助成｜公益財団法人　ポーラ美術振興財団

Photo Credits
撮影｜竹本春二 (Cat. nos. 019, D5, D6, D8, D9)
提供｜世田谷美術館 (Cat. nos. 019, D5, D6, D8, D9)
協力｜行田市郷土博物館 (p. 200 図2)

右記の他、各ご所蔵館、ご所蔵者より写真を提供いただきました。

出典｜アンドレ・ブルトン著『シュルレアリスム宣言・溶ける魚』巖谷國士訳、岩波書店、一九九二年 (p. 12)

『シュルレアリスム宣言』一〇〇年

シュルレアリスムと日本

編集・執筆　速水豊（三重県立美術館館長）
弘中智子（板橋区立美術館学芸員）
清水智世（京都府京都文化博物館学芸員）

執筆　永井敦子（上智大学教授）
副田一穂（愛知県美術館主任学芸員）
林田龍太（熊本県立美術館学芸普及課長）
菊屋吉生（山口大学名誉教授）
呉孟晋（京都大学人文科学研究所准教授）
大谷省吾（東京国立近代美術館副館長）

翻訳　小川紀久子

装丁・デザイン　加藤賢策（LABORATORIES）
和田真季（LABORATORIES）

編集　福岡優子（青幻舎）

発行日　二〇二四年一月二〇日　初版発行
二〇二四年四月二〇日　第二版発行

編著　速水豊
弘中智子
清水智世

発行者　片山誠

発行所　株式会社青幻舎
京都市中京区梅忠町九－一　〒六〇四－八一三六
Tel. 075-252-6766　Fax. 075-252-6770
https://www.seigensha.com

印刷・製本　株式会社サンエムカラー

ISBN978-4-86152-941-2 C0070